D0411125

DE MILJONAIRS

MELT

Van Brad Meltzer zijn verschenen:

De tiende rechter*
Moordzaak
De eerste raadsman
De miljonairs

*In POEMA-POCKET verschenen

Brad Meltzer

DE MILJONAIRS

Uitgeverij Luitingh ~ Sijthoff

Voor meer informatie: kijk op **www.boekenwereld.com**

© 2002 by Forty-four Steps, Inc.
All rights reserved
© 2002 Nederlandse vertaling
Uitgeverij Luitingh ~ Sijthoff B.V., Amsterdam
Alle rechten voorbehouden
Oorspronkelijke titel: *The Millionaires*
Vertaling: Mariëlla Snel
Omslagontwerp: Edd, Amsterdam
Omslagfotografie: Tony Greco & Associates

CIP/ISBN 90 245 4463 7
NUR 332

Voor Cori,
die me elke dag
verbaast

Voor Dotty Rubin en Evelyn Meltzer,
kindermeisje en oma,
omdat zij me inzicht hebben gegeven in mijn verleden
en me daarmee tegelijkertijd
mijn toekomst hebben gewezen

En ter nagedachtenis aan
Ben Rubin en Sol Meltzer,
dierbare verzorger en grootvader,
wier erfenis onze gehele familie nog steeds raakt

Drieëntwintig procent van de mensen
zegt dat ze zouden stelen als ze er niet op werden betrapt.

... maar om buiten de wet te leven, moet je eerlijk zijn.
– Bob Dylan

I

Ik weet waar ik naar onderweg ben. Ik weet wie ik wil worden. Daarom heb ik deze baan in eerste instantie aangenomen... en daarom hou ik me na vier jaar nog stééds bezig met de cliënten. En met hun eisen. En met hun stapels geld. Meestal willen ze zich gewoon zo gedeisd mogelijk houden, wat nu precies de specialiteit van de bank is. Op andere momenten willen ze... een iets persoonlijker benadering. Mijn telefoon rinkelt, en ik draai de charmekraan open. 'U spreekt met Oliver,' zeg ik. 'Waarmee kan ik u van dienst zijn?'

'Waar is je baas, verdomme!' brult een stem als een kettingzaag met een zuidelijk accent in mijn oor.

'W-wat zegt u?'

'Caruso, ga me niet aan het lijntje houden! Ik wil mijn géld hebben!'

Pas als hij het woord 'geld' laat vallen, herken ik het accent. Tanner Drew, de grootste projectontwikkelaar van luxueuze wolkenkrabbers in de stad New York en de patriarch van het kantoor van de familie Drew. In de wereld van schatrijke individuen is een familiekantoor het allerhoogste wat je kunt bereiken. Rockefeller. Rothschild. Gates en Soros. Als het familiekantoor eenmaal in de arm is genomen, oefent het de supervisie uit op alle adviseurs, juristen en bankiers die het geld van de familie beheren. Betaalde professionals om het maximale uit elke dollarcent te halen. Je spreekt niet meer met de familie – je spreekt met het kantoor. Dus als de leider van de clan mij rechtstreeks belt... worden er zo meteen een paar kiezen bij me getrokken.

'Is dat dan nog niet overgemaakt, meneer Drew?'

'Inderdaad, wijsneus! Wat ga je verdomme doen om dat recht te zetten? Je baas had me beloofd dat het om twee uur hier zou zijn. Twéé uur!' herhaalt hij krijsend.

'Het spijt me, meneer, maar de heer Lapidus is...'

'Het kan me geen bal schelen waar hij is. Die man van *Forbes* heeft de deadline op vandaag gesteld. Ik heb die aan je baas doorgegeven en nu geef ik hem aan jou door! Wat valt er verder verdomme nog te bespreken?'

Mijn mond wordt droog. Elk jaar stelt *Forbes* een lijst samen van de vierhonderd rijkste personen in de Verenigde Staten. Vorig jaar was Tanner Drew als nummer 403 geëindigd. Daar was hij niet blij mee geweest. Dus heeft hij zich heilig voorgenomen zichzelf dit jaar een paar plaatsen naar voren te schuiven. Voor mij is het helaas zo dat het enige dat hem daarbij in de weg staat, een overboeking van veertig miljoen dollar naar zijn privérekening is, die we kennelijk nog niet hebben geëffectueerd.

'Als u even wilt wachten, zal ik...'

'Waag het niet me in de wa...'

Ik druk op de knop om hem in de wacht te zetten en hoop er het beste van. Na snel een ander toestel te hebben gebeld, wacht ik op de stem van Judy Sklar, de secretaresse van Lapidus. Het enige dat ik hoor, is de voicemail. Omdat de baas voor de rest van de dag naar een toevluchtsoord van de leden van de maatschap is vertrokken, heeft ze geen enkele reden om op kantoor te blijven. Ik verbreek de verbinding en draai een ander nummer. Deze keer kies ik voor DEFCON Een. De gsm van Henry Lapidus. Nadat het toestel een keer is overgegaan, neemt niemand op. Na twee keer idem. Na drie keer kan ik niets anders doen dan naar het knipperende rode lampje op mijn telefoon staren. Tanner Drew wacht nog steeds.

Ik herstel de verbinding met hem en pak mijn eigen gsm.

'Ik wacht op een telefoontje van de heer Lapidus,' leg ik uit.

'Jongeman, als je me ooit nog eens in de wacht zet...'

Wat hij ook zegt, ik luister niet naar hem. In plaats daarvan kruipen mijn vingers over mijn gsm en toetsen snel het nummer van Lapidus' pieper in. Zodra ik de piep hoor, toets ik mijn nummer in en voeg er '1822' aan toe. Het ultieme alarmnummer. Tweemaal 911.

'... niet nog zo'n miezerig excuus van jou. Het enige dat ik wil horen, is dat die overboeking rond is.'

'Ik begrijp het, meneer.'

'Nee, jochie. Je begrijpt het niet.'

Kom op, smeek ik terwijl ik naar mijn gsm staar. *Geef geluid!*

'Hoe laat gaat jullie laatste overboeking de deur uit?' blaft hij.

'Officieel sluiten we om drie uur...' De klok op de muur van mijn kantoor wijst kwart over drie aan.

'... maar soms kunnen we het tot vier uur rekken.' Als hij niet reageert, voeg ik eraan toe: 'Wat zijn het rekeningnummer en de naam van de bank waar het naar toe moet?'

Hij geeft snel de details door, die ik op een stickertje binnen hand-

bereik krabbel. Tot slot voegt hij eraan toe: 'Oliver Caruso, niet-waar? Zo heet je toch?' Zijn stem klinkt zacht en gladjes.
'J-ja, meneer.'
'Oké, meneer Caruso. Meer hoef ik niet te weten.' Hij verbreekt de verbinding. Ik kijk naar mijn gsm. Die geeft nog altijd geen geluid.
Binnen drie minuten heb ik alle andere leden van de maatschap die ik kan bereiken opgepiept en gebeld. Geen van hen reageert. Dit is een rekening van honderdvijfentwintig miljoen dollar. Ik trek mijn jasje uit en ruk aan mijn das. Na de Rolodex van ons netwerk snel te hebben doorgebladerd, vind ik het nummer van de University Club, het toevluchtsoord van de maten. Ik zweer je dat ik mijn eigen hartslag hoor op het moment waarop ik dat begin in te toetsen.
'U bent verbonden met de University Club,' zegt een vrouwenstem.
'Hallo. Ik ben op zoek naar Henry Lapi...'
'Als u met de manager van de club verbonden wilt worden, of met een van de gastenverblijven,' gaat de opgenomen stem door, 'toetst u dan alstublieft een nul in.'
Ik druk die knop in, en een andere gemechaniseerde stem zegt: 'Alle telefonisten zijn op dit moment in gesprek. Wilt u alstublieft aan de lijn blijven?' Als een gek toets ik op mijn gsm andere nummers in, zoekend naar iemand met gezag. Baraff... Bernstein... Mary van de boekhouding... Weg, weg en weg.
Ik háát de vrijdagen rond Kerstmis. Waar is iedereen verdomme?
In mijn oor herhaalt de mechanische vrouwenstem: 'Alle telefonisten zijn op dit moment in gesprek. Wilt u alstublieft aan de lijn blijven?'
Ik kom in de verleiding de paniektoets in te drukken om Shep te bellen, die de leiding heeft over de beveiligingsdienst van de bank. Maar... nee. Die houdt zich te strikt aan de regels. Zonder de juiste handtekeningen zal ik via hem niets kunnen bereiken. Dus als ik niemand kan vinden die toestemming kan geven om het geld over te maken, moet ik in de lagere regionen op zijn minst iemand zien te vinden die...
Opeens wist ik het.
Mijn broer.
Met de hoorn van de normale telefoon tegen mijn ene oor en mijn gsm tegen mijn andere doe ik mijn ogen dicht en luister terwijl zijn telefoon rinkelt. Een keer... twee keer...
'Met Charlie!' zegt hij.
'Ben jij hier nog?'

'Nee, ik ben een uur geleden vertrokken,' zegt hij doodleuk. 'Je verbeelding neemt een loopje met je.'
Ik negeer het grapje. 'Weet je waar Mary van de boekhouding haar gebruikersnaam en haar wachtwoord bewaart?'
'Dat denk ik wel... Hoezo?'
'Ga nergens heen! Ik ben al naar je onderweg.'
Mijn vingers dansen bliksemsnel over de toetsen van mijn telefoon om mijn gsm door te schakelen voor het geval de University Club opneemt.
Ik ren mijn kantoor uit, draai scherp naar rechts en steven regelrecht af op de privélift aan het eind van de met donker mahoniehout gelambriseerde gang. Het kan me niets schelen dat die alleen voor cliënten is. Ik toets de zescijferige code van Lapidus in op het paneel boven de knoppen en de deuren schuiven open. Shep van de beveiligingsdienst zou dat ook niet leuk vinden.
Zodra ik de lift in stap, draai ik me om en druk op de knop om de deuren te sluiten. De vorige week heb ik in een of ander boek gelezen dat die knoppen in liften bijna altijd buiten werking zijn. Ze zijn er alleen om mensen met haast het gevoel te geven dat ze alles in de hand hebben. Terwijl ik het zweet van mijn voorhoofd door mijn donkerbruine haar naar achteren veeg, druk ik toch maar op die knop. En nog eens. Drie verdiepingen te gaan.

'Wel, wel, wel,' zegt Charlie, die met zijn eeuwig jongensachtige glimlach opkijkt van een stapel papieren. Hij laat zijn kin zakken en kijkt over zijn oude bril met hoornen montuur. Hij draagt die bril al jaren – lang voordat zulke monturen in de mode raakten. Datzelfde geldt voor zijn witte overhemd en gekreukte broek. Beide zijn afdankertjes uit mijn eigen kleerkast, maar op de een of andere manier ogen ze rond zijn slanke gestalte perfect. Modieus, nooit kakkineus. 'Kijk eens wie er door de achterbuurten aan het rondlopen is!' zegt hij juichend. 'Man, waar is je button met IK BEHOOR NIET LANGER TOT HET PROLETARIAAT?'
Ik negeer die steek. Dat is iets waaraan ik de afgelopen maanden gewend heb moeten raken. Zes maanden, om precies te zijn, want toen heb ik hem die baan op de bank bezorgd. Hij had het geld nodig, en mama en ik hadden hulp nodig met de rekeningen. Als die alleen te maken hadden gehad met gas, elektriciteit en de huur, hadden we het best gered. Maar de ziekenhuisrekeningen... die zijn voor Charlie altijd iets persoonlijks geweest. Dat is de enige reden waarom hij de baan überhaupt heeft aangenomen. En al weet ik dat hij het alleen ziet als een manier om financieel iets bij te dra-

gen terwijl hij zijn muziek componeert, zal het voor hem toch niet gemakkelijk zijn mij in een eigen kantoor met een walnotenhouten bureau en een leren stoel te zien, terwijl hij beneden zit in een van de hokjes met beige formica.
'Wat is er aan de hand?' vraagt hij terwijl ik in mijn ogen wrijf. 'Maakt het licht van de tl-buizen je ziek? Als je dat wilt, kan ik boven jouw lamp voor je gaan halen. Of misschien moet ik je Perzische minitapijtje mee naar beneden nemen. Ik weet hoe dat fabriekstapijt je...'
'Kun je alsjeblieft even je waffel houden!'
'Wat is er gebeurd?' vraagt hij, opeens bezorgd. 'Is er iets met ma?'
Dat is altijd de eerste vraag die hij stelt als hij ziet dat ik van streek ben. Zeker nadat de deurwaarders haar de afgelopen maand aan het schrikken hadden gemaakt. 'Nee, het heeft niets met haar te maken.'
'Gedraag je dan niet zo! Ik moest bijna overgeven!'
'Sorry. Ik... ik heb alleen nog maar zo weinig tijd. Een van onze cliënten... Lapidus werd geacht geld over te maken, en mij is net de huid vol gescholden omdat dat er nog niet is.'
Charlie legt zijn zware zwarte schoenen op zijn bureau, laat zijn stoel op zijn achterpoten wiebelen en pakt een geel potje Play-Doh van de hoek van zijn bureau. Hij brengt dat naar zijn neus, maakt het deksel open, neemt een snufje van zijn jeugd en lacht. Het is een typerende, hoge jongere-broertjeslach.
'Hoe kun je dat nu geestig vinden?' vraag ik verontwaardigd.
'Maak je je daar zorgen over? Dat de een of andere vent zijn geld niet op tijd heeft gekregen? Zeg tegen hem dat hij tot maandag moet wachten.'
'Waarom zeg jij dat niet tegen hem? Zijn naam is Tanner Drew.'
De stoel van Charlie ploft op de grond. 'Meen je dat serieus?' vraagt hij. 'Om hoeveel gaat het?'
Ik geef geen antwoord.
'Kom nou, Ollie. Ik zal er geen herrie over maken.'
Ik hou nog steeds mijn mond.
'Luister. Als je het me niet wilt vertellen, waarom ben je dan naar beneden gekomen?'
Daar valt niets tegen in te brengen. Ik zeg fluisterend: 'Veertig miljoen dollar.'
'Veertig miljoen!' krijst hij. 'Ben je high of zo?'
'Je zei dat je er geen herrie over zou maken!'
'Ollie, dit is geen kattenpis. Als je het over acht cijfers hebt... Dat

is zelfs voor Tanner geen wisselgeld, en die kerel heeft al de helft van het centr...'
'Charlie!' brul ik.
Hij houdt meteen zijn mond. Hij weet al dat ik te gespannen ben.
'Ik zou je hulp echt kunnen gebruiken,' voeg ik eraan toe, en ik wacht op een reactie van hem.
Voor iedereen zou dit een moment zijn om te koesteren: het toegeven van een zwakte die de balans van de weegschaal tussen walnotenhouten bureaus en beige formica voor altijd zou kunnen wijzigen. Om eerlijk te zijn verdien ik dat waarschijnlijk ook.
Mijn broer kijkt me recht aan. 'Zeg maar wat ik moet doen.'

Ik zit in de stoel van Charlie en toets de gebruikersnaam en het wachtwoord van Lapidus in. Ik zit dan misschien niet boven op de totempaal, maar ik ben wel een associé. De jongste associé, en de enige die rechtstreeks aan Lapidus is toegewezen. In een kantoor met slechts twaalf leden in de maatschap brengt alleen dát mij al verder dan de meesten. Net als ik is Lapidus niet opgegroeid met een vette portemonnee in zijn zak. Maar de juiste baan, met de juiste baas, heeft hem naar de juiste economische faculteit gevoerd, die hem via de privéliften heeft gelanceerd. Nu is hij eraan toe iets terug te doen. Zoals hij me op mijn eerste werkdag heeft geleerd, werken de eenvoudige plannen het best. Ik help hem, hij helpt mij. Net als Charlie hebben we allemaal onze manieren om uit de schulden te komen.
Terwijl ik de stoel naar voren schuif, wacht ik tot de computer is opgestart. Achter me zit Charlie op de armleuning en leunt tegen mijn rug en schouder om zijn evenwicht niet te verliezen. Wanneer ik mijn hoofd in een bepaalde hoek hou, kan ik het vervormde beeld van ons samen in de curve van het computerscherm zien. Als ik heel snel en met samengeknepen ogen kijk, zien we eruit als jonge jongens. Maar op dat moment verschijnt Tanner Drews rekening op het scherm en is al het overige verdwenen.
Charlie kijkt meteen naar het saldo: $126.023.164,27. 'Over boterhammen met pindakaas gesproken! Mijn saldo is zo laag dat ik geen fris meer bij mijn eten bestel, en deze vent denkt dat hij het recht heeft om te klagen?'
Het laat zich moeilijk ontkennen dat dat veel geld is, zelfs voor een bank als de onze. Natuurlijk is zeggen dat Greene & Greene gewoon maar een bank is, net zoiets als zeggen dat Einstein 'goed in wiskunde' is.
Greene & Greene is wat een privébank wordt genoemd. Privacy

is de belangrijkste dienst die we verlenen, en daarom nemen we niet van iedereen geld aan. In feite is het zelfs zo dat wij onze cliënten uitkiezen, en niet omgekeerd. Net als de meeste banken eisen we een minimuminleg. Het verschil is dat ons minimum twee miljoen dollar is om een rekening ook maar te kunnen openen. Als je vijf miljoen hebt zeggen we: 'Dat is goed. Een aardig begin.' Bij vijftien miljoen: 'We zouden graag met u willen praten.' Bij vijfenzeventig miljoen en meer tanken we het privéstraalvliegtuig vol en komen meteen naar u toe. Ja, meneer Drew, jawel, meneer.

'Ik wist het wel,' zeg ik, wijzend op het scherm. 'Lapidus heeft de opdracht niet eens in het systeem ingevoerd. Hij moet het domweg zijn vergeten.' Met een ander wachtwoord van Lapidus typ ik snel het eerste deel van de opdracht in.

'Weet je zeker dat je zijn wachtwoord zomaar kunt gebruiken?'

'Maak je geen zorgen. Het is best zo.'

'Misschien moeten we de beveiligingsdienst bellen. Dan kan Shep...'

'Ik wil Shep er niet bij halen,' zeg ik stellig, wetend wat het resultaat daarvan zou zijn.

Charlie schudt zijn hoofd en kijkt weer naar het scherm. Onder HUIDIGE ACTIVITEIT ziet hij drie uitbetaalde cheques staan, alle uitgeschreven op de naam Kelli Turnley.

'Ik durf erom te wedden dat dat zijn maîtresse is,' zegt hij.

'Waarom?' vraag ik. 'Omdat ze Kelli heet?'

'Geloof me maar, Watson. Jenni, Candi, Brandi. Een "i" in je naam is als een pas voor het Playboy Mansion. Laat de "i" zien en je mag zo naar binnen lopen.'

'In de eerste plaats heb je het mis. In de tweede plaats is dat zonder overdrijving de stomste opmerking die ik ooit heb gehoord. En in de derde plaats...'

'Hoe heette dat eerste vriendinnetje van pa ook alweer? Laat me eens even nadenken. Was het... Randi?' Ik duw mijn stoel snel naar achteren, gooi Charlie zo van de armleuning af en storm zijn hokje uit.

'Wil je niet horen waarop ze kickte en waarop ze afknapte?' roept hij me na.

Ik loop de gang door, met mijn gsm tegen mijn oor, nog altijd luisterend naar de opgenomen boodschap van de University Club. Woedend verbreek ik de verbinding en toets het nummer nogmaals in. Nu krijg ik een echte stem aan de lijn.

'Met de University Club. Waarmee kan ik u van dienst zijn?'

'Ik probeer Henry Lapidus te bereiken. Hij is in bespreking in een van uw conferentieruimten.'
'Als u even wilt wachten, zal ik...'
'Verbind me niet door. Ik moet hem nú spreken.'
'Meneer, ik ben de telefoniste en ik kan u echt het best doorverbinden met het centrum.'
Een klik en nog een geluid. 'U bent verbonden met het Conferentiecentrum van de University Club. Al onze telefonisten zijn op dit moment in gesprek. Blijft u alstublieft aan de lijn.'
Ik hou de gsm nog steviger vast, ren de gang door en hou halt voor een onopvallende metalen deur. 'De Kooi', zoals die kamer door iedereen van de bank wordt genoemd, is een van de weinige privékantoren op deze verdieping en huisvest ons gehele financiële systeem. Contant geld, cheques, telegrafische overboekingen – alles begint hier.
Natuurlijk is er boven de deurknop een paneel waarop je een code moet intoetsen. Met de code van Lapidus kan ik naar binnen. De algemeen directeur heeft overal toegang toe.
Tien passen achter me stapt Charlie het kantoor voor zes personen in. De rechthoekige ruimte loopt langs de achterkant van de derde verdieping, maar van binnen ziet hij er net zo uit als de hokjes: tl-buizen, eenvoudige bureaus, grijs tapijt. De enige verschillen zijn de immense rekenmachines die op elk bureau prijken. De boekhoudkundige versie van Play-Doh.
'Waarom moet je altijd zo uit je slof schieten?' vraagt Charlie als hij me heeft ingehaald.
'Kunnen we het daar hier alsjeblieft niet over hebben?'
'Vertel me alleen waarom je...'
'Omdat ik hier werk!' schreeuw ik terwijl ik me snel omdraai. 'En omdat jij hier werkt, en ons privéleven thuis zou moeten blijven, oké?' In zijn handen houdt hij een pen en zijn kleine aantekenboekje vast. De man die het leven bestudeert. 'En ga dit niet opschrijven,' zeg ik waarschuwend. 'Ik heb er geen behoefte aan dit in een van je songs terug te horen.'
Charlie staart naar de grond en vraagt zich af of dit de moeite van een felle discussie waard is. 'Je zegt het maar,' zegt hij, en hij laat zijn aantekenboekje zakken. Hij maakt nooit ruzie over zijn kunst.
'Dank je,' zeg ik terwijl ik verder het kantoor in loop. Maar net als ik Mary's bureau nader, hoor ik achter me gekrabbel. 'Wat ben je aan het doen?'
'Sorry,' zegt hij lachend terwijl hij een paar laatste woorden opschrijft. 'Oké. Ik ben klaar.'

'Wat heb je opgeschreven?' vraag ik op hoge toon.
'Niets, alleen een...'
'Wat heb je opgeschreven!'
Hij houdt het aantekenboekje omhoog. "'Ik heb er geen behoefte aan dit in een van je songs terug te horen," ' zegt hij. 'Denk je dat dat een goede titel is voor een cd?'
Zonder daarop te reageren kijk ik weer naar Mary's bureau. 'Kun je me alsjeblieft laten zien waar zij haar wachtwoord bewaart?'
Hij loopt naar het netste, meest geordende bureau in de kamer, veegt spottend Mary's stoel schoon, gaat erop zitten en pakt de drie plastic fotolijstjes die naast haar computer staan. Ik zie een twaalfjarige jongen die een rugbybal vasthoudt, een negenjarige jongen in een honkbaluniform en een zesjarig meisje met een voetbal. Charlie pakt de foto met de rugbybal en draait die op zijn kop. Op de onderkant van het lijstje staan haar gebruikersnaam en wachtwoord: marydamski-3BUG5e. Charlie schudt glimlachend zijn hoofd. 'Eerste kind, altijd het meest bemind.'
'Hoe wist je...'
'Ze kan ontzettend goed rekenen, maar ze haat computers. Op een dag kwam ik hier binnen, en toen vroeg ze me naar een goede plek om die gegevens te verstoppen. Ik ben toen met de suggestie van die foto's gekomen.'
Typerend voor Charlie. Goeie maatjes met iedereen.
Ik zet Mary's computer aan en kijk even naar de klok aan de muur. Zeven over halfvier 's middags. Nog maar nauwelijks twintig minuten de tijd. Met haar wachtwoord ga ik regelrecht door naar OVERBOEKINGEN. Ik zie de overboeking naar Tanner in de rij staan wachten op definitieve goedkeuring. Ik typ de code van Tanners bank in, evenals het rekeningnummer dat hij me had gegeven.
'GEWENST BEDRAG?' Het doet bijna zeer om $40.000.000 in te voeren.
'Dat is een verschrikkelijke hoop geld,' zegt Charlie.
Ik kijk weer naar de klok. Kwart voor vier. Nog vijftien minuten de tijd.
Achter me is Charlie opnieuw iets in zijn aantekenboekje aan het opschrijven. Dat is zijn mantra: pak de wereld, eet een paardenbloem. Ik zet de cursor op VERZENDEN. Bijna klaar.
'Mag ik je iets vragen?' roept Charlie. Voordat ik iets kan zeggen, voegt hij eraan toe: 'Hoe cool zou het zijn als dit zwendelarij is?'
'Wat zeg je?'
'Alles... het telefoontje, het geschreeuw...' Hij lacht terwijl hij dat scenario in zijn hoofd afspeelt. 'Hoe kun je er, gezien alle chaos,

zeker van zijn dat je met de echte Tanner Drew hebt gesproken?'
Mijn lichaam verstijft. 'Sorry?'
'Ik bedoel... die man heeft een familiekantoor. Hoe kun je ook maar weten hoe zijn stem klinkt?'
Ik laat de muis los en probeer het koude gevoel waardoor mijn nekharen overeind gaan staan, te negeren. Ik draai me naar mijn broer om. Hij is opgehouden met schrijven.

2

'Wat zeg je? Denk je dat dit nep is?'
'Ik heb er geen idee van, maar denk je eens in hoe gemakkelijk het is gegaan. Een vent belt op, deelt dreigend mee dat hij zijn veertig miljoen wil hebben, geeft je dan een rekeningnummer en zegt dat je het geld moet overmaken.'
Ik staar naar het elfcijferige rekeningnummer op het scherm voor me. 'Nee,' zeg ik stellig. 'Dat is onmogelijk.'
'O ja? Het lijkt sprekend op die roman die elk jaar wordt uitgegeven: de boef neemt helemaal in het begin een te ambitieuze held in de maling en...'
'Dit is verdomme geen stom boek!' schreeuw ik. 'Dit is mijn leven!'
'Ons beider leven,' voegt hij eraan toe. 'En ik zeg alleen dat het geld zodra je op die knop hebt gedrukt regelrecht naar de een of andere bank op de Bahama's zou kunnen gaan.'
Mijn ogen blijven strak op het rekeningnummer gericht. Hoe langer ik ernaar kijk, hoe feller het lijkt te gloeien.
'En je weet wie de klappen krijgt als dat geld verdwijnt...'
Hij zegt dat voorzichtig. Zoals we allebei weten, is Greene & Greene geen normale bank. De Citibank en de Bank of America zijn grote, gezichtsloze corporaties. Voor Greene & Greene gaat dat niet op. Hier hebben we een hechte maatschap. Daardoor hoeven we niet aan sommige regels van de federale meldingsplicht te voldoen, waardoor we ons gedeisd kunnen houden, onze namen uit de kranten blijven en we alleen de cliënten kunnen aannemen die we willen hebben. Zoals ik al zei: je opent geen rekening bij Greene, wij openen er een voor jou.
In ruil daarvoor moet de maatschap een grote hoeveelheid geld onder een ongelooflijk klein dak beheren. En belangrijker is nog wel,

denk ik terwijl ik naar de overboeking van veertig miljoen dollar van Tanner kijk, dat iedere maat persoonlijk verantwoordelijk is voor het totale bezit van de bank. Bij de laatste telling hadden we dertien miljard dollar onder ons beheer. Miljard, met een hoofdletter M. Verdeeld over twaalf leden van de maatschap.
Vergeet Tanner. De enige aan wie ik nu kan denken is Lapidus. Mijn baas. En degene die me een ontslag door de strot zal duwen als ik een van de grootste cliënten van de bank verlies. 'Ik zeg je dat dit onmogelijk een grap kan zijn,' hou ik vol. 'Ik heb Lapidus vorige week toevallig nog over deze overboeking horen praten. Ik bedoel te zeggen dat Tanner niet zomaar vanuit het niets belde.'
'Tenzij Lapidus erbij betrokken is, natuurlijk...'
'Wil je er nu eens over ophouden? Je begint te klinken als... als...'
'Als iemand die weet waarover hij het heeft?'
'Nee, als een paranoïde krankzinnige die het contact met de werkelijkheid heeft verloren.'
'Ik kan je meedelen dat ik me door "krankzinnige" en "verloren" beledigd voel.'
'Misschien kunnen we hem beter bellen, om het zekere voor het onzekere te nemen.'
'Geen slecht idee,' zegt Charlie instemmend.
De klok aan de muur maakt duidelijk dat ik nog vier minuten de tijd heb. Wat is het ergste dat een telefoontje kan doen?
Snel zoek ik in de telefoonlijst van de cliënten het privénummer van Tanner op. Ik vind alleen het nummer van het familiebedrijf. Soms is privacy shit. Omdat ik geen andere keus heb, toets ik het nummer in en kijk naar de klok. Drieëneenhalve minuut.
'Familiebedrijf Drew,' zegt een vrouw.
'U spreekt met Oliver Caruso van Greene & Greene. Ik moet de heer Drew spreken. Dit is een noodgeval.'
'Wat voor een noodgeval?' vraagt ze kortaf. Ik kan de sneer bijna horen.
'Een noodgeval van veertig miljoen dollar.'
Er volgt een stilte. 'Wilt u alstublieft aan de lijn blijven?'
'Gaan ze hem bellen?' vraagt Charlie.
Ik negeer die vraag, klik het menu voor telegrafische overboekingen weer aan en zet de cursor op VERZENDEN. Charlie zit opnieuw op de armleuning van mijn stoel en pakt de schouder van mijn overhemd bezorgd met een vuist vast.
'Ma heeft een nieuw paar schoenen met naaldhakken nodig...' fluistert hij.
Dertig seconden later hoor ik de stem van de secretaresse weer.

'Het spijt me, meneer, Caruso, maar hij neemt niet op.'
'Heeft hij een gsm?'
'Ik geloof niet dat u begrijpt...'
'Ik begrijp het prima. Hoe heet u? Ik wil meneer Drew kunnen melden met wie ik heb gesproken.'
Opnieuw een pauze. 'Blijft u alstublieft aan de lijn.'
Ik heb nog een minuut en tien seconden. Ik weet dat de tijd van de bank synchroon loopt met die van de Fed, maar op een gegeven moment kun je geen seconde meer verspillen.
'Wat ga je doen?' vraagt Charlie.
Vijftig seconden.
Mijn ogen zitten vastgeplakt aan de digitale knop met VERZENDEN. Boven aan het scherm is het bedrag van $40.000.000 al weggedraaid, maar toch lijk ik niets anders te kunnen zien. Ik schakel de conferentietelefoon in om mijn handen vrij te hebben. Ik voel dat de vuist van Charlie mijn schouder nog steviger vasthoudt.
Dertig seconden.
'Waar blijft die vrouw verdomme?'
Mijn hand die op de muis ligt trilt zo hevig dat de cursor erdoor wordt verplaatst. We hebben geen schijn van kans.
'Tijd om een beslissing te nemen,' zegt Charlie.
Daar heeft hij gelijk in. Het probleem is dat ik... dat ik er domweg niet toe in staat ben. Zoekend naar hulp kijk ik over mijn schouder, naar mijn broer. Hij zegt niets, maar ik hoor alles. Hij weet waar we vandaan komen. Hij weet dat ik mezelf hier vier jaar naar de andere wereld aan het helpen ben geweest. Deze baan is voor ons allemaal de manier om uit de misère te komen. Nog twintig seconden te gaan, en hij knikt heel licht.
Dat is alles wat ik nodig heb: een zetje om de paardenbloemen te eten. Ik draai me weer om naar de monitor. Druk op de knop, zeg ik tegen mezelf. Maar net als ik dat wil doen, lijkt mijn hele lichaam te bevriezen. Mijn maag verkrampt en de wereld begint te vervagen.
'Kom op!' brult Charlie.
De woorden worden teruggekaatst door de muren, maar gaan toch verloren. We hebben nog maar een paar seconden de tijd.
'Oliver, druk op die verdomde knop!'
Hij zegt nog iets anders, maar het enige dat ik voel, is de felle ruk aan de rug van mijn overhemd. Charlie trekt me opzij en buigt zich voorover. Ik zie zijn hand omlaag denderen en zijn gespannen vuist op de muis neerkomen. Op het scherm verschijnt drie seconden later een venstertje.

Status: in behandeling.
'Betekent dat dat we...'
Status: goedgekeurd.
Charlie beseft nu waarnaar we kijken. Ik besef dat ook.
Status: overgeboekt.
Dat is het. Verzonden. De e-mail ter waarde van veertig miljoen dollar.
We kijken allebei naar de conferentietelefoon, wachtend op een reactie. Het enige dat we krijgen is een wrede stilte. Mijn mond hangt open. Charlie laat mijn overhemd eindelijk los. Onze borstkassen gaan in hetzelfde tempo op en neer... maar om totaal verschillende redenen. Vechten en vluchten. Ik draai me om naar mijn broer, mijn jongere broer, maar hij wil niets zeggen. En dan komt er geluid door de telefoon. Een stem.
'Caruso,' gromt Tanner Drew met een zuidelijk accent dat nu meteen door mij wordt herkend, 'als dit geen telefoontje is om te bevestigen dat het geld is overgemaakt, kun je beter tot de hemel gaan bidden.'
'D-dat is het, meneer,' zei ik, vechtend tegen een grijns. 'Alleen een bevestiging.'
'Prima. Tot ziens.' Een klap en het is voorbij.
Ik draai me om, maar te laat. Mijn broer is al vertrokken.

Terwijl ik de Kooi uit ren, zoek ik naar Charlie, maar zoals altijd is hij te snel. Bij zijn hokje trek ik me op aan de bovenrand van zijn muur en kijk naar binnen. Hij zit met zijn laarzen op het bureau te schrijven in een groen aantekenboekje met spiraal, met de dop van de pen in zijn mond en kennelijk diep in gedachten verzonken.
'Was Tanner gelukkig?' vraagt hij zonder zich om te draaien.
'Ja. Hij vond het geweldig. Hij kon me alleen maar bedanken, bedanken en nog eens bedanken. Uiteindelijk had ik bijna iets tegen hem gezegd als: "Nee, u hoeft mij niet te laten opnemen in de profielschets van *Forbes*. Het feit dat u de top-400 hebt gehaald, is alles wat ik als bedankje nodig heb."'
'Schitterend,' zegt Charlie, die zich eindelijk naar me toe draait. 'Ik ben blij dat het goed is gegaan.'
Ik haat het als hij zo'n opmerking maakt. 'Kom op,' zeg ik smekend. 'Zeg het nu maar gewoon.'
Hij zet zijn voeten op de grond en smijt zijn aantekenboekje op het bureau. Dat belandt vlak naast de Play-Doh, die slechts een paar centimeter van zijn collectie groene soldaatjes af staat, vlak onder

de zwart-witte bumpersticker op de monitor van zijn computer met de tekst: IK MAAK ELKE DAG GEMENE ZAKEN MET DE VIJAND.
'Luister. Het spijt me dat ik zo opeens leek te bevriezen,' zeg ik tegen hem.
'Maak je daar geen zorgen over, broertje van me. Dat kan iedereen overkomen.'
Mijn hemel, wat een temperament! 'Dus je bent niet in me teleurgesteld?'
'Teleurgesteld? Het was jouw pup, niet de mijne.'
'Dat weet ik, maar... maar je plaagt me altijd met het feit dat ik te weekhartig kan worden...'
'Weekhartig ben je inderdaad. Op grote voet leven en proberen goeie maatjes met iedereen te zijn. Je bent net als babybilletjes.'
'Charlie...'
'Geen zachte babybilletjes. Van die heel harde, als die van een baby-sumoworstelaar of zoiets.'
Ik kan er niets aan doen dat ik om dat grapje moet glimlachen. Het is lang niet zo goed als dat van drie maanden geleden, toen hij een hele dag met een piratenstem probeerde te praten (en daar nog in slaagde ook), maar het kan ermee door. 'Wat zou je ervan vinden om vanavond met me mee te gaan zodat ik je kan bedanken met een etentje?'
Charlie blijft even zwijgen en neemt me aandachtig op. 'Alleen als we niet met een auto met particulier chauffeur gaan.'
'Wil je nu je mond eens houden? Je weet dat de bank daar nog voor zou betalen ook na alles wat we vanmiddag hebben gedaan.'
Hij schudt afkeurend zijn hoofd. 'Man, jij bent veranderd... Ik ken je niet eens meer.'
'Prima. Vergeet die auto dan maar. Wat zou je denken van een taxi?'
'Wat zou jij denken van de ondergrondse?'
'Ik zal voor de taxi betalen.'
'Dan wordt het een taxi.'

Na een snel bezoekje aan mijn kantoor staan we tien minuten later op de zesde verdieping op de lift te wachten. 'Denk je dat ze je een medaille zullen geven?'
'Waarvoor?' vraag ik. 'Omdat ik mijn werk heb gedaan?'
'Je werk hebt gedaan? Nu klink je als een van die buurthelden die tien kittens uit een brandend gebouw hebben gered. Zie de feiten onder ogen, Superman. Je hebt deze bank net behoed voor een beroerde nachtmerrie van veertig miljoen dollar.'

'Hmmm. Doe me een genoegen, wil je. Maak er wat minder enthousiast melding van. We hebben uiteindelijk de wachtwoorden van andere mensen gestolen om dit te kunnen doen, ook al hadden we er een goede reden voor.'
'Nou en?'
'Je weet hoe nauw ze het hier met de beveiliging nemen en...'
Voordat ik mijn zin kan afmaken, klinkt er een ping en schuiven de liftdeuren open. Op dit tijdstip verwacht ik dat de lift leeg zal zijn, maar in plaats daarvan leunt een dikke man met een borstkas als die van een rugbyspeler tegen de achterwand aan. Shep Graves – de baas van de beveiligingsdienst van de bank. Hij is gekleed in een overhemd en das die alleen gekocht konden zijn bij de plaatselijke Big & Tall en weet hoe hij zijn schouders naar achteren moet houden om zijn de veertig naderende figuur zo jong en sterk mogelijk te laten ogen. Voor zijn baan – het beschermen van onze dertien miljard – moet hij dat ook wel. Zelfs met de allermodernste technologie die hij tot zijn beschikking heeft, is er nog steeds niets zo afschrikwekkend als angst. Daarom besluit ik als we de lift in stappen een eind te maken aan ons gesprek over Tanner Drew. Met uitzondering van een gesprekje over koetjes en kalfjes, praat niemand van de bank trouwens ooit echt met hem.
'Shep!' brult Charlie zodra hij hem ziet. 'Hoe gaat het met mijn favoriete waakhond?' Shep steekt zijn hand uit, en Charlie tikt op zijn vingers alsof het pianotoetsen zijn.
'Heb je gezien waar ze op Madison mee bezig zijn?' vraagt Shep met een onhandige boksersgrijns. In zijn stem klinkt vaag een accent uit Brooklyn door, maar duidelijkere signalen zijn hem kennelijk ergens afgeleerd. 'Ze hebben daar een meid die met de jongens wil meespelen.'
'Prima. Zo hoort het ook. Wanneer kunnen we haar zien spelen?' vraagt Charlie.
'Over twee weken is er een scrimmage.'
Charlie grijnst. 'Als jij rijdt, zal ik betalen.'
'Voor scrimmages hoef je niet te betalen.'
'Prima, dan zal ik ook voor jou betalen,' zegt Charlie. Het valt hem op dat ik zwijg, en hij wenkt me de lift in. 'Shep, ken je mijn broer Oliver?'
We knikken allebei hartelijk. 'Leuk je te zien,' zeggen we tegelijkertijd.
'Shep heeft op Madison gezeten,' zegt Charlie trots, verwijzend naar de middelbare school in Brooklyn die destijds een rivaal van de onze was.

'Dus jij hebt ook op Sheepshead Bay gezeten?' vraagt Shep. Het is een simpele vraag, maar door de toon waarop die wordt gesteld, voelt het aan als een ondervraging.
Ik knik en draai me om naar de knop om de deuren te sluiten. Ik druk die in. En nog eens. Eindelijk schuiven de deuren dicht.
'Wat doen jullie hier terwijl alle anderen zijn vertrokken?' vraagt hij. 'Iets interessants?'
'Nee, het gewone werk,' zeg ik snel.
Charlie kijkt me even geërgerd aan. 'Weet je dat Shep bij de *secret service* heeft gezeten?' vraagt hij.
'Dat is geweldig,' zeg ik, met mijn blik gericht op het vijfgangenmenu dat boven de knoppen is opgehangen. De bank heeft zijn eigen chef-kok voor bezoeken van cliënten. Dat is de gemakkelijkste manier om indruk te maken. Vandaag serveerden ze lamskoteletjes en risottohapjes met rozemarijn. Ik vermoed dat het een cliënt van twintig tot vijfentwintig miljoen dollar betrof. De lamskoteletjes worden alleen uit de kast gehaald als je meer dan vijftien miljoen op je rekening hebt staan.
De lift mindert vaart bij de vierde verdieping, en Shep zet zich met zijn ellebogen af tegen de achterwand. 'Hier moet ik eruit,' zegt hij, en hij loopt naar de deuren. 'Een fijn weekend.'
'Jij ook,' roept Charlie. Geen van ons beiden zegt nog iets tot de deuren weer dicht zijn. 'Wat is er met jou aan de hand?' vraagt Charlie dan fel. 'Wanneer ben je zo'n zuurpruim geworden?'
'Zuurpruim? Is dat alles wat je hebt, oma?'
'Ik meen het serieus. Hij is een aardige vent, je had heus niet zo horkerig tegen hem hoeven te doen.'
'Wat had je dan gewild dat ik zei? Die kerel doet nooit iets anders dan op de loer liggen en achterdochtig zijn. Dan ziet hij jou en is hij opeens meneer Zonneschijn.'
'Je hebt het helemaal mis. Hij is altijd meneer Zonneschijn – in feite is hij een regenboog van fruitsmaken – maar jij bent je zo druk aan het inlikken bij Lapidus en Tanner Drew en alle andere hoge pieten dat je vergeet dat gewone mensen ook kunnen praten.'
'Ik had je al gevraagd op te houden met dat...'
'Ollie, wanneer heb je voor het laatst een praatje gemaakt met een taxichauffeur? En dan heb ik het niet over "53st en Lex" zeggen, maar over een uitgebreide conversatie. "Hoe gaat het met je? Hoe laat ben je begonnen met werken? Heb je weleens een stelletje op de achterbank zien flikflooien?"'
'Dus jij vindt dat ik een intellectuele snob ben?'
'Je bent niet slim genoeg om een intellectuele snob te kunnen zijn,

maar een culturele snob ben je wel.' De liftdeuren gaan open, en Charlie rent de lobby in, waarin schitterende antieke cilinderbureaus staan die precies het juiste gevoel van oud geld aan het geheel toevoegen. Als er cliënten binnenkomen en de bankiers in de bijenkorf nijver bezig zijn, zijn die bureaus het eerste wat ze zien. Tenzij we een heel grote deal proberen te sluiten, want in dat geval laten we een cliënt binnen door de privédeur aan de achterkant van het gebouw en nemen we hem rechtstreeks mee langs chef-kok Charles en zijn alleen-voor-ons-o-u-zou-onze-keuken-van-een-miljoen-eens-moeten-proberen. Charlie loopt snel door. Ik kom vlak achter hem aan. 'Maar maak je geen zorgen,' roept hij. 'Ik hou nog altijd van je, ook al doet Shep dat niet.'

Bij de zijdeur toetsen we onze codes in op het paneel net binnen de zware metalen door. Die klikt open, en we betreden een kleine antichambre met een draaideur aan de andere kant. In ons wereldje noemen we dat een mensenval. De draaideur komt pas in beweging wanneer de deur achter ons dicht is. Als er een probleem is, gaan ze allebei dicht en zit je klem.

Nonchalant doet Charlie de metalen deur achter zich dicht en dat zorgt voor een licht gesis. Grendels van titanium slaan dicht. Daarna recht voor ons een luide klap. De magnetische sloten van de draaideur gaan open. Aan beide uiteinden van de kamer zijn twee camera's zo goed verborgen dat we niet eens kunnen zien waar ze zich bevinden.

'Kom mee,' zegt Charlie, die snel verder loopt. We gaan de draaideur door en worden gedumpt op Park Avenue, waar vuilzwarte sneeuw in de goten ligt. Achter ons gaat de bescheiden bakstenen gevel van de bank ongemerkt op in de omgeving van andere lage gebouwen – wat in feite de reden is waarom je naar een privébank gaat. Als een Amerikaanse versie van een Zwitserse bank zijn wij er om je geheimen te bewaren. Daarom is er aan de voorkant alleen een koperen plaatje met GREENE & GREENE, SINDS 1870 aangebracht, dat is ontworpen om niet op te vallen. En terwijl de meeste mensen nooit van privébanken hebben gehoord, zijn ze dichter bij je in de buurt dan je denkt. Onze bank is ondergebracht in het kleine, onopvallende gebouw waar je elke dag langsloopt, niet ver van de geldautomaat vandaan, waarvan mensen zich altijd afvragen wat erin gehuisvest zou kunnen zijn. Wij zitten daar, recht onder de neus van iedereen. We zijn er gewoon goed in ons rustig te houden.

Is dat gegeven echter de hogere kosten waard? We vragen cliënten altijd of ze de laatste tijd met de post nog aanbiedingen hebben

ontvangen die met een creditcard moeten worden betaald. Als daar een bevestigend antwoord op komt, betekent dat dat iemand je naam heeft doorgegeven. Hoogstwaarschijnlijk was dat je bank, die je persoonlijke gegevens heeft uitgezift en een roos op je rug heeft geschilderd om op te schieten. Iedereen kan dan te weten komen hoeveel geld je op de bank hebt staan, waar je woont en wat je sofinummer is. Door ervoor te betalen. Het behoeft geen betoog dat rijke mensen zoiets niet prettig vinden.
Charlie springt over een berg recent opgeveegde sneeuw naar het wegdek. Een opgestoken hand bezorgt ons een taxi. Een druk op het gaspedaal brengt ons naar de binnenstad. En een blik van mijn broer zorgt ervoor dat ik vraag: 'Hoe verloopt uw dag?'
'Best,' zegt de taxichauffeur. 'En de uwe?'
'Geweldig,' zeg ik terwijl ik strak door het raampje naar de donkere lucht kijk. Een uur geleden heb ik veertig miljoen dollar aangeraakt. Nu zit ik op de achterbank van een gedeukte taxi. Als we Brooklyn Bridge op rijden, kijk ik over mijn schouder. De hele stad. met zijn brandende lampen en hoge skyline, wordt omlijst door achterruit van de taxi. Hoe verder we doorrijden, hoe kleiner dat beeld wordt. Als we thuis zijn, is het helemaal verdwenen.
Uiteindelijk komt de taxi tot stilstand voor een huis uit de jaren twintig van de twintigste eeuw, even buiten Brooklyn Heights. Technisch gesproken maakt het deel uit van het rauwere Red Hook, maar het adres ressorteert nog onder Brooklyn. Het trapje aan de voorkant van het huis mist een paar stenen en een paar andere stenen zitten los. De metalen staven voor de ramen van mijn kelderappartement zijn gebarsten en aan het wegroesten, en de stoep is nog bedekt met een laag bevroren sneeuw. Dat alles is waar, maar de lage huur stelt me in staat zelfstandig in een buurt te wonen die ik met trots 'thuis' noem. Daardoor alleen al kom ik tot rust... dat wil zeggen tot ik zie wie er bij het trapje op me staat te wachten.
O, mijn god. Niet nu.
Onze blikken kruisen elkaar, en ik weet dat ik een probleem heb. Charlie ziet mijn gezichtsuitdrukking en volgt mijn blik. 'Jezus,' fluistert hij. 'Leuk kennis met je te hebben gemaakt.'

3

‘Hier. Betaal jij maar,’ brul ik terwijl ik mijn portefeuille naar Charlie toe gooi en de deur van de taxi opentrap. Hij haalt er een briefje van twintig dollar uit, zegt tegen de chauffeur dat hij het wisselgeld kan houden en springt de wagen uit. Dit wil hij voor geen goud missen.
Over het ijs schuivend heb ik mijn verontschuldigingen al klaar. ‘Beth, het spijt me zo. Ik was het helemaal vergeten!’
‘Wat was je helemaal vergeten?’ vraagt ze heel kalm en vriendelijk.
‘Ons etentje... dat ik je uitgenodigd had om hierheen te komen en...’
‘Maak je niet druk. Het eten is al klaar.’ Terwijl zij dat zegt, zie ik dat ze haar lange, bruine haar volkomen steil heeft geföhnd.
‘Geen wipje,’ fluistert Charlie, die achter mijn rug de vermoorde onschuld uithangt.
‘Ik heb een eigen sleutel, weet je nog wel?’ zegt Beth. Ze loopt langs me heen, maar ik ben nog steeds in de war.
‘Waar ga je heen?’
‘Fris halen. Je hebt niets meer in huis.’
‘Beth, waarom laat je mij niet...’
‘Ga jij je nu maar ontspannen. Ik ben zo weer terug.’ Ze draait van me weg en dan ziet ze Charlie pas.
‘Hoe is het met je, stuk van me?’ Hij spreidt zijn armen voor een stevige knuffel. Ze loopt die armen niet in.
‘Hallo, Charlie.’
Ze probeert langs hem heen te lopen, maar hij gaat recht voor haar staan. ‘Hoe gaat het in de accountantswereld?’ vraagt hij.
‘Goed.’
‘En met je cliënten?’
‘Goed.’
‘En met je familie?’
‘Goed,’ zegt ze met een glimlach die haar beste verdediging is. Geen geërgerde glimlach, geen uitgebluste glimlach, niet eens een boze glimlach in de trant van verdwijn-uit-mijn-ogen-jij-veel-te-opgewonden-muskiet. Gewoon een aardige, kalmerende Beth-glimlach.
‘En wat vind je van vanille-ijs?’ vraagt Charlie, die een duivelse wenkbrauw optrekt.
‘Charlie,’ zeg ik waarschuwend.
‘Wat is er?’ Hij draait zich naar Beth toe en vraagt: ‘Weet je zeker

dat je het niet erg vindt dat ik onuitgenodigd een hapje mee-eet?' Ze kijkt naar mij en dan weer naar Charlie. 'Misschien kan ik jullie beter alleen laten.'
'Doe niet zo raar,' zeg ik snel.
'Het is al goed,' zegt ze met een nonchalant handgebaar. Ze klaagt nooit. 'Jullie moeten ook weleens wat tijd met elkaar kunnen doorbrengen. Oliver, ik bel je later nog wel.'
Voordat een van ons beiden haar kan tegenhouden, loopt ze weg. Charlie kijkt naar haar L.L. Bean-laarzen. 'Mijn hemel! Alle meisjesstudenten uit mijn tijd hadden zulke laarzen,' fluistert hij. Ik knijp in de huid van zijn rug en geef er een draai aan. Dat brengt hem niet tot zwijgen. Terwijl Beth loopt, wappert haar beige cameljas om haar heen. 'Net als Darth Vader, maar dan saai,' voegt Charlie eraan toe.
Hij weet dat ze hem niet kan horen, wat het nog erger maakt.
'Ik zou er mijn linkerbal voor overhebben om haar op haar kont te zien vallen,' zegt hij terwijl ze uit ons gezichtsveld verdwijnt. 'Maar die mazzel heb ik kennelijk niet. Tot ziens, schatje.'
Ik kijk hem even nijdig aan. 'Waarom moet je altijd zo de draak met haar steken?'
'Het spijt me. Ze maakt het gewoon zo gemakkelijk.'
Ik draai me snel om en storm op de deur af.
'Wat is er nou weer?' vraagt hij.
Ik schreeuw zonder me naar hem om te draaien. Net als papa. 'Weet je dat je een echte rukker kunt zijn?'
Hij denkt daar een seconde over na. 'Daar zul je wel gelijk in hebben.'
Opnieuw weiger ik hem aan te kijken. Hij weet dat hij te ver is gegaan. 'Kom nou, Ollie. Ik was je alleen maar aan het plagen,' zegt hij terwijl hij over de trap met de wiebelende stenen achter me aan komt. 'Ik zeg zulke dingen alleen omdat ik stiekem verliefd op haar ben.'
Ik steek mijn sleutel in het slot en doe net alsof hij er niet is. Dat duurt ongeveer twee seconden. 'Waarom heb je zo'n grondige hekel aan haar?'
'Háár haat ik niet, maar wel alles waar zij voor staat. Alles wat zij vertegenwoordigt. De laarzen, de rustige glimlach, het onvermogen iets te zeggen wat in de buurt van een mening komt... dat is niet wat ik... Dat is niet iets wat jij voor jezelf zou moeten wensen.'
'Werkelijk?'
'Ik meen het serieus,' zegt hij terwijl ik met het derde nachtslot be-

zig ben. 'Het is net zoiets als dit kleine kelderappartement. Ik wil je niet beledigen, maar het lijkt op het innemen van de blauwe pil en wakker worden in een nachtmerrieachtige televisieserie over jonge stadsmensen van ergens in de twintig.'
'Jij hebt gewoon niets op met Brooklyn Heights.'
'Je woont niet in Brooklyn Heights,' zegt hij nadrukkelijk. 'Je woont in Red Hook. Heb je me goed gehoord? Red. Hook.'
Ik duw de deur open en Charlie loopt achter me aan het appartement in.
'Haal de Magic Markers maar te voorschijn en kleur me onder de indruk,' zegt hij als hij binnen is. 'Kijk eens wie hier aan het inrichten is geweest.'
'Ik weet werkelijk niet waarover je het hebt.'
'Versace, ga tegenover mij niet bescheiden doen. Toen je hier introk, had je een gebruikte matras vol vlekken van Goodwill, een ladekast die je uit onze oude slaapkamer had gepikt en de tafels en stoelen die ma en ik ter ere van je nieuwe onderkomen bij Kmart voor je hadden gekocht. Wat zie ik vandaag op het bed liggen? Een kopie van een Calvin Klein-dekbed? Plus een zogenaamd antieke, craquelé Martha Stewart op de ladekast en een tafel waarop nu een namaak-Ralph Lauren-tafellaken ligt en die perfect voor twee personen is gedekt. Geloof maar niet dat dat lieve gebaar me ontgaat. En al waardeer ik wat je probeert te doen, het is net zoiets als handdoeken voor de show. Het is allemaal een symptoom van een dieper liggend probleem.'
Hij herhaalt die laatste woorden voor zichzelf. 'Een symptoom van een dieper liggend probleem.' In de keuken blijft hij staan, pakt zijn aantekenboekje en schrijft die woorden op. 'Voor sommigen is het leven een auditie,' voegt hij eraan toe. Zijn hoofd gaat op en neer terwijl hij er snel een melodietje bij verzint. Als hij zo bezig is duurt dat een paar minuten, dus laat ik hem zijn gang gaan. Zijn hand houdt opeens op met schrijven en begint dan weer opnieuw. De pen schraapt woest over het papier. Terwijl hij een volgende bladzijde opslaat, zie ik een kleine, perfecte schets van een man die voor een gordijn een buiging maakt. Hij is klaar met schrijven. Nu is hij aan het tekenen.
Dat is het eerste wat hij van nature in zich had, en als hij wil, kan hij een ongelooflijke kunstenaar zijn. Zo ongelooflijk zelfs dat de New York School of Visual Arts bereid was zijn verre van stralende cijfers op de middelbare school over het hoofd te zien en hem een volledige beurs te geven. In zijn tweede jaar probeerden ze hem de commerciële kant op te sturen, zoals advertenties en illustraties.

'Daarmee kun je aardig in je levensonderhoud voorzien,' zeiden ze tegen hem. Maar zodra Charlie carrière en kunst zag samenkomen, hield hij op met die studie en rondde de laatste twee jaar af met een muziekstudie aan Brooklyn College. Ik heb twee dagen achter elkaar tegen hem geschreeuwd. Hij zei dat het leven meer inhield dan het ontwerpen van een nieuw logo voor een wasmiddel.
Van de andere kant van de kamer hoor ik hem door de rest van het appartement lopen en snuiven. 'Hmm... ruikt als Oliver,' zegt hij. 'Lucht- en schoenverfrisser.'
'Kom mijn badkamer uit!' roep ik vanaf mijn bed, waar ik mijn aktetas al heb opengemaakt om wat paperassen door te bladeren.
'Hou jij nooit eens op met werken?' vraagt Charlie. 'Het is weekend. Ga je ontspannen.'
'Ik moet dit afmaken,' zeg ik snel.
'Luister. Ik heb spijt van die opmerking over vanille-ijs.'
'Ik móét dit afmaken,' hou ik vol.
Hij kent die toon van me. Hij laat de stilte bezinken en krult zich op bij het voeteneinde van het bed.
Twee minuten later boekt het gebrek aan geluid succes. 'Soms haat ik rijke mensen,' zeg ik kreunend.
'Nee, dat doe je niet,' reageert hij plagend. 'Je bent dol op hen. Je bent altijd dol op hen geweest. Hoe meer geld, hoe meer vreugde.'
'Ik meen het serieus,' zeg ik. 'Als ze eenmaal wat geld hebben, verliezen ze meteen hun greep op de werkelijkheid. Kijk nu bijvoorbeeld eens naar deze vent...' Ik pak het bovenste blad van de stapel papieren en laat het zijn kant op vliegen. 'Deze idioot is vijf jaar lang drie miljoen kwijt geweest. Vijf jaar lang was hij dat geld vergeten! Maar als we hem meedelen dat we op het punt staan het van hem af te pakken, wordt hij opeens wakker en wil hij het terug hebben.'
Hij leest de brief die ondertekend is door een zekere Marty Duckworth. "'Dank voor uw brief... besef alstublieft dat ik een nieuwe rekening heb geopend bij de hiernavolgende bank in New York... wilt u zo vriendelijk zijn het bedrag daarheen over te boeken."' Maar voor Charlie oogt het nog altijd als een normaal verzoek om een telegrafische overboeking. 'Ik begrijp hier niets van.'
Ik zwaai met de stapel papieren. 'Dat is een slapende rekening.' Wetend dat hij het niet begrijpt, voeg ik eraan toe: 'Volgens de wetgeving van de staat New York is het zo dat wanneer een klant vijf jaar lang geen gebruik maakt van een bankrekening, het geld automatisch aan de staat toevalt.'
'Dat lijkt onzinnig. Wie zou zijn eigen geld nou ooit verbeurd laten verklaren?'

'Voornamelijk mensen die zijn overleden,' zeg ik. 'Dat gebeurt bij elke bank in het land. Als iemand sterft, of ziek wordt, vergeet die persoon soms zijn familie op de hoogte te stellen van het bestaan van zo'n rekening. Het geld staat er gewoon jaren op en als er niets mee wordt gedaan, krijgt het uiteindelijk het etiket "niet-muterend" opgeplakt.'
'Dus hevelen we het geld na vijf jaar domweg over naar de overheid?'
'Dat is een van de dingen waarmee ik me bezighoud. Als er viereneenhalf jaar niets met zo'n rekening is gedaan, wordt er van ons geëist dat we een waarschuwingsbrief sturen met de mededeling dat het bedrag zal worden overgedragen aan de staat. Op dat moment reageert iemand die nog in leven is meestal, wat beter is voor ons, omdat het geld dan op onze bank blijft.'
'Dus dat is jouw verantwoordelijkheid? Je bezighouden met dode mensen? Man, en dan te bedenken dat ik het idee had dat ik niet goed met klanten kon omgaan.'
'Ga niet lachen als ik je zeg dat sommigen van die mensen nog in leven zijn en alleen zijn vergeten waar ze hun geld hebben ondergebracht.'
'Je bedoelt iemand als die meneer Duckworth-met-drie-miljoen hier.'
'Inderdaad,' zeg ik. 'Het enige beroerde is dat hij zijn geld naar een andere bank overgeboekt wil hebben.'
Charlie kijkt naar de korrelige letters op de fax die hij in zijn handen heeft en leest hem nogmaals. Hij strijkt met zijn vingers over de onduidelijke handtekening. Dan vliegen zijn ogen naar de bovenkant van de bladzijde. Iets heeft zijn aandacht getrokken. Ik volg zijn vingers. Het telefoonnummer boven aan de fax. Hij trekt een gezicht alsof hij een rioollucht ruikt.
'Wanneer heb je deze brief ook alweer gekregen?' vraagt Charlie.
'Ergens in de loop van deze dag. Hoezo?'
'En wanneer wordt het geld naar de staat overgemaakt?'
'Maandag. Ik neem aan dat dat de reden is waarom hij die fax heeft gestuurd.'
'Ja.' Charlie knikt, al is het me duidelijk dat hij nauwelijks naar me luistert. Zijn hele gezicht wordt rood. Nu gaat het komen!
'Wat is er mis?' vraag ik.
'Kijk hier eens naar,' zegt hij, wijzend naar het faxnummer in het briefhoofd. 'Komt dat nummer je bekend voor?'
Ik pak het vel papier en bekijk het aandachtig. 'Ik heb het nog nooit eerder gezien. Hoezo? Ken jij het wel?'

'Dat zou je wel kunnen zeggen.'
'Charlie, kom ter zake. Zeg me wat...'
'Het is het nummer van Kinko, vlak om de hoek van de bank.'
Ik dwing mezelf tot een geforceerd lachje. 'Waar heb je het over?'
'Van de bank mogen we de fax niet gebruiken voor persoonlijke zaken, dus wanneer Franklin of Royce me bladmuziek wil toesturen, gaat dat naar Kinko's, regelrecht naar dat nummer.'
Ik kijk naar de brief. 'Waarom zou een miljonair die tienduizend faxapparaten voor zichzelf kan kopen en zo de bank in kan lopen, ons een fax sturen uit een kopieerconcern vlak om de hoek?'
Charlie geeft me een veel te opgewonden glimlach. 'Misschien hebben we niet te maken met een miljonair.'
'Wat zeg je nu? Denk je dat Duckworth deze brief niet heeft verstuurd?'
'Vertel jij mij dat maar eens. Heb je hem de laatste tijd nog gesproken?'
'We hoeven niet...' Ik maak mijn zin niet af, omdat ik opeens begrijp waar hij naartoe wil. 'We sturen alleen een brief naar het laatst bekende adres, en een tweede naar de familie. Maar als we het zekere voor het onzekere willen nemen, is er een instantie die nog tot laat open is...' Ik ga rechtop zitten, zet de conferentietelefoon aan en begin een nummer in te toetsen.
'Wie ben je aan het bellen?'
Het eerste wat we horen is een opgenomen stem. 'Welkom bij de Sociale Die...'
Zonder te luisteren druk ik de één in, dan de nul en dan de twee. Ik heb dit al eerder gedaan. We horen muzak.
'De Beatles. "Let It Be",' zegt Charlie.
'Ssst,' sis ik.
'Dank dat u de Sociale Dienst hebt gebeld,' zegt een vrouwenstem uiteindelijk. 'Waarmee kan ik u van dienst zijn?'
'Hallo. U spreekt met Oliver Caruso van de bank Greene & Greene in New York,' zeg ik met die wat al te vriendelijke stem waarvan ik weet dat de maag van Charlie zich ervan omdraait. Het is de toon die ik reserveer voor mensen van een klantendienst en hoe Charlie die ook veracht, in zijn hart weet hij dat hij werkt. 'Ik vraag me af of u ons zou kunnen helpen,' ga ik door. 'We zijn bezig met een verzoek om een lening en we willen het sofinummer van de aanvrager even controleren.'
'Hebt u een codenummer?'
Ik noem het negencijferige nummer van de bank. Als ze dat een-

maal hebben, krijgen we alle persoonlijke informatie. Dat moet volgens de wet. God zegene Amerika.
Terwijl ik wacht op toestemming en niet stil kan zitten, trek ik aan de zoom van mijn groene dekbed. Het duurt niet lang voordat die los is.
'En het nummer dat u gecontroleerd wilt hebben?' vraagt de vrouw.
Ik lees voor van de uitdraai van slapende rekeningen en geef haar het sofinummer van Duckworth. 'Staat onder de naam Marty of Martin.'
Er verstrijkt een seconde. Dan nog een. 'U zei dat het om een aanvraag voor een lening ging?'
'Ja,' zeg ik bezorgd. 'Hoezo?'
'Omdat in ons dossier 12 juni als datum van overlijden staat.'
'Dat begrijp ik niet.'
'Ik zeg u alleen wat hier staat, meneer. Als u op zoek bent naar Martin Duckworth, moet ik u meedelen dat hij zes maanden geleden is overleden.'

4

Ik leg de hoorn op de haak en staar naar de fax. 'Dit kan ik niet geloven.'
'Ik ook niet,' zingt Charlie. 'In welk opzicht lijkt dit moment op de *X-files*?'
'Dit is geen grap,' hou ik vol. 'Wie deze fax heeft verstuurd, was bijna met drie miljoen dollar aan de haal gegaan.'
'Waar heb je het over?'
'Eigenlijk is het een perfecte misdaad. Doe je voor als iemand die is overleden, vraag om zijn geld, en als de rekening is gereactiveerd, sluit je die en verdwijn je. Marty Duckworth zal er niet over gaan klagen.'
'Maar hoe zit het dan met de overheid? Zal die niet merken dat het geld zoek is?'
'Daar hebben ze geen idee van,' zeg ik, zwaaiend met de lijst van slapende rekeningen. 'We versturen een uitdraai, minus alles wat is gereactiveerd. Ze zijn domweg gelukkig met een gratis meevallertje.'
Charlie wipt rusteloos op het bed heen en weer, en ik kan hem diep zien nadenken. Als je paardenbloemen eet, is alles spannend. 'Wie denk je dat het heeft gedaan?' vraagt hij.

'Daar heb ik geen idee van, maar het moet iemand van de bank zijn.'
Nu worden zijn ogen groot. 'Denk je dat echt?'
'Wie zou anders kunnen weten wanneer we die laatste waarschuwingen versturen? En dan zwijg ik nog maar over het feit dat de fax is verstuurd vanuit een Kinko om de hoek...'
Charlie knikt ritmisch. 'Wat gaan we nu doen?'
'Grapje? We wachten tot maandag en dan geven we die rotzak aan.'
Geen geknik meer. 'Weet je dat zeker?'
'Wat bedoel je daarmee? Wat kunnen we anders doen? Het zelf inpikken?'
'Dat zeg ik niet, maar...' Opnieuw wordt het gezicht van Charlie rood. 'Hoe cool zou het zijn om drie miljoen dollar te hebben? Ik bedoel... Dat zou zoiets zijn als... als...'
'Als geld hebben,' zeg ik, hem onderbrekend.
'En niet zomaar wat geld. We hebben het over drie miljoen.' Charlie springt overeind en gaat sneller spreken. 'Als je mij zoveel contant geld geeft, zou ik... Dan zou ik een wit pak kopen, een glas rode wijn heffen en dingen zeggen als "Een oude vriend van me komt vanavond eten..."'
'Dat geldt niet voor mij,' zeg ik hoofdschuddend. 'Ik zou de ziekenhuisrekeningen betalen, plus de andere rekeningen, en dan de rest van het geld beleggen.'
'O, kom nou, Scrooge. Wat is er met jou aan de hand? Jij moet ook een krankzinnig verlangen hebben om geld over de balk te smijten. Gedraag je eens als een ware Elvis. Wat zou je kopen?'
'Moet ik echt iets kopen?' Ik denk even na. 'Dan zou ik vaste vloerbedekking nemen...'
'Vaste vloerbedekking? Is dat het beste wat je...'
'Voor mijn zeppelin,' schreeuw ik. 'Een zeppelin die we in de tuin aan een ketting zouden houden.'
Charlie schiet in de lach. We gaan een spelletje spelen. Hij knijpt zijn ogen tot spleetjes samen vanwege de uitdaging. 'Ik zou een circus kopen.'
'Dan zou ik kiezen voor het Cirque du Soleil.'
'Ja, en dan zou ik dat omdopen in Cirque du Sole. Een en al vissenextravagantie.'
Ik vecht tegen een glimlach, weiger het spel nu al op te geven. 'In mijn badkamers zou ik beklede wc-brillen nemen – van die echt goede – zodat je het idee hebt dat je op een duur knaagdier aan het schijten bent.'

‘Die zijn leuk,’ zegt Charlie instemmend. ‘Maar niet zo leuk als mijn vergulde pasta!’
‘En brood met een diamanten korst.’
‘Een bosbessenmuffins met saffieren.’
‘Kreeften gevuld met spareribs... of spareribs gevuld met kreeften. Misschien zelfs allebei!’ schreeuw ik.
Charlie knikt. ‘Ik zou een internetverbinding aanschaffen, met alle pornosites.’
‘Leuk. Heel smaakvol.’
‘Ik doe mijn best.’
‘Dat weet ik, en daarom zou ik Orlando voor je kopen.’
‘Hebben we het over Tony Orlando, of over Orlando in Florida?’ vraagt Charlie.
Ik kijk hem recht aan. ‘Allebei.’
‘Allebei?’ Charlie lacht, eindelijk onder de indruk.
‘Daar komt de pauze. Tellen!’ schreeuw ik. Het is lang geleden dat hij het als eerste opgaf. Maar ik vind het wel best. Het gebeurt niet vaak dat je de meester in zijn eigen spel kunt verslaan.
‘Kijk, dat bedoel ik nou,’ zegt hij uiteindelijk. ‘Waarom zouden we ons nog een dag rot werken op de bank als we zeppelins, internet en kreeften kunnen krijgen?’
‘Charles, je hebt volkomen gelijk,’ zeg ik met mijn beste Britse accent. ‘En het mooiste is nog wel dat niemand zou weten dat dat geld zoek is.’
Charlie zwijgt even. ‘Dat is inderdaad zo, hè?’
Ik val uit mijn rol. ‘Waar heb je het over?’
‘Ollie, is het echt zo krankzinnig?’ zegt hij nu serieus. ‘Ik bedoel... wie zal dat geld missen? De bezitter ervan is dood... het zal binnenkort door iemand anders worden gestolen... en als de overheid het in handen zou krijgen... o, dan zou die er echt iets nuttigs mee doen.’
Ik ga rechtop zitten. ‘Charlie, ik vind het vervelend om je zeventiende fantasie van deze dag de grond in te boren, maar waar jij het over hebt, is strafbaar. Zeg dat maar eens hardop. Ssstrrrrafbaar.’
Hij zendt me een blik toe die ik niet meer heb gezien sinds onze laatste ruzie over ma. Die rotzak. Hij maakt geen grapje.
‘Oliver, je hebt het zelf gezegd... Het is de perfecte misdaad...’
‘Dat betekent niet dat het juist is!’
‘Ga mij niet vertellen wat juist is. Rijke mensen... grote bedrijven... ze stelen de hele dag van de overheid en niemand zegt daar iets van. Alleen hebben we het dan niet over stelen, maar over achterdeurtjes en een gezonde bedrijfsvoering.’

Charlie de dromer. 'Kom nou, Charlie. Je weet dat de wereld niet perfect is.'
'Ik vraag niet om perfectie. Weet je wel hoeveel bijzondere regels het belastingrecht voor de rijken heeft? Of voor een groot bedrijf dat zich een goede lobbyist kan veroorloven? Wanneer mensen als Tanner Drew hun 1040ez indienen, betalen ze bijna geen cent inkomstenbelasting. Maar ma, die net aan achtentwintigduizend per jaar krijgt, moet de helft van wat ze heeft regelrecht afdragen aan Uncle Sam.'
'Dat is niet waar. Ik heb de planners op de bank...'
'Oliver, ga me niet vertellen dat die een paar dollar voor haar weten te besparen. Dat maakt toch niks uit. De hypotheek, de creditcards en al die andere dingen waar pa ons mee heeft opgescheept toen hij vertrok – heb je enig idee hoe lang het zal duren voordat dat zoden aan de dijk zet? En dan heb ik het nog niet eens over de uitstaande ziekenhuisrekeningen. Tot hoe hoog zijn die inmiddels opgelopen? Tachtigduizend dollar? Tweeëntachtigduizend?'
'Eenentachtigduizend en vierhonderdvijftig dollar,' zeg ik. 'Maar omdat jij je daar schuldig over voelt, betekent dat nog niet dat wij...'
'Het gaat niet om je schuldig voelen. Wel over tachtigduizend dollar, Ollie! Besef je wel hoeveel dat is? En elke keer dat we weer naar de dokter moeten, wordt dat bedrag nog hoger!'
'Ik heb een plan...'
'O ja. Dat geweldige vijftig-stappenplan van jou! Hoe gaat dat ook alweer? Lapidus en de bank laten je economie studeren, waardoor jij hoger op de ladder komt en al onze schulden zullen verdwijnen? Dekt dat het wel zo ongeveer? Ik vind het heel vervelend het tegen je te moeten zeggen, Ollie, maar je werkt daar al vier jaar en ma ademt nog steeds ziekenhuisdampen in. We komen vrijwel geen stap verder. Dit is onze kans om haar van al die ellende te verlossen. Denk je eens in hoeveel jaren dat aan haar leven zou toevoegen! Dan hoeft ze zich niet meer tweederangs te voelen.'
'Ze is niet tweederangs.'
'Dat is ze wel. Net als wij,' houdt Charlie vol. 'Het spijt me als je kostbare zelfbeeld hiermee wordt geruïneerd, maar het wordt tijd dat we een manier bedenken om haar een nieuwe start te geven. Dat verdient iedereen, en ma zeker.'
De woorden die over zijn lippen komen, gaan regelrecht naar mijn onderbuik. Hij weet donders goed wat hij aan het doen is. Het zorgen voor ma heeft altijd de allerhoogste prioriteit gekregen. Voor ons allebei. Maar dat betekent nog niet dat ik achter hem aan de

rots af moet springen. 'Ik voel er niets voor om een dief te worden!'
'Wie heeft het nu over dieven?' zegt Charlie uitdagend. 'Dieven stelen van ménsen. Dit geld is van niemand. Duckworth is dood. Jij hebt geprobeerd contact met zijn familie op te nemen, en die heeft hij niet. We zouden alleen wat geld inpikken dat niemand ooit zal missen. En als er iets misgaat, kunnen we de schuld geven aan degene die ons die fax heeft gestuurd. Ik bedoel... hoe zou die ons erbij kunnen lappen?'
'Oké, Lenin. Dus wanneer we de rijkdom opnieuw hebben verdeeld, gaan we voor de rest van ons leven op de loop. Dat is duidelijk de beste manier om ma te helpen. Haar gewoon in de steek laten en...'
'We hoeven niemand in de steek te laten,' zegt hij nadrukkelijk. 'We zouden precies hetzelfde doen wat deze vent aan het doen is. Het geld van de rekening halen en het pas gebruiken als we zeker weten dat dat veilig kan. Na zeven jaar sluit de FBI dergelijke onderzoeken.'
'Wie zegt dat?'
'Ik heb dat artikel gelezen in de *Village Voice*...'
'De *Village Voice*?'
'Geen gesodemieter... Je moet alleen zeven jaar wachten. Daarna zijn we gewoon onopgelost dossier nummer zoveel, en wordt de zaak gesloten.'
'En wat gaan we dan doen? Van ons pensioen genieten op het strand, een bar openen en voor de rest van ons leven dwaze liedjes schrijven?'
'Dat is heel wat beter dan nog eens vier jaar lang hielen likken en nergens komen.'
Ik spring van het bed af, en hij beseft dat hij een grens heeft overschreden. 'Je wéét dat een studie economie de beste oplossing is, en je weet dat ik daar niet meteen na school aan kon beginnen,' zeg ik terwijl ik een vinger naar zijn neus ophef. 'Daarvoor moet je eerst een paar jaar werken.'
'Prima. Een paar jaar. Dat zijn er twee. Jij zit al aan het eind van je vierde jaar.'
Ik haal adem en tracht mijn zelfbeheersing niet te verliezen. 'Charlie, ik probeer me ingeschreven te krijgen op een van de belangrijkste faculteiten van het land. Harvard, Penn, Chicago, Columbia. Daar wil ik heen. Al het andere is tweede keus en zal niemand helpen. Ook ma niet.'
'En wie maakt dat uit? Jij of Lapidus?'

'Wat heeft dat nou weer te betekenen?'
'Hoeveel kansen heb je opgegeven omdat Lapidus je dat geweldige idee om economie te gaan studeren heeft aangepraat? Van hoeveel bedrijven heb je een aanbod afgeslagen? Jij weet net zo goed als ik dat je al jaren geleden bij de bank had moeten vertrekken. In plaats daarvan heb je niets anders gekregen dan afwijzingsbrieven van al die economische faculteiten. Denk je nu echt dat het dit jaar anders zal gaan? Verbreed je horizon een beetje. Ik bedoel... Ook zoiets: jouw omgang met Beth. Jullie vormen een leuk plaatje, maar meer is het niet, Oliver. Een aardig plaatje. Een Sears-portret van hoe alles naar jouw idee zou moeten zijn. Je bent een van de meest briljante en dynamische mensen die ik ken. Hou toch eens op zo bang te zijn om te leven.'
'Hou jij dan op met mij te veroordelen!' barst ik los.
'Ik veroordeel je niet.'
'Nee. Je vraagt me alleen maar om drie miljoen dollar te stelen. Dat zal al mijn problemen oplossen!'
'Ik zeg niet dat daarmee al je gebeden worden verhoord, maar het is de enige manier waarop we ooit uit deze ellende kunnen komen.'
'In dat opzicht heb je het nou net mis!' brul ik. 'Misschien vind jij het opwindend om in het archief met knipsels bezig te zijn, maar ik heb mijn blik op iets groters gericht. Vertrouw me in dit opzicht, Charlie. Als ik eenmaal ben afgestudeerd, zal ma nooit meer een rekening onder ogen krijgen. Je kunt plagen en grapjes maken zoveel je wilt. Natuurlijk is de door mij gekozen weg veilig en misschien eenvoudig. Maar het enige dat er op dit moment toe doet, is dat het werkt. En als ik er eenmaal voor word beloond, zien die drie miljoen dollar eruit als de prijs van een buskaartje vanuit Brooklyn.'
'En daar gaat het allemaal om, nietwaar? Nou, laat mij je eens iets vertellen, jongeman. Je mag dan van jezelf denken dat je een privéstraalvliegtuig bent dat regelrecht doorschiet naar de top, maar vanaf mijn kant van de rivier bezien sta je alleen maar in de rij, samen met al die andere klaplopers in de lagere echelons die je vroeger haatte. Een klaploper, net zoals pa dat was.'
Ik wil hem een klap op zijn smoel geven. Maar dat is al eens eerder gebeurd, en ik heb er geen behoefte aan nog eens met hem op de vuist te gaan. 'Je weet niet waar je over het hebt,' grom ik.
'Werkelijk? Dus jij denkt nog steeds dat het echt toeval kan zijn dat je twee opeenvolgende jaren bent afgewezen, ondanks het feit dat je de assistent bent van een van de topfiguren van de bank, dat je Lapidus nieuwe rekeningen hebt bezorgd met een totaalwaarde

van meer dan twaalf miljoen dollar door het tijdschrift voor mensen die zijn afgestudeerd aan de Universiteit van New York uit te pluizen, en dat elk lid van de maatschap afkomstig is van de economische faculteiten waaraan jij zo graag wilt gaan studeren?'
'Zo is het welletjes!'
'O, o. Tere plek. Je hebt daar zelf ook al over nagedacht, hè?'
'Charlie, hou je waffel!'
'Ik zeg niet dat Lapidus het vanaf het begin zo heeft gepland, maar heb je er enig idee van hoe vervelend het voor hem is om opnieuw iemand in dienst te nemen en te trainen om exact hetzelfde te gaan denken als hij? Daar moet je de juiste jongen voor vinden... liefst een arme sloeber zonder connecties...'
'Ik heb al gezegd dat je je waffel moet houden!'
'... en hem een baan beloven die hem een paar jaar binnen de deur zal houden zodat hij zijn schulden kan afbetalen...'
'Charlie, ik zweer je...'
'... en hem dan aan het lijntje houden tot die arme dwaas beseft dat hij en zijn familie op die manier nergens komen...'
'Hou je bek!' schreeuw ik, en ik ren naar hem toe. Ik ben nu razend, en mijn handen gaan regelrecht naar de boord van zijn overhemd.
Charlie, die altijd een betere atleet is geweest dan ik, duikt weg en rent naar de eetkeuken. Op de tafel ziet hij een studiegids van Columbia liggen, en een dossier met het woord AANVRAAG erop.
'Zijn dit...'
'Raak ze niet aan!'
Meer heeft hij niet nodig. Hij pakt het dossier meteen. Net als hij het openslaat, valt er een blauw-witte envelop op de grond. Op de achterkant staat een handtekening, op de plaats waar hij is dichtgeplakt. Henry Lapidus.
De handtekening op de envelop wordt vereist door alle vier de universiteiten, om zeker te kunnen weten dat ik hem niet heb geopend. De getypte vellen in zo'n envelop zijn de belangrijkste voor elke aanvraag om economie te mogen gaan studeren: de aanbeveling van de baas.
'Oké. Wie wil er voor detective spelen?' zingt Charlie. Hij zwaait de envelop boven zijn hoofd rond, waardoor die langs het lage plafond van de kelder schraapt.
'Geef terug!' zeg ik op hoge toon.
'O, Oliver, kom nou toch. Je wacht hier al vier jaar op. Als Lapidus je in de kerker opgesloten houdt, zul je op deze manier in elk geval achter de waarheid kunnen komen.'

'Ik ken de waarheid al!' schreeuw ik terwijl ik op hem af vlieg en een hand uitsteek naar de envelop. Opnieuw duikt hij weg en draait zich tegelijkertijd om.
Nu zwaait hij de envelop niet langer voor mijn neus heen en weer. Deze ene keer is hij ernstig. 'Oliver, je weet dat er iets niet klopt. Dat kan ik aan de blik in je ogen zien. Die man heeft je vier jaar van je leven afgepakt. Vier jaren met ketenen om, met de belofte daar later voor te worden beloond. Als hij je in die brief niet aanbeveelt, heeft hij daarmee een stokje gestoken voor het hele plan. Jouw manier om de schulden van ma af te lossen, alles waarop je rekende. En dan zwijg ik nog maar over het feit dat dergelijke instituten zo'n brief altijd in een dossier bewaren. Zelfs als je denkt dat je nog opnieuw kunt beginnen... Weet je wel hoe moeilijk het is zonder goede referenties aan een andere baan te komen? Niet direct de ideale situatie om de ziekenhuisrekeningen en ma's hypotheek te dekken, nietwaar? Dus waarom scheuren we deze jongen niet gewoon open en...'
'Laat los!' krijs ik. Ik dender regelrecht op hem af, in de verwachting dat hij een stap opzij zal zetten. In plaats van weg te duiken springt hij echter achterwaarts mijn bed op en begint als een zevenjarig joch op en neer te springen. 'Daaaames en heeeren, de weeereldkampioen zwaargewicht!' Dat laatste deel zingt hij, en vervolgens imiteert hij een juichende menigte. Toen we klein waren, dook ik op dit moment op zijn voeten af. Soms kreeg ik hem te pakken en soms miste ik, maar uiteindelijk deed het leeftijdsverschil van vier jaar hem de das om.
'Kom mijn bed af!' schreeuw ik. 'Zo breek je nog een van de veren.'
Charlie blijft op het bed staan, al houdt hij wel meteen op met springen. 'Oliver, ik hou van je, maar die laatste opmerking van je is nu precies het probleem.'
Hij stapt naar de rand van het matras, laat zich met een soepele beweging op zijn achterste ploffen, gebruikt het bed als springplank en landt op zijn voeten. Hoe riskant het ook is, hoe wild hij het ook doet, het resulteert altijd in een perfecte landing.
'Oliver, het geld kan me niets schelen,' zegt hij terwijl hij met de envelop tegen mijn borstkas slaat. 'Maar als je niet snel het een en ander gaat veranderen, zul je nog die kerel worden die op zijn drieënveertigste zijn leven is gaan haten.'
Ik staar hem recht aan, onaangedaan door dat commentaar. 'In elk geval woon ik dan niet meer bij mijn moeder in Brooklyn.'
Zijn schouders zakken, en hij zet een stap naar achteren. Dat kan me niets schelen.

'Ga weg,' voeg ik eraan toe.
Aanvankelijk blijft hij gewoon staan.
'Charlie, je hebt me wel gehoord. Ga weg.'
Hij schudt zijn hoofd en loopt eindelijk naar de deur. Eerst langzaam, dan snel. Als hij zich omdraait, durf ik erop te zweren dat hij grijnst. De deur knalt achter hem dicht, en ik kijk door het kijkgaatje. Boem, boem, boem. Charlie rent de trap op. 'Openmaken en kijken wat erin staat!' roept hij. En dan is hij weg.

Tien minuten nadat Charlie is vertrokken zit ik aan mijn keukentafel naar de envelop te staren. Achter me zoemt de koelkast. De radiator rinkelt, en het water in de ketel begint te koken. Ik zeg tegen mezelf dat ik die ketel heb opgezet omdat ik in de stemming ben voor oploskoffie, maar mijn onderbewuste trapt daar geen seconde in.
Ik heb het niet over het stelen van het geld. Wel over mijn baas. Het is belangrijk om te weten wat hij denkt.
Buiten suist een auto langs, hij dendert door het grote gat in het wegdek voor het huis. Door de bovenkant van mijn ramen zie ik de zwarte banden. Dat is het enige uitzicht wat ik vanuit de kelder heb. Op dingen die zich voortbewegen.
Het water kookt nu, de ketel fluit hoog en krijsend in mijn vrijwel kale keuken. Binnen een minuut heb ik het gevoel dat het gefluit al een jaar duurt. Of twee. Of vier.
Aan de andere kant van de tafel zie ik de meest recente rekening van het Coney Island Hospital liggen: $81.450. Dat gebeurt er als je een keer de verzekering niet betaalt om met je andere rekeningen te kunnen goochelen. Nog eens twintig jaar van ma's leven. Twintig jaar vol zorgen. Twintig jaar vastzitten. Tenzij ik daar iets aan kan doen.
Mijn blik gaat regelrecht naar de blauw-witte envelop. Wat er ook in zit... wat hij ook heeft geschreven... ik moet het weten. Voor ons allemaal.
Ik pak de envelop en ga zo snel staan dat de stoel op de grond valt. Voordat ik het goed en wel besef sta ik voor de ketel en kijk naar de geiser van stoom die de lucht in gaat. Met een snelle beweging van mijn duim zet ik de tuit open. Het fluiten houdt op, en de rookkolom wordt dikker.
In mijn handen trilt de envelop. Lapidus' handtekening, die perfect is, wordt een wazige, bewegende massa. Ik hou mijn adem in en doe mijn uiterste best mijn handen stil te houden. Het enige dat ik hoef te doen, is hem boven de stoom houden. Maar net

als ik dat wil doen, lijk ik me niet meer te kunnen bewegen. De moed zakt me in de schoenen, en alles wordt vaag. Het gaat net zoals met die overboeking... maar deze keer... Nee. Deze keer niet.
Ik hou de envelop wat steviger vast en zeg tegen mezelf dat dit niets met Charlie te maken heeft. Helemaal niets. Dan pak ik snel de onderkant van de envelop beet, laat het dichtgeplakte deel in de stoom zakken en bid dat dit zal werken, net zoals in de film.
Bijna meteen raakt de envelop gekreukt door de condens. Ik begin met de hoeken. De stoom verwarmt mijn handen, maar als ik er te dichtbij kom, brand ik mijn vingertoppen. Zo voorzichtig mogelijk steek ik mijn duim onder de flap en maak hem een klein stukje open. Ik laat de stoom de envelop in gaan, duw mijn duim iets verder en probeer de flap stukje bij beetje verder open te maken. Hij lijkt te gaan scheuren, maar net als ik op het punt sta het op te geven... geeft de lijm het op. Dan kan ik de flap losmaken, alsof het de beschermstrip van een pleister is.
Ik smijt de envelop weg en vouw snel de twee bladzijden tellende brief open. Mijn ogen glijden over de tekst, zoekend naar trefwoorden. Maar het lijkt net alsof ik een brief heb opengemaakt waarin je wordt meegedeeld of je al dan niet door een universiteit bent geaccepteerd. Ik kan nauwelijks lezen. Rustig, Oliver. Begin bovenaan.
Beste Milligan. *Persoonlijke aanhef. Goed.* Ik schrijf je in verband met Oliver Caruso, die in de herfst graag bij jou economie zou gaan studeren... *bla, bla, bla...* Olivers leermeester gedurende de afgelopen vier jaar... *bla, bla, bla...* spijt me te moeten zeggen... *Spijt me te moeten zeggen?...* dat ik naar eer en geweten Oliver niet voor die opleiding kan aanbevelen... hoe triest ik dat ook vind... gebrek aan professionalisme... nog niet echt volwassen... voor zijn eigen bestwil zou hij baat hebben bij nog een jaar professionele werkervaring...
Ik kan nauwelijks blijven staan. Mijn handen houden de brief heel stevig vast en vermalen de zijkanten. Mijn ogen lopen vol tranen. En ik zweer dat ik iemand ergens... voorbij de gaten in het wegdek... aan de overkant van de brug... hoor lachen. En iemand anders die zegt: 'Dat had ik je toch al voorspeld.'
Ik draai me bliksemsnel om, ren naar de kast en pak mijn jas. Als Charlie de bus neemt, kan ik hem nog inhalen. Ik pak de brief terwijl ik me in mijn jas worstel, ruk de deur open en...
'En?' vraagt Charlie, die op het trapje zit. 'Wat valt er voor nieuws te melden?'

Ik rem krachtig en zeg niets. Ik hou mijn hoofd gebogen. De brief heb ik gekreukt en wel in mijn vuist.
Charlie neemt me even aandachtig op. 'Triest voor je, Ollie.'
Ik knik, kokend van woede. 'Meende je het daarnet serieus?' vraag ik aan hem.
'Je doelt op het...'
'Ja,' zeg ik, hem onderbrekend en denkend aan het gezicht van ma wanneer alle rekeningen zijn betaald. 'Daar doel ik op.'
Hij houdt zijn hoofd scheef, en zijn ogen vernauwen zich tot spleetjes. 'Willis, waar heb je het over?'
'Charlie, nu hebben we wel genoeg spelletjes gespeeld. Als je er nog steeds voor in bent...' Ik maak mijn zin niet af. In gedachten neem ik alles door wat er moet worden gedaan. Dat is nog veel... Maar... op dit moment heb ik slechts vier woorden te zeggen. 'Dan doe ik mee.'

5

'Wat gaan we nu doen?' vraagt Charlie terwijl hij maandagmorgen vroeg de deur van mijn kantoor dichtdoet.
'Wat we al hebben besproken,' zeg ik terwijl ik het weekendwerk uit mijn aktetas haal en op mijn bureau dump. Ik beweeg me met de voor mij typerende krankzinnige snelheid, ren van het bureau naar de dossierkast en weer terug naar het bureau, maar vandaag...
'Je tred heeft iets verends,' concludeert Charlie, die opeens opgewonden raakt. 'En dan doel ik niet op je gebruikelijke imitatie van een hamster in een rad.'
'Je weet niet waar je het over hebt.'
'Dat weet ik wel.' Hij slaat me aandachtig gade, neemt elke beweging in zich op. 'Zwaaiende armen, schouders omhoog, zelfs in dat pak. Ja, broertje van me. Laat de vrijheid zich maar laten horen.'
Ik pak de fax van vrijdagavond en ga voor mijn computer zitten. Het geld van de slapende rekeningen moet vanmiddag om twaalf uur naar de staat zijn overgeboekt, of aan de rechtmatige eigenaars zijn teruggegeven. Daardoor hebben we drie uur de tijd om drie miljoen dollar te stelen. Net als ik wil beginnen, laat ik mijn knokkels knakken.
'Niet aarzelen,' zegt Charlie waarschuwend.

Hij is bang dat ik mezelf tot andere gedachten zal brengen. Ik laat mijn knokkels nog een laatste keer knakken en begin gegevens uit de fax van Duckworth over te typen.
'Wat ben je nu aan het doen?' vraagt Charlie.
'Hetzelfde wat onze mysterieuze persoon heeft gedaan. Een nepbrief schrijven waarin het geld wordt opgeëist. Maar nu zal dat geld wel op een rekening van ons worden gestort.'
Charlie knikt en grijnst. 'Weet je dat het gisteravond vollemaan was?' zegt hij. 'Ik durf erom te wedden dat die vent daarom die dag had uitgekozen.'
'Wil je alsjeblieft niet van die griezelige opmerkingen maken?'
'Ga niet spotten met de maan,' zegt Charlie waarschuwend. 'Je kunt je baden zoveel je wilt in de logica van je linkerhersenhelft, maar toen ik als enquêteur werkte en me bezighield met consumentenklachten, kregen we op de avonden met een volle maan aan de hemel zeventig procent meer telefoontjes. Dat is geen grapje. Op zo'n moment komen alle gekken hun holen uit om te dansen.' Hij zwijgt, maar hij kan nauwelijks stil blijven zitten. 'Heb je nog een idee gekregen omtrent de identiteit van de oorspronkelijke dief?'
'Dat was ik nu net...' Ik pak de telefoon en draai het nummer op de fax van Duckworth. Voordat Charlie de vraag ook maar kan stellen, zet ik de conferentietelefoon aan, zodat hij kan meeluisteren.
'Inlichtingen,' zegt een opgenomen vrouwenstem. 'Om welke stad gaat het?'
'Manhattan,' zeg ik.
'Naam?'
'Midland National Bank.' De bank waarheen de dief het geld overgeboekt wilde hebben.
'Waarom ben je...'
'Ssst,' zeg ik terwijl ik het nieuwe nummer intoets.
Charlie schudt duidelijk geamuseerd zijn hoofd. Hij is eraan gewend mijn jongere broertje te zijn.
'Midland National,' zegt een vrouwenstem. 'Waarmee kan ik u van dienst zijn?'
'Hallo,' zeg ik, weer met mijn allervriendelijkste stem. 'Ik ben Marty Duckworth en ik wil de details voor een ophanden zijnde telegrafische overboeking nog even bevestigen.'
'Ik zal mijn best doen. Wat is het rekeningnummer?'
Opnieuw raadpleeg ik de fax en voeg er zelfs Duckworths sofinummer als extraatje aan toe. 'De voornaam luidt Martin,' zeg ik ook nog.

We horen zacht getik terwijl ze dat intypt. 'Meneer Duckworth, waarmee kan ik u vandaag van dienst zijn?'
Charlie buigt zich over mijn bureau heen. 'Vraag naar haar naam,' fluistert hij.
'Sorry, wat was uw naam ook alweer?' vraag ik. Dat is dezelfde truc die Tanner Drew met mij had uitgehaald. Vraag naar hun naam, en dan zijn ze opeens verantwoordelijk.
'Sandy,' zegt ze snel.
'Oké, Sandy. Ik wil alleen even bevestigd horen...'
'Dat alles voor de telegrafische overboeking in orde is,' zegt ze iets te enthousiast. 'Ik heb de gegevens voor me, meneer. De overboeking komt van de bank Greene & Greene in New York City, en na ontvangst moeten we het conform uw instructies doorsturen naar TPM Limited bij de Bank of London, rekeningnummer B2178692792.'
Charlie, die vlugger kan schijven dan ik, krabbelt het nummer zo snel mogelijk neer. Ik pak zijn pen en schrijf achter TPM Ltd.: *Verzonnen bedrijf. Slim.* 'Geweldig. Hartelijk bedankt, Sandy...'
'Kan ik u nog ergens anders mee van dienst zijn, meneer Duckworth?'
Ik kijk de kant van Charlie op, en hij buigt zich dichter naar de microfoon toe. Hij laat zijn stem dalen om zijn beste imitatie van mij te geven en zegt: 'Tja, nu ik je toch aan de lijn heb... Ik heb mijn laatste afschriften niet ontvangen. Kun je alsjeblieft nakijken of het adres wel klopt?'
O, die jongen is hier goed in!
'Ik zal eens kijken,' zegt Sandy.
Toen ik negen jaar was en hoge koorts had, had Charlie een boterham met pindakaas en mayonaise voor me gemaakt waardoor ik me naar zijn zeggen beter zou gaan voelen. Ik had alles ondergekotst. Vandaag klinkt de stem van Charlie poeslief, al speelt er wel een grijnslachje op zijn gezicht. Al die jaren had ik gedacht dat hij probeerde behulpzaam te zijn. Nu vraag ik me af of hij niet gewoon meedogenloos is.
'Oké, ik denk dat ik het probleem zie,' zegt Sandy. 'Naar welk adres moeten we de afschriften sturen?'
Charlie weet niet goed hoe hij daarop moet reageren.
'Hebt u dan meer dan één adres?' vraag ik snel.
'Ja. Een in New York. Amsterdam...'
'... Avenue 405, appartement 2b,' vul ik snel aan, het adres op de brief voorlezend.
'En dan nog een in Miami...'

Charlie gooide me een stickertje toe en ik pak snel een pen. We zullen dit maar één keer te horen krijgen.
'Tenth Street nummer 1004, Miami Beach, Florida, 33139,' zegt ze.
Instinctief schrijft Charlie stad, staat en postcode op, en ik de rest van het adres. Zo deden we dat vroeger met telefoonnummers. Ik neem de eerste helft voor mijn rekening, hij de tweede. 'Het verhaal van mijn leven,' zei hij gewoonlijk.
'Als u dat wilt, kan ik het adres wijzigen in dat in New York,' legt Sandy uit.
'Nee, nee. Laat het maar zo. Als ik maar weet waar ik moet zijn om...'
Er wordt luid op de deur van mijn kantoor geklopt. Ik draai me net op tijd om om hem te zien opengaan. 'Is hier iemand?' vraagt een diepe stem.
Charlie grist snel de brief van het bureau. Ik pak de hoorn en zet de conferentietelefoon uit. 'Oké. Nogmaals hartelijk dank voor uw hulp.' Ik smijt de hoorn op de haak.
'H-hallo, Shep,' zingt Charlie, die voor het hoofd van de beveiligingsdienst zijn gelukkige gezicht opzet.
'Alles oké?' vraagt Shep terwijl hij onze kant op loopt.
'Ja,' zegt Charlie.
'Absoluut,' voeg ik eraan toe.
'Wat zou er nu mogelijkerwijs mis kunnen zijn?'
Dat vraagt Charlie, en hij kan zichzelf wel een dreun verkopen zodra die woorden over zijn lippen zijn gekomen.
'Shep, waar kan ik je vandaag mee helpen?' vraag ik.
'In feite hoopte ik jou te kunnen helpen,' gooit Shep eruit. Daar gaan de zachte handschoenen.
'Wat zeg je?' vraag ik.
'Ik wilde even met je praten over de overboeking naar de rekening van Tanner Drew die jij hebt geregeld.'
Charlie wordt meteen bang en laat zijn schouders hangen. Hij is niet echt opgewassen tegen een confrontatie.
'Dat was volkomen legaal,' zeg ik uitdagend.
'Luister,' zegt Shep. 'Bespaar me die toon.' Aanvoelend dat hij onze aandacht heeft, voegt hij eraan toe: 'Ik heb al met Lapidus gesproken, en die vindt het geweldig dat je het lef hebt gehad de situatie in eigen hand te nemen. Tanner Drew is gelukkig, en alles is oké. Maar ik van mijn kant hou er niet zo van veertig miljoen dollar te zien verdwijnen... zeker wanneer daarvoor het wachtwoord van iemand anders wordt gebruikt.'

Hoe wist hij dat we...
'Denk je dat ze me in dienst hebben genomen vanwege mijn knappe uiterlijk?' vraagt Shep lachend. 'Met een risico van dertien miljard hebben ze hier de beste beveiliging die er met geld te koop is.'
'Nou, als je nog een back-up nodig hebt, heb ik nog een behoorlijk goed fietsslot,' zegt Charlie, die probeert de zaken luchtig te houden.
Shep draait zich meteen naar hem toe. 'O, man, dit zul je prachtig vinden. Charlie, heb je ooit gehoord van een softwareprogramma dat Investigator heet?'
Charlie schudt zijn hoofd. Hij kan geen grapjes meer bedenken.
'Dat programma stelt je in staat het aanslaan van toetsen op toetsenborden in de gaten te houden,' zegt Shep, die mij nu al zijn aandacht geeft. 'Dat betekent dat ik – als jij achter een computer zit – elk woord kan zien wat je intypt. E-mails, brieven, wachtwoorden... zodra jij een toets indrukt, zie ik dat op mijn scherm.'
'Weet je zeker dat dat legaal is?' vraag ik.
'Maak je een grapje? Het is tegenwoordig standaard. Exxon, Delta Airlines, zelfs krengerige echtgenotes die willen zien wat hun echtgenoot in de chatroom aan het uitspoken is... Ze maken er allemaal gebruik van. Ik bedoel... waarom denk je dat de bank al onze computers op één netwerk heeft aangesloten? Zodat jij binnenshuis post kunt versturen? Big Brother zit er niet aan te komen. Hij is hier al jaren.'
Ik kijk even naar Charlie, die te intens naar het computerscherm staart. O, mijn hemel. De nepbrief...
'Het is werkelijk verbazingwekkend,' gaat Shep door. 'Je kunt alles programmeren als een alarm. Dus als iemand het wachtwoord van Mary gebruikt, en het beveiligingssysteem meldt dat ze niet meer in het gebouw is... komt die mededeling op je scherm en weet je wat er gaande is.'
'Luister. Het spijt me dat ik dat moest doen.'
'Daar heb je het Brooklyn-accent,' zegt Shep grinnikend. 'Laat dat zich alleen horen als je zenuwachtig bent? Vergeet je het dan verborgen te houden?'
'Nee. Het is alleen zo... Gegeven de omstandigheden wist ik niet wat ik moest...'
'Zitturnieoverin,' zegt Shep, die het oude accent er nog eens in wrijft. 'Zoals ik al heb gezegd, kan het Lapidus geen moer schelen. Technische zaken interesseren hem niet. Het kan hem niks schelen dat ik kan zien wanneer iemand Mary's naam, of de zijne intypt...' Shep kijkt over mijn schouder en gaat langzamer praten.

'En het kan hem ook niks schelen dat ik het kan zien wanneer iemand een computer van de bank gebruikt om een nepbrief te schrijven.'
Charlie schiet overeind in zijn stoel, en opeens ben ik niet meer de enige met een constipatiemasker.
'Toen ik nog bij de secret service zat, hadden ze zulke mogelijkheden niet,' gaat Shep door terwijl hij nog wat dichter naar ons toe loopt en zijn overhemdsmouwen opstroopt. Hij krabt aan zijn onderarmen – eerst de rechter en dan de linker – en ik zie voor het eerst hoe imposant die zijn. 'Die computers van tegenwoordig kunnen je overal alert op maken,' zegt hij, nu zonder het accent. 'Een overboeking van veertig miljoen dollar naar Tanner Drew... of een van drie miljoen naar Marty Duckworth.'
Die rotzak.
Ik ben verlamd. Ik kan me niet bewegen.
'Het is voorbij, jongeman. We weten waar je mee bezig bent.'
Charlie springt zijn stoel uit en pompt iets als een lach in zijn stem. 'Mijn hemel, Shep! Wees voorzichtig met de wapenstok. Je denkt toch niet dat wij...'
Shep ploegt langs hem heen, met een vinger die recht op mijn gezicht is gericht. 'Oliver, denk je dat ik blind ben?' Ik kijk omlaag en reageer niet. 'Ik heb je een vraag gesteld, jongeman. Denk je nu echt dat ik zo stom ben? Vanaf het moment waarop je die eerste fax verstuurde, wist ik dat het slechts een kwestie van tijd was voordat je de zaak verknalde.'
'De eerste fax?' flapt Charlie eruit. 'Die vanuit Kinko? Denk je dat wij die hebben verstuurd?' Hij legt een hand op de schouder van Shep, hopend daarmee een paar seconden te kunnen rekken. 'Man, ik zweer je dat wij die nooit hebben verstuurd. In feite... in feite is het zelfs zo dat we vanmorgen... dat we vanmorgen zodra we hier waren zelf hebben geprobeerd de dief te vangen... Dat klopt toch, Oliver? We waren hetzelfde aan het doen als jij!'
Spierwit zit ik daar. Charlie weet dat ik verloren ben. Hij kijkt nijdig mijn kant op. *Verdomme, Ollie... blijf erbij. Alsjeblieft.*
Charlie draait zich weer naar Shep toe en lacht alsof hij buiten zinnen is. 'Shep, ik zweer je dat we aan het proberen waren de dief zel...'
'Klop, klop. Is daar iemand?' roept een schorre stem terwijl de deur van mijn kantoor openzwaait. Shep draait zich snel om naar de bron van de stem: een gezette, maar nog altijd onberispelijk geklede man van middelbare leeftijd die nu naar mijn bureau toe loopt. Francis A. Quincy, het lid van de maatschap dat het hoofd

is van de afdeling Financiën. Achter hem staat de baas in hoogsteigen persoon. Henry Lapidus.
Ik produceer een onechte grijns en mijn tenen boren zich in het tapijt.
'Kijk eens! Daar hebben we de man van veertig miljoen!' zingt Lapidus me toe. 'Je kunt het geloven of niet, maar ik heb gehoord dat Tanner Drew een plaatsje in zijn testament voor jou vrijhoudt.' Terwijl hij dat zegt, veegt hij met zijn hand over zijn vrijwel kale hoofd – een onderdeel van zijn voortdurende kinetische beweging. Ondanks zijn imposante lengte van een meter negentig lijkt Lapidus een kolibrie in een menselijke gedaante. Flap, flap, flap, de hele dag door. Ik dacht vroeger dat het een teken was van energie die niet kon worden ingedamd. Charlie zei altijd dat het met aambeien te maken had. Die vind je altijd in de buurt van zakken.
'En raad eens wie we voor je hebben meegenomen,' zegt Lapidus. Hij doet een stap opzij, en ik zie een schlemielig joch met een schildpaddengezicht, gekleed in een veel te duur Italiaans pak. Hij is van onze leeftijd en hij ziet er bekend uit, maar ik...
'Kenny?' roept Charlie.
Kenny Owens. Mijn kamergenoot tijdens mijn eerste jaar aan de Universiteit van New York. Onhebbelijk rijk joch uit Long Island. Ik heb hem al jaren niet meer gezien, maar het pak alleen al vertelt me hij niets veranderd is. Hij is nog altijd een zeikerd.
'Dat is lang geleden, hè?' zegt Kenny. Hij wacht op een antwoord, maar Charlie en ik kijken allebei naar Shep.
'Ik dacht dat jullie wel wat tijd zouden willen hebben om bij te praten,' zegt Lapidus, die klinkt alsof hij een afspraakje voor ons aan het regelen is.
'Oude vrienden en zo...' voegt Quincy eraan toe.
Charlie houdt zijn hoofd scheef, weet dat er iets aan zit te komen. Door de bank genomen haat Quincy iedereen. Net als de meeste mannen in zijn positie is hij alleen in geld geïnteresseerd. Maar vandaag... vandaag zijn we allemaal familie van elkaar. En als Lapidus en Quincy Kenny persoonlijk rondleiden... moet hij bezig zijn met een sollicitatiegesprek.
Voordat iemand iets kan zeggen, volgt Lapidus onze blik naar Shep.
'Wat doe jij hier?' vraagt Lapidus, die aangenaam verrast klinkt. 'Nog meer preken over Tanner Drew?'
'Ja,' zegt Shep droog. 'Het gaat allemaal over Tanner Drew.'
'Bewaar dat dan maar voor later,' zegt Lapidus. 'Geef deze jongens wat tijd samen.'
'Eigenlijk is dit belangrijker,' zegt Shep uitdagend.

'Misschien heb je het niet goed begrepen,' zegt Quincy snel. 'We willen dat deze jongens wat tijd samen krijgen.' Op dat moment is de discussie voorbij. Het hoofd Financiën is hoger geplaatst dan het hoofd van de beveiligingsdienst.
'Nogmaals heel hartelijk bedankt,' zegt Lapidus tegen me. Hij buigt zich dicht naar me toe en fluistert: 'En neem van mij aan, Oliver, dat helpen om Kenny bij ons binnen te halen een perfecte manier is om voor een studie economie te worden aangenomen.'
Charlie en ik zitten er zwijgend bij terwijl Shep met tegenzin achter Lapidus en Quincy aan naar de deur loopt. Net als ze weggaan, draait Shep zich om en kijkt Charlie aan met een blik die met gemak kan doden. De deur klapt dicht, maar er is geen twijfel mogelijk. Het enige dat we hebben gedaan, is de pijn verlengen.
'Nou, zie ik er goed uit, of zie ik er goed uit?' vraagt Kenny zodra ze zijn vertrokken.
Charlie verkeert nog steeds in een shocktoestand.
'Wat doe jij hier?' vraag ik.
'Ook leuk jou weer eens te zien,' zegt Kenny, die op een stoel voor het bureau gaat zitten. 'Ben je altijd zo hartelijk tegenover gasten?'
'Ja... nee... Sorry. Het is zo'n dag waarop alles...' zeg ik stotterend. Ik probeer rustig te blijven, hoewel het duidelijk is dat me dat niet lukt.
Kenny zegt nog iets, maar ik kan alleen aan Shep denken. Ik kijk naar Charlie, en hij kijkt naar mij. Er is niets ergers dan angst in de ogen van je broer.
'Vertel ons maar eens wat er aan de hand is,' zeg ik tegen Kenny. 'Op welke functie ben je aan het solliciteren?'
'Aan het solliciteren?' Kenny lacht. 'Ik kom hier niet voor een baan. Wel als cliënt.'
Ik schiet overeind in mijn stoel.
Meer hoeft Kenny niet te zien. Grote grijns. De zeikerd. 'Met onroerend goed valt altijd veel te verdienen,' voegt hij er kwelend aan toe. 'Zeventien miljoen, en dat alleen via de verkoop van aandelen. Hoe kun je anders aan zoveel belastingvrij geld komen? Zonder te worden gearresteerd, natuurlijk.'

Zodra de deur achter Kenny dichtvalt, duik ik weg in mijn stoel. Charlie loopt rond en lijkt daar niet mee te kunnen ophouden. 'Misschien moeten we Shep roepen,' zegt hij terwijl hij begint te ijsberen. 'Hij is nog steeds mijn vriend... hij zal naar rede luisteren...'
'Geef me een minuut de tijd...'

'We hebben geen minuut. Je weet dat hij hier elk moment weer kan zijn... en als we hier gewoon blijven zitten... Ik bedoel... wat doen we hier eigenlijk nog? Het is net zoiets als de pin uit een granaat halen die in je broekzak zit en wachten.' Hij draait zich vliegensvlug om, voorbereid op een heftige discussie, maar tot zijn verbazing doe ik er het zwijgen toe. 'Wat is er? Wat heb ik nu weer gedaan?' vraagt hij.
'Herhaal eens wat je daarnet zei.'
'Over de granaat in onze broek?'
'Nee, daarvoor.'
Hij denkt een seconde na. 'Wat doen we hier eigenlijk nog?'
'Ja,' zeg ik snel. 'En hoe luidt het antwoord op die vraag?'
'Ik kan je niet volgen.'
'Wat doen we hier nog?' vraag ik terwijl ik ga staan. 'Shep heeft ons net betrapt op het stelen van drie miljoen dollar, maar vertelt hij dat aan Lapidus? Of aan Quincy? Haalt hij er zijn makkers van de beveiligingsdienst bij? Nee, nee en nog eens nee. Hij loopt weg en bewaart het gesprek voor later.'
'Nou en?' zegt Charlie schouderophalend.
'Wat is de eerste regel voor de uitvoering van de Wet op de ordehandhaving nummer 101?'
'Wees een krankzinnige, op macht beluste ezel wanneer je iemand tot stoppen maant?'
'Charlie, ik meen het serieus. Het gaat om de eerste bladzijde van het reglement. Laat de slechterik niet ontsnappen. Als Shep onzuivere koffie ruikt, wordt hij geacht regelrecht naar de baas toe te gaan.'
'Nu laat je je verbeelding de vrije loop. Misschien wil hij ons gewoon een kans geven om het uit te leggen.'
'Of misschien is hij...' Ik maak mijn zin niet af. De achterdochtige wenkbrauw gaat omhoog. 'Charlie, hoe goed ken je die man?'
'O, kom nou,' zegt hij, en hij rolt met zijn ogen. 'Denk je nu dat Shép de dief is?'
'Als je er eens wat dieper over nadenkt, zou dat heel goed kunnen. Hoe kan hij anders op de hoogte zijn van de originele fax van Duckworth?'
'Sherlock, hij heeft je zelf al verteld dat hij die binnen heeft zien komen.'
'Charlie, heb je er enig idee van hoeveel honderden faxen hier elke dag binnenkomen? Tenzij Shep zijn dagen doorbrengt met het bekijken van elke fax in het gebouw, kan hij die fax op geen enkele manier gevonden hebben. Dus iemand heeft hem een tip ge-

geven voordat hij hier binnenkwam, of hij heeft op de een of andere manier...'
'... geweten dat hij eraan zat te komen,' zegt Charlie, mijn gedachte afmakend. Zijn mond hangt open. Zijn lichaam verstijft, alsof zijn bloed koud wordt. 'Denk je echt dat hij...'
'Je kent hem in feite helemaal niet, hè?' zeg ik.
'W-we trekken tijdens kantooruren met elkaar op.'
'We moeten vertrekken,' zeg ik, en ik loop snel naar de deur.
'Nu meteen?'
'Hoe langer we hier blijven zitten, hoe groter de kans is dat we als zondebok worden gebruikt...' Ik ruk de deur open en kijk op. Er staat iemand in de deuropening.
Shep zet een stap naar voren, met zijn borstkas op de hoogte van mijn gezicht, en smijt de deur dicht. Hij neemt Charlie aandachtig op en staart mij dan aan. Zijn dikke nek houdt zijn hoofd in een brute boog, maar het is geen aanval. Hij is ons de maat aan het nemen. Wegend. Berekenend. Het lijkt wel zo'n stilte aan het eind van een eerste afspraakje, wanneer beslissingen worden genomen.
'Ik zal het met jullie delen,' zegt Shep.

6

'Wat zeg je?' vraagt Charlie, die naast me komt staan.
'Ik maak geen grapje,' zegt Shep. 'Door drieën delen. Ieder een miljoen.'
'Je maakt zeker een grapje,' brengt Charlie uit.
'Dus *jíj* hebt die eerste brief geschreven,' zeg ik.
Shep zwijgt.
Charlie zwijgt ook. Zijn tanden staan in zijn onderlip, half uit ongeloof, half...
Het hele gezicht van Charlie licht op.
... zuivere, door adrenaline veroorzaakte opwinding.
'Dit zou gemakkelijk de beste dag in mijn leven kunnen zijn,' zegt Charlie stralend. Die jongen kan nooit een wrok koesteren. Ik ben anders.
Ik draai me om naar Shep en zeg: 'Daarnet gaf je ons de schuld en nu verwacht je dat we elkaars hand vasthouden en partners worden?'
'Luister, Oliver. Je kunt me de duimschroeven aandraaien zoveel

je wilt, maar besef wel dat ik meteen een boekje opendoe over jou als je mij verraadt.'
Ik hou mijn hoofd scheef. 'Is dit een dreigement?'
'Dat hangt af van het door jou gewenste resultaat,' reageert Shep meteen.
Ik sta voor mijn bureau en hou Shep zorgvuldig in de gaten. Diep in mijn binnenste ben ik misschien geen dief, maar ik ben ook geen idioot.
'We zijn hier allemaal voor hetzelfde,' gaat Shep snel door. 'Dus je kunt een ezel zijn en niks krijgen, of de winst delen en weglopen met wat geld in je zak.'
'Ik opteer voor het delen van de winst,' zegt Charlie.
'Barst,' zeg ik terwijl ik op de deur af storm. 'Zo stom ben ik niet.'
Shep steekt een hand uit en pakt me bij mijn biceps. Niet hard, net voldoende om me tegen te houden. 'Oliver, het is niet stom.' Terwijl hij dat zegt, is alle branie uit zijn stem verdwenen. En ook de secret service-bravoure. 'Als ik jou hier de schuld van wilde geven, of je wilde verlinken... zou ik nu met Lapidus aan het praten zijn. In plaats daarvan ben ik hier.'
Zelfs terwijl ik me lostrek, heeft Shep mijn onverdeelde aandacht. Hij kijkt naar het diploma van de Universiteit van New York aan mijn muur en bestudeert dat zorgvuldig. 'Denken jullie dat jullie de enigen zijn met die droom? Toen ik pas bij de secret service was gaan werken, meende ik dat ik regelrecht zou doorstomen naar het Witte Huis. Misschien beginnen bij de vice-president... en eindigen bij de First Lady. Dat is een leuk leven als je er eens over nadenkt. Wat ik niet besefte, was dat je gewoonlijk een jaar of vijf bij de afdeling Onderzoek moet werken voordat je door kunt naar de afdeling Bescherming, en in die tijd hou je je bezig met vals geld, financiële misdaden, al het rotte werk waarvoor we nooit worden beloond.
En daar zit ik dan, een paar jaar na Brooklyn College, in ons kantoor in Miami, Florida. Op de hoofdweg van Miami naar Melbourne was er een lang stuk onverlicht. Drugshandelaren zetten daar hun vliegtuig aan de grond, dumpten zakken vol geld en drugs en lieten die door hun partners ophalen en naar Miami brengen. Nachtenlang fantaseerde ik over het vinden van die kerels, en elke keer was de droom hetzelfde. In de lucht zag ik het rode licht van een vluchtend vliegtuig. Instinctief deed ik mijn koplampen uit, ging langzamer rijden en stuitte op een groene zak met tien miljoen aan contant geld erin.' Shep draait zich weer naar ons toe en zegt: 'Als dat ooit zou gebeuren, zou ik de zak in mijn kofferbak

smijten, mijn penning laten voor wat die was en gewoon door blijven rijden.
Natuurlijk was het enige probleem dat ik dat vliegtuig nooit heb gezien. En nadat ik vijf opeenvolgende keren voor promotie was overgeslagen en van mijn miezerige salaris maar net aan kon leven, besefte ik dat ik niet wilde blijven werken tot de dag waarop ze me onder de grond zouden stoppen. Ik had gezien wat dat met mijn vader had gedaan... veertig jaar trouwe dienst in ruil voor een handdruk en een gedenkplaatje van nepgoud. Er moet meer in het leven zitten dan dat. En met Duckworth... een dode man met drie miljoen dollar... Het mag dan niet zoveel zijn als de meeste cliënten hier hebben, maar ik zeg het jullie: jongens zoals wij zullen ook niet meer kunnen krijgen.'
Charlie knikt nauwelijks merkbaar. De manier waarop Shep over zijn vader praat... sommige dingen kun je domweg niet verzinnen.
'Hoe weten we dat je er niet met het geld vandoor zult gaan?' vraag ik.
'Stel dat ik jullie laat uitkiezen waar het geld naartoe gaat? Jullie kunnen helemaal opnieuw beginnen, het op de rekening van welk gefingeerd bedrijf dan ook zetten. Ik bedoel... met jullie moeder hier... zullen jullie voor twee miljoen dollar niet op de vlucht slaan. Meer garanties heb ik niet nodig,' zegt Shep, die Charlie negeert en op mijn reactie wacht. Hij weet wie hij moet bewerken.
'Denk je echt dat het zal lukken?' vraag ik.
'Oliver, ik hou dit nu al bijna een jaar in het oog,' zegt Shep, die sneller begint te spreken. 'Er bestaan in het leven maar twee soorten perfecte – en dan bedoel ik écht perfecte – misdaden waarvoor je niet kunt worden gepakt. Bij de ene word je gedood, en dat is niet zo'n geweldige optie. Bij de tweede weet niemand dat er een misdaad is gepleegd.' Hij zwaait met zijn worstarm door de lucht, en wijst op de paperassen op mijn bureau. 'Dat wordt ons hier op een presenteerblaadje aangeboden. Dat is het mooie ervan, Oliver.' Hij laat zijn stem dalen. 'Niemand zal het ooit weten. Of die drie miljoen nu naar Duckworth gaan of naar de overheid, dat geld zou deze bank altijd hebben verlaten. En omdat het geacht wordt weg te zijn, hoeven wij niet op de vlucht te slaan of het leven te laten. Het enige dat we hoeven te doen, is de vergeetachtige dode miljonair bedanken.' Hij zwijgt even om dat te laten bezinken en voegt er dan aan toe: 'Mensen wachten hun hele leven tevergeefs op zo'n goeie kans. Het is nog beter dan het vliegtuig en de zak. De bank heeft de afgelopen zes maanden geprobeerd in contact te komen met zijn familie, en die blijkt er niet

te zijn. Niemand weet er iets van. Niemand, behalve wij.'
Dat is een goed punt. In feite is het zelfs een geweldig punt, en de beste verzekering dat Shep zijn mond zal houden. Als hij tegenover wie dan ook uit de school klapt, riskeert hij ook zijn eigen aandeel.
'En, Oliver, wat denk je ervan?' vraagt hij.
De art-decoklok aan mijn muur heb ik vorig jaar met kerst van Lapidus cadeau gekregen. Ik staar ernaar, naar de wijzer die de minuten aangeeft. Nog tweeëneenhalf uur te gaan. Daarna is de kans verkeken. Dan zal het geld naar de staat worden overgeboekt. En in dat geval rest mij niets anders dan een klok, een handdruk en ziekenhuisrekeningen voor een totaal van ruim tachtigduizend dollar.
'Het is oké als we iets meer willen hebben,' zegt Charlie. 'Denk eens aan wat we voor ma kunnen doen... al die schulden.'
Ik leun achterover in mijn stoel, haal diep adem en leg mijn handpalmen plat op mijn bureau. 'Je weet dat we hier spijt van zullen krijgen,' zeg ik.
Ze beginnen allebei te glimlachen. Twee jochies.
'Dus hebben we een deal?' Shep steekt een hand uit.
Ik druk die en kijk naar mijn broer. 'Wat gaan we nu doen?' vraag ik.
'Ken je goede gefingeerde bedrijven?' vraagt Shep.
Dat is mijn pakkie-an. Toen Arthur Mannheim zich van zijn vrouw liet scheiden, hebben Lapidus en ik binnen alles bij elkaar anderhalf uur een houdstermaatschappij opgericht en een bankrekening op Antigua geopend. Dat is het favoriete smerige trucje van Lapidus, en ik ken het maar al te goed. Ik steek een hand uit naar de telefoon.
'Nee, nee, nee,' zegt Shep berispend terwijl hij mijn hand wegtrekt. 'Je kunt die mensen nu niet meer zelf bellen. Alles wat je aanraakt, alles wat je doet, zal een schakel zijn, net zoiets als een vingerafdruk. Daarom moet je een tussenpersoon hebben, en niet zomaar een geitenbreier die je van de straat hebt geplukt. Je hebt een professional nodig die je belangen kan behartigen, zodat niemand jou ooit te zien krijgt. Iemand naar wie je duizend dollar kunt sturen en tegen wie je kunt zeggen: "Pleeg dit telefoontje voor me en stel geen vragen..."'
'Zoals een advocaat van de mafia,' zegt Charlie snel.
'Exact.' Shep grijnst. 'Zoals een advocaat van de mafia.' Voordat ik de vraag kan stellen, gaat Shep staan en loopt mijn kantoor uit. Dertig seconden later komt hij terug met een telefoongids onder

elke arm. Een van New York, een van Jersey. Hij smijt ze met een plof op mijn bureau.

'Tijd om de stotteraars te vinden,' zegt Shep.

Charlie en ik kijken elkaar aan. We weten werkelijk niet wat hij bedoelt.

'Je hebt ze in elke telefoongids gezien,' legt Shep uit. 'De eerste vermeldingen in elke categorie. AAAAAA Bloemist. AAAAAA Wasserette. En de meest pathetische en wanhopige van alle stotteraars – degenen die hoogstwaarschijnlijk bereid zullen zijn alles voor een dollar te doen: AAAAAA Advocatenkantoor.'

Ik knik. Charlie grijnst breeduit. We zitten op één lijn. Zonder iets te zeggen duiken we op de telefoongidsen af. Ik pak New York, Charlie krijgt Jersey. Shep leest over onze schouders mee. Ik blader de gids zo snel ik kan door, ga regelrecht naar de advocatenkantoren. De eerste die ik zie is: A Bekwame Advocaten voor Ongevallen.

'Te gespecialiseerd,' zegt Shep. 'We hebben iemand met een algemene praktijk nodig. Geen advocaat die op klanten jaagt.'

Mijn vingers glijden over de pagina omhoog. AAAAA Advocaten. Op de volgende regel staat: 'Voor al uw juridische zaken – de laagste prijzen.'

'Niet slecht,' zegt Shep.

'Ik heb het!' brult Charlie. Shep en ik manen hem allebei tot fluisteren. 'Sorry... sorry,' zegt hij, nauwelijks hoorbaar. Hij draait zijn gids om en duwt hem onder mijn neus, waardoor mijn exemplaar regelrecht op mijn schoot belandt. Met zijn wijsvinger wijst hij. Er staat alleen 'A'. En daaronder een enkel woord: Advocaat.

'Toch gaat mijn voorkeur naar de mijne uit,' zeg ik. 'Die garantie van een lage prijs is aantrekkelijk.'

'Gebruik je soms heroïne?' vraagt Charlie. 'Het enige dat de mijne gebruikt is een A,' zegt hij, ieder woord benadrukkend.

'De mijne heeft vijf A's op een rijtje.'

Charlie kijkt me recht aan. 'De mijne komt uit Jersey.'

'We hebben een winnaar,' kondigt Shep aan.

Deze keer is Charlie degene die snel een hand uitsteekt naar de telefoon. Shep geeft hem een dreun op zijn knokkels. 'Niet hiervandaan,' zegt hij. Hij loopt naar de deur en voegt eraan toe: 'Daarvoor heeft God telefooncellen geschapen.'

'Ben je gek?' zeg ik. 'Wij met z'n drieën in een telefooncel? Dat zou beslist niet opvallen.'

'Ik neem aan dat jij een beter idee hebt?'

'Ik werk elke dag met rijke mensen,' zeg ik terwijl ik voor Shep ga staan en naar de klok kijk. 'Denk je nu echt dat ik niet weet wat de beste plaatsen zijn om geld voor de overheid verborgen te houden?'

7

'Hallo,' kirt Charlie met een glimlach als van een deelneemster aan een missverkiezing, terwijl hij naar de zwartgranieten balie glijdt. We zijn op de derde verdieping van het gebouw van Wayne & Portnoy, een steriel en spelonkachtig geheel dat – ondanks alle architectonische charme van een lege schoenendoos – toch twee dingen heeft die veel goedmaken. In de eerste plaats staat het recht tegenover de bank en in de tweede plaats is het grootste en poenigste advocatenkantoor van de stad er gehuisvest.
Achter de balie is een al te netjes geklede, al te opgewonden receptioniste aan het kakelen in haar koptelefoon, en daar heeft Charlie nu precies op gerekend. Naar binnen glippen mag dan mijn idee zijn geweest, maar we weten allebei wie van aangezicht tot aangezicht beter is. We hebben allemaal onze sterke punten. 'Hallo,' zegt hij voor de tweede keer, wetend dat hij haar zal charmeren. 'Ik wacht tot Bert Collier naar beneden komt en ik vraag me af of ik even een telefoon zou kunnen gebruiken voor een snel privégesprek.' Ik glimlach in mezelf. Norbert Collier was gewoon een van de honderd namen op de lijst in de grote hal. Door hem Bert te noemen wekt Charlie de indruk dat ze oude vrienden zijn.
'Achter de liften,' zegt de receptioniste zonder ook maar even te aarzelen.
Shep en ik, die ons nog altijd om de hoek schuilhouden, wachten tot Charlie langs ons heen is gelopen en gaan dan achter hem aan. Ik wijs op de houten paneeldeur en neem hen mee een kleine vergaderruimte in. De woorden PRIVÉRUIMTE VOOR CLIËNTEN staan op een koperen naamplaatje vlak bij de deur. Het is geen grote ruimte. Een kleine mahoniehouten tafel, een paar beklede stoelen, bagels en roomkaas op het dressoir, een faxapparaat tegen de muur en vier telefoontoestellen. Alles wat we nodig hebben om enige schade toe te brengen.
'Aardige keus,' zegt Shep, die zijn groene jas over de rugleuning van een stoel hangt. 'Zelfs als ze het gesprek kunnen traceren...'
'... zullen ze alleen een paar cliënten van Wayne & Portnoy vin-

den,' voeg ik eraan toe terwijl ik mijn jas op de zijne smijt.
'Jullie zijn allemaal genieën,' zegt Charlie. 'Kunnen we nu aan de slag gaan met onze stotteraar? Tiktak, tiktak.'
Shep gaat op een stoel zitten, haalt het nummer uit zijn zak en pakt met een vlezige poot de telefoon. Terwijl hij het nummer intoetst, zet Charlie de conferentietelefoon aan die midden op de tafel staat. Iedereen houdt van telefonische besprekingen.
Het toestel gaat drie keer over voordat iemand opneemt. 'Advocatenkantoor,' zegt een mannenstem.
Shep houdt het koel en rustig. 'Hallo. Ik ben op zoek naar een advocaat en ik vroeg me af wat het specialisme is van meneer... eh... meneer.'
'Bendini.'
'Bendini,' herhaalt Shep, en hij schrijft die naam op. 'Ik vroeg me af wat het specialisme van meneer Bendini is.'
'Naar wat voor juridische hulp bent u op zoek?'
Shep knikt naar ons. Hier hebben we onze man. 'We zoeken naar iemand die zich erin heeft gespecialiseerd bepaalde dingen... Tja, we hopen alles zo onopvallend mogelijk te houden...'
Er volgt een korte pauze aan de andere kant van de lijn. 'Zegt u het maar,' zegt Bendini.
Shep springt meteen op uit zijn stoel. Hij begint te ijsberen, hoewel dat door zijn grote gestalte meer op sjokken lijkt. Ik kan niet bepalen of hij opgetogen of bang is. Ik gok op opgetogen. Na al die jaren achter een bureau voelt hij zijn innerlijke James Bond. 'Ik zal u doorverbinden met mijn associé,' zegt hij tegen Bendini. Shep knikt me toe terwijl ik me uitrek om zo dicht mogelijk bij de microfoon te komen.
'Als je je er nog dichter naartoe buigt, ga je de tafel kezen,' zegt Charlie plagend.
'Meneer Bendini...' zeg ik.
Niemand reageert.
Shep schudt zijn hoofd. Charlie lacht en doet alsof dat een hoest is.
Ik begin opnieuw. Zonder namen te gebruiken. 'Dit is het verhaal. Ik wil dat u aandachtig naar me luistert en dat u het volgende nummer belt...' *Ik wil, ik wil, ik wil*, zeg ik, om volkomen duidelijk te zijn. Charlie steekt zijn borstkas naar voren bij het horen van die nieuwe toon van mij. Hij is blij me sterk, veeleisender te zien. Gedurende al die jaren heb ik in elk geval iets van Lapidus geleerd.
'Het bedrijf heet Purchase Out International, en u moet naar Arnie vragen,' zeg ik. 'Laat u met niemand anders doorverbinden.

Arnie is de enige met wie we zakendoen. Als u hem aan de lijn hebt, moet u tegen hem zeggen dat u een uit vier lagen bestaande taart nodig hebt, met als eindbestemming Antigua. Hij zal weten wat u daarmee bedoelt.'
'Geloof me, jongen, ik weet echt wel hoe je bedrijven moet opstapelen,' zegt Bendini met het accent van een steenbakker uit Jersey.
'Niet terugkrabbelen,' fluistert Charlie. Dat doe ik ook niet. Mijn gehoor is scherp, en mijn gezicht is rood aangelopen. Ik kan zelfs mijn polsslag voelen.
'Op welke naam wilt u het hebben?' vraagt Bendini.
'Martin Duckworth,' zeggen we alle drie tegelijkertijd.
Ik zweer dat ik Bendini met zijn ogen kan horen rollen. 'Prima. Martin Duckworth,' herhaalt hij. 'En de oorspronkelijke eigenaar?' Hij heeft nog een valse naam nodig. Deze doet er niet toe. Alles is uiteindelijk het eigendom van Duckworth. 'Ribbie Henson,' zeg ik. Dat is de naam van het imaginaire vriendje van Charlie toen hij een jaar of zes was.
'Prima. Ribbie Henson. Hoe wilt u de rekening van Arnie betalen?'
Verdomme. Daar had ik niet eens aan gedacht.
Charlie en Shep willen zich er allebei mee gaan bemoeien, maar ik wuif hen weg. 'Zeg hem dat we zullen betalen als we de originele papieren in ons bezit hebben. Nu hebben we alleen een fax nodig,' zeg ik. Voordat Bendini daar iets op kan zeggen, voeg ik eraan toe: 'Zo handelt hij het af met de grote vissen. Zij betalen pas als het geld op de plaats van bestemming is. Zegt u maar tegen hem dat wij walvissen zijn.'
Charlie kijkt me aan alsof hij me nog nooit eerder heeft gezien. 'Wat een stoere taal,' fluistert hij Shep toe.
'En wanneer wilt u alles op zijn plek hebben?' vraagt Bendini.
'Wat zou u denken van over een halfuur?' vraag ik.
Opnieuw volgt er een korte pauze. 'Ik zal doen wat ik kan,' zegt Bendini, die duidelijk niet uit zijn evenwicht is gebracht. Hij schraapt nadrukkelijk zijn keel. 'En hoe ga ik betaald worden?'
Ik kijk naar Charlie. Hij kijkt naar Shep. Bendini klinkt niet als iemand tegen wie je zegt dat hij de rekening maar moet sturen.
'Zegt u maar wat uw tarieven zijn,' zegt Shep.
'Zegt u maar wat u dit waard is,' reageert Bendini meteen.
Ik zet de luidsprekers uit. 'Niet gaan pingelen,' zeg ik scherp. 'We hebben nog maar weinig...'
'Ik zal u duizend dollar in contanten geven als u het binnen een halfuur kunt regelen,' zegt Shep, die het apparaat weer inschakelt.

'Duizend dollar? Jongens, daar ga ik nog niet voor pissen, zelfs als ik wel degelijk moet. Het minimum is vijfduizend.'
Shep werpt me een paniekerige blik toe, en ik kijk weer naar Charlie. Mijn broer schudt zijn hoofd. Zijn snoeptrommeltje is altijd leeg. Terwijl ik naar mijn horloge kijk, pers ik mijn lippen op elkaar. Je hebt geld nodig om geld te krijgen. Ik kijk weer naar Shep en ik moet wel knikken. Charlie weet wat dat betekent. Daar gaat wat spaargeld voor mijn studie, en voor de ziekenhuisrekeningen.
'Maak je geen zorgen,' fluistert Charlie met een hand op mijn schouder. 'Dat is nóg een nietje dat we in de kop van Lapidus zullen zetten.'
'Oké. Vijfduizend,' zegt Shep tegen Bendini. 'We zullen het telegrafisch overboeken zodra dit gesprek is afgerond.' Hij kijkt naar de witte sticker op het faxapparaat, noemt ons telefoonnummer en ons faxnummer, bedankt de geldverslinder en legt de hoorn op de haak.
Het is doodstil in de kamer.
'Naar mijn idee verliep dat geweldig,' verkondigt Charlie, die met een arm bescheiden door de lucht zwaait.
'Het komt allemaal goed,' zegt Shep.
Ik knik eerst snel. Dan langzamer. 'Dus je denkt dat het zal werken?' vraag ik bezorgd.
'Mijn hemel! Drie volle seconden en de oude Oliver is al weer terug,' zegt Charlie.
'Als jouw makker Arnie maar doet wat er van hem wordt verlangd...' zegt Shep.
'Geloof me. Arnie zal het in tien minuten voor elkaar hebben. Op zijn hoogst in een kwartier,' voeg ik eraan toe, kijkend naar de reactie van Charlie. Hij denkt dat ik aan het rationaliseren ben. 'Arnie is een belegen hippie die op de Marshall Eilanden woont, prima margerita's kan maken en de hele dag brievenbusfirma's van de muur plukt. Hij registreert die overal ter wereld, geeft ze namen, adressen en zelfs een raad van bestuur. Je hebt de advertenties vast weleens gezien. Die staan in elk tijdschrift dat je in een vliegtuig kunt lezen. Haat u de belastingdienst? Betaalt u te veel belasting? Particuliere buitenlandse ondernemingen! Privacy gegarandeerd!'
'En jij denkt dat hij binnen het komende halfuur een heel bedrijf kan opzetten?' vraagt Charlie.
'Vertrouw me nu maar. Maanden geleden al heeft hij ABC Corp, DEF Corp en GHI Corp opgericht. Al het papierwerk is er al voor gedaan. Elk bedrijf is niets anders dan een aantekenboekje op een

plank. Als we opbellen, schrijft hij onze valse naam op de paar lege plekken die er nog zijn en drukt er een officieel stempel op. Om eerlijk te zijn verbaast het me dat het zo lang...'
De telefoon rinkelt. Charlie springt naar voren en zegt in de microfoon: 'H-hallo.'
'Gefeliciteerd,' zegt Bendini met een accent dat zijn afkomst uit Jersey volledig verraadt. 'Ribbie Henson is nu de trotse eigenaar en de enige aandeelhouder van Sunshine Distributors Partnership, Limited, op de Maagdeneilanden, dat het eigendom is van CEP Worldwide op Nauru, dat het eigendom is van Maritime Holding Services op Vanuatu, dat het eigendom is van Martin Duckworth op Antigua.'
Vier lagen, eindbestemming Antigua. Als het bevoegd gezag ernaar gaat zoeken, zullen ze maanden nodig hebben om zich door al het papierwerk heen te ploegen.
'Jullie lijken in zaken te zijn. Zorg ervoor dat jullie mijn geld telegrafisch overboeken.'
Zodra de verbinding is verbroken, komt de fax zoemend tot leven. Ik zweer je, het bezorgt me bijna een hartaanval.
De eerste vijf minuten daarna spuugt de fax de rest van het papierwerk uit van huishoudelijke reglementen tot oprichtingsakten – alles wat we nodig hebben om een splinternieuwe zakenrekening te openen. Ik kijk naar de klok aan de muur. Nog twee uur de tijd. Mary wilde de paperassen om twaalf uur hebben. Verdomme. We weten alle drie dat we dit niet kunnen afhandelen zoals die kwestie rond Tanner Drew. Geen gestolen wachtwoorden. Het moet volgens het boekje gebeuren.
'Halen we het?' vraagt Charlie.
'Als je dat wilt, kunnen we de oorspronkelijke brief nu meteen aan Mary overhandigen,' zegt Shep. 'Mijn rekeningen op de naam Duckworth zijn al bedrijfsklaar, omdat ze van de echte Duckworth...'
'Geen schijn van kans,' zeg ik, hem onderbrekend. 'Zoals je al hebt gezegd, zoeken wij de plaatsen uit waar het geld naartoe gaat.'
Shep komt in de verleiding aan een discussie te beginnen, maar beseft snel dat hij die niet kan winnen. Als het geld in eerste instantie naar hem wordt overgeboekt, heeft hij zijn zak vol geld en hebben wij niets. Zelfs Charlie is niet bereid dat risico te nemen.
'Prima,' zegt Shep. 'Maar als je geen gebruik gaat maken van de al bestaande rekening van Duckworth, zou ik zo snel mogelijk met het geld naar het buitenland gaan, omdat er dan geen sprake meer is van een meldingsplicht. Je kent de wet. Alles wat verdacht lijkt,

wordt bij de belastingdienst gemeld, wat betekent dat ze het overal zullen traceren.'
Charlie knikt en haalt een dunne stapel rode papieren uit mijn aktetas. De 'Rode Lijst' – de lijst die de leden van de maatschap hebben gemaakt van hun favoriete buitenlandse banken, waaronder die welke vierentwintig uur per etmaal zijn geopend. Die staat op rood papier om te voorkomen dat iemand hem kan kopiëren.
'Ik stem voor Zwitserland,' zegt Charlie. 'Zo'n louche rekening op nummer, met een wachtwoord dat je nooit kunt raden.'
'Het spijt me je te moeten meedelen dat die Zwitserse bankrekeningen niet meer zijn wat ze waren,' zegt Shep. 'In tegenstelling tot wat Hollywood je wil laten denken, zijn anonieme Zwitserse bankrekeningen al sinds 1977 afgeschaft.'
'Wat zouden jullie dan denken van de Caymaneilanden?'
'Veel te Grishamachtig,' zegt Shep snel. 'Bovendien beginnen ze daar nu ook opening van zaken te geven. Het lezen van *Advocaat van de duivel* heeft mensen op zoveel ideeën gebracht dat de Verenigde Staten wel moesten ingrijpen. Sinds die tijd werken ze al jaren met het bevoegd gezag samen.'
'Wat is dan de beste...'
'Concentreer je niet te veel op één plaats,' zegt Shep. 'Een snelle overboeking van New York naar de Caymaneilanden is verdacht, van wie het geld ook komt, en als de bankbediende een wenkbrauw optrekt, wordt de belastingdienst geïnformeerd. Dat is het eerste principe voor het witwassen van geld. Je stuurt het naar de buitenlandse banken, omdat die hoogstwaarschijnlijk niet met de autoriteiten zullen samenwerken. Maar als je het te snel daarheen overboekt, zullen de respectabele banken hier er het etiket "verdacht" op plakken en je de belastingdienst op je dak sturen. Dus wat doe je? Je concentreert je op korte sprongen – logische sprongen – zodat er niet nog een tweede keer naar wordt gekeken.' Hij pakt een bagel en smijt die op de tafel. 'Wij zijn hier in de Verenigde Staten. Wat is het belangrijkste andere land waarmee wij op bankgebied zakendoen?'
'Engeland,' zeg ik.
'Inderdaad,' zegt Shep, en hij smijt een tweede bagel vlak naast de eerste op de tafel. 'Het epicentrum van de internationale bankwereld. Mary boekt er bijna dertig keer per dag geld naar over. Ze zal er geen vraagteken achter zetten. En als je eenmaal in Londen bent... wat zit daar dan dicht bij in de buurt?' Hij smijt nog een bagel op de tafel. 'Frankrijk is het gemakkelijkst. Wekt geen

achterdocht, nietwaar? En als ons geld daar eenmaal is... Het Franse reglement is niet zo strikt, waardoor de wereld al een beetje open komt te liggen.' Er ploft weer een bagel op de tafel. 'Persoonlijk geef ik de voorkeur aan Letland... dichtbij... een beetje flikflooiend omdat de regering nog niet heeft besloten of ze ons aardig vindt. En bij een internationaal onderzoek werken ze slechts in ongeveer vijftig procent van de gevallen met ons mee, wat betekent dat het een perfecte plek is om de dag van een onderzoeker te verpesten.' Hij vuurt nog eens twee bagels op de tafel af. 'Daarvandaan ga je naar de Marshalleilanden en daarvandaan weer naar Antigua. Tegen de tijd dat het geld daar komt, is wat als zwart geld is begonnen niet meer te traceren en daarmee wit geworden.'

'Dat is alles?' vraagt Charlie, die van Shep naar mij kijkt.

'Weet je wel hoe lang het duurt om in het buitenland een onderzoek van de grond te krijgen?' vraagt Shep. Hij wijst op de eerste bagel, dan op de tweede en vervolgens op de derde. 'Ping, ping, ping, ping, ping. Dat noemen ze de Regel van Vijf. Vijf goed gekozen landen en je bent onvindbaar. Bij de secret service kostte zo'n onderzoek ons zes maanden tot een jaar, met geen enkele garantie op succes.'

'O, schatje, geef me de roomkaas eens door,' zingt Charlie.

Zelfs ik grijns. Ik probeer dat te camoufleren, maar Charlie ziet het aan mijn ogen. Dat alleen al maakt hem gelukkig.

Ik buig me over de tafel heen, bekijk snel de Rode Lijst en kies een bank uit voor elk territorium. Vijf banken in een uur. Het zal kantje boord worden.

'Luister. Ik moet me bij Lapidus melden,' zegt Shep, die zijn jas van de stoel trekt. 'Zullen we om halftwaalf in mijn kantoor afspreken?'

Ik knik, Charlie zegt 'bedankt' en Shep loopt snel de kamer uit.

Zodra de deur achter hem dicht is, duik ik opnieuw op de conferentietelefoon af, kees de tafel wederom en toets het nummer van de bank op Antigua in.

'Ik heb een visitekaartje voor het geval het niet doorgaat,' zegt Charlie.

Ik schud mijn hoofd. Er is een reden waarom ik het advocatenkantoor heb uitgekozen. 'Ik wil Rupa Missakian graag spreken,' zeg ik, voorlezend vanaf de Rode Lijst.

Binnen vijf minuten heb ik het btw-nummer en alle andere vitale gegevens voor de eerste bankrekening van Sunshine Distributors doorgegeven. Om het project echt goed te verkopen, voeg ik er de

geboortedatum van Duckworth aan toe, en een persoonlijk gekozen wachtwoord. Zij maken het ons geen moment moeilijk. Dank je, Rode Lijst.
Als ik de conferentietelefoon weer uitzet, wijst Charlie op zijn Wonder Woman-horloge met de magische lasso als kleine wijzer. Twintig minuten, van het begin tot het einde. Nog veertig minuten de tijd en nog vier rekeningen die moeten worden geopend. Niet goed genoeg.
'Kom op, coach, ik heb mijn schaatsen aan,' zegt Charlie. 'Laat me meedoen.'
Zonder iets te zeggen scheur ik twee rode vellen los en schuif ze over de tafel. Op het ene staat FRANKRIJK en op het andere MARSHALLEILANDEN. Charlie rent naar de telefoon helemaal rechts van hem. Ik naar de mijne, aan de andere kant van de tafel. Onze vingers flitsen over de toetsen.
'Spreekt u Engels?' vraag ik aan een onbekende in Letland. 'Ja... Ik ben op zoek naar Feodor Svantanitsj, of degene die zijn rekeningen beheert.'
'Hallo, ik probeer Lucinda Llanos te bereiken,' zegt Charlie. 'Of degene die haar rekeningen beheert.'
Er volgt een korte stilte.
'Hallo,' zeggen we tegelijkertijd. 'Ik zou graag een bedrijfsrekening willen openen.'

'Oké. Kunt u het nummer nog een keer voorlezen?' vraagt Charlie aan een Fransman die hij inspecteur Clouseau blijft noemen. Hij schrijft het op en roept naar mij: 'Zeg tegen die Engelsman van jou dat het HB7272250 is.'
'Daar gaan we. HB7272250,' zeg ik tegen de man in Londen. 'Zodra het geld binnen is, willen we het daar zo spoedig mogelijk naartoe overgeboekt zien.'
'Nogmaals dank voor uw hulp, Clouseau,' zegt Charlie. 'Ik zal al mijn rijke vrienden over u vertellen.'
'Geweldig,' zeg ik. 'Ik zal er morgen navraag naar doen en dan kunnen we hopelijk gaan praten over een aantal andere bedrijven van ons in het buitenland.'
Vertaling: Lever goed werk af, en dan zal ik je zoveel bedrijven in de schoot werpen dat deze drie miljoen apennootjes lijken. Het is de derde keer dat we dit spel hebben gespeeld: het doorgeven van het rekeningnummer van de ene bank aan die welke daaraan voorafgaat.
'Ja... ja... Dat zou geweldig zijn,' zegt Charlie met een stem die

duidelijk maakt dat hij nu echt moet ophangen. 'Neemt u een croissantje op mijn kosten.'
Charlie springt zijn stoel uit als ik de hoorn laat zakken. 'Klaaaaar zijn we!' zegt hij zodra de hoorn op de haak ligt.
Ik kijk meteen naar de klok. Vijf over halftwaalf. 'Verdomme,' mompel ik. Ik veeg de losse rode vellen op een hoop en stop ze in mijn aktetas. 'Kom mee, we moeten gaan,' zegt Charlie, die naar de deur vliegt. Terwijl ik ren, schuif ik de stoelen terug onder de tafel. Charlie deponeert de bagels weer op de schaal. Netjes en perfect. Net zoals we alles hebben aangetroffen.
'Ik heb de jassen,' zeg ik terwijl ik ze van de stoel pluk.
Het kan hem niets schelen. Hij blijft gewoon rennen. En voordat de receptioniste iets langs haar balie ziet schieten, zijn we de deur al uit.

'Waar waren jullie verdomme? Waren jullie elkaars haar aan het invlechten?' vraagt Shep als we zijn kantoor in stormen. Nog tien minuten te gaan. Ik smijt de jassen op de leren bank. Shep springt zijn stoel uit en houdt een vel papier voor mijn gezicht.
'Wat is dat?' vraag ik.
'Een verzoek om overboeking. Je hoeft alleen maar in te vullen waar het geld naartoe moet.'
Ik haal de warwinkel van papieren uit mijn aktetas en pak het vel van Engeland. Charlie buigt zich voorover, zodat ik zijn rug als bureaublad kan gebruiken. Ik schrijf de gegevens van de rekening zo snel mogelijk over. Bijna klaar.
'Waar gaat het uiteindelijk naartoe?' vraagt Shep.
Charlie gaat rechtop staan, en ik hou op met schrijven. 'Waar heb je het over?'
'De laatste overboeking. Waar deponeren we het geld?'
Ik kijk naar Charlie, maar hij kijkt neutraal terug. 'Ik dacht dat je had gezegd...'
'... dat jullie mochten bepalen waar het geld naartoe gaat. Dat heb ik ook gezegd, en je kunt ermee goochelen zoveel je wilt, maar geloof me maar als ik zeg dat ik wil weten waar het in laatste instantie terechtkomt.'
'Dat was geen onderdeel van de afspraak,' grom ik.
'Jongens, kunnen we dit niet voor later bewaren?' zegt Charlie smekend.
Shep buigt zich behoorlijk geërgerd naar me toe. 'We hadden afgesproken dat jullie de controle over alles kregen. Niet dat ik volledig zou worden buitengesloten.'

'Ben je opeens bang dat wij de cake zullen houden?' vraag ik.
'Jongens, alsjeblieft,' zegt Charlie smekend. 'We hebben bijna geen tijd meer...'
'Oliver, ga me niet verneuken. Ik vraag uitsluitend om iets als een verzekering.'
'Nee, je vraagt alleen naar ónze verzekering. Dit wordt geacht onze belangen veilig te houden.'
'Ik hoop alleen dat jullie allebei beseffen dat jullie op het punt staan alles te verknallen,' zegt Charlie. Dat kan ons geen van beiden iets schelen. Zo gaat het altijd met geld. Alles wordt persoonlijk.
'Vertel me verdomme naar welke bank het geld uiteindelijk gaat!' briest Shep.
'Waarom? Zodat jij je fantasie over die tas vol geld kunt uitleven en wij stof mogen happen?'
'Verdomme, jongens. Niemand laat niemand in de steek!' schreeuwt Charlie. Hij gaat tussen ons in staan, steekt een hand uit en pakt de stapel rode vellen.
'Wat ben je aan het doen?' brul ik, en ik trek de vellen weer naar me toe.
'Laat los!' zegt Charlie, met een laatste ruk. De bovenste twee vellen scheuren door midden, en ik vlieg naar achteren. Ik reageer snel genoeg om mijn evenwicht niet helemaal te verliezen, maar niet snel genoeg om hem tegen te houden. Hij bladert door, pakt het vel met ANTIGUA erop, en vouwt dat op zodat slechts de naam van één bank zichtbaar is.
'Charlie, doe dat niet!'
Te laat. Hij drukt een vinger op het rekeningnummer en ramt het vel in Sheps gezicht. 'Gezien?'
Shep bekijkt het snel. 'Dank je. Om meer heb ik niet gevraagd.'
'Wat is er verdomme met jou aan de hand?' schreeuw ik.
'Hou je waffel,' brult Charlie terug. 'Als we hier gaan zitten ruziën, zal niemand iets krijgen. Dus maak dit verdomde papierwerk af en ga dan aan de slag met de rest. We hebben nog maar een paar minuten de tijd.'
Ik draai me snel om en kijk naar de klok om te zien of hij gelijk heeft.
'Hou je blik gericht op de prijs, Oliver,' zegt Shep. 'Kijk naar de prijs.'
'Ga, ga, ga!' brult Charlie terwijl ik de laatste regel invul. Hij heeft net onze hele verzekeringspolis weggegeven, maar toch is dat geen reden om alles te verliezen. Niet nu we zo dicht bij ons doel zijn. Charlie stopt de Rode Lijst terug in mijn aktetas. Ik heb een sta-

pel van veertig slapende rekeningen onder mijn arm. Ik strompel de deur uit en kijk niet één keer om, alleen maar vooruit.
'Zo gaat-ie goed, broertje van me!' roept Charlie.
Oké. Tijd om wat geld in te pikken.

8

Charlie smijt de deur achter me dicht, en ik ren de gang op de vierde verdieping door, nog altijd goochelend met een stapel papieren. Rechts van me schuiven de liftdeuren dicht, waardoor ik mijn tempo verdubbel en regelrecht afsteven op de privélift aan het eind van de gang.
Het bordje boven de deuren licht op bij zeven... dan bij zes... dan bij vijf... Ik kan hem nog altijd halen. Ik ren erheen en toets de zescijferige code zo snel mogelijk in. Net als ik het laatste cijfer intoets, begeeft de stapel slapende rekeningen het. Ik druk het geheel tegen mijn borst, maar de bladzijden glijden al langs mijn buik. Ze vallen met een klap op de grond en spreiden zich uit als amoeben. Ik laat me op mijn knieën zakken en veeg ze als een gek weer bij elkaar. Dan hoor ik de ping van de lift. De deuren schuiven open, en ik staar naar twee paar mooie schoenen. En die mooie schoenen zijn niet van zomaar iemand...
'Oliver, kan ik je daarmee helpen?' vraagt Lapidus terwijl ik opkijk en zijn brede grijns zie.
'Gebruik je nog steeds de code van de baas?' zegt Quincy terwijl hij zijn arm tussen de liftdeuren houdt om te voorkomen dat die dichtgaan.
Ik dwing me tot een geforceerde glimlach en voel het bloed uit mijn gezicht wegtrekken.
'Heb je...'
'Nee, het lukt me wel,' zeg ik stellig. 'Gaan jullie maar verder.'
'Maak je geen zorgen,' zegt Quincy plagend. 'We vinden het geweldig om te wachten.'
Als ik zie dat ze niet van plan zijn verder te gaan, maak ik een net stapeltje van de vellen, ga moeizaam weer staan en voeg me bij hen in de lift.
'Naar welke verdieping wilt u, meneer?' vraagt Quincy.
'Sorry,' zeg ik stotterend. Ik forceer nog een grijns en druk op de knop van de derde verdieping. Mijn vinger trilt als ik dat doe.

'Oliver, trek je van hem niets aan,' zegt Lapidus. 'Hij is alleen razend omdat hij geen eigen protégé heeft.' Zoals altijd is het de perfecte reactie op de situatie. Zoals altijd is het precies wat ik wil horen. En zoals altijd etst hij zijn initialen in mijn rug als hij me dichter naar zich toe trekt voor een vaderlijke knuffel. Val dood, Lapidus. Deze zondebok is hogerop aan het komen.
Een ping en de liftdeuren schuiven open. 'Tot morgen,' zeg ik, terwijl ik het gevoel heb te moeten overgeven.
Quincy knikt. Lapidus geeft me een schouderklopje.
'Tussen twee haakjes,' roept Lapidus. 'Heb je een leuk gesprek gehad met Kenny?'
'O ja,' zeg ik, hen achterlatend. 'Het was gewoon perfect.'

Vechtend tegen het duizelige gevoel in mijn hoofd loop ik snel de gang door, met mijn blik strak naar voren gericht. Op koers blijven. Als ik de Kooi nader, is mijn hele lichaam verdoofd. Handen, voeten, borstkas... ik voel niets meer. Als ik een hand uitsteek om de deur open te maken, zweet die zo erg, en is de deurknop zo koud dat ik bang ben dat ik er meteen aan vastgelast kom te zitten. Mijn maag begeeft het en smeekt me hiermee op te houden. Maar het is te laat, de deur is al open.
'Dat werd tijd,' zegt Mary als ik naar binnen loop. 'Ik begon me al zorgen te maken, Oliver.'
'Grapje zeker!' zeg ik terwijl ik zenuwachtig glimlach naar de andere vier medewerkers in het kantoor die opkijken terwijl ik over de vaste vloerbedekking loop. 'Ik heb nog steeds ruim drie...' De deur klapt achter me dicht, en ik schrik. Ik was bijna vergeten dat de deur van de Kooi automatisch wordt gesloten.
'Alles oké met jou?' vraagt Mary, die onmiddellijk overschakelt op de rol van moederkloek.
'J-ja... Natuurlijk,' zeg ik, vechtend om bij mijn positieven te blijven. 'Ik wilde alleen maar zeggen dat we... nog op zijn minst drie minuten hebben.'
'En in het ergste geval kun je het altijd nog zelf doen, nietwaar?' Terwijl ze die vraag stelt, poetst ze een veeg van het glas voor de foto van haar oudste zoon. De fotolijst met haar wachtwoord...
'Luister. Over Tanner Drew gesproken...' zeg ik smekend. 'Ik had dat niet moeten doen. Het spijt me.'
'Daar twijfel ik niet aan.' Ze laat haar hoofd zakken, weigert me aan te kijken. Het lijdt geen twijfel, ze kan elk moment ontploffen. Maar uit het niets snijdt opeens haar hoge lach door de ruimte. Polly, die naast haar zit, sluit zich daarbij aan. Gevolgd door

Francine. Ze lachen allemaal. 'Kom nou toch, Oliver. We zijn je alleen aan het plagen,' zegt Mary uiteindelijk met een stralende glimlach.
'Je... je bent niet boos op me?'
'Schat, gezien de omstandigheden heb je het beste gedaan wat je kon doen. Maar als ik ooit nog eens merk dat je mijn wachtwoord weer hebt gebruikt...'
Ik ril licht, wachtend op de rest van het dreigement.
Opnieuw glimlacht Mary breeduit. 'Oliver, het is een grapje. Je zult er niet dood van gaan als je lacht.' Ze trekt de stapel slapende rekeningen uit mijn hand en geeft er een klapje mee tegen mijn borstkas. 'Je neemt alles te serieus. Weet je dat wel?'
Ik probeer daarop te reageren, maar er komt geen woord over mijn lippen. Het enige dat ik zie, zijn de formulieren die door de lucht zwaaien.
Mary draait zich om naar haar computer en zet de hele stapel aan het klembord op haar monitor vast. Ze weet wat de deadline is. Geen tijd te verspillen. Gelukkig zijn de overboekingen al voorbereid. Ze hoeft alleen nog de plaats van bestemming in te toetsen.
'Ik begrijp werkelijk niet waarom de staat dat geld krijgt,' zegt ze terwijl ze het dossier SLAPENDE REKENINGEN opent. 'Ik persoonlijk zou het liever naar liefdadigheidsinstellingen zien gaan...'
Ze zegt nog iets anders, maar dat is onhoorbaar door het suizen van het bloed in mijn oren. Op het scherm wordt een bedrag van twintigduizend dollar overgemaakt naar de afdeling Slapende Rekeningen van de staat New York. Dan een bedrag van driehonderd dollar. Gevolgd door een van twaalfduizend. Een voor een werkt ze zich door de stapel heen. Een voor een drukt ze op die knop van VERZENDEN.
'Dus denk ik dat je het toch zou kunnen stelen,' zegt Mary uiteindelijk.
Hete scheuten schieten door mijn benen, alsof iemand een mes in mijn dijen boort. Ik kan nauwelijks blijven staan. 'W-wat zeg je?'
'Ik zei dat ik dus denk dat we toch kunnen gaan skiën,' zegt Mary. 'Die knie van Justin is niet zo beroerd als we dachten.' Ze draait zich om en betrapt me erop dat ik het zweet van mijn voorhoofd veeg. 'Weet je zeker dat alles met jou in orde is, Oliver?'
'Natuurlijk,' zeg ik. 'Het is gewoon een van die dagen.'
'Meer een van die jaren, gezien het tempo waarin je hier altijd rondrent. Oliver, als je het niet rustiger aan gaat doen, zullen de mensen hier je dood nog veroorzaken.'
Over een feit valt niet te twisten.

Mary gaat aan de slag met het volgende vel van de stapel en moet vierhonderdduizend dollar overmaken naar iemand die Alexander Reed heet. Ik verwacht dat ze een opmerking over dat bedrag zal maken, maar op dit moment valt het haar niet eens op. Ze ziet het elke dag gebeuren.

Net als ik. Cheques ten bedrage van honderdduizend dollar... een binnenhuisarchitect vinden voor hun villa in Toscane... de chef-kok voor de desserts van L'Aubergine die precies weet hoe krokant hun chocoladesoufflé moet zijn. Het is een leuk leven, maar niet het mijne.

Het kost Mary alles bij elkaar tien seconden om het rekeningnummer in te toetsen en op de knop te drukken voor verzending. Tien seconden. Tien seconden om mijn leven te veranderen. Daar streefde mijn vader altijd naar, maar tevergeefs. Eindelijk een uitweg...

Mary likt even aan haar vingertop, haalt het volgende vel in de stapel te voorschijn en laat haar vingers naar het toetsenbord zakken. Daar is het. Duckworth en Sunshine Distributors.

'Wat ga je dit weekend doen?' vraag ik heel snel.

'O, hetzelfde als alle andere weekends van de afgelopen maand. Proberen al mijn familieleden in hun hemd te zetten door betere kerstcadeautjes voor hen te kopen dan zij voor mij hebben gekocht.'

Op het scherm verschijnt de naam van onze bank in Londen. C.M.W. Walsh Bank.

'Dat klinkt geweldig,' zeg ik afwezig.

Cijfer na cijfer volgt het rekeningnummer.

'Klinkt dat geweldig?' zegt Mary lachend. 'Oliver, je moet echt eens meer op stap gaan.'

De cursor glijdt naar de toets met VERZENDEN en ik begin gedag te zeggen. Ik zou dit nog steeds een halt kunnen toeroepen, maar...

Het icoontje met VERZENDEN knippert uit en weer aan. De woorden zijn heel klein, maar ik ken ze als mijn broekzak.

Status: in behandeling.

Status: goedgekeurd.

Status: betaald.

'Luister. Ik moet terug naar mijn kantoor...'

'Maak je geen zorgen,' zegt Mary zonder zich om te draaien. 'Ik kan het hier wel in mijn eentje afhandelen.'

9

Terwijl hij naar zijn computerscherm staarde en met zijn tong over een oud zweertje aan de binnenkant van zijn lip streek, moest hij toegeven dat hij niet had gedacht dat Oliver het zou doorzetten. Charlie misschien wel. Maar niet Oliver. Natuurlijk had hij soms momenten van grootsheid laten zien... Het meest recent met dat incident rond Tanner Drew... maar diep in zijn binnenste was Oliver Caruso nog net zo bang als hij dat was geweest op de dag waarop hij was begonnen bij Greene & Greene.

Toch moest in de praktijk altijd blijken of iets goed ging, en nu had het er alle schijn van dat het geld op het punt stond naar Londen, Engeland, te worden verstuurd. Met dezelfde technologie waarvan hij wist dat Shep die tot zijn beschikking had, haalde hij de rekening van Duckworth op het scherm en keek bij HUIDIGE STATUS. De laatste opdracht – *Saldo naar C.M.W. Walsh Bank* – was nog in behandeling. Het zou nu niet lang meer duren.

Hij haalde een pen uit de zak van zijn jasje en schreef de naam van de bank op, gevolgd door het rekeningnummer. Natuurlijk zou hij die bank in Londen kunnen bellen, kunnen proberen het geld te onderscheppen. Maar tegen de tijd dat hij een verbinding tot stand had gebracht, zou het bijna zeker weer zijn verdwenen. Bovendien... waarom zou hij op dit moment tussenbeide komen?

Zijn telefoon begon te rinkelen, en hij nam meteen op. 'Hallo?' zei hij, zoals altijd vol zelfvertrouwen.

'En?' vroeg een barse stem.

'En wat?'

'Ga geen spelletje met me spelen,' zei de man waarschuwend. 'Hebben ze het gepikt?'

'Dat kan nu elk moment gebeuren,' zei hij, met zijn ogen nog altijd strak op het scherm gericht. Onder aan het scherm een snel geknipper. *In behandeling* veranderde in *Betaald.*

'Daar gaat het,' zei hij met een grijns. Shep... Charlie... Oliver... als ze eens wisten wat er ging gebeuren.

'Dus het is een feit?' vroeg de man.

'Ja,' antwoordde hij. 'De sneeuwbal is officieel aan het rollen.'

10

Iemand houdt me in de gaten. Hij was me niet opgevallen toen ik Lapidus gedag zei en de bank verliet. Het was na zessen en de decemberlucht was al donker. En ik had niet gezien dat hij me volgde over de vieze trap naar de ondergrondse, noch door het hekje. Er waren veel te veel forensen die door de stedelijke mierenheuvels heen en weer liepen om iemand echt te kunnen zien. Maar als ik het perron bereik, zweer ik dat ik iemand mijn naam hoor fluisteren.

Ik draai me snel om om te kijken, maar ik zie alleen de voor Park Avenue typerende menigte na werktijd: mannen, vrouwen, lang, klein, jong, oud, een paar zwarten, de meesten blank. Allemaal in een jas of een dik jack. De meerderheid staart naar leesmateriaal – een paar gaan volledig op in hun koptelefoon – maar als ik me omdraai, is er een persoon die snel een *Wall Street Journal* omhoogbrengt om zijn gezicht te verbergen.

Ik rek mijn hals uit in een poging zijn schoenen of zijn broek te zien – alles om uit de context iets te kunnen opmaken – maar de menigte is tijdens de piek van het spitsuur te dicht. Omdat ik niet in de stemming ben om risico's te nemen, loop ik het perron verder over, weg van de man met de krant. Op het allerlaatste moment kijk ik even over mijn schouder. Er voegen zich nog wat forensen bij de menigte, maar verder beweegt vrijwel niemand zich, behalve de man die opnieuw als een boef in een slechte film over de koude oorlog de *Journal* omhoogbrengt om zijn gezicht te verbergen.

Niet gek worden, zeg ik tegen mezelf. Maar voordat mijn hersenen die boodschap kunnen verwerken, hoor ik een zacht gerommel. De trein komt het station in gedenderd en blaast mijn haar omhoog. Ik borstel het met mijn vingers weer op zijn plaats, loop naar een wagon en kijk nog een laatste keer het perron over. Om de zes meter baant een kleine menigte zich een weg naar een openstaande deur. Ik weet niet of de man met de krant is ingestapt of het heeft opgegeven. In elk geval is hij er niet meer.

Ik vecht me een weg de al overvolle wagon in, waar ik klem kom te staan tussen een Latijns-Amerikaanse vrouw in een dik, grijs skijack en een kalende man in een lange jas. Terwijl de ondergrondse naar het centrum rijdt, dunt de menigte geleidelijk uit en komen er zelfs een paar zitplaatsen vrij. Als ik bij Bleeker overstap en bij Broadway-Lafayette de D-trein neem, verdwijnen alle modieus geklede mensen met zwarte schoenen, een zwarte spijkerbroek en een

zwartleren jasje. Het is niet de laatste halte voordat we naar Brooklyn gaan, maar wel de laatste die cool is.
Ik geniet van de extra ruimte in de wagon en leun tegen een metalen stang. Het is de eerste keer sinds ik het kantoor uit ben gegaan dat ik echt op adem kom. Dat wil zeggen... tot ik zie wie er bij het andere eind van de wagon op me staat te wachten: de man die zich achter de *Wall Street Journal* schuilhoudt.
Nu er minder mensen zijn en de afstand tussen ons kleiner is, kan ik hem gemakkelijk snel van top tot teen opnemen. Meer heb ik niet nodig. Ik baan me een weg naar hem toe, zonder er ook maar bij na te denken. Hij houdt de krant nog iets hoger, maar het is al te laat. Snel trek ik de krant uit zijn handen en zie wie het afgelopen kwartier mijn stalker is geweest. 'Charlie, wat doe jij hier verdomme?'
Mijn broer grijnst speels, maar dat helpt niet.
'Geef me antwoord op mijn vraag!' zeg ik op hoge toon.
Charlie kijkt op, bijna onder de indruk. 'Mijn hemel. Helemaal *Starsky & Hutch*! Stel dat ik een spion was... of een man met een haak?'
'Ik heb je schoenen gezien, uilskuiken. Wat ben je naar jouw idee aan het doen?'
Charlie wijst met zijn kin op de mensen in de wagon, die nu allemaal onze kant op staren. Voordat ik kan reageren glipt hij onder mijn arm door, loopt naar het andere uiteinde van de wagon en gebaart me hem te volgen. Een paar mensen kijken op, maar niet meer dan een seconde. Typerend voor New York.
'Wil je me nu vertellen wat dit te betekenen heeft, of moet ik het gewoon toevoegen aan je voortdurend groeiende lijst van stomme zetten?' mopper ik terwijl we verder de trein door lopen.
'Voortdurend groeiende lijst?' herhaalt hij terwijl hij zich een weg door de menigte heen baant. 'Ik weet niet wat je...'
'Denk maar eens aan Shep,' snauw ik terwijl ik een ader in mijn voorhoofd voel kloppen. 'Hoe heb je hem in vredesnaam onze eindbestemming kunnen laten zien?'
Charlie draait zich naar me toe, maar blijft doorlopen en zwaait met een hand door de lucht alsof dat een absurde vraag is. 'Kom nou, Oliver. Ben je daar nog steeds nijdig over?'
'Charlie, nu heb ik verdomme genoeg van jouw grapjes,' zeg ik terwijl ik snel achter hem aan loop. 'Heb je er enig idee van wat je hebt gedaan? Ik bedoel... neem je ooit de tijd om na te denken over de gevolgen, of spring je gewoon de rots af en ben je tevreden met je rol van dorpsgek?'

Aan het andere eind van de wagon blijft hij opeens staan, draait zich om en kijkt me nijdig aan. 'Zie ik er in jouw ogen zo stom uit?'
'Nou, gezien wat je...'
'Ik heb hem helemaal niets gegeven,' gromt Charlie fluisterend. 'Hij heeft er geen idee van waar het is.'
Ik zwijg terwijl de ondergrondse het station Grand Street in rijdt – de laatste halte in Manhattan. Zodra de deuren opengaan, stappen tientallen Chinese mannen en vrouwen met gebogen rug de wagon in, zeulend met roze plastic boodschappentassen die naar verse vis stinken. Chinatown voor de boodschappen en dan met de ondergrondse terug naar Brooklyn. 'Hoe kun je dat nu zeggen?' vraag ik.
'Toen ik hem die Rode Lijst liet zien, heb ik de verkeerde bank aangewezen. Met opzet, Ollie.' Hij komt dichter bij me staan en voegt eraan toe: 'Ik heb hem een willekeurige bank op Antigua aangewezen, waar wij niets hebben staan. Nog niet één glanzende *dime*. En het beste van alles is nog wel dat jij zo aan het schreeuwen was dat hij elk woord geloofde.' Het duurt een seconde voordat ik die mededeling heb verwerkt. 'Oliver, je hoeft je echt niet zo druk te maken. Ik zal niemand toestaan er met ons geld vandoor te gaan.'
Met een scherpe ruk probeert hij de dienstdeur tussen de twee wagons open te krijgen. Die zit op slot. Geërgerd loopt hij om me heen en gaat regelrecht terug naar waar we vandaan zijn gekomen. Voordat ik iets kan zeggen, komt de trein weer in beweging, en is mijn broer in de mensenmenigte opgegaan.
'Charlie!' brul ik terwijl ik achter hem aan ren. 'Je bent een genie!'

'Ik begrijp nog steeds niet wanneer je het hebt gepland,' zeg ik terwijl we over de kapotte betonnen stoep van Avenue U in Sheepshead Bay, Brooklyn, lopen.
'Ik had het ook niet gepland,' geeft Charlie toe. 'Het idee kwam opeens bij me op toen ik dat rode vel aan het vouwen was.'
'Grapje zeker!' reageer ik lachend. 'O, man... hij kan er werkelijk geen idee van hebben.'
Ik wacht tot hij eveneens gaat lachen, maar dat gebeurt niet. Niets dan stilte.
'Wat is er?' vraag ik. 'Kan ik nu niet blij zijn omdat het geld veilig is? Ik ben gewoon opgelucht omdat jij...'
'Oliver, heb je wel goed naar jezelf geluisterd? Je hebt de hele dag lopen krijsen dat we het hoofd koel moeten houden, maar zodra ik je vertel dat ik Shep een oor heb aangenaaid, gedraag je je als

de kerel die de laatste kaartjes voor de Zeppelin heeft weten te bemachtigen.'
Onder het lopen staar ik naar de voorgevels van winkels-voor-het-hele-gezin die het landschap van Avenue U bepalen. Pizzeria's, sigarenwinkels, goedkope schoenenzaken, een nog net niet failliete kapsalon. Met uitzondering van een pizzeria is alles op dit uur al gesloten. Toen we klein waren, betekende dat dat de eigenaars de lichten uit en de deuren op slot deden. Tegenwoordig betekent het een met staal versterkt rolluik laten zakken, dat eruitziet als een metalen garagedeur. Het lijdt geen enkele twijfel dat vertrouwen niet meer is wat het geweest is.
'Kom nou, Charlie. Ik weet dat je het prachtig vindt een verdwaalde pup onder je hoede te nemen, maar je kent die man nauwelijks...'
'Dat doet er niet toe,' onderbreekt Charlie me. 'We lopen hem hoe dan ook zwaar te belazeren!' Als we het eind van het huizenblok naderen, steekt hij zijn arm uit en laat zijn vingertoppen schaatsen over het metalen schild dat een winkel in tweedehands boeken verborgen houdt. 'Verdomme!' schreeuwt Charlie terwijl hij een zo hard mogelijke mep op het metaal geeft. 'Hij vertrouwde ons...' Hij klemt zijn kaken op elkaar en brengt zichzelf daarmee tot zwijgen. 'Dat is nu precies wat ik aan geld haat...'
Hij draait scherp naar rechts, Bedford Avenue op, en de voorgevels als garagedeuren moeten het veld ruimen voor een ongeïnspireerd appartementengebouw met vijf verdiepingen uit de jaren vijftig van de twintigste eeuw.
'Ik zie knappe mannen!' roept een vrouwenstem uit een raam op de derde verdieping. Ik hoef niet eens op te kijken om te weten bij wie die stem hoort.
'Bedankt, ma,' mompel ik. Blijf de routine in stand houden, zeg ik tegen mezelf terwijl ik achter Charlie aan naar de hal loop. Maandagavond is familieavond. Ook als je er geen zin in hebt.
Als de lift de derde verdieping heeft bereikt en we naar het appartement van mijn moeder lopen, heeft Charlie verder nog steeds niets tegen me gezegd. Zo doet hij altijd wanneer hij van streek is. Dan draait hij de knoppen om, zet alles uit. Mijn vader loste zijn problemen net zo op. Als we met iemand anders te maken zouden hebben, zou die het natuurlijk van zijn gezicht kunnen aflezen, maar bij ma...
'Wie heeft er trek in een lekkere gebakken ziti?' schreeuwt ze terwijl ze de deur al openmaakt voordat we hebben aangebeld. Zoals altijd glimlacht ze breeduit en heeft ze haar armen gespreid, klaar voor een knuffel.

'Ziti?' zingt Charlie, die naar voren springt en haar die knuffel geeft. 'Hebben we het over de originele of de extra krokante versie?' Hoe beroerd het mopje ook is, ma lacht hysterisch en trekt Charlie nog dichter naar zich toe.

'Wanneer gaan we eten?' vraagt Charlie, die een stap opzij doet en de houten lepel vol saus uit haar hand trekt.

'Charlie, je mag niet...'

Het is al te laat. Hij stopt de lepel in zijn mond en proeft de saus alvast.

'Ben je nu gelukkig?' vraagt ze lachend terwijl ze zich naar hem omdraait. 'Nu zit die lepel onder jouw bacillen.'

Hij houdt de lepel vast alsof die een lolly is en drukt hem tegen zijn buiten boord hangende tong. 'Aaaaaaa,' kreunt hij, met een tong die nog altijd uit zijn mond hangt. 'Ik heb geen bacillen.'

'Jij draagt die ook bij je.' Ze blijft lachen en kijkt hem strak aan.

'Hallo, ma,' zeg ik, nog altijd wachtend bij de deur.

Ze draait zich meteen om en de brede glimlach verdwijnt geen moment van haar gezicht. 'Oooo, mijn gróte jongen,' zegt ze terwijl ze me opneemt. 'Je weet hoe heerlijk ik het vind je in een pak te zien. Zo professioneel...'

'Hoe zit het met mijn pak?' roept Charlie, wijzend op zijn blauwe overhemd en gekreukte kaki broek.

'Knappe jongens zoals jij hoeven geen pak te dragen,' zegt ze met haar beste imitatie van Mary Poppins.

'Dus dat betekent dat ik niet knap ben?' vraag ik.

'Of betekent het dat ik er in een pak beroerd uitzie?' vraagt Charlie.

Zelfs zij weet wanneer een grapje te ver is doorgevoerd. 'Oké, Frick en Frack. Allebei naar binnen!'

Terwijl ik achter mijn moeder aan door de huiskamer loop, langs het ingelijste schilderij dat Charlie van de Brooklyn Bridge heeft gemaakt, haal ik diep adem en snuif mijn jeugd goed op. Gummetjes... kleurpotloden... zelfgemaakte tomatensaus. Charlie heeft Play-Doh, ik heb de etentjes op maandagavond. Natuurlijk veranderen sommige dingetjes weleens van plaats, maar de grote spullen – het eetkamerameublement van oma, de glazen lage tafel waaraan ik mijn hoofd heb opengehaald toen ik zes was – veranderen nooit. Inclusief mijn moeder.

Mijn moeder, die een kilo of negentig weegt, is nooit tenger... of onzeker geweest. Toen haar haar grijs werd, is ze het nooit gaan verven. Toen het dunner werd, liet ze het kort knippen. Nadat mijn vader was vertrokken, was het uit met de fysieke nonsens. Ze gaf alleen nog om Charlie en mij. Dus ondanks de ziekenhuisrekeningen, en de creditcards, en het bankroet dat pa ons naliet... zelfs nadat ze haar baan in de tweedehands winkel kwijt was en na alle klussen die ze als naaister daarna had moeten doen... heeft ze altijd meer dan genoeg liefde te geven gehad. Het minste wat we kunnen doen, is haar hetzelfde geven.

Ik loop de keuken in, steven regelrecht af op de Charlie Brown-koekjespot en trek aan het keramische hoofd.

'Au!' zegt Charlie. Zijn lievelingsgrap sinds de lagere school.

Het hoofd floept los, en ik haal een stapeltje papieren uit de pot.

'Oliver, doe dat alsjeblieft niet,' zegt ma.

'Het is oké,' zeg ik, terwijl ik haar verder negeer en het stapeltje meeneem naar de tafel in de eetkamer.

'Ik meen het serieus. Dit is niet goed. Je hoeft mijn rekeningen niet te betalen.'

'Waarom niet? U hebt me geholpen mijn studie te betalen.'

'Maar toen had je zelf ook een baan...'

'Dankzij de man met wie u toen omging. Vier jaren zonder geldproblemen. Dat was de enige reden waarom ik kon studeren.'

'Oliver, dat kan me niets schelen. Het is al erg genoeg dat jij voor het appartement hebt betaald.'

'Dat heb ik niet gedaan. Ik heb de bank alleen gevraagd een betere financiering uit te werken.'

'En je hebt geholpen met de eerste aanbetaling...'

'Ma, dat was alleen om u op weg te helpen. U had deze flat al vijfentwintig jaar gehuurd. Weet u wel hoeveel geld u daarmee hebt weggegooid?'

'Dat kwam doordat je...' Ze maakt haar zin niet af. Ze vindt het niet prettig mijn vader er de schuld van te geven.

'Ma, u hoeft zich nergens zorgen over te maken. Dit doe ik graag.'

'Maar je bent mijn zoon.'

'En u bent mijn moeder.'

Het is moeilijk daarover in discussie te gaan. En trouwens, als ze geen hulp nodig had, zouden de rekeningen niet op een plaats zijn waar ik ze kon vinden, en zouden we kip of biefstuk eten in plaats van ziti. Haar lippen trillen licht en ze bijt zenuwachtig in de pleisters op haar vingertoppen. Het leven van een naaister – te veel spelden en te veel zomen. We hebben altijd van loonbetaling naar loonbetaling geleefd, maar de lijnen in haar gezicht beginnen haar leeftijd te verraden. Zonder iets te zeggen zet ze het raam in de keuken open en buigt zich naar buiten, de koude lucht in.

Aanvankelijk neem ik aan dat ze mevrouw Finkelstein moet hebben gezien – haar beste vriendin en onze vroegere babysitter – wier raam zich recht aan de overkant van ons steegje bevindt. Maar als ik het bekende geratel hoor van de waslijn die we met de Fink delen, besef ik dat ma de rest van het werk van deze dag naar binnen aan het halen is. Op die manier heb ik het geleerd, je in je werk verliezen. Als ze daarmee klaar is, draait ze zich weer om naar het aanrecht en spoelt de lepel van Charlie af.

Zodra die schoon is, pakt Charlie hem van haar af en drukt hem weer tegen zijn tong. 'Aaaaah,' neuriet hij. Mijn moeder kan er niets aan doen dat ze opnieuw in de lach schiet. Einde discussie.

Ik bekijk de maandelijkse rekeningen een voor een, tel ze op en bedenk welke moeten worden betaald. Soms pak ik alleen de creditcards en het ziekenhuis... soms, wanneer de rekening voor de verwarming hoog wordt, alleen die van het energiebedrijf. Charlie neemt de verzekering altijd voor zijn rekening. Zoals ik al heb gezegd, is dat voor hem iets persoonlijks.

'Hoe was het op je werk?' vraagt ma aan Charlie.

Hij negeert de vraag, en zij besluit het daarbij te laten. Diezelfde nonchalante benadering had ze aan de dag gelegd toen Charlie twee jaar geleden een maand lang boeddhist was geworden. En opnieuw anderhalf jaar geleden, toen hij overstapte op het hindoeïsme. Ik zweer dat zij ons soms beter kent dan wij onszelf.

Terwijl ik de rekening van de creditcard bekijk, laten mijn bankinstincten zich weer horen. Controleer de bedragen, bescherm de cliënt, vergewis je ervan dat alles klopt. Etenswaren... spullen om te naaien... muziekwinkel... Vic Winick Dansstudio?

'Wat houdt die Vic Winick in?' vraag ik terwijl ik mijn stoel op zijn achterpoten laat wiebelen om de keuken in te kunnen kijken.

'Danslessen,' zegt mijn moeder.

'Dánslessen? Met wie volg je die?'

'Met moi!' brult Charlie met zijn beste Franse accent. Hij pakt de houten lepel, klemt die als een bloem tussen zijn tanden, pakt mijn moeder beet en trekt haar dicht naar zich toe. 'En een... en twee... en nu eerst de rechtervoet...' Ze dansen snel de kleine keuken rond. Mijn moeder vliegt en houdt haar hoofd hoger dan... tja, nog hoger dan toen ik mijn diploma van de middelbare school behaalde. Charlie draait zijn nek en laat de lepel in de gootsteen belanden.

'Niet slecht, hè?' zegt hij.

'Hoe zien we eruit?' vraagt ze als ze tegen de oven op knallen en bijna de pan met saus op de grond gooien.

'Geweldig... gewoon geweldig,' zeg ik terwijl ik weer naar de rekeningen kijk. Ik weet niet waarom ik verbaasd ben. Ik heb dan

misschien altijd haar verstand en haar portemonnee gehad, maar Charlie... Charlie heeft altijd haar hart gehad.
'We zien er prima uit, lieve ma. Prima!' gilt Charlie, en hij zwaait met een hand door de lucht. 'Vanavond zul je lekker kunnen slapen.'

Ik heb deze wandeling al 1048 keer gemaakt. De sauna van de ondergrondse uit, de nooit schone trappen op, slalommen door de menigte van mensen die net een douche hebben genomen, en Park Avenue op lopen tot ik bij de bank ben. 1048 keer. Vier jaar, los van de weekends waarin ik soms ook heb gewerkt. Maar vandaag... tel ik de dagen niet meer op. Vanaf nu is het aftellen geblazen tot we vertrekken.
Volgens mijn inschatting moet Charlie het eerst weggaan, misschien over een paar maanden na nu. Daarna zullen Shep en ik een muntje moeten opgooien. Misschien wil hij hier wel blijven. Persoonlijk heb ik dat probleem niet.
Terwijl ik over Park Avenue in de richting van 36th Street loop, kan ik het gesprek bijna horen. 'Ik wil even laten weten dat ik denk dat het tijd wordt om verder te gaan,' zal ik tegen Lapidus zeggen. Het is zinloos om schepen achter je te verbranden of om over die aanbevelingsbrieven van hem te beginnen. Ik zal alleen melding maken van 'andere kansen elders' en hem bedanken omdat hij de beste mentor is geweest die iemand zich maar kan wensen. De ongemeende nonsens zal gladjes over mijn lippen komen. Net als bij hem. Dat alles maakt me aan het glimlachen. Dat wil zeggen... tot ik twee marineblauwe wagens voor de bank geparkeerd zie staan. Nee, niet geparkeerd. Ze zijn slordig neergezet, alsof er sprake is van een noodsituatie. Ik heb voldoende zwarte limousines en auto's met een particulier chauffeur gezien om te weten dat deze wagens niet van cliënten zijn. En ik heb geen sirenes nodig om me de rest te vertellen. Onopvallende politiewagens vallen overal op.
Mijn borst verkrampt, en ik doe een paar passen terug. Nee, blijf doorlopen. Raak niet in paniek. Terwijl ik voorzichtig naar een van de wagens toe loop, kijk ik van de door het roet van de stad zwarte wenkbrauwen op de voorruit naar het blauw-witte kaartje met U.S. GOVERNMENT op het dashboard. Het zijn geen smerissen. Het is de FBI.
Het liefst zou ik omkeren en het op een rennen zetten, maar... nog niet. Draai niet door. Blijf kalm en zorg dat je antwoorden op je vragen krijgt. Op geen enkele manier kan iemand iets over het geld weten.

Biddend dat ik gelijk heb loop ik de draaideur door en kijk bezorgd naar de vroeg gearriveerde medewerkers die bij het web van bureaus op de begane grond zitten. Tot mijn opluchting zijn ze er allemaal, met hun eerste kop koffie al in hun hand.
'Meneer, kan ik u even spreken?' vraagt een diepe stem.
Links van me, voor de mahoniehouten balie van de receptie, staat een lange man met stijve schouders en lichtblond haar. Met een klembord in zijn hand loopt hij naar me toe. 'Ik wil alleen uw naam weten,' zegt hij.
'W-waarom?'
'Sorry. Ik ben van Para-Protect en we proberen vast te stellen of we in dit deel van de bank de beveiliging moeten opvoeren.'
Het is een duidelijk antwoord en een duidelijke verklaring, maar voor zover mij bekend hebben we geen problemen met de beveiliging.
'Wat is uw naam?' vraagt hij, nog steeds op vriendelijke toon.
'Oliver Caruso,' zeg ik.
Hij kijkt op – niet geschrokken, maar wel zo snel dat het me opvalt. Hij grijnst. Ik grijns. Iedereen is gelukkig. Jammer dat ik elk moment kan flauwvallen.
Op het klembord zet hij een kruisje achter mijn naam. Achter de naam van Charlie staat nog niets. Hij is er nog niet. Terwijl de blonde man tegen zijn klembord leunt, schuift zijn jasje een stukje open, en kan ik de leren riem over zijn schouder zien. Hij is gewapend. Ik kijk nog even snel naar de onopvallende auto's achter me. Beveiligingsbedrijf? Geouwehoer. We zitten in de problemen.
'Dank u, meneer Caruso. Ik wens u verder nog een prettige dag.'
'Dat wens ik u ook,' zeg ik, en ik dwing mezelf te glimlachen. Het enige goede teken is dat hij me laat doorlopen. Ze weten niet naar wie ze op zoek zijn. Maar ze zijn aan het zoeken. Ze willen dat alleen niemand laten weten.
Oké, besluit ik. Tijd om hulp te zoeken. Ik loop snel de hal door, langs de cilinderbureaus, en steven op de lift af. Ik verander echter snel van koers en loop verder naar de achterkant van het gebouw. Ik gebruik de code van Lapidus elke dag en ik moet niet de aandacht op mezelf vestigen door dat nu niet te doen.
Tegen de tijd dat ik de privélift heb bereikt, zweet ik overal – mijn borstkas, mijn rug – en heb ik het gevoel dat mijn pak en wollen jas doorweekt raken. Daarna wordt het alleen nog maar erger. Ik stap de met hout gelambriseerde lift in en begin mijn das los te trekken. Op dat moment herinner ik me de camera van de bevei-

ligingsdienst, in de hoek. Mijn vingers vliegen weg van mijn das en krabben aan een zogenaamd jeukend plekje op mijn hals. De deuren klappen dicht. Mijn keel wordt droog. Dat negeer ik gewoon.
Mijn eerste instinct zegt me naar Shep toe te gaan, maar dit is geen moment om stomme dingen te doen. In plaats daarvan druk ik op de knop van de zesde verdieping. Als ik dit tot op de bodem wil uitzoeken, moet ik bij de top beginnen.

'Hij wacht op je,' zegt de secretaresse van Lapidus waarschuwend terwijl ik langs haar bureau vlieg.
'Hoeveel sterren?' roep ik, wetend hoe zij de buien van Lapidus omschrijft. Vier sterren is goed, één ster duidt op een ramp.
'Totale duisternis,' flapt ze eruit.
Ik blijf meteen staan. De laatste keer dat Lapidus zo van streek was, waren hem de echtscheidingspapieren overhandigd. 'Heb je er enig idee van wat er is gebeurd?' vraag ik, in een poging mijn zelfbeheersing niet te verliezen.
'Dat weet ik niet. Heb je ooit een werkende vulkaan gezien?'
Ik haal snel en diep adem en steek een hand uit naar de bronzen deurknop.
'... het kan me niks schelen wat ze willen!' brult Lapidus in zijn telefoon. 'Zeg maar dat het een computerprobleem is... geef een virus er de schuld van. Tot nader bericht blijft alles uitgeschakeld. En als Mary daar een probleem mee heeft, zeg je maar tegen haar dat ze contact moet opnemen met de agent die hier de leiding heeft!'
Op het moment dat ik de deur dichtdoe, smijt hij de hoorn op de haak. Daarna draait hij zijn hoofd snel mijn kant op, maar ik heb het te druk met staren naar degene die in de antieke stoel tegenover het bureau zit. Shep. Hij schudt heel licht zijn hoofd. We zijn er geweest.
'Waar was jij verdomme?' brult Lapidus.
Ik kijk nog steeds naar Shep.
'Oliver, ik heb het tegen jóú.'
Ik schrik en draai me weer naar mijn baas toe. 'S-sorry. Wat...'
Voordat ik nog iets kan zeggen, wordt er op de deur achter me geklopt. 'Binnen!' blaft Lapidus.
Quincy doet de deur half open en steekt zijn hoofd om de hoek. Hij ziet er hetzelfde uit als Lapidus. Opeengeklemde kaken. Manische bewegingen van zijn hoofd. De manier waarop hij de kamer in zich opneemt – mijn persoon... Shep... de bank... zelfs het antiek... alles wordt bekeken. Hij is natuurlijk een geboren analy-

ticus, maar dit is anders. Zijn gezicht is bleek. Niet van woede. Wel van angst.
'Ik heb de verslagen,' zegt hij bezorgd.
'O ja? Laat maar eens horen,' zegt Lapidus.
Quincy, die op de drempel staat en nog steeds weigert de kamer in te lopen, kijkt heel strak. Dit is alleen voor de leden van de maatschap bestemd.
Lapidus duwt zijn leren stoel snel naar achteren, klimt eruit en loopt naar de deur. Zodra hij weg is, draai ik me om naar Shep.
'Wat is er verdomme aan de hand?' zeg ik, en ik moet mijn uiterste best doen te fluisteren. 'Hebben ze...'
'Heb jij dit op je geweten?' vraagt Shep.
'Wát zou ik op mijn geweten moeten hebben?'
Hij kijkt een andere kant op, volledig over zijn toeren. 'Ik weet niet eens hoe ze het hebben gedaan...'
'Hoe ze wát hebben gedaan?'
'Ze hebben ons er ingeluisd, Oliver. Wie het ook heeft gepikt... ze hebben ons voortdurend in de gaten gehouden.'
Ik pak hem bij zijn schouder. 'Verdomme, Shep, vertel me w...'
De deur zwaait ver open en Lapidus stormt de kamer weer in. 'Shep, je vriend agent Gallo wacht in de vergaderruimte. Wil je...'
'Ja,' onderbreekt Shep hem, en hij springt uit zijn stoel.
Ik kijk hem even van opzij aan. *Heb jij de secret service erbij gehaald?*
Stel geen vragen, deelt hij me mee door met zijn hoofd te schudden.
'Oliver, je moet me een gunst bewijzen,' zegt Lapidus met vlammende stem. Hij bladert een stapel papieren door, zoekend naar...
'Daar,' zeg ik, wijzend op zijn leesbril.
Hij pakt die snel en stopt hem in de zak van zijn jasje. Geen tijd voor een bedankje. 'Ik wil iemand beneden hebben wanneer de mensen naar binnen komen,' zegt hij. 'Ik wil de secret service niet beledigen, maar zij kennen ons personeel niet.'
'Ik begrijp niet...'
'Blijf bij de deur staan en observeer de reacties,' blaft hij. Hij heeft zijn geduld allang verloren. 'Ik weet dat ze daar een agent hebben gestationeerd... maar wie dit ook heeft gedaan... is te slim om zich ziek te melden. Daarom wil ik dat jij iedereen die binnenkomt observeert. Als iemand een schuldig geweten heeft, zal alleen al het zien van die agent hem van streek maken, en paniek kun je niet verborgen houden. Al blijf je alleen maar even staan, of valt je mond open. Oliver, jij kent onze mensen. Achterhaal voor mij wie

dit heeft gedaan.' Hij legt een arm om mijn schouder en neemt me snel mee naar de deur. Lapidus en Shep marcheren naar de vergaderruimte. Zoekend naar opties loop ik de trap af. Ik heb even tijd nodig om na te denken.

Als ik beneden uit de lift stap, ben ik volledig uitgeput. De orkaan is te snel gekomen. Alles draait. Toch heb ik niet veel keus. Volg de bevelen op. Al het andere wekt achterdocht.

Ik loop naar het loket bij de muur rechts van me, pak een stortingsformulier en doe alsof ik dat invul. Dat is de beste manier om de deur in de gaten te houden, waar de agent met het blonde haar nog steeds kruisjes aan het zetten is.

Een voor een komen ze naar binnen en noemen hun naam. Geen van hen houdt halt of schijnt er nog een tweede keer over na te denken. Het verbaast me niet. Ik ben de enige met een schuldig geweten. Maar hoe langer ik daar zit, hoe onzinniger alles begint te lijken. Voor Charlie en mij is drie miljoen natuurlijk veel geld, maar hier... is dat geen bedrag dat je leven verandert. En de manier waarop Shep me hiernaar vroeg... of het mijn schuld was... Hij was niet alleen bang te worden betrapt... hij had ook iets verloren. En nu ik eindelijk de tijd neem om erover na te denken... wij misschien eveneens.

Ik kijk in de altijd drukke hal om me heen om te zien of iemand mij in de gaten houdt. Secretaressen, analisten, zelfs de agent die de leiding heeft... Iedereen gaat op in zijn of haar dagelijkse werk. De menigte komt de draaideur door, en er wordt een kruisje achter hun naam gezet. Ik loop naar dezelfde deur, omdat ik denk dat ik zo het best naar buiten kan gaan.

'Hebt u zich al aangemeld?' vraagt de agent met het blonde haar kortaf.

'J-ja,' zeg ik terwijl de medewerkers die in de rij staan me aanstaren. 'Oliver Caruso.'

Hij controleert zijn lijst en kijkt weer op. 'Ga uw gang.'

Ik steek mijn schouder naar voren en geef de deur een zo hard mogelijke duw. Daarna sta ik op de bevroren straat en ren glijdend de hoek om.

Ik hol Park Avenue over, op zoek naar een krantenkiosk. Ik had beter moeten weten. Deze buurt trekt niet direct mensen aan die iets op straat kopen. Op de hoeken is niets te vinden, behalve telefooncellen. Ik negeer de pijn die het rennen met nette schoenen aan met zich meebrengt, draai op 37th Street scherp naar links en hol door naar het eind van het blok. Door het beton voel ik elke stap. Zodra ik op Madison Avenue ben, trap ik op de rem en glij naar een kiosk.

'Hebt u telefoonkaarten?' vraag ik aan de ongeschoren man die zichzelf aan het warmen is bij een kacheltje achter de toonbank.
Hij gebaart à la Vanna White naar zijn koopwaar. 'Wat denkt u?'
Ik kijk om me heen, zoekend naar...
'Hier,' zegt hij, wijzend over zijn eigen schouder. Naast de dikke rollen krasloten.
'Ik wil er een van vijfentwintig dollar,' zeg ik.
'Uitstekende keus,' zegt hij. Hij haalt de kaart met het Vrijheidsbeeld van het klembord, en ik geef hem twee briefjes van twintig dollar.
Terwijl ik op het wisselgeld wacht, haal ik de kaart meteen uit zijn plastic hoesje. Natuurlijk zou ik terug kunnen gaan naar het advocatenkantoor, maar na vanmorgen wil ik door niets naar gisteren te traceren zijn. 'Kan ik hiermee ook naar het buitenland bellen?' vraag ik.
'U kunt de koningin van Frankrijk bellen om te zeggen dat ze haar oksels moet scheren.'
'Geweldig. Hartelijk bedankt.' Ik klem de kaart stevig in mijn vuist, ren terug naar Park Avenue, steek de zesbaans straat over en houd halt bij een telefooncel schuin tegenover de ingang van de bank. Er zijn onopvallender plaatsen om te bellen, maar op deze manier kan niemand in de bank mij duidelijk zien. Belangrijker is nog dat ik slechts een paar huizenblokken van het station van de ondergrondse vandaan ben, en dus op de gunstigste plek sta om Charlie te zien aankomen.
Ik draai het 800-nummer achter op de telefoonkaart en toets de pincode in. Wanneer er wordt gevraagd naar het door mij gewenste nummer, pak ik mijn portefeuille, schuif mijn vinger achter mijn rijbewijs en haal een klein stukje papier te voorschijn. Ik toets het tiencijferige nummer in dat ik omgekeerd heb opgeschreven. Ik mag het telefoonnummer op Antigua dan bij me hebben, maar als ik word gepakt, hoef ik het niemand gemakkelijk te maken.
'Dank dat u de Royal Bank van Antigua hebt gebeld,' zegt een digitale vrouwenstem. 'Toets de één in voor geautomatiseerde inlichtingen over banksaldi of algemene informatie. Toets de twee in als u een van onze medewerkers persoonlijk wilt spreken.'
Ik toets de twee in. Als iemand het geld van ons heeft gestolen, wil ik weten waar het naartoe is gegaan.
'U spreekt met mevrouw Tang. Waarmee kan ik u vandaag van dienst zijn?'
Voordat ik iets kan zeggen, zie ik Charlie aan de overkant van de straat achter een stel mensen aan komen aanlopen.

'Hallo?' zegt de vrouw.
'Hallo. Ik wil even weten wat er op mijn bankrekening staat.' Ik zwaai om de aandacht van Charlie te trekken, maar hij ziet me niet.
'En wat is uw rekeningnummer?'
'58943563,' zeg ik. Toen ik dat uit mijn hoofd leerde, had ik niet gedacht het al zo snel te moeten gebruiken. Recht aan de overkant loopt Charlie nu in zijn eentje, maar het lijkt wel of hij danst.
'Met wie spreek ik?'
'Martin Duckworth,' zeg ik. 'Mijn rekening staat op naam van Sunshine Distributors.'
'Wilt u alstublieft even wachten?'
Zodra de muzak begint, leg ik een hand op de hoorn. 'Charlie!' krijs ik. Hij is al te ver doorgelopen, en omdat het drukke verkeer zoveel herrie maakt... 'Charlie!' schreeuw ik nogmaals. Hij hoort me nog steeds niet.
Charlie stapt de stoep af en kan nu de bank voor het eerst goed zien. Zoals altijd is zijn reactie sneller dan de mijne. Hij ziet de onopvallende wagens en blijft prompt staan, midden op de straat.
Ik verwacht dat hij het op een rennen zal zetten, maar daar is hij te slim voor. Instinctief kijkt hij om zich heen, zoekend naar mij. Het is zoals mijn moeder vroeger altijd zei: ze geloofde niet in buitenzintuiglijke waarneming, maar kinderen hadden dat vermogen... kinderen stonden met elkaar in contact. Charlie weet dat ik hier ben.
'Meneer Duckworth?' vraagt de vrouw aan de andere kant van de lijn.
'J-ja, ik ben er nog.' Ik zwaai met een hand door de lucht, en nu ziet Charlie me. Hij kijkt mijn kant op, bestudeert mijn lichaamstaal. Hij wil weten of dit gemeend is, of dat ik een spelletje aan het spelen ben. Hij weigert te wachten tot het verkeerslicht op groen springt en baant zich slingerend een weg tussen de auto's door. Een gele taxi toetert, maar Charlie haalt nonchalant zijn schouders op. Omdat ik al volslagen in paniek ben, hoeft dat niet ook nog eens een keer met hem te gebeuren.
'Meneer Duckworth, ik heb het wachtwoord van de rekening nodig,' zegt de vrouw van de bank.
'Fro Yo,' deel ik haar mee.
'Wat is er gebeurd?' vraagt Charlie zodra hij aan mijn kant van de straat is gearriveerd.
Ik negeer hem, wacht op de kassier van de bank.
'Zeg het me!' zegt hij uitdagend.

'Waar kan ik u vandaag mee van dienst zijn?' vraagt een vrouw aan de andere kant van de lijn eindelijk.
'Ik zou graag willen weten wat er op de rekening staat, en wat er het meest recent is bijgeschreven of afgeboekt,' zeg ik.
Charlie begint op dat moment bulderend te lachen, hij tart zijn oudere broer even hard als toen hij negen jaar oud was. 'Ik wist het wel!' brult hij. 'Ik wist dat je je niet zou kunnen beheersen!'
Ik druk een vinger tegen mijn lippen om hem tot zwijgen te brengen, maar daar heb ik geen schijn van kans op.
'Je kon zelfs niet eens vierentwintig uur wachten, hè?' vraagt hij terwijl hij zich dichter naar me toe buigt. 'Wat was ervoor nodig? Die auto's voor de bank? De federale nummerborden? Heb je met iemand gesproken, of deed je het gewoon al in je broek toen je die wagens zag?'
'Kun je alsjeblieft je waffel houden? Ik ben geen imbeciel!'
'Meneer Duckworth?' De eerste vrouw is weer aan de lijn.
'J-ja, ik ben er nog,' zeg ik.
'Sorry dat ik u heb laten wachten, meneer. Ik hoopte een van de directeuren aan de lijn te kunnen krijgen om...'
'Zegt u me nu maar gewoon wat er op die rekening staat. Niks?'
'Niks?' zegt ze met een lach. 'Nee, dat is bepaald niet het geval.'
Ik lach zelf nu ook zenuwachtig. 'Weet u dat zeker?'
'Ons systeem is niet perfect, meneer, maar hier bestaat geen twijfel over. Volgens onze administratie is er met die rekening slechts één transactie verricht. Een telegrafische overboeking die gisteren om twaalf uur eenentwintig 's middags binnen is gekomen.'
'Dus het geld is er nog?'
'Zeker,' zegt de vrouw. 'Ik zit nu naar het bedrag te kijken. Een enkele telegrafische overboeking, voor een totaalbedrag van driehonderddertien miljoen dollar.'

11

'Hoeveel geld hebben we op de bank staan?' schreeuwt Charlie.
'Ik kan het niet geloven,' zeg ik terwijl mijn trillende hand nog op de opgehangen hoorn rust. 'Heb je er enig idee van wat dit betekent?'
'Het betekent dat we rijk zijn,' zegt hij meteen. 'En ik heb het niet over stinkend rijk of zelfs extreem rijk. Ik heb het over obsceen,

grotesk, do-re-mi-fa-zoveel-geld-dat-we-superrijk-zijn. Of zoals mijn kapper zei toen ik hem een keer een fooi van vijf dollar had gegeven: "Hier zwijgt de spreker stil."'
'We zijn er geweest,' zeg ik, en ik leun zwaar tegen het frame van de telefooncel. Dit is wat ik door een stom moment van woede heb gekregen. 'We kunnen op geen enkele manier verklaren...'
'We zullen zeggen dat we het bij het wedden bij de Super Bowl hebben gewonnen. Misschien zullen ze dat geloven.'
'Charlie, ik meen het serieus. Dit gaat niet om drie miljoen, maar...'
'Om driehonderddertien miljoen. Ik heb je de eerste drie keer al goed gehoord.' Hij tikt op zijn vingers. Van pink tot wijsvinger. 'Driehonderdtien... driehonderdelf... Driehonderdtwaalf... driehonderddertien. Mijn hemel! Ik voel me net als dat kleine, oude mannetje met die snor op het Monopolyspel... Je weet wel. Die met die monocle en die kale k...'
'Hoe kun je hier nu grapjes over maken?'
'Wat zou ik anders kunnen doen? Tegen een telefooncel aan leunen en de rest van mijn leven blijven terugdeinzen?'
Zonder iets te zeggen ga ik rechtop staan.
'Het voelt best lekker aan, hè?' zegt hij.
'Charlie, dit is geen spel. Ze zullen ons hierom vermoorden...'
'Alleen als ze het geld kunnen vinden en gezien al die gefingeerde bedrijven, is dit waterdicht.'
'Waterdicht? Ben je nu helemaal gek geworden? We zijn niet...' Ik breng mezelf even tot zwijgen en laat mijn stem dalen. Er zijn nog veel mensen op straat. 'We hebben het over een immens bedrag,' fluister ik. 'Dus hou op met die Butch Cassidy-bravoure en...'
'Nee, daar heb je geen schijn van kans op,' zegt hij, mij onderbrekend. 'Ollie, het wordt tijd de werkelijkheid een beetje te omhelzen. Hier moet je niet voor op de loop gaan. Dit is Luilekkerland. Al dat geld is van ons. Wat wil je nu nog meer? Niemand zal het kunnen vinden. Niemand zal vermoeden dat het van ons is. Als het eerder al goed was, is het nu nog veel beter. Driehonderddertien keer beter. Voor het eerst in ons leven kunnen we echt achteroverleunen en onze...'
'Wat is er verdomme mis met jou?' schreeuw ik terwijl ik hem bij de kraag van zijn jas grijp. 'Heb je je hoofd er ooit bij gehouden? Je hebt Shep gehoord. Het zal alleen werken als niemand weet waar dat geld naartoe is gegaan. Drie miljoen past in onze zakken. Maar driehonderddertien miljoen... Besef je wel wat ze zullen doen om dat terug te krijgen?' Ik doe mijn uiterste best om te fluisteren, maar mensen beginnen onze kant op te staren. Ik kijk om me heen

en laat Charlie meteen weer los. 'Zo. Ik heb mijn zegje gedaan,' mompel ik.
Charlie trekt zijn jas recht. Ik draai me weer om naar de telefoon.
'Wie ga je bellen?' vraagt Charlie.
Ik reageer niet, maar hij kijkt toe terwijl mijn vingers de toetsen indrukken. Shep.
'Dat zou ik niet doen,' zegt hij waarschuwend.
'Waar heb je het over?'
'Als ze slim zijn, houden ze de binnenkomende gesprekken in de gaten. Misschien luisteren ze zelfs mee. Als je iets wilt weten, moet je naar binnen gaan om hem onder vier ogen te spreken.'
Ik hou op met intoetsen, kijk Charlie over mijn schouder nijdig aan en begin zo officieel het wedstrijdje staren. Hij kent die blik van mij: de ongelovige Thomas. En ik ken de zijne: de eerlijke indiaan. Ik weet ook dat het niets anders is dan een truc, zijn favoriete middel om me gas te laten terugnemen zodat hij zijn zin kan krijgen. Dat doet hij altijd. Maar zelfs ik kan niet met de logica in discussie gaan. Ik smijt de hoorn op de haak en loop vlak langs hem heen. 'Je kunt maar beter gelijk hebben,' zeg ik waarschuwend terwijl ik terugloop naar de bank.

Een snelle stop bij de plaatselijke coffeeshop geeft me een bekertje kalmte en een perfect excuus waarom ik het gebouw überhaupt uit ben gegaan. Toch weerhoudt dat de agent van de secret service bij de hoofdingang er niet van om nog een kruisje achter mijn naam te zetten, en eentje achter die van Charlie.
'Vanwaar al die kruisjes?' vraagt Charlie aan de agent.
Hij kijkt ons aan alsof het kruisje alleen ons al op de knieën zou moeten brengen, maar dit weten we allebei zeker: als ze ook maar iets van een aanwijzing hadden, zouden we geboeid en wel mee naar buiten worden genomen. In plaats daarvan lopen we naar binnen.
De meeste dagen steven ik regelrecht op de lift af. Dit is duidelijk een andere dag. Ik loop achter Charlie aan langs het van marmer voorziene loket en laat me door hem meeslepen naar de doolhof van cilinderbureaus. Zoals altijd wemelt het daar van de roddelende werknemers.
'Hoe gaat het?' roept Jeff uit Jersey, die ons staande houdt en Charlie een klopje op zijn borst geeft.
'Daar heb je het dagelijkse klopje op mijn borst weer,' zingt Charlie. 'De meesten zijn er verlegen mee, een paar voelen zich erdoor vereerd.'

Jeff lacht, en we staan slechts een paar meter van de lift vandaan.
'Je weet dat ik gelijk heb,' zegt Charlie, die van elk moment geniet. Ik kom in de verleiding hem mee te slepen, maar het is duidelijk waar mijn broer op uit is. Jeff uit Jersey kan je weliswaar iets te veel in je persoonlijke bewegingsvrijheid belemmeren, maar op het gebied van kantoorroddels is hij de bijenkoning, zoals zelfs ik weet.
'Wat is het verhaal over die man bij de hoofdingang?' vraagt Charlie, die met een elleboog op de blonde kerel wijst.
Jeff glimlacht breeduit. Eindelijk een kans om een hoge borst op te zetten. 'Ze zeggen dat hij bezig is met het aanscherpen van de beveiliging, maar dat gelooft niemand. Ik bedoel... hoe stom denken ze wel dat we zijn?'
'Behoorlijk stom?' suggereert Charlie.
'Heel stom,' zegt Jeff instemmend.
'Wat is er volgens jou dan aan de hand?' vraag ik met het geduld van... tja, met het geduld van iemand die net driehonderddertien miljoen dollar heeft gestolen.
'Moeilijk te zeggen. Moeilijk te zeggen,' antwoordt Jeff. 'Maar als ik ernaar zou moeten raden...' Hij buigt zich dicht naar ons toe, genietend van het moment. 'Ik hou het op een zakkenroller. Een insider.'
'Wat zeg je?' fluistert Charlie, zogenaamd geschokt. Aan de gespannen uitdrukking op mijn gezicht kan hij zien dat ik me niet lang meer goed zal kunnen houden.
'Het is niet meer dan een theorie,' zegt Jeff, 'maar jullie weten hoe zoiets gaat. Hier wordt geen ander wc-papier in gebruik genomen zonder een memo. En dan gaan ze opeens alle beveiligingsmaatregelen veranderen zonder ook maar een enkele waarschuwing?'
'Misschien wilden ze alleen kijken wat wij normaal gesproken doen,' suggereer ik.
'En misschien wilden ze in de drukke bioscoop niet schreeuwen dat er brand was. Het is net zoiets als toen ze die vrouw betrapten op diefstal bij de crediteurenadministratie. Ze proberen alles sub rosa te houden. Stom zijn ze niet. Als dit algemeen bekend wordt, zullen de cliënten in paniek raken en hun geld opnemen.'
'Daar zou ik niet zo zeker van zijn,' zeg ik, weigerend me daarbij neer te leggen.
'Man, je mag geloven wat je wilt, maar er moet een reden zijn waarom alle hoge pieten op de derde verdieping zijn.'
De derde verdieping. Charlie staart mijn kant op. *Daar staat mijn bureau*, deelt hij me woordeloos en nijdig mee.

'Wat zeg je?' reageert Charlie snel.
Jeff grinnikt. Dat had hij voor het laatst bewaard. 'O ja,' zegt hij terwijl hij terugloopt naar zijn bureau. 'Ze zijn daar al de hele morgen.'
Ik kijk naar Charlie, en hij kijkt naar mij. We gaan naar de derde verdieping.

Zodra de deuren van de lift opengaan, rent Charlie de grijze vloerbedekking over om de omgeving snel te verkennen. Van de kamer met de kopieerapparaten tot het koffiezetapparaat, tot de canyon met kantoortjes in het midden van de ruimte blijkt alles normaal te zijn. Postwagentjes rijden, toetsenborden klikken en een paar groepjes mensen zijn her en der bezig met het eerste rondje kletsen van die morgen. Toch hoef je geen genie te zijn om te weten waar de dingen aan het gebeuren zijn. Er is maar één plek waar de hoge pieten zich schuil kunnen houden. We banen ons een weg naar het bureau van Charlie, alsof dit een doodnormale dag is, en kijken allebei naar het kantoor aan het eind van de zaal. De Kooi. We kunnen op geen enkele manier bepalen of ze daar zijn, of dat Jeff zoals gewoonlijk weer aan het stoken was. De deur is dicht. Hij is altijd dicht. Maar dat weerhoudt ons er niet van ernaar te staren – de structuur van het hout te bekijken, de glanzende deurknop, zelfs de kleine zwarte toetsen op het gecodeerde slot. Ik zou ons daar gemakkelijk naar binnen kunnen krijgen, maar niet vandaag. Pas als we...
'Bel Shep, om na te gaan waar hij is,' fluister ik als we het hokje van Charlie in schuiven. Charlie zit op een knie op zijn stoel, met zijn hoofd net onder de bovenrand van het hokje. Hij pakt de telefoon en toetst Sheps nummer in. Ik buig me naar hem toe om te kunnen meeluisteren, met mijn ogen nog op Mary's deur gericht. Shep, die wordt betaald om paranoïde te zijn, neemt gewoonlijk direct op nadat het toestel een keer heeft gerinkeld. Niet vandaag. Vandaag blijft de telefoon overgaan.
'Ik denk niet dat hij...'
'Ssst,' zeg ik, hem onderbrekend. Er gaat iets gebeuren.
Charlie springt van zijn stoel af en kijkt aandachtig naar de Kooi. De deur gaat langzaam open, en er komen mensen naar buiten. Quincy is de eerste die vertrekt, gevolgd door Lapidus. Ik duik weg. Charlie blijft rechtop staan. Dit is zijn bureau.
'Wie is er verder nog?' vraag ik terwijl mijn kin het toetsenbord kust.
Hij blijft naar de deur kijken en steekt beide handen omhoog, als-

of hij zich gewoon aan het uitrekken is. 'Achter Lapidus aan komt Mary,' begint hij.
'Zijn er nog anderen?'
'Ja, maar die ken ik niet...'
Ik ga iets rechter staan om even te kunnen kijken. Terwijl Mary het kantoor uit loopt, wordt ze gevolgd door een vierkant gebouwde man in een slecht passend pak. Hij hinkt licht en blijft aan zijn nek krabben. Ondanks het hinken ziet hij er even stevig uit als Shep. Secret service. Achter meneer Zwaargebouwd verschijnt een andere agent, veel minder zwaar en met veel dunner haar, en hij heeft iets bij zich dat eruitziet als een zwarte schoenendoos waaraan een paar draden hangen. De FBI had net zoiets bij zich toen ze die vrouw van de crediteurenadministratie gerechtelijk vervolgden. Als je het aansluit op de computer, krijg je meteen een kopie van de harde schijf van de persoon in kwestie. Het is de gemakkelijkste manier om alles rustig te houden. Je laat niemand zien dat je computers aan het confisqueren bent. Je neemt gewoon het bewijsmateriaal mee in een *doggy bag*.
Wanneer de deur wijd openzwaait, zie ik Mary's computer op haar bureau staan. Over de gleuf van de diskdrive is tape geplakt. Niets kan erin komen, niets kan eruit gaan.
Het duurt nog een seconde voordat de wagon vol clowns zijn laatste passagier uitspuugt: de persoon op wie we hebben gewacht. Als Shep de gang op loopt, kijkt hij Charlie strak aan. Ik verwacht een grijns, of misschien zelfs een gemeen opkrullen van zijn lippen, à la Elvis. Maar het enige dat we krijgen is een paar grote ogen van bezorgdheid. 'O, o,' zegt Charlie. 'Mijn jongen lijkt zich niet lekker te voelen.'
'Alles oké, Shep?' roept de gezette man terwijl hij met de rest van het dierentuinpersoneel op de lift wacht.
'J-ja,' stamelt Shep. 'Ik zie jullie zo wel weer. Ik heb iets in mijn kantoor laten liggen.' Hij loopt naar het andere eind van de gang en duikt het trappenhuis in. Net voordat de deur dichtgaat, kijkt hij nog een laatste keer naar ons. Hij rent de trap niet op. Hij staat daar gewoon te wachten. Op ons.
Wanneer de gezette man onze kant op draait, duik ik weer weg. Charlie beweegt zich niet.
'Wat zijn ze aan het doen?' fluister ik, nog altijd proberend uit het zicht te blijven. Ik hoor de liftdeuren openschuiven.
'Ze zijn naar ons aan het zwaaien,' zegt Charlie. 'Nu staat Quincy achter Lapidus en probeert hem konijnenoren te geven... O, nu heeft Lapidus hem door. Geen konijnenoren voor wie dan ook.'

Hij kan grapjes maken zoveel hij wil, maar dat kan zijn angst niet verbergen.
Ik hoor de liftdeuren langzaam dichtgaan.
'Kom op,' zegt Charlie, en hij wijst naar mijn kop koffie. 'Laten we koffie gaan halen.'
Ik laat mijn kop op zijn bureau staan en loop achter hem aan naar het koffiezetapparaat, dat toevallig vlak naast de trap staat. Charlie ploegt voort. Ik kijk over mijn schouder.
'Weet je zeker dat het...'
'Ollie, hou op met aarzelen. Daar gaan je hersens alleen maar van rotten.'
Zonder om te kijken duikt hij de afgrond in. Maar het trappenhuis blijkt volledig verlaten te zijn. Hij kijkt over de leuning naar boven en naar beneden. Niemand.
'Niet direct wat we in gedachten hadden, hè?' vraagt een diepe stem als de deur met een donderende klap dichtvalt. We draaien ons snel om. Shep staat achter ons.
'Goed werk verzet vandaag,' fluistert Charlie, die een hand uitsteekt.
Shep reageert daar niet op. Hij is te zeer gefocust op mij. 'Dus het staat allemaal op de rekening?'
'Vergeet die rekening maar. Waarom heb jij de secret service erbij gehaald?' vraag ik indringend.
'Ze waren hier al toen ik hier arriveerde,' zegt Shep nijdig. 'Ik neem aan dat Quincy hen heeft gebeld. Of Lapidus. Maar geloof me dat de secret service beter is in het handhaven van de wet dan de FBI. In elk geval hebben we nu te maken met vrienden.'
'Zie je nu wel,' zegt Charlie. 'Niets om je zorgen over te maken.'
We zenden hem allebei een blik toe die bedoeld is hem op zijn kont te laten vallen. Mij kan hij wel aan. Shep is een ander verhaal. Tijd om serieus te worden.
'We zullen de mensen pakken en het geld zo snel mogelijk terugkrijgen,' verkondigt Shep, die zich over de trapleuning heen buigt en naar de verdieping boven ons kijkt. Dan laat hij zijn stem dalen en fluistert twee woorden: 'Niet hier.' Hij is niet bereid enig risico te nemen.
'Waar wil je gaan lunchen?' vraagt Charlie snel. Slim. We hebben een plek nodig waar we kunnen praten. Privé. We kijken alle drie tegelijkertijd naar de grond en zwijgen. In gedachten zijn we allemaal dezelfde bladzijde van de atlas aan het bekijken.
'Wat zouden jullie denken van de Yale Club?' stel ik voor. Dat is het geliefde toevluchtsoord van Lapidus.

'Dat lijkt me wel wat,' zegt Charlie. 'Rustig, afgelegen en net bekakt en repressief genoeg om te weten hoe men zijn mond moet houden.'
Shep schudt zijn hoofd. Hij ziet ons verward kijken, haalt zijn portefeuille te voorschijn en laat ons even zijn rijbewijs zien. Goed punt. Om daar binnen te komen, moeten we een legitimatiebewijs laten zien.
'Ik weet het al,' zegt Charlie. 'Hoe denken jullie over spoor 117?'
Ik grijns. Shep weet niet waarover Charlie het heeft. Een snel gefluister in zijn oor stelt hem op de hoogte.
'Weet je zeker dat we...'
'Vertrouw me nou maar,' zegt Charlie. 'Niemand weet dat het bestaat.' Shep neemt ons aandachtig op en heeft weinig keus.
'Dus dan zie ik jullie om twaalf uur?' vraagt Shep. Wij knikken, en hij loopt de trap op. Hij is snel uit ons gezichtsveld verdwenen, maar we horen zijn schoenen nog wel op de betonnen treden tikken.
Boven ons slaat de deur dicht, en ik race de trap op als Stallone in zijn eerste *Rocky*.
'Waar ga jij heen?' roept Charlie.
Ik geef geen antwoord, maar hij weet het al. Ik ga niet wachten tot de lunch. Ik wil de rest van het beeld nu krijgen.
Terwijl ik de wenteltrap op ren, kijk ik net lang genoeg over mijn schouder om te zien dat Charlie vlak achter me aan komt.
'Ze zullen je nooit binnenlaten,' zegt hij.
'Dat zullen we nog weleens zien.'
'Vierde verdieping... vijfde verdieping... zesde verdieping... Ik schiet de gang op en steven regelrecht af op de secretaresse van Lapidus. Charlie blijf staan en slaat de rest gade door een barst in de deur naar het trappenhuis. Die andere verdieping was de zijne, deze is de mijne.
'Zijn ze hier nog steeds?' vraag ik terwijl ik snel langs haar bureau loop alsof ze me verwachten.
'Oliver, je moet niet...'
Ze is lang niet snel genoeg. Ik smijt de deur open en verdwijn erdoorheen.
Binnen houdt het drukke gepraat meteen op. Elk hoofd wordt mijn kant op gedraaid. Lapidus, Quincy, Shep, Mary... zelfs de twee agenten van de secret service die vlak bij Lapidus' antieke bureau staan. Ze kijken me aan alsof ik onuitgenodigd hun begrafenis ben komen bijwonen.
'Wie is dat verdomme?' blaft de gezette man.

Ik kijk Lapidus aan in de verwachting dat hij me zal redden, maar ik had inmiddels beter moeten weten.
'Ik regel dit wel,' zegt Lapidus, die snel naar me toe loopt. Hij steekt een hand uit naar mijn elleboog, glijdt met de gratie van een ballroomdanser langs me heen, draait me om en neemt me mee terug naar de deur. Het gebeurt zo soepel dat ik nauwelijks besef wat er gebeurt. 'We moeten eerst even een paar zaken regelen. Je begrijpt het wel,' voegt hij eraan toe alsof het weinig te betekenen heeft. Met een luid gekraak gaat de deur open. Drie seconden later sta ik op de gang.
Ik zie Charlie vanuit het trappenhuis toekijken. Ik kijk naar de vloerbedekking. Lapidus, die achter me staat, geeft me zijn traditionele klopje op mijn rug en stuurt me zo weg.
'Ik bel je als we nieuws hebben,' zegt Lapidus, wiens stem opeens minder krachtig klinkt. Driehonderd miljoen is zelfs hem te veel. Terwijl ik over mijn schouder kijk, zie ik dat hij er nog beroerder uitziet dan mijn broer en ik. Hij houdt de deurknop heel stevig vast, waardoor het bijna lijkt alsof hij die nodig heeft om te kunnen blijven staan. Lapidus kijkt toe terwijl ik wegloop en doet de deur langzaam dicht. Maar in de laatste seconde... net als hij zich omdraait... net als hij met zijn hand over zijn bovenlip strijkt... zweer ik dat hij moet vechten tegen een nauwelijks merkbare grijns.

'Dus hij heeft je niets wijzer willen maken?' vraagt Charlie als we over Park Avenue hollen en in tandem zigzaggen door de menigte die gaat lunchen.
'Kunnen we het daar alsjeblieft niet over hebben?' reageer ik nijdig.
'Hoe zit het met...'
'Ik heb al gezegd dat ik er niet over wil praten!'
Charlie doet een stap achteruit en steekt zijn handen op, met de handpalmen naar mij toe. 'Luister. Je hoeft dat niet twintig keer tegen me te zeggen. Ik heb trouwens wel betere dingen te doen. Wat wil je als eerste kiezen? Ik denk aan iets kleins, dat gemakkelijk te verbergen is. Zoals Delaware.'
Deze keer ben ik degene die niet reageert.
'Staat Delaware je niet aan? Wat zou je dan denken van een van de Carolina's?'
Ik blijf nog altijd zwijgen.
'Kom nou, Charlie. Doe eens een beetje aardig tegen me. Haal je schouders op. Schreeuw. Doe íéts.' Hij weet dat ik te koppig ben om op mijn lip te bijten, wat betekent dat hij ook weet dat ik met

mijn gedachten ergens anders ben als ik blijf zwijgen.
'Hallo! Aarde aan Oliver. Jij Spaans spreken?'
Ik stap de stoep af en steek 41st Street over. Nog maar één blok te gaan. 'Denk je dat Shep ons zal verlinken?' vraag ik dan opeens. Charlie lacht hardop. Die jongere-broertjeslach. 'Ben je het daarom in je broek aan het doen?'
'Charlie, ik meen het serieus. Het kan best zijn dat hij er daarom in heeft toegestemd met ons te gaan lunchen. Misschien is hij van plan het hele gesprek op een band op te nemen, en dan hoeft hij ons allemaal maar over te dragen aan de...'
'Mijn hemel! Het wordt tijd op de trolleybus te stappen en Fantasia uit te rijden. We hebben het hier over Shep. Hij doet niet mee om ons een loer te draaien. Hij wil dat geld net zo graag hebben als wij.'
'Spreek niet namens mij,' zeg ik snel. 'Ik wil niets meer met dat geld te maken hebben. Ik ben alleen bang dat het een kwestie van hij zei/wij zeiden zal worden als het puntje bij het paaltje komt.'
'Tja, laat me je dan iets zeggen. Als dat zo is, zou hij een imbeciel zijn. Gezien de manier waarop alles is geregeld, kunnen we dit nooit in ons eentje hebben gedaan. Zelfs Shep weet dat. Dus als hij met een beschuldigende vinger naar ons gaat wijzen, is het duidelijk dat wij meer dan genoeg vingerafdrukken van hem hebben om op hem te wijzen. Bovendien hebben we geen keus. Hij is onze enige inside-man.'
Opnieuw doe ik er het zwijgen toe. Daar heeft Charlie volkomen gelijk in. Ten aanzien van het totaalbeeld missen we nog een ton aan informatie. En op dit moment, nu we 42nd Street oversteken en snel de koperen en glazen deuren van Grand Central Station naderen, is er maar één plaats waar we die kunnen verkrijgen.
'Ben je er klaar voor?' vraagt Charlie, die de deur opentrekt en als een butler buigt. Hij neemt me nauwlettend op om te zien of ik zal aarzelen.
Ik blijf bij de drempel staan, maar niet langer dan een seconde. Voordat hij met de uitdaging kan komen, loop ik het station in, zonder om te kijken.
'Nu zijn we verstandig bezig,' croont hij.
'Kom op,' roep ik, hem uitdagend om me bij te houden. Alleen al uit zijn zwijgen kan ik opmaken wat hij denkt. Hij weet niet of mijn dapperheid echt is, of dat ik alleen erg graag een paar antwoorden op vragen wil hebben. Hoe dan ook... Als ik me omdraai om zijn gezichtsuitdrukking te zien, is het me duidelijk dat hij laaiend enthousiast is.

In eerste instantie rennen we door een claustrofobie bezorgende tunnel met een laag plafond. Dan – net zoiets als het moment waarop je met je auto de Brooklyn Battery Tunnel uit rijdt en je heel Manhattan voor je ziet – zetten we onze eerste stap het licht in. Het plafond wordt steeds hoger en de immense, met marmer beklede hal van Grand Central Station verschijnt. Charlie rekt zijn hals uit en staart naar de ruim tweeëntwintig meter hoge boogramen in de linkermuur, en de blauw-witte muurschildering van de zodiak op het gewelfde plafond.
Volgens de klok midden in het station hebben we nog maar een minuut of drie. Onder het rennen kijk ik om naar Charlie. 'Wat is de gemakkelijkste manier om...'
'Volg me,' zegt hij terwijl hij opgewonden voorop gaat lopen. Ik heb wel gehoord van de plaats waar we naartoe gaan, maar ik ben er zelf nog nooit geweest. Hier is Charlie degene die de weg kent. Hij draait scherp naar rechts, met mij op zijn hielen, baant zich een weg door de menigte forensen en toeristen heen en rent met volle snelheid naar een van tientallen trappen die naar het lagere niveau van het station leiden.
'Nu wat kalmer aan,' zeg ik, en ik trek op de trap aan zijn overhemd om zijn tempo te verlagen. Ik wil geen scène veroorzaken.
Hij trekt sarcastisch een wenkbrauw op. *Ja, alsof er iemand naar ons staat te kijken*, wil dat zeggen.
Charlie springt de laatste drie treden af en zijn schoenen klappen op de betonnen grond. In die nette schoenen moeten zijn voeten zeer doen, maar hij klaagt er niet over. Hij haat het als iemand zegt dat hij was gewaarschuwd.
'Waar gaan we nu heen?' vraag ik terwijl ik hem snel inhaal.
Zonder iets te zeggen loopt Charlie door het lager gelegen deel van het station, dat tegenwoordig een aaneenschakeling van eethuisjes is. De neus van Charlie volgt de geur van frieten die onder lampen warm worden gehouden, maar zijn ogen zijn vastgeplakt aan een naar links wijzende pijl onder aan een fraai oud tegelbord. 'Naar de sporen 100-117.'
'En daar gaan we,' zegt Charlie.
In de gang zijn de eettentjes links van ons en de ingangen naar de perrons van rond 1900 rechts van ons. Onder het lopen tel ik de deuren. 108... 109... 110. Aan het eind van de gang zie ik al snel het konijnenhol – de sporen 116 en 117.
We vliegen een deur door en bevinden ons boven aan een lange trap vanwaar we het brede, betonnen perron kunnen zien. Op spoor 116, aan de rechterkant van het perron, staat een trein. Maar

aan de linkerkant – op spoor 117 – zal geen trein arriveren. Nu niet en nooit. Eenvoudigweg gezegd bestaat spoor 117 officieel niet. Het is er, maar het is niet in gebruik. De laatste tien jaar wordt die ruimte in beslag genomen door een lange rij prefab bouwketen.

'Heb je hier vroeger gespeeld?' vraag ik terwijl we naar de twee bouwvakkers staren die in een van de keten achter een verlicht raam zitten.

'Nee,' zegt hij, en hij loopt naar een smal pad links van mij. 'Hier verstopten we ons altijd.'

Hij ziet me niet-begrijpend kijken en legt het uit. 'In de lagere klassen van de middelbare school gingen ik en Randy Boxer op de vrijdagavonden van het ene naar het andere perron om muziek te maken voor de forensen. Zijn harmonica, mijn bas en het grootste potentiële publiek aan deze kant van Madison Square Garden. Natuurlijk zat de spoorwegpolitie ons bij elke gelegenheid achterna, maar in het labyrint van trappen kon je op dit lager gelegen niveau altijd het best spoorloos raken. Dan kwamen we hier, achter spoor 117, weer bij elkaar en kon het gevecht opnieuw beginnen.'

'Weet je zeker dat het veilig is?' vraag ik terwijl hij over de stoffige voetgangersbrug over spoor 117 rent. Die brug zelf stemt me niet tot nadenken, wel de metalen deur aan het eind ervan en de bruine, vervaagde woorden die erop zijn geschilderd:

Uitsluitend voor het personeel
Blijf staan! Kijk uit!
Luister!
Gevaar

Gevaar. Zodra ik dat lees, trap ik op de rem. En zoals altijd begint Charlie juist harder te lopen.

'Charlie, misschien kunnen we beter niet...'

'Wees niet zo'n slapjanus,' roept hij terwijl hij de hendel van de deur vastpakt. Hij kijkt naar het roestende metalen frame en geeft er een harde ruk aan, en zodra de deur openzwaait, blaast er een zandstorm van stof onze kant op. Charlie stapt er regelrecht in en ik besef dat ik helemaal alleen ben.

Ik loop achter hem aan. We bevinden ons in een immens ondergronds station, we staan aan de rand van een verlaten set treinsporen.

Voor Charlie is het een thuiskomst. '"Waar treinen naartoe komen om te sterven," zei Randy altijd.'
Om me heen kijkend kan ik begrijpen waarom. De tunnel is breed genoeg voor drie sporen, hoog genoeg voor de oude dieseltreinen, en voorzien van een plafond dat zo zwart is dat het duidelijk is waarom ze van de diesellocomotieven zijn afgestapt. Naast de roestende rails en tussen de nog roestiger dubbele T-balken is de grond bezaaid met lege wikkels van condooms, peuken en op zijn minst twee gebruikte injectienaalden. Het is zonder enige twijfel een goeie plek om je verborgen te houden.
'Doe de deur dicht,' roept Shep, die verderop op het perron staat.
'Ook leuk jou weer te zien,' zegt Charlie. Hij wijst over zijn schouder. 'Maak je over die deur maar geen zorgen. Vanaf deze plek kun je niets horen.'
Shep kijkt naar hem alsof hij er niet eens is. 'Oliver, doe die deur dicht,' beveelt hij. Ik aarzel niet. De deur ploft dicht, en wij zijn omgeven door stilte. We hebben een kwartier de tijd voordat iemand zal beseffen dat we allemaal op hetzelfde moment weg zijn. Ik ben niet van plan een seconde te verspillen.
'Hoe erg is het?' vraag ik terwijl ik mijn beroete handen aan het zitvlak van mijn broek afveeg.
'Heb je ooit van de *Titanic* gehoord?' vraagt Shep. 'Je zou eens moeten zien wat er daarboven aan de hand is. Iedereen staat op het punt te exploderen. Lapidus rukt zich de oren van zijn hoofd en dreigt met de tien plagen als iemand informatie laat uitlekken naar het publiek. Aan de andere kant van de tafel zit Quincy door de telefoon te schreeuwen naar iemand van de verzekeringsmaatschappij en gebruikt zijn rekenmachine om uit te rekenen hoeveel ze persoonlijk zullen moeten ophoesten.'
'Hebben ze het de andere leden van de maatschap al verteld?'
'Er is voor vanavond een spoedberaad belegd. In de tussentijd wachten ze tot de secret service het computersysteem heeft ontleed en er mogelijk enig idee van krijgt waar het geld vanuit Londen naartoe is gegaan.'
'Dus ze weten nog altijd niet waar het is...' zegt Charlie.
'... en ze weten nog steeds niet dat wij het hebben gedaan,' vult Shep aan. 'In elk geval nog niet.'
Dat is alles wat ik wilde horen. 'Prima,' zeg ik, met mijn handen op mijn heupen.
Charlie kijkt nijdig mijn kant op. Hij haat die houding.
Ik ben niet in de stemming om te luisteren en richt me tot Shep. 'Hoe denk je dat we ons moeten aangeven?' vraag ik.

'Wat zeg je?' reageert Shep meteen. 'Oliver, je moet geen overhaaste dingen gaan doen. Het mag nu dan een tornado zijn, maar tornado's gaan uiteindelijk ook liggen.'

'O? Denk je nu dat we de secret service te slim af kunnen zijn?'

'Ik zeg alleen dat we er een oplossing voor kunnen verzinnen,' antwoordt Shep. 'Ik ken hun protocol. Als het om geld gaat, duurt het minstens een week voordat ze hebben uitgevogeld of ze het kunnen vinden. Als ze dat kunnen, zullen we ons aangeven en een volledige verklaring afleggen. Maar als ze daar niet toe in staat zijn... waarom zouden we dan van de pot met goud vandaan lopen? We hebben het niet over zakgeld. Driehonderddertien miljoen betekent meer dan honderdvier miljoen voor ieder van ons.'

Charlie begint te glimlachen. Hij ziet de woede op mijn gezicht en draaft nog wat verder door door te gaan dansen. Niet uitgebreid. Alleen een ritmisch bewegen van zijn schouders en wat gestamp met zijn voeten. Bewust, om mij te ergeren. 'Mmmm-mmm,' zegt hij, en hij beweegt zijn nek à la Stevie Wonder. 'Ruikt naar rijk.'

'Ik zeg je dat we geen enkele reden hebben om onszelf aan te geven,' zegt Shep, hopend dat in me te kunnen rammen. 'Als we het slim spelen, zullen we allemaal een rijk deuntje kunnen fluiten.'

'Luister je wel naar jezelf?' reageer ik nijdig. 'We kunnen dit niet winnen. Denk aan wat je hebt gezegd toen we hieraan begonnen. Dat het een perfecte misdaad was als niemand wist dat dat geld weg was. Dat het maar drie miljoen was. Die speech heb je toen afgestoken. En hoe is de stand van zaken nu? Er wordt driehonderddertien miljoen vermist. De secret service staat voor onze stoep geparkeerd. En als dit de pers ter ore komt, plus degene die zich dat geld in eerste instantie wilde toe-eigenen... Tegen de tijd dat deze zaak is afgehandeld, zal de hele wereld jacht op ons maken.'

'Ik zeg niet dat ik het oneens met je ben,' zegt Shep. 'Maar dat betekent niet dat we op dag één al zelfmoord moeten plegen. Bovendien zal Lapidus tot elke prijs voorkomen dat dit uitlekt. Als hij dat niet doet, zullen de andere cliënten op de uitgangen af denderen. Het is net zoiets als toen die kerel een paar jaar geleden tien miljoen van de Citibank had gejat. Toen hebben ze ook gedaan wat ze konden om het uit de kranten te houden...'

'Maar uiteindelijk stond het wel op de voorpagina,' onderbreek ik hem. 'Zoiets komt altijd naar buiten. Er bestaan geen geheimen meer. We leven niet meer in de jaren vijftig van de twintigste eeuw. Zelfs als Lapidus het een maand geheim kan houden, zal het door verslagen, verzekeringsclaims en processen uiteindelijk toch boven

tafel komen. En dan zijn we terug waar we nu zijn: drie stomme kerels die geen schijn van kans hebben om...'
We horen een luide plof en doen er alle drie het zwijgen toe. Het is niet zomaar een echo van een geluid op de andere sporen. Het komt uit de ruimte waarin wij ons bevinden.
Shep draait zijn hoofd scherp naar links en bekijkt de afbrokkelende betonnen muur, maar er is niets te zien. Alleen een paar allang niet meer gebruikte elektriciteitskasten en wat vervaagde graffiti.
'Ik dacht dat het daarvandaan kwam,' fluistert Charlie, en hij wijst bezorgd op de schaduwen van het gewelfde plafond. Door het gebrek aan verlichting en de roetvlekken lijkt elk gewelf een donkere, zwevende grot.
'Ben je gevolgd?' vraagt Shep mimend.
Ik denk even na. 'Nee, dat denk ik niet. Tenzij...'
Shep drukt een vinger tegen zijn lippen om me tot zwijgen te brengen. Hij draait zijn nek van links naar rechts, van rechts naar links en van links weer naar rechts om de rest van de ruimte met militaire precisie te verkennen. Ik heb echter geen jaren training in de secret service nodig om te beseffen wat ik diep in mijn binnenste al weet. Iedereen krijgt dat onbestemde gevoel als hij wordt gadegeslagen. En terwijl Charlie zenuwachtig om zich heen kijkt, valt er een geladen stilte en raken we er steeds meer van overtuigd dat we hier niet langer alleen zijn.
'Laten we weggaan,' zegt Charlie.
Net als hij zich omdraait naar de deur, horen we weer een geluid. Geen plof. Eerder een gekraak. Instinctief kijk ik omhoog, maar het komt niet vanaf het plafond. Ook niet vanaf de muren. Wel vanaf een lagere plaats.
We horen opnieuw zacht gekraak en we kijken allemaal naar beneden. Achter je, gebaart Charlie richting Shep. Hij draait zich snel om en kijkt naar een paar platte houten planken die als een minivlot in de grond zijn aangebracht.
'Wat zijn dat?' vraag ik zacht.
'Verticale schachten, die onder die planken naar de nog lager gelegen sporen leiden,' zegt Charlie. 'Zo transporteren ze groot materieel en generatoren. Ze halen de planken weg en laten ze door de schacht zakken.' Hij probeert ontspannen te klinken, maar aan de rimpel in zijn voorhoofd en de manier waarop hij achteruit bij de planken vandaan loopt, kan ik zien dat hij het doodeng vindt. Hij is niet de enige.
'Kunnen we alsjeblieft weggaan?' vraag ik.

Shep buigt zich naar de planken toe en houdt zijn hoofd scheef in een poging ertussendoor te kijken. Het is zoiets als staren in een ondergrondse schacht van een airco. 'Weet je zeker dat het hiervandaan komt?' vraagt hij. 'Of is het een echo vanaf een andere plek?' Charlie verandert van koers en loopt naar de planken toe om ze beter te bekijken.
'Charlie, ga daar weg,' zeg ik smekend.
Er volgt nog meer gekraak. En nog meer. Eerst langzaam, daarna sneller.
Shep kijkt op en verkent de gehele tunnel nogmaals. Als het een echo is, moet die ergens beginnen.
Ik ren naar Charlie toe en pak hem bij zijn schouder. 'Laten we gaan,' zeg ik, en ik loop naar de deur.
Charlie komt overeind en loopt achter me aan, maar hij blijft naar Shep kijken.
Het geluid komt nu nog sneller door de planken heen. Het lijkt op een zacht geschraap...
'Kom mee!' zeg ik indringend.
... of op iemand die loopt, nee, eerder rent. Het geluid komt niet uit deze ruimte. Het komt van buiten. Ik kom glijdend tot stilstand op de stoffige vloer. 'Charlie, wacht!'
Hij loopt langs me heen en kijkt me aan alsof ik gek ben geworden. 'Wat ben je...'
In de hoek horen we een scherpe knal, en de deur waarnaar we onderweg zijn, vliegt open. 'Secret service. Verroer je niet!' brult een gezette man terwijl hij het perron op rent en zijn wapen recht op mijn gezicht gericht houdt.
Instinctief zet ik een stap naar achteren. Hij mindert vaart, en ik zie hem hinken. De leider van het onderzoek.
'Verroer je niet, heeft hij gezegd!' brult een blonde agent die vlak achter hem aan gerend komt. Net als zijn partner richt hij zijn wapen op ons, eerst op mij, dan op Charlie en dan weer op mij. Het enige dat ik zie, is het zwarte gat van de loop.

12

'W-we...' Charlie probeert iets te zeggen, maar kan geen woord meer over zijn lippen krijgen. Mijn keel is dichtgeknepen, en ik heb het gevoel dat ik mijn tong heb ingeslikt.

'Naar achteren!' brult de blonde agent, die dieper de grot in loopt. Mijn benen wiebelen terwijl we gehoor geven aan het bevel. Ik kijk naar Charlie, maar dat maakt alles alleen nog erger. Zijn hele gezicht is wit en zijn mond hangt wijd open. Net als ik kan hij alleen maar naar het wapen staren.
'Agent...' zeg ik stamelend.
'Jij moet Oliver zijn.'
'Hoe weet u...'
'Dacht je nu echt dat je twee keer de bank uit kon lopen zonder te worden gevolgd?'
'Gallo, wat ben je verdomme aan het doen?' roept Shep. 'Ik stond net op het punt hen mee te nemen. Het enige dat ik nog nodig had...'
'Ga me niet in de maling nemen,' blaft Gallo als Shep zijn zin niet afmaakt. Voordat we kunnen reageren, gaat Gallo tussen mij en Charlie in staan en duwt ons met zijn schouders naar achteren. Niet te ver. Net voldoende om zijn wapen op Shep te kunnen richten. 'Ik ben geen mafketel,' zegt Gallo, 'Ik weet wat jullie van plan zijn.' O, mijn hemel! Hij denkt dat wij... 'Het... het is niet wat het lijkt,' zeg ik snel wanneer Gallo zich weer naar mij toe draait. 'We stonden op het punt terug te gaan naar de bank! Ik zweer u dat we...'
'Zo is het welletjes,' zegt Gallo. Hij heeft een zwaar Bostons accent dat geen enkele lettergreep overslaat. 'Het is voorbij, Oliver. Begrijp je dat?' Hij wacht niet eens op een antwoord. 'Je zult je dag alleen beter kunnen maken door ons wat hoofdpijn te besparen en ons te vertellen waar je het geld hebt verborgen.'
Het is een eenvoudige vraag. Zing je liedje, geef het geld terug en zet de eerste stap om je leven terug te krijgen. Maar de manier waarop Gallo die vraag stelt... de woede in zijn stem... de manier waarop hij zijn kaken op elkaar klemt... Je zou nog gaan denken dat hij er persoonlijk belang bij had. Ik heb genoeg echtscheidingen gezien om te weten dat er iets niet klopt.
Ik kijk naar Charlie, die langzaam zijn hoofd schudt. Het is hem ook opgevallen.
'Oliver, dit is het juiste moment niet om de held te gaan uithangen,' zegt Gallo waarschuwend. 'Ik vraag het je nog één keer. Waar heb je het geld verstopt?'
'Vertel het hem niet!' brult Shep.
'Hou je waffel!' zegt Gallo woest.
'Als je het hem vertelt, hebben we niets meer!' zegt Shep. 'Het is het enige waarmee we kunnen onderhandelen.'
'Onderhandelen?' herhaalt Gallo met een van woede dieprood ge-

zicht. Hij staat tussen mij en Charlie in en richt zijn wapen op Shep.
'Je maakt zeker een grapje,' zegt Shep.
'Wat ben je aan het doen?' vraagt Charlie, die een stap naar voren zet.
'Staan blijven!' brult Gallo, en hij richt zijn wapen op het gezicht van Charlie. Mijn broer zet een stap naar achteren en steekt zijn armen omhoog. 'DeSanctis...' krijst Gallo naar de lange blonde agent bij de deur.
'Ik heb hem onder vuur,' zegt DeSanctis, die zijn wapen op de rug van mijn broer richt.
Charlie kan zich niet omdraaien en kijkt vragend naar mij.
Beweeg je niet, maak ik hem met een blik duidelijk.
Doe je mond niet open, deelt Charlie me op dezelfde manier mee. Hij probeert stoer te doen, maar ik kan zien dat hij al buiten adem raakt.
'Oliver, dit is je laatste kans,' zegt Gallo waarschuwend. 'Vertel me waar het geld is, want anders beginnen we met Shep en nemen we daarna je broer onder handen.'
Charlie en ik kijken elkaar strak aan. We zeggen geen van beiden iets.
'Hij bluft,' zegt Shep. 'Dat zal hij nooit doen.'
Gallo blijft zijn wapen op Shep gericht houden, maar kijkt naar mij. 'Oliver, weet je zeker dat je bereid bent dat risico te nemen?'
'Laat dat wapen alstublieft zakken,' zeg ik smekend.
'Tuin er niet in,' zegt Shep. 'Ze zijn van de secret service. Geen huurmoordenaars. Ze zullen niemand doden.' Hij wendt zich tot de blonde agent bij de deur en voegt eraan toe: 'Dat klopt toch, DeSanctis? We kennen allemaal het protocol.'
Gallo kijkt naar DeSanctis, die hem een van die onmerkbare knikjes geeft die ik gewoonlijk uitsluitend voor mijn broer reserveer. Ik weet wat dat betekent. Er is onweer op komst. Het gaat hier om méér dan alleen wat zoekgeraakt geld.
Zonder iets te zeggen haalt Gallo de veiligheidspal van zijn wapen.
'Kom op, Jim,' zegt Shep lachend. 'Nu heeft de grap wel lang genoeg geduurd.'
Maar we beseffen alle drie heel snel dat Gallo niet lacht. Hij houdt zijn wapen steviger vast, en zijn vinger glijdt over de trekker. 'Oliver, ik wacht.'
Ik sta daar volstrekt bewegingloos en heb het gevoel dat er iemand op mijn borstkas staat. Ik kan nauwelijks ademhalen. Als ik niets zeg, zal hij de trekker overhalen. Maar zoals Shep al zei... als ik het geld opgeef, hebben we niets meer om mee te onderhandelen.

Nou en? Dat is beter dan ons leven op het spel zetten.
'Zeg het tegen hem!' schreeuwt Charlie.
'Zeg het niet!' zegt Shep waarschuwend. Hij draait zich naar Gallo om en voegt eraan toe: 'Kunnen we hier nou mee ophouden? Ik bedoel... je hebt ons al te pakken. Wat hoop je verder nog...'
De twee mannen staan recht tegenover elkaar, en Gallo grijnst even. Sheps gezicht betrekt. Hij is lijkbleek. Alsof hij net een geest heeft gezien. Of een dief. 'Je wilt dat geld voor jezelf hebben, hè?' stamelt hij.
Gallo reageert daar niet op. Hij richt zijn wapen gewoon nog wat beter.
'Doe dat niet!' zeg ik smekend. 'Ik zal u vertellen waar het is.'
'Dus dat grote bedrag was voor jou bestemd?' zegt Shep. 'Wie heeft je erbij gehaald? Lapidus? Quincy?'
Daar komt geen antwoord op. Gallo strijkt met zijn tong over zijn lippen. 'Vaarwel, Shep.'
'Jimmy, alsjeblieft...' Shep smeekt en zijn stem breekt. 'Je...' Hij kan de woorden niet over zijn lippen krijgen. Hoe groot hij ook is, zijn hele lichaam trilt. Er verschijnen tranen in zijn ogen. 'Niet in de h-hi...'
'Nee!' brult Charlie.
Gallo vertrekt geen spier. Hij haalt gewoon de trekker over.

13

'Doe dat alstublieft niet!' krijs ik.
Het is te laat. De kogel sist als een pijltje uit een blaaspijp. Dan nog een. En nog een. Ze exploderen alle drie in Sheps borstkas en smijten hem tegen de betonnen muur. Hij grijpt naar de wonden, maar hij zit al onder het bloed. Het bedekt zijn handen en komt borrelend zijn mond uit. Hij probeert adem te halen, maar het enige dat hij produceert, is een leeg, nat gepiep. Hij staat nog wel, staart naar Gallo, naar ons allemaal, met de grijze ogen van een dode. Ze zijn groot van angst, als die van een kind dat weet dat hij gewond is maar nog niet heeft besloten te gaan huilen. Hij wankelt, probeert een stap naar voren te zetten, vecht om zijn evenwicht te bewaren... *Kom op, Shep... je kunt het wel...*
Gallo brengt zijn wapen opnieuw omhoog, maar beseft al snel dat dat niet nodig is.

Sheps benen kunnen zijn gewicht niet meer dragen, en de grote man klapt als een reusachtige eik voorover, recht op de krakende houten planken af. Als hij de grond raakt en de plof door de tunnel dendert, trilt het hout, maar begeven de planken het op de een of andere manier niet.

'Shep!' krijst Charlie, die naar hem toe rent en op zijn knieën naar Sheps voorover liggende lichaam glijdt. 'Is alles oké? Alsjeblieft, makker van me. Laat alles oké zijn!' Charlie knijpt zijn ogen tot spleetjes samen tegen de snel opkomende tranen en duwt tegen Sheps schouder, zoekend naar een reactie. Die komt niet. Niet eens een lichte trilling. 'Kom nou, Shep. Ik weet dat je nog leeft. Leef alsjeblieft nog!' Charlie negeert de plas bloed die onder Shep vandaan sijpelt, schuift zijn handen onder zijn schouders en middel en probeert hem op zijn rug te draaien.

'Charlie, raak hem niet aan!' schreeuw ik.

'Beweeg je niet. Geen van beiden!' blaft Gallo.

Charlie laat Shep abrupt los, en Sheps lichaam zakt weer op de grond. Het bloed drupt al door de groeven tussen de houten planken heen. Ik kijk een andere kant op en kokhals omdat ik het begin van kots in mijn keel proef. Dan zie ik de injectienaald vlak bij Sheps hoofd. Charlie ziet hem ook. Zijn ogen zijn groot. Hij ziet het als een kans. Ik zie het als een stomme manier om de dood te vinden.

Niet doen, waarschuw ik hem met mijn blik.

Het kan Charlie niets schelen. Een snelle aanmaak van adrenaline verandert verdriet in bloeddorstigheid. Hij steekt er een hand naar uit en...

'Verroer je niet, zei ik,' zegt Gallo woest terwijl hij snel achter Charlie gaat staan. Ik hoor een zachte klik, en Charlie kijkt over zijn schouder. Gallo heeft zijn wapen op de rug van mijn broer gericht. DeSanctis, die nog altijd bij de deur staat, houdt mij onder vuur.

'Charlie, luister naar hem!' zeg ik smekend en met brekende stem.

'Eindelijk iemand die een beetje verstandig is,' zegt Gallo, en hij richt zijn wapen op mij. Hij loopt dichter naar me toe en drukt de loop tegen mijn wang. 'Oliver, nu zal ik het je nogmaals vragen. Je weet wat we willen hebben. Vertel ons nu maar gewoon waar het geld is.'

Ik ben niet in staat me te bewegen en staar over Gallo's schouder. Achter hem zit Charlie nog op zijn knieën, klaar om te exploderen. Hij kijkt om zich heen, zoekend naar een andere uitweg. Maar waar hij ook kijkt, hij ziet Shep nog steeds. Dat geldt ook voor mij, en dat is de reden dat ik het niet nogmaals zal laten gebeuren.

'Oliver, doe niet zo stom,' zegt Gallo waarschuwend. 'Geef het op en dan kun je vertrekken.'
'Vertel hem niks!' schreeuwt Charlie. 'Als je hem een dime geeft, zal hij ons hier bij Shep achterlaten.'
'Hou je waffel,' zegt Gallo nijdig, en hij richt zijn wapen weer op Charlie.
Ik ben stijf van angst en compleet verlamd. Charlie maakt me met een enkele blik weer wakker. *Zeg het niet*, waarschuwt hij. *Geef hem niks*. Het probleem is dat Gallo mijn zwakke punt al kent, hoe goed mijn pokerface ook mag zijn.
Met een fretachtige grijns en zijn wapen nog altijd op Charlie gericht zet Gallo zijn wapen op scherp en bestudeert mijn reactie. 'Oliver, hoeveel is hij je waard?'
'Alstublieft...' smeek ik. Ik krijg het woord maar heel moeizaam over mijn lippen.
DeSanctis laat niets aan het toeval over en komt achter me staan. Zijn wapen drukt tegen mijn nek.
Achter Charlie laat Gallo zijn vinger over de trekker glijden. Het wapen is op het achterhoofd van Charlie gericht, maar Gallo houdt mij in de gaten. Charlie, die nog altijd naast Sheps lichaam op zijn knieën zit, rekt zijn hals en doet zijn uiterste best mijn aandacht te trekken. De blik in mijn ogen is glazig en er gaat een heet spasme door mijn keel. We weten allebei hoe dit zal aflopen. Wat we Gallo ook geven, hij zal ons nooit laten gaan. Niet na alles wat we hebben gezien. Toch kijkt Charlie me onderzoekend aan, zoekend naar iets... wat dan ook... om hier weg te kunnen komen. Dat laat zich niet zien.
Koppig tot het bittere eind draait hij zich om en staart naar Sheps lichaam. Maar pas als ik Sheps bloed door de houten planken op de grond zie sijpelen, zie ik ineens de enige manier om weg te komen. Charlie zit met zijn rug naar me toe, maar uit de verandering in de stand van zijn schouders kan ik opmaken dat hij het ook heeft gezien. Hij kromt zijn schouders, alsof de druk hem te machtig is geworden, en buigt zich dicht naar Sheps lichaam toe. Dan wurmt hij zijn vingers heel voorzichtig tussen de randen van de losse houten planken.
'Je weet hoe je hem kunt redden,' zegt Gallo waarschuwend terwijl hij nog altijd strak naar mij kijkt. 'Vertel ons nu maar gewoon waar het geld is.' Gallo kan vanaf zijn plek achter Charlie niets zien. Van een meter afstand zie ik alles. Zo snel ik kan draai ik mijn lichaam zo dat het uitzicht van DeSanctis wordt belemmerd. 'Doe hem alstublieft niets aan,' smeek ik. 'Ik zal u alle inlichtin-

gen geven die u nodig hebt. Maar daarvoor moet ik wel naar de bank, want ik heb die gegevens niet bij me.'
Het enige dat ik kan doen, is proberen tijd te winnen.
Charlie doet alsof hij zich schrap zet voor het schot, kromt zijn rug nog verder en slaat zijn vingers om de randen van de plank heen. Die wiebelt iets, maar niet voldoende. Hij wordt door een spijker nog steeds net aan op zijn plaats gehouden. Charlie concentreert zich op de smalle kieren tussen de planken en zet zijn vingers er zo ver mogelijk tussen. Als hij nog dieper graaft, zullen zijn knokkels gaan bloeden. Het kan hem niets schelen. Hij heeft de hefboomfunctie nodig. Nog een laatste duw en zijn huid ligt open. De spieren van zijn onderarm spannen zich, en ik weet dat zijn vingers zich om de onderste randen van de plank hebben geklemd. *Je bent er bijna. Nog even volhouden, broertje van me.* Hij trekt zo hard hij kan zonder duidelijk te maken waarmee hij bezig is. De plank komt snel los.
'Oliver, je bent te slim om die gegevens niet in je geheugen te hebben geprent,' zegt Gallo, die het wapen weer op mijn broer richt. 'Doe beter je best.'
Achter Gallo draait Charlie zich net voldoende om om me een blik te kunnen toewerpen. *Niets zeggen*, seint hij naar me. *De plank begeeft het bijna.*
'Nog drie seconden,' zegt Gallo. 'Daarna mag jij zelf zijn hersenen opvegen. Een...'
Ollie, geef me nog een seconde. Meer heb ik niet nodig.
'Twee...'
Nog één seconde maar...
Gallo's vinger krult zich om de trekker. 'Dr...'
'Doe dit alstublieft niet. Als u het geld wilt hebben... het staat op een rekening op An...'
Ollie, kom in beweging, zegt Charlie tegen me met niets anders dan een blik. Met een scherp gekraak komt de plank los.
Gallo volgt het geluid en draait zich om, weg van mij, naar mijn broer toe. Hij kijkt naar de grond, maar Charlie is al gaan staan en zwaait de plank door de lucht alsof die een honkbalknuppel is. De platte kant raakt Gallo midden op diens kaak, waardoor er een mondvol spuug in het rond vliegt. Het geluid alleen al is het waard... een misselijkmakende, zoete klap waardoor hij – en zijn wapen – regelrecht op de grond belanden.
Voordat ik goed en wel besef wat er gebeurt, voel ik een harde ruk aan de rug van mijn overhemd. DeSanctis smijt me naar achteren. Hij is erop getraind om in de aanval te gaan. Terwijl ik tegen het

beton klap, richt hij zijn pistool op Charlie, klaar om hem naar de andere wereld te helpen. Nu staat mijn broer in het zwarte gat van de loop. Instinctief houdt hij de plank als een schild omhoog. Ik krabbel overeind, beseffend wat er gebeurt. Ik heb geen schijn van kans. Zonder te aarzelen haalt DeSanctis de trekker over. De knal is oorverdovend.

Het hout dreunt, en iets schiet vlak over het hoofd van Charlie heen. Tegen de tijd dat hij zijn ogen opendoet, vliegt de plank zijn handen uit, in tweeën gekliefd door de kogel. Als het hout de grond raakt, branden zijn handpalmen en zitten er tientallen splinters in. Hij kijkt op naar DeSanctis, die zijn pistool opnieuw richt. Recht op hem.

'Niet doen!' brul ik, en ik duik op de rug van DeSanctis af. Het wapen gaat af, en de kogel verdwijnt in de muur rechts van me, waardoor een wolk betongruis in de hoek belandt. DeSanctis is net lang genoeg uit zijn evenwicht gebracht om mij in staat te stellen op zijn rug te springen en mijn handen om zijn keel te slaan. Binnen seconden wint zijn training het echter van het verrassingseffect. Hij laat zijn hoofd naar achteren schieten en raakt mijn neus. De pijn is verschrikkelijk, maar ik laat hem niet los.

'Ik zal je vermoorden, jij rotzak!' schreeuwt DeSanctis terwijl ik hem blijf wurgen. Hij klauwt met zijn handen over zijn schouder, in een poging me van zich af te schudden. Daardoor is zijn buik volstrekt onbeschermd. Meer afleiding heeft Charlie niet nodig. Hij pakt de kapotte houten plank, rent naar voren, zet zijn voeten stevig op de grond en haalt uit. Wanneer de plank tegen de buik van DeSanctis knalt, slaat hij dubbel en durf ik te zweren dat zijn voeten loskomen van de grond. Ik vlieg van de bokkende stier af en val op het beton, maar DeSanctis is er duidelijk het beroerdst aan toe.

'Is alles oké?' vraagt Charlie, die een hand naar me uitsteekt.

Ik knik een paar keer, nog niet in staat op adem te komen.

Achter Charlie horen we een scherp, schrapend geluid. Hij draait zich snel om en ziet Gallo over de grond naar zijn pistool kruipen. Charlie pakt het wapen direct op en stopt het op zijn rug achter zijn broekriem.

'Charlie!' roep ik.

'J-jullie zijn er allebei geweest,' fluistert Gallo terwijl hij bloed ophoest.

'Weet je dat zeker?' vraagt Charlie, die voorbereidingen treft om nogmaals met de knuppel uit te halen. Zo heb ik hem nog nooit gezien. Hij houdt de plank boven zijn hoofd, als een houthakker, en...

'Niet doen!' schreeuw ik, en ik pak hem bij zijn schouder. DeSanctis is al overeind aan het krabbelen. Tegen dit tweetal zijn we absoluut niet opgewassen. 'Kom mee. We gaan!'
Charlie laat het hout vallen, en we vliegen naar de zwarte metalen deur in de hoek. Zodra ik zijn schoenen achter me hoor klikken, kijk ik niet één keer over mijn schouder. Het enige dat ik wil, is wegkomen. Met een snelle duw ben ik de deur door, en ik ren de voetgangersbrug over. Vlak voordat Charlie achter me aan komt, kijkt hij nog een keer de ruimte rond. Aan de geluiden kan ik horen dat Gallo al op de been is en ontzettend hoest. DeSanctis komt niet ver achter hem aan.
'We hebben problemen,' roept Charlie.
Volledig in paniek laat ik de bouwketen achter me en spring de hal met de eettentjes in. Achter ons horen we de metalen deur tegen de muur slaan. Ze zijn sneller dan we hadden gedacht.
'Controleer die keten!' brult Gallo. Daarmee is DeSanctis zoet.
Ik draai scherp naar links en ren terug naar waar we oorspronkelijk vandaan zijn gekomen.
'Je gaat de verkeerde kant op!' schreeuwt Charlie.
'Weet je...'
'Vertrouw me nu maar,' roept hij, en hij draait naar rechts.
Ik blijf even staan, maar de keus is eenvoudig. We weten allebei waar we onze vrijdagavonden doorbrachten.
Als Charlie zeker weet dat ik achter hem aan kom, rent hij de gang verder door en komen oude instincten weer boven. Bij het eind van de gang duikt hij op de dichtstbijzijnde roltrap af en neemt die met twee treden tegelijk. Mijn schoenen tikken tegen de metalen groeven. 'Zitten ze ons nog op de hielen?' vraagt hij.
'Zorg nu maar gewoon dat we hier wegkomen,' zeg ik, weigerend om te kijken.
Boven aan de roltrap, bij een groep tijdschriftenwinkels en kiosken, draait het enig duidelijke pad naar links, terug naar de grote hal. Charlie rent rechtdoor, naar de beige dienstdeur in de hoek.
'Zo te zien zit die op slot,' zeg ik.
'Nee,' zegt hij stellig. 'Of in elk geval was hij vroeger nooit op slot.'
Biddend dat bepaalde dingen nooit veranderen kijk ik toe terwijl hij tegen de deur op knalt. Die zwaait open en ik zie een beige gang. Charlie neemt nu grotere stappen. Hij bevindt zich weer op vertrouwd terrein. En ik voel me meer verloren dan ooit. Ik bal mijn handen nog steviger tot vuisten en ga zo snel mogelijk achter hem aan. Mijn nagels begraven zich diep in mijn handpalmen.
'Alles oké met jou?' vraagt Charlie bezorgd.

'Ja,' zeg ik, terwijl ik strak voor me uit blijf staren.
Recht voor ons zijn twee automatische deuren. We stampen op de mat met de sensor, en ze gaan open. Meteen ruik ik benzinedampen. Als we de deuren door zijn, wordt het licht vager en de grot groter. Bakstenen muren, geen ramen en een oud, houten loket met een prikklok aan de buitenkant. Charlie kijkt naar stuk of vijftig auto's die bumper aan bumper in de ondergrondse garage geparkeerd staan.
'Hebt u een kaartje?' roept een man met een Porto Ricaans accent vanuit het loket.
'Nee, dank u,' zegt Charlie, die op adem probeert te komen. Over zijn schouder kijkt hij naar de deuren, zoekend naar Gallo en DeSanctis. De deuren gaan automatisch weer dicht. Niemand te zien. In elk geval nog niet. Maar voordat we ons kunnen ontspannen, draait mijn maag zich om en spuug ik de melkbruine restanten uit van de chocoladereep met rozijnen die ik die morgen heb gegeten. De stank alleen al doet me ernaar verlangen nog eens over te geven. Ik klem mijn kaken op elkaar om dat te voorkomen.
'Weet je zeker dat alles met jou oké is?' vraagt Charlie.
Voorovergebogen, met mijn handen op mijn knieën, spuug ik de laatste brokken uit. Er blijft een sliert speeksel aan mijn kin hangen.
'Denk maar niet dat ik dat ga opruimen,' zegt de Porto Ricaan waarschuwend vanuit zijn hokje.
Charlie negeert hem en legt een hand op mijn schouder. 'Ze zijn weg,' belooft hij me. 'Ons kan niets meer gebeuren.' De woorden zijn aardig, maar hij snapt het niet.
'Wat is er?' vraagt Charlie, die ziet hoe groen ik ben. 'Wat is er?'
Mijn maag is leeg, en ik sta op het punt flauw te vallen. Maar pas als ik het speeksel met de rug van mijn hand van mijn kin veeg en langzaam probeer weer rechtop te gaan staan, kan mijn broer mijn ogen goed zien. Ze dansen bezorgd alle kanten op.
Zonder dat ik iets zeg weet hij waarom ik niet over mijn schouder wilde kijken toen we aan het rennen waren. Natuurlijk was ik bang, maar niet alleen voor wat ons achtervolgde. Ook voor wat we hadden achtergelaten. Shep. Ik staar naar de kots bij mijn voeten. Niks angst. Dit heeft allemaal te maken met schuldgevoelens.
'Ollie, het is jouw schuld niet. Zelfs toen jij bereid was hun te vertellen op welke rekening het geld staat, zei Shep dat je je mond moest houden.'
'Maar als we daar niet waren geweest... Verdomme, hoe is het mo-

gelijk dat ik zo stom ben? Ik word geacht slimmer te zijn! Als we daar niet waren geweest... als ik me niet zo stomweg woedend op Lapidus had gemaakt...'
'Als, als, als. Begrijp je het dan nog steeds niet? Het doet er niet toe wat je dacht, of waarom je jezelf hiertoe hebt overgehaald. Shep had dat geld sowieso gestolen, met of zonder ons. Punt. Uit.'
'D-denk je dat echt?' vraag ik, en ik kijk op.
'Natuurlijk,' zegt hij meteen vol zelfvertrouwen. Maar terwijl dat woord over zijn lippen komt, betrekt zijn gezicht. De werkelijkheid treft hem hard. En snel. Nu is hij degene die opeens groen ziet.
'Is alles met jou in orde?' vraag ik.
Hij zegt niets. In plaats daarvan wijst hij op de oprit naar de door sneeuw omzoomde straat. 'Klaar om te gaan?'
Voordat ik kan knikken, rent Charlie de oprit op. Ik doe opnieuw even mijn ogen dicht en stel me Sheps lichaam voor, als een kapotte marionet in een vreemde draai op de grond. Ik ben niet in staat dat beeld van me af te zetten – noch de overhaaste beslissing die ons daarheen heeft gebracht. Ik ren achter mijn broer aan, zo hard ik kan. Helaas voor ons zijn er bepaalde dingen die je niet te vlug af kunt zijn.
Op 44th Street gaan we snel op in de menigte, maar in de verte hoor ik de sirenes al.
Ik kijk naar Charlie, en hij neemt mij onderzoekend op. We zijn nu niet meer alleen dieven. Tegen de tijd dat Gallo en DeSanctis klaar zijn met ons, zullen we moordenaars zijn.
'Moeten we ma bellen?'
'Geen sprake van,' zeg ik terwijl ik de kots nog steeds op mijn lippen proef. 'Dat is de eerste plek waar ze zullen gaan kijken.'
De sirenes komen dichterbij, en we gaan in de rij staan die zich voor een pizzeria heeft gevormd. Het geluid is nu vrijwel oorverdovend. Aan het eind van het blok remmen twee politiewagens krachtig, en met piepende banden rijden ze naar de ingang van Grand Central aan Vanderbilt Avenue. We houden ons hoofd omlaag, maar staren net als alle anderen in de rij strak die kant op. Binnen een paar seconden worden portieren dichtgesmeten en rennen vier geüniformeerde agenten het station in.
'Kom mee,' zeg ik, en ik spring de rij uit.
Weet je zeker dat je het op een rennen wilt zetten, vraagt Charlie met een blik.
Ik neem de moeite niet daarop te reageren. Zoals hij al had gezegd, dit gaat niet meer om mijn woede, of om een verhitte wraakne-

ming aan het adres van Lapidus. We moeten op de een of andere manier in leven zien te blijven. En na bijna vijftien jaar tikkertje spelen weet Charlie wat een voorsprong waard is.
'Weet je waar we naartoe gaan?' vraagt hij terwijl hij achter me aan komt.
Ik ren al naar het andere eind van het huizenblok. 'Niet echt, maar ik heb wel een idee,' zeg ik.

14

Joey was de achtste die werd gebeld. Natuurlijk was de eerste de assuradeur van KRG Assurantiën, die de polis had verzorgd. Lapidus had binnen een fractie van een seconde korte metten met hem gemaakt en een snelle doorverbinding geforceerd met een analist van borgtochtverzekeringen die, toen hij het bedrag hoorde, meteen het hoofd van die afdeling belde, die weer zijn hoofd belde, en die belde de president-directeur. Die president-directeur pleegde twee telefoontjes: een naar een forensisch accountantsbureau en een naar Chuck Sheafe, directeur van Sheafe International, om persoonlijk om hun allerbeste privédetective te vragen. Sheafe aarzelde niet. Hij beval meteen Joey aan.
'Prima,' zei de president-directeur. 'Wanneer kan hij hier zijn?'
'Zij, zul je bedoelen.'
'Waar heb je het over?'
'Warren, doe niet zo stom. Jo Ann Lemont,' zei Sheafe. 'Wil je onze beste kracht hebben, of geef je de voorkeur aan een padvinder?'
Meer hoefde er niet te worden gezegd. Het achtste telefoontje ging naar Joey.
'Hebt u er enig idee van wie dat geld heeft gestolen?' vroeg Joey, die op de stoel tegenover Lapidus' bureau zat.
'Natuurlijk niet,' reageerde Lapidus blaffend. 'Wat is dat nou voor een stomme vraag?'
Stom? Misschien, dacht Joey, maar ze moest hem wel stellen. Al was het alleen maar om zijn reactie te bestuderen. Als hij loog, zou iets dat verraden. Even een andere kant op kijken, een ongemakkelijke grijns, een lege, starende blik. Ze veegde haar korte, kastanjebruine haar van haar voorhoofd. Ze wist wat voor gave ze had: scherp kunnen focussen en iets zien wat iemand verried. Ze had dat geleerd door met haar vader te pokeren en vervolmaakt

tijdens haar rechtenstudie. Soms was de lichaamstaal veelzeggend. Soms was iets anders dat.
Toen Joey net het kantoor van Lapidus in was gelopen, was de fraaie Victoriaanse ovale, bronzen deurknop haar het eerst opgevallen. Hij was versierd met een motief van eierlijst, voelde koud aan, was moeilijk om te draaien en paste bij geen van alle andere deurknoppen in het gebouw. Maar zoals Joey wist, ging het daar bij directeuren juist om. Alles om maar indruk te maken.
'Is er verder nog iets, mevrouw Le...'
'Ik heet Joey,' onderbrak ze hem, en ze keek met haar chocoladebruine ogen op van haar aantekenblok. Hoewel ze een pen in haar hand had en het blok op haar schoot lag, had ze nog geen woord opgeschreven. Vanaf het moment waarop ze haar eerste aantekenblok door een dagvaarding had moeten afstaan, had ze geweten dat ze niets moest opschrijven. Maar zo'n aantekenblok hielp wel om mensen aan het praten te krijgen. Net als het gebruik van een voornaam. 'Noemt u me alstublieft Joey.'
'Joey, ik wil je niet beledigen, maar als ik het me goed herinner, ben jij ingehuurd om die zoekgeraakte driehonderddertien miljoen te vinden. Dus waarom ga je je daar niet weer mee bezighouden?'
'Eigenlijk was ik net van plan in dat verband iets te vragen,' zei ze terwijl ze een digitale camera uit haar aktetas pakte. 'Zou u het vervelend vinden als ik wat foto's neem? Gewoon voor verzekeringsdoeleinden?'
Lapidus knikte, en ze maakte snel vier foto's. Eén elke kant op. Voor Lapidus was het een klein ongemak. Voor Joey was het de gemakkelijkste manier om een mogelijke plaats delict te documenteren. Leg alles met een camera vast, was haar al vroeg geleerd. Foto's zijn de enige dingen die niet liegen.
Door de lens bestudeerde Joey de met kersenhout gelambriseerde muren en het Aubusson-tapijt, die de kamer met hun dieprode kleurnuances leken te omarmen. De kamer stond vol met Aziatische kunstvoorwerpen. Links van haar een ingelijst vel perkament, met daarop in schoonschrift een Japans gedicht ter ere van de lente. Rechts van haar een step-tansoe van voor de Tweede Wereldoorlog – een eenvoudige houten kast met kleine laden. En recht voor haar, achter het bureau van Lapidus, duidelijk het pronkstuk van zijn verzameling: een samoeraihelm uit de dertiende-eeuwse Kamakoera-periode. Hij was gemaakt van bewerkt hout, voorzien van een glanzend zwarte laklaag, en aan de voorkant – ter hoogte van het voorhoofd – was een zilveren wassende maan ingelegd. Zoals Joey uit een oude geschiedenisles wist, gebruikte de shogun

de zilveren insignes om zijn samoerai te identificeren en te bepalen hoe ze het tijdens een gevecht deden. Nog een baas die niet graag al te nauwe banden met iemand aangaat, dacht ze.
'Meneer Lapidus, hoe kunt u het met uw werknemers vinden?' vroeg Joey terwijl ze de camera weer in haar aktetas stopte.
'Hoe ik...' Hij zweeg en nam haar aandachtig op. 'Probeer je me ergens van te beschuldigen?'
'Helemaal niet,' zei ze, snel gas terugnemend. Het was echter duidelijk dat ze haar eerste knop had gevonden. 'Ik probeer alleen te achterhalen of iemand een motief had om...'
Aan de andere kant van de kamer vloog de deur van Lapidus' kantoor open. Quincy liep naar binnen, maar hij zei niets. Hij hield de ovalen deurknop alleen stevig vast.
'Wat is er mis?' vroeg Lapidus.
Quincy keek even naar Joey en toen weer naar Lapidus. Sommige dingen konden beter onder vier ogen worden gezegd.
'Is hij daar?' brulde een schorre stem op de gang. Voordat Quincy iets kon zeggen marcheerden de agenten Gallo en DeSanctis de kamer in. Joey grinnikte om die onderbreking. Wijdvallend pak... brede borstkas... goedkope schoenen, het leer geschaafd door hardlopen. Deze twee mannen waren geen bankiers. Wat betekende dat ze van een beveiligingsdienst waren of...
'Secret service,' zei Gallo, die haar de penning aan zijn broekriem liet zien. 'Wilt u ons even excuseren?'
Joey kon er niets aan doen dat ze naar de opgezwollen snee op Gallo's wang staarde. Die had ze niet meteen gezien toen hij naar binnen liep, want op dat moment had hij zijn hoofd een andere kant op gehouden. 'In feite denk ik dat we hier allemaal bij betrokken zijn,' zei Joey vriendelijk. 'Ik ben hier als werknemer van Chuck Sheafe.' Het gebeurde niet vaak dat ze de naam van haar baas liet vallen, maar ze wist maar al te goed hoe vertrouwen bij de handhavers der wet werkte. Vijftien jaar geleden was Chuck Sheafe de op twee na hoogste baas van de secret service geweest. Voor oud-collega's betekende dat dat hij tot de familie behoorde.
'Dus u werkt voor de verzekeringsmaatschappij?' vroeg Gallo.
Dat was niet de reactie die ze wilde hebben, dus knikte ze slechts.
'Dan bent u een burger,' zei Gallo meteen. 'Wilt u ons nu alstublieft even excuseren?'
'Maar...'
'Tot ziens, mevrouw. Het was pr...'
'U mag me Joey noemen.'
Gallo hield zijn hoofd scheef, met een roofdierachtige blik in zijn

ogen, en liet zo opnieuw de snee in zijn wang zien. Hij vond het niet prettig te worden onderbroken. 'Tot ziens, Joey.'
Joey, die te slim was om lang aan te dringen, stopte het aantekenblok onder haar arm en liep naar de deur. Alle vier de mannen keken haar na terwijl ze de kamer door liep, en dat gebeurde niet vaak. Met haar relatief atletische bouw was ze aantrekkelijk, maar niet superaantrekkelijk. Toch liet ze uit niets blijken dat ze hen zag kijken. Ze verdiende haar brood temidden van hele volksstammen mannelijke ego's. Later zou ze nog tijd genoeg hebben om te vechten.
Toen de deur achter Joey dichtklapte, streek Lapidus met een handpalm over zijn kale hoofd. 'Vertel me alsjeblieft dat jullie goed nieuws hebben.'
Quincy probeerde iets te zeggen, maar kon geen woord over zijn lippen krijgen. Hij stopte zijn handen in zijn zakken om te voorkomen dat die gingen trillen.
'Is alles in orde met jou?' vroeg Lapidus.
'Shep is dood,' bracht DeSanctis uit.
'Wat zeg je?' vroeg Lapidus, en zijn ogen werden groot. 'Ben je... Hoe...'
'Drie keer in zijn borst geschoten. We zijn erheen gerend toen we het lawaai hoorden, maar het was al te laat.'
Opnieuw werd het stil in de kamer. Niemand bewoog zich. Lapidus niet. Quincy niet. Niemand.
'Gecondoleerd,' voegde Gallo eraan toe.
Lapidus greep naar zijn eigen borst en liet zich in zijn stoel zakken. 'W-was het vanwege het geld?'
'Dat proberen we nog steeds uit te zoeken,' zei Gallo. 'We weten niet zeker hoe ze eraan zijn gekomen, maar het ziet ernaar uit dat ze hulp hebben gehad van Shep.'
Lapidus keek op. 'Wat bedoel je met "ze"?'
'Dat is het andere deel van het verhaal,' zei DeSanctis. Hij keek even naar Gallo, bijna alsof hij om toestemming vroeg. Toen Gallo knikte, liep DeSanctis de kamer door en liet zijn magere lijf in een van de twee stoelen voor Lapidus' bureau zakken. 'Voor zover wij kunnen nagaan is Shep ofwel door Charlie ofwel door Oliver vermoord.'
'Oliver?' herhaalde Lapidus. 'Onze Oliver? Die jongen kan nog niet...'
'Dat kon hij, en dat heeft hij ook gedaan,' hield Gallo vol. 'Dus kom niet met een onzinnig verhaal over jongensachtige onschuld of zo. Dankzij die twee zit ik met een man met drie gaten in zijn

borstkas en een onderzoek naar fraude dat nu een onderzoek naar moord is geworden. Voeg dat toe aan de zoekgeraakte driehonderddertien miljoen, en dan zitten we met zo'n zaak waarover het Congres hoorzittingen houdt.'

Lapidus bleef daar in zijn stoel ineengedoken zitten. De gevolgen van dit alles begonnen al zwaar op zijn schouders te drukken. In gedachten verzonken en weigerend iemand aan te kijken staarde hij bezorgd naar de Japanse bronzen briefopener op zijn bureau. Toen schoot hij opeens overeind in zijn stoel en zei heel snel: 'Vrijdag heeft Oliver mijn wachtwoord gebruikt om geld over te maken naar Tanner Drew.'

'Dát is nou iets wat we moeten weten,' zei Gallo, die in de stoel naast die van DeSanctis ging zitten. 'Als er sprake is van een bepaald patroon van frau...' Hij maakte zijn zin niet af toen hij iets op het kussen van de stoel voelde. Hij stak een hand onder zijn dijbeen en haalde een blauw-gele pen te voorschijn met het logo van de Universiteit van Michigan erop. Michigan, dacht hij. Daar heeft Chuck Sheafe, de baas van Joey, gestudeerd.

'Waar hebt u deze vandaan?' vroeg Gallo, die Lapidus de pen toestak. 'Is die van u?'

'Dat geloof ik niet,' stamelde Lapidus. 'Nee, die heb ik beslist nooit eerder gezien.'

Gallo trok de dop los, schroefde de pen open en schudde beide helften leeg op het bureau. Ze zagen een extra vulling, een metalen veer... en een doorschijnend plastic buisje vol draden, een piepkleine batterij en een zendertje. In de onderkant was een microfoontje ingebouwd.

'Verdomme!' zei Gallo woest. Hij smeet de pen tegen de muur, waar die net het vel perkament miste.

'Voorzichtig!' schreeuwde Lapidus toen Gallo opsprong van zijn stoel.

Gallo's stoel viel op de grond. Hij rende naar de deur, pakte de ovalen deurknop en trok zo hard hij kon.

'Kan ik u ergens mee van dienst zijn?' vroeg de secretaresse van Lapidus vanaf haar gebruikelijke plaats achter haar bureau.

Gallo rende langs haar heen en keek de gang af, naar de wc's, naar de lift. Maar hij was te laat. Joey was allang verdwenen.

15

De achterbank van de zwarte taxi is bedekt met een bruine handdoek vol vlekken, die naar zweetvoeten ruikt. Onder normale omstandigheden zou ik de raampjes hebben opengedraaid voor wat frisse lucht. Maar nu we die sirenes hebben gehoord, zijn we achter het getinte glas toch beter af. Charlie en ik zijn zo ver mogelijk onderuit gaan zitten om door niemand te worden gezien, en we hebben onze mond nog niet opengedaan sinds we de taxi hebben aangeroepen. Het is duidelijk dat we geen van beiden het risico willen nemen iets te zeggen in aanwezigheid van de chauffeur, maar terwijl ik naar Charlie staar, die opgekruld tegen het portier aan zit en nietsziend naar buiten staart, weet ik dat hij niet alleen zwijgt omdat hij privacy wil hebben.

'Hier naar rechts,' roep ik terwijl ik over de hoofdsteun heen kijk om Park Avenue beter te kunnen zien. De chauffeur draait scherp 50th Street op en als hij ongeveer halverwege het blok is, zeg ik: 'Perfect.' De chauffeur trapt snel op de rem. Ik gooi een biljet van tien dollar tussen de armleuningen door, trap het portier open en zorg ervoor dat hij niet de kans krijgt me goed te zien. We zijn niet meer dan een paar huizenblokken van Grand Central vandaan en ik ben niet van plan me al uitgebreid op straat te laten zien.

'Kom mee,' roep ik naar Charlie, die al een paar stappen achter me aan loopt. Ik steven regelrecht af op de voordeur van een Italiaanse bakker, vlak bij de plaats waar de taxi tot stilstand is gekomen. Maar zodra de chauffeur wegrijdt, draai ik weer om. Dit is het moment niet om risico's te nemen. Niet met mezelf en al zeker niet met Charlie.

'Kom mee,' zeg ik terwijl ik snel terugloop naar Park Avenue. De scherpe decemberwind probeert ons terug te blazen, maar het enige dat hij doet is ervoor zorgen dat de mensen op straat diep in hun kraag wegduiken. Prima voor ons. Zodra we weer op Park Avenue zijn, ren ik de betonnen trap op. Achter me kijkt Charlie op naar het fraaie gebouw van roze baksteen en begrijpt het eindelijk. Tussen de investeringsbanken, de advocatenkantoren en het Waldorf in genesteld bevindt zich het enige eiland van vroomheid in een oceaan van opzichtigheid. Belangrijker nog is dat het de dichtstbijzijnde plaats hier in de buurt is waar we niet buiten de deur gezet zullen worden, tot hoe laat we er ook willen blijven.

'Welkom in St. Bart,' fluistert een zachte stem terwijl we het gewelfde stenen portaal in stappen. Links van me knikt een gezette

grootmoeder ons vanachter een kaarttafel vol bijbels en andere godsdienstige boeken even verwelkomend toe en kijkt dan snel weer een andere kant op.
Ik stop twee dollarbiljetten in het doorzichtige kastje voor giften en loop naar de deuren van de eigenlijke kerk. Zodra die opengaan, ruik ik die typerende kerkgeur van wierook en oud hout. Het plafond welft omhoog naar een gouden koepel en op de grond staan veertig rijen kerkbanken van esdoornhout. Het is er donker. De gehele ruimte wordt alleen verlicht door een paar kroonluchters en het natuurlijke licht dat door de gebrandschilderde ramen in de muren wordt gefilterd.
Nu de lunchpauze voorbij is, zijn de meeste kerkbanken leeg, maar niet allemaal. Her en der zitten nog een stuk of tien gelovigen, en zelfs als ze aan het bidden zijn, zou een van hen nog weleens de Misdaadbestrijder van de Week kunnen worden. Hopend op een wat rustiger plekje kijk ik om me heen. Als een kerk zo groot is, is er gewoonlijk... Jawel. Verderop, in de linkermuur, zie ik een enkele deur zonder een bordje erop.
Charlie en ik lopen rustig die kant op, om geen aandacht te trekken. De deur gaat met een luid gekraak open. Ik verkramp en duw snel door om een eind te maken aan het geluid. We lopen zo vlug door dat ik letterlijk de stenen ruimte in struikel, die net groot genoeg is om een paar banken en een koperen standaard met brandende votiefkaarsen te kunnen herbergen. Verder is er niemand in deze privékapel.
De deur klapt dicht, en Charlie houdt nog steeds zijn mond.
'Doe jezelf dit alsjeblieft niet aan,' zeg ik tegen hem. 'Volg je eigen raad op. Wat er met Shep is gebeurd, is noch mijn schuld, noch de jouwe.'
Charlie ploft neer op een houten bank in de hoek en geeft geen antwoord. Hij lijkt kleiner te worden en zijn hoofd wiebelt wezenloos op zijn hals. Hij verkeert nog steeds in een shocktoestand. Nog geen halfuur geleden heb ik een collega dood zien schieten. Charlie heeft dat zien gebeuren met iemand die hij als een vriend beschouwde. En zelfs als ze elkaar nauwelijks kenden – zelfs als ze samen alleen over een paar voetbalwedstrijden op de middelbare school hebben gesproken – is dat voor Charlie een heel leven. Hij buigt zich naar voren, zet zijn ellebogen op zijn knieën.
Alleen al door het zien daarvan proef ik de smaak van kots weer.
'Charlie, als je erover wilt praten...'
'Dat weet ik,' zegt hij met trillende stem. Hij vecht om zijn zelfbeheersing niet te verliezen, maar sommige dingen kunnen een

mens te machtig zijn. Dit gaat niet alleen om Shep. Links van ons branden de kaarsen, en onze schaduwen flikkeren op de stenen muur. 'Ze zullen ons vermoorden, Ollie, net zoals ze dat met hem hebben gedaan.'
Ik loop dicht naar hem toe, leg mijn hand in zijn nek en ga naast hem op de bank zitten. Charlie is niet iemand die snel huilt. Hij heeft geen traan vergoten toen hij zijn sleutelbeen had gebroken in een poging om met zijn fiets de trap af te rijden. Ook niet toen we in het ziekenhuis afscheid moesten nemen van tante Maddie. Maar nu, als ik mijn armen voor hem spreid, laat hij zich daar meteen in vallen.
'Wat kunnen we doen?' vraagt hij, nog altijd fluisterend.
'Ik heb wel een paar ideeën,' zeg ik. Hoewel dat een holle belofte is, neemt Charlie de moeite niet er een vraagteken achter te zetten. Hij houdt alleen zijn hoofd tegen mijn schouder gedrukt, zoekend naar steun. Op de muur vormen we een grote schaduw. Dan geeft mijn gsm geluid.
Het schrille gekrijs wordt door de gehele ruimte weerkaatst. Ik schrik. Charlie komt niet in beweging. Ik steek een hand in mijn zak en zet het geluid uit. Als er niet wordt opgenomen, wordt er nog een keer gebeld. Degene die dat doet, wil het kennelijk niet opgeven. De gsm trilt tegen mijn borstkas. Ik steek weer een hand in mijn zak en zet hem opnieuw uit.
'Weet je zeker dat we niet moeten opnemen?' vraagt Charlie, die mijn gezichtsuitdrukking ziet.
'Ik denk niet dat we dat moeten doen,' zeg ik snel.
Hij knikt, alsof dat ons veilig zal houden. We weten allebei dat het een leugen is. Langs de achtermuur maken de vlammetjes van de kaarsen een dansje op de plaats. En hoe graag we onze ogen ook dicht willen doen, van nu af aan zal het alleen maar erger worden.

16

'En?' vroeg Gallo.
'Er wordt niet opgenomen,' zei Lapidus terwijl hij de hoorn op de haak legde. 'Niet dat me dat verbaast, want Oliver is veel te slim om dat te doen.' Lapidus keek naar de fotokopie van een brief die Gallo op zijn bureau had gelegd en las die snel door. 'Dus zo hebben ze het gedaan?' vroeg hij. 'Een nepbrief, die door Duckworth is ondertekend?'

'Volgens de jongens van het lab is dat het laatste document dat Oliver in zijn computer heeft gezet,' legde Gallo uit terwijl hij over het kostbare oude tapijt hinkte. Na wat er met Joey was gebeurd, was hij niet in de stemming om te gaan zitten. 'En uit de diskette die we achter in Sheps la hebben gevonden, menen we te kunnen opmaken dat Shep dat tweetal hielp.'

'Dus hebben die drie elkaar vanmorgen getroffen, en Oliver en Charlie hebben Shep een kopje kleiner gemaakt toen alles misging,' stelde Quincy vanaf zijn gebruikelijke plek bij de deur als hypothese.

'Dat is er de enige zinnige verklaring voor,' zei DeSanctis, die Gallo een brutale blik toezond.

'En hoe zit het met het onderzoek?' vroeg Lapidus. 'Zoals jullie weten hebben we een aantal belangrijke cliënten die zich verlaten op onze belofte van privacy. Is er een kans om het... hoe zal ik het zeggen... uit de kranten te houden?'

Daar was het... het enige waarop Gallo had gewacht. 'Ik ben het volstrekt met u eens,' zei hij, de gelegenheid met beide handen aangrijpend. 'Als we dit de pers toewerpen, zullen ze alles wat we doen meteen aan Charlie en Oliver overbrengen. Wanneer een zaak zulke grote proporties aanneemt, zijn we allemaal beter af als we het zo stil mogelijk houden.'

'Inderdaad. Dat is nu precies ons punt,' zei Lapidus, die krachtig naar Quincy knikte. 'Dat klopt toch?'

Quincy knikte niet terug. Wat hem betrof waren er voor een dag wel voldoende hielen gelikt.

'Dus jullie denken hen te kunnen vinden?' vroeg Lapidus terwijl Gallo de telefoon op de hoek van zijn bureau pakte.

Gallo keek even naar Quincy en toen weer naar Lapidus. 'Waarom laat u dat niet aan ons over?' Hij toetste snel een nummer in en bracht de hoorn naar zijn oor. 'Hallo, je spreekt met mij,' zei hij tegen de persoon aan de andere kant van de lijn. 'Ik ben op zoek naar een gsm hier ergens in de stad. Kun je aan het traceren slaan?'

17

Ik zet de gsm pas een tiental huizenblokken verderop weer aan. En zelfs dan duurt het nog eens anderhalf huizenblok voordat ik genoeg moed heb verzameld om een nummer in te toetsen. Om sterker te worden denk ik aan Charlie. Terwijl ik wacht tot iemand opneemt, probeer ik achter in de bus mijn evenwicht te bewaren terwijl die naar het centrum kruipt en over de gaten in het wegdek dendert. Natuurlijk val je in de ondergrondse minder op, maar de laatste keer dat ik het controleerde, deed mijn gsm het daar niet. En op dit moment moet ik in beweging blijven om afstand tussen mij en de kerk te scheppen.

'Welkom bij Greene & Greene Bankiers. Waarmee kan ik u van dienst zijn?' vraagt een vrouwenstem door mijn gsm. Ik weet niet zeker bij wie die hoort, maar in elk geval niet bij iemand die ik ken. Prima. Dat betekent dat zij mij ook niet kent.

'Hallo, u spreekt met Marty Duckworth,' zeg ik. 'Ik heb een snelle vraag en ik hoop dat u me daarmee kunt helpen.' Terwijl ze mijn rekening- en sofinummer controleert, moet ik me wel afvragen of het systeem van de bank nog draait. Als de secret service slim is, zouden ze dat al hebben afgeslo...

'Ik heb uw rekening voor me. Waarmee kan ik u vandaag van dienst zijn, meneer Duckworth?' Ze zegt het zo snel en zo enthousiast dat ik wel een val moet vermoeden. Jammer voor mij, maar ik heb de informatie nodig.

'Ik wil alleen weten wat de meest recente transactie is geweest,' zeg ik tegen haar. 'Er is een groot bedrag op gestort en ik moet weten op welke dag dat is gebeurd.' Een onzinnige vraag, natuurlijk, maar als we te weten willen komen wat er gaande is, moeten we ook weten hoe de drie miljoen van Duckworth in driehonderddertien miljoen zijn veranderd.

'Het spijt me, meneer, maar er is in de afgelopen week niets op uw rekening gestort.'

'Wat zegt u?'

'Ik heb de gegevens voor me, zoals ik al zei. Volgens onze administratie staat er op dit moment niets op uw rekening. Gistermiddag is er driehonderddertien miljoen dollar afgehaald. Meer is er niet...'

'En eergisteren?' vraag ik, kijkend naar de passagiers in de bus. Niemand draait zich om. 'Hoeveel stond er toen op mijn rekening?'

Er volgt een korte stilte. 'Zonder de rente mee te rekenen hetzelfde bedrag, meneer. Driehonderddertien miljoen. Net als de dag daar weer voor. Recente stortingen zijn er niet geweest.'

De bus stopt krachtig, en ik pak een metalen stang vast om mijn evenwicht niet te verliezen. 'Weet u zeker dat er toen geen drie miljoen op stond?'

'Het spijt me, meneer. Ik zeg u alleen wat er op mijn scherm staat.'
Terwijl ze dat zegt, glijdt mijn hand langs de stang omlaag. Dat kan niet. Dat is onmogelijk. Hoe kunnen we...
'Meneer Duckworth, kunt u even aan de lijn blijven? Ik kom zo weer bij u terug.'
'Natuurlijk,' zeg ik. Het wordt stil over de telefoon, en dertig seconden lang maak ik me daar niet echt druk over. Na een minuut moet ik me wel afvragen waar de vrouw is gebleven. Het eerste wat ze je namelijk leren als je met rijke mensen te maken hebt, is dat je hen nooit in de wacht moet... Hé, wacht eens even. Mijn borst verkrampt. Dit is nog steeds een gsm van de bank, en hoe langer ze me aan de lijn houdt, hoe gemakkelijker het voor de secret service is om me te tra...
Ik verbreek de verbinding, hopend dat ik dat nog snel genoeg heb gedaan. Ze kunnen het op geen enkele manier zo vlug doen. Niet wanneer het...
De gsm trilt in mijn hand en er loopt een ijskoude rilling over mijn rug. Ik kijk naar het nummer van degene die belt, maar herken dat niet. De laatste keer heb ik dat bellen genegeerd. Nu moet ik weten of ze me aan het traceren zijn.
'Hallo,' zeg ik, met een stem vol zelfvertrouwen.
'Waar ben je verdomme?' vraagt Charlie. Er is geen telefoon in de kapel. Als hij het risico heeft genomen me vanuit een openbare telefooncel te bellen, hebben we problemen.
'Wat is er aan de hand? Ben je...'
'Je kunt maar beter hierheen terugkomen,' zegt hij op hoge toon.
'Vertel me wat er is gebeurd.'
'Oliver, kom terug. Nú!'
Met mijn vuist sla ik op de stopknop van de bus. Vaarwel, wal. Welkom, sloot.

18

'Hebben we hem?' vroeg Lapidus, die zich over de schouder van DeSanctis heen boog.
'Wacht even,' zei DeSanctis, die naar zijn laptop staarde. Op het scherm was de lijst van telefoongesprekken via de gsm van Oliver Caruso te zien, beschikbaar gesteld door de maatschappij die dat netwerk beheerde.

'Waarom duurt het zo lang?' vroeg Gallo op hoge toon.
'Wacht even...'
'Je hebt al gezegd...'
Het scherm van de laptop knipperde en er verscheen opeens nieuwe informatie. Gallo, DeSanctis en Lapidus bogen zich er dicht naartoe en bestudeerden alles: tijd, datum, gespreksduur, huidig gesprek...
'Dat zijn wij!' zei Lapidus, die het nummer van de klantendienst al snel herkende. 'Hij is met iemand van deze bank aan het bellen!'
'In dit gebouw?' vroeg Gallo.
'J-ja. Op de eerste verdie...'
'Hij is in beweging,' zei DeSanctis, Lapidus onderbrekend. Op het scherm stonden de plaatsen aangegeven waar de gsm zich bevond:

Lokatie bij het begin van het gesprek: 303c
Huidige lokatie: 304a

'Hoe weet je...'
'Elk nummer vertegenwoordigt een andere toren,' legde DeSanctis uit. 'Als je belt, zoekt je gsm de dichtstbijzijnde toren met een signaal... maar dit gesprek is op de ene plaats begonnen en wordt op een andere voortgezet.' DeSanctis keek op de plattegrond die naast zijn laptop op het bureau was uitgespreid. '303C is 79th en Madison. 304A is 83rd en Madison.'
'Dus hij is Madison Avenue op aan het gaan?'
DeSanctis keek weer naar het scherm. 'Het gesprek duurt pas twee minuten. Om van 79th naar 83rd te komen... Hij beweegt zich te snel om te voet te kunnen zijn.'
'Misschien heeft hij de ondergrondse genomen,' suggereerde Lapidus.
'Nee, bij Madison is geen ondergrondse,' zei Gallo. 'Maar hij rijdt wel. Of in een taxi, of in een bus.' Gallo rende hinkend en wel naar de deur en keek nog even om naar Lapidus. 'Die vrouw van de klantenservice moet hem zo lang mogelijk aan de praat houden. Gewoon zomaar een praatje maken... hem in de wacht zetten... wat er ook maar voor nodig is.'
'Wil je dat ik...'
'Denkt u er niet eens over om op te nemen. Zodra hij uw stem hoort, verbreekt hij de verbinding.'
'Hij is nog op 304A,' riep DeSanctis, die als een gek computersnoeren onder zijn oksel aan het stoppen was. Met zijn laptop op

zijn hand, als een thuisbezorgde pizza, rende hij naar de deur en de gang op. 'Dus hebben we het over een straal van een huizenblok of vier.'
'Dus jullie denken dat je...'
'Hij is zogoed als dood,' zei Gallo terwijl ze naar de privélift renden. 'Hij zal ons niet eens zien aankomen.'

19

Terwijl de bus voor een fraai bruin gebouw op de hoek van 81st Street tot stilstand komt, toets ik het nummer van het Kings Plaza Movie Theater in Brooklyn in en druk op de knop. Als de stem op het bandje weerklinkt, pak ik een krant van de stoel naast me, wikkel daar mijn gsm in en schuif het geheel onder mijn stoel. Als ze mijn gsm aan het traceren zijn, moet dit ons op zijn minst een uur speling geven, en de eindeloze reeks tijden waarop de films beginnen moet hun een signaal verstrekken waardoor ze voor nop helemaal naar Harlem zullen gaan.
Voordat mijn medepassagiers beseffen wat er gaande is, komt de bus weer tot stilstand. De deuren gaan open en ik stap uit. Mijn ritje is voorbij. Gelukkig mag een achtergelaten gsm gratis meerijden.
Het duurt meer dan tien minuten voordat de kassier van de Citibank de vijfendertighonderd dollar die ik nog op mijn rekening heb staan kan uitbetalen, en dit is een van de weinige keren dat ik blij ben niet aan de minimuminleg van een privébank te kunnen voldoen. De secret service zou een rekening bij Greene met medewerking van Lapidus binnen de kortste keren hebben geblokkeerd.
Als ik terug ben in de kerk, houd ik mijn hoofd omlaag en loop snel door naar de kapel. Ik zie het licht van de kaarsen door een kier onder de deur de kerk in schijnen. Ik pak de deurknop met een vuist stevig beet en kijk over mijn schouder, en nog eens, om het zekere voor het onzekere te nemen. Niemand kijkt op.
Ik duw de deur open, loop de door kaarsen verlichte ruimte in en kijk naar de banken, zoekend naar Charlie. Hij zit op dezelfde bank waarop ik hem had achtergelaten – in de hoek – en nog altijd met gebogen schouders. Maar nu heeft hij iets in zijn handen. Zijn aantekenboekje. Opnieuw is hij aan het schrijven. Nee, niet gewoon

aan het schrijven. Als een gek aan het krabbelen. De man die niet te stoppen is.
Ik knik. Hij begint eindelijk weer zichzelf te worden. 'Wat is het noodgeval?' vraag ik.
Dat is de enige keer dat hij ophoudt met schrijven. 'Ik kan ma niet vinden.'
Die woorden voelen aan als een stomp in mijn nieren. Geen wonder dat hij zijn zwijgen heeft verbroken.
'Waar heb je het over?'
'Ik heb haar al eerder gebeld en...'
'Ik had tegen je gezegd dat je haar niet moest bellen!'
'Luister nou eens even naar me,' zegt Charlie smekend. 'Ik heb haar gebeld vanuit een cel zeven huizenblokken verderop. Ze heeft geen van beide keren opgenomen.'
'Nou en?'
'Oliver, het is vandaag dinsdag. Dinsdagmiddag, en ze is niet thuis?'
Hij zwijgt om dat te laten bezinken. Als naaister is onze moeder het merendeel van haar tijd thuis of in de stoffenwinkel. Maar de dinsdagen en de donderdagen zijn gereserveerd voor het passen. De lage tafel gaat de kamer uit en de klanten komen binnen. De hele dag lang.
'Misschien is ze druk maten aan het nemen,' zeg ik.
'Misschien zouden we moeten gaan kijken wat er aan de hand is,' reageert hij meteen.
'Charlie, je weet dat dat de eerste plaats is waar ze ons zullen zoeken. En als ze ons daar te grazen nemen, brengen we ma in gevaar.'
Hij kijkt weer naar zijn aantekenboekje. Vergeet maar wat ik net heb gezegd. Iedereen valt te stoppen.
'Is alles oké?' vraag ik.
Charlie knikt, wat betekent dat het een grote leugen is. Als hij opgewonden is, is hij allergisch voor stiltes.
'Ga je niet opnieuw afsluiten,' zeg ik tegen hem. 'Met haar is alles in orde. Zodra we hier weg zijn, zullen we een manier bedenken om met haar in contact te komen.'
'Dat zal best,' zegt hij. 'Maar laat me je iets zeggen... Als ze ook maar bij haar in de buurt komen...'
Ik kijk op, omdat me de verandering in zijn stem opvalt. Hij maakt nooit grapjes over ma. 'Haar zal niets gebeuren,' houd ik vol.
Hij knikt in zichzelf, doet zijn uiterste best dat te geloven. Met zijn rug naar me toe zegt hij: 'Vertel me nu wat er met Duckworth is gebeurd. Heb je kunnen achterhalen waar hij het geld vandaan had?'

'Niet precies,' zeg ik, en ik doe nauwkeurig verslag van mijn gesprek met de vrouw van de bank. Zoals altijd reageert Charlie meteen.
'Ik begrijp het niet,' zegt hij. 'We hebben het gecontroleerd, en toch had Duckworth al die tijd geen drie miljoen maar driehonderddertien miljoen op zijn rekening staan?'
'Alleen als je de dossiers wilt te geloven.'
'Je denkt dat zij maar wat heeft verzonnen?'
'Charlie, weet je hoeveel cliënten meer dan honderd miljoen hebben? Zeventien, volgens de laatste telling, en ik ken al hun namen. Marty Duckworth stond niet op die lijst.'
Charlie zwijgt en staart me aan. 'Hoe is dat mogelijk?'
'Daar gaat het nu om, nietwaar?' zeg ik. 'Iemand heeft duidelijk prima werk afgeleverd door de indruk te wekken dat Duckworth maar drie miljoen op zijn naam had staan. De belangrijkste vraag is wie dat heeft gedaan en hoe die persoon dat voor de rest van de bank verborgen heeft kunnen houden.'
'Denk je echt dat iemand zoveel geld verborgen kan houden?'
'Waarom niet? De bank wordt ervoor betaald om dat dagelijks te doen,' zeg ik. 'Denk er eens over na. Iedereen die rijk is vindt het prachtig om zijn geld te verstoppen. Voor de belastingdienst, voor ex-echtgenotes, voor schaamteloze kinderen...'
'Hmm. Om die reden komen mensen in eerste instantie naar ons toe,' vult Charlie aan, die het al snel begrijpt. 'Dus moet er – gezien die specialiteit – iemand bij de bank zijn die heeft bedacht hoe je een rekening er anders kunt laten uitzien dan die in werkelijkheid is. "Ja, meneer Duckworth, u hebt drie miljoen op de bank staan." Knipoog, knipoog, duwtje, duwtje.'
'En toen Mary het geld dat op de rekening stond overboekte, hebben wij stommelingen al die poen gekregen.'
We staren naar de kaarsen en spitten de logica uit. 'Het is niet beroerd,' geeft Charlie toe. 'Maar dat een insider zoiets voor elkaar heeft gekregen...'
'Charlie, ik denk niet dat het uitsluitend om een insider gaat. Degene die dit heeft geflikt, moet er hulp bij hebben gehad.'
'Gallo en zijn makker van de secret service?'
'Je hebt gehoord wat Shep zei. Hij had die lui er niet bij gehaald. Ze zijn verschenen zodra hun geld was verdwenen.'
We knikken tegelijkertijd. Het is geen slechte theorie. 'Dus zij zijn er vanaf het eerste moment bij betrokken geweest?' vraagt Charlie.
'Zeg jij het maar. Hoe waarschijnlijk is het dat twee agenten van

de secret service toevallig bij een zaak betrokken raken en dan Shep vermoorden om snel geld te kunnen opstrijken? Het kan me niet schelen om hoeveel geld het gaat. Gallo en DeSanctis zijn niet zomaar willekeurig op deze zaak gezet. Ze zijn gekomen om hun investering te beschermen.'

'Misschien hebben ze hun diensten te koop aangeboden...'

'Misschien hebben ze aldoor met de bank samengewerkt.'

'Je doelt op het witwassen van geld?'

Ik haal mijn schouders op, denk er nog steeds over na. 'Hoe dan ook, die jongens waren met iets strafbaars bezig, iets groots en iets wat als alles goed was gegaan driehonderddertien miljoen George Washingtons had opgeleverd.'

'Niet gek,' zegt Charlie instemmend. 'Met wie denk je dat ze dat plan hebben beraamd?'

'Moeilijk te zeggen. Het enige dat ik weet is dat je secret service niet kunt spellen zonder "secret".'

'Ja, en je kunt Lapidus of Quincy niet noemen zonder er "klootzak" aan toe te voegen.'

'Dat weet ik zonet nog niet,' zeg ik weifelend. 'Je hebt hun reacties gezien. Ze waren nog banger dan wij.'

'Ja, omdat jij, ik en alle anderen toekeken. Acteurs bestaan niet zonder een publiek. Bovendien... Als Lapidus of Quincy er niet bij betrokken is... wie kan het dan mogelijkerwijs wel zijn?'

'Mary,' zeg ik uitdagend.

Charlie zwijgt en strijkt over een denkbeeldig sikje aan zijn kin. 'Zou kunnen.'

'Ik zeg je dat het iedereen kan zijn. Maar daarmee blijven we nog altijd zitten met de oorspronkelijke vraag: waar heeft Duckworth die driehonderddertien miljoen vandaan gehaald?' De kaarsen blijven dansen. Ik hou mijn mond.

'Waarom vraag je hem dat zelf niet?' zegt Charlie.

'Duckworth? Die is dood.'

'Weet je dat zeker?' vraagt Charlie met een opgetrokken wenkbrauw. 'Als al het overige een spiegeldoolhof is, zou die man ook schijndood kunnen zijn.'

Dat is een goede opmerking. Een geweldige opmerking, zelfs. 'Heb je nog steeds zijn...'

Charlie steekt een hand in zijn achterzak en haalt er een opgevouwen velletje papier uit. 'Dat is het voordeel van het dragen van dezelfde broek als gisteren,' zegt hij. 'Hier heb ik het.' Hij vouwt het papiertje open, en we zien het adres van Duckworth dat ons door de Midland National Bank was gegeven: Amsterdam Avenue num-

mer 405. Het lontje van Charlie is ontstoken en hij loopt snel naar de deur.
'Charlie,' zeg ik fluisterend, 'misschien kunnen we beter naar de politie gaan.'
'Waarom? Zodat die ons kan overdragen aan de secret service, die ons allebei een kogel door de kop zal schieten? Ollie, ik wil je niet beledigen, maar omdat wij het geld hebben – en gezien die val die ze voor ons en Shep hadden uitgezet – zal niemand ook maar één woord van ons verhaal geloven.'
Ik doe mijn ogen dicht en probeer een ander beeld te schetsen. Maar het enige dat ik zie is Sheps bloed... over onze handen. Het zal er niets toe doen wat we zeggen. Zelfs ík zou ons niet geloven. Ik zet een stap naar achteren en ga op de bank zitten. 'We zijn ten dode opgeschreven, hè?'
'Dat moet je niet zeggen,' zegt Charlie berispend. Ik weet niet of hij dat zegt omdat hij de waarheid wil ontkennen, of omdat hij koppig is, maar ik luister wel naar hem. 'Als we Duckworth kunnen vinden, zal dat de eerste stap zijn om antwoorden op onze vragen te krijgen,' zegt Charlie stellig. 'Dit is de kans van ons leven, en ik ben niet van plan die zomaar op te geven.' Hij rukt de deur open en loopt de kerk in.
Ik draai me naar de kaarsenstandaard toe en zie de gesmolten was langs de halzen van de kaarsen druppen. Het duurt niet lang voordat ze allemaal zijn opgebrand. Een beetje tijd. Dat is alles wat we hebben.

20

Joey naderde het huizenblok waarin Oliver woonde. Met haar enkellange, olijfgroene winterjas zag ze er net zo uit als alle andere voetgangers in Red Hook. Ze hield haar hoofd omlaag, had geen tijd om een praatje te maken, moest ergens heen. Maar terwijl haar blik strak gericht bleef op het slecht onderhouden huis van Oliver, waren haar vingers druk bezig: ze kneedden langzaam de zwarte vuilniszakken in haar linkerzak en de hondenriem van rood nylon in haar rechterzak.
Toen ze ervan overtuigd was dat ze dicht genoeg bij het huis in de buurt was, stak ze haar hoofd omhoog, haalde de riem te voorschijn en liet die langs haar bovenbeen bengelen. Nu was ze niet

langer gewoon een privédetective die om het huizenblok heen liep en naar de ramen keek, op zoek naar nieuwsgierige buren. Met de riem was ze een lid van de gemeenschap, op zoek naar haar verdwenen hond. Natuurlijk was dat een slecht excuus, maar gedurende alle jaren dat ze er gebruik van had gemaakt, had het altijd gewerkt. Riemen zonder hond eraan konden je overal brengen: oprijlanen op, achtertuinen door, zelfs smalle steegjes in waarin de drie plastic vuilnisbakken vol afval van Oliver en zijn buren stonden.

Joey glipte het steegje naast Olivers huis in en telde elf ramen met uitzicht op de vuilnisbakken: vier in het huis van Oliver, vier in het huis ernaast en drie in het huis recht aan de overkant van de straat. Natuurlijk zou het beter zijn om dit 's avonds te doen, maar dan zou de secret service hier al bezig zijn geweest. Daar gaat het altijd om als je een duik in vuilnisbakken wilt nemen. Die het eerst komt, het eerst maalt.

Ze verspilde geen tijd, trok de rits van haar jas los en smeet hem op de grond. Aan de bovenste knoop van haar blouse was een kleine microfoon bevestigd, en de draden liepen naar een gsm die aan haar ceintuur was vastgemaakt. Ze stopte een oormicrofoon in haar rechteroor, drukte op de zendtoets en maakte snel de deksels van de drie vuilnisbakken open terwijl een toestel aan de andere kant van de lijn overging.

'Met Noreen,' zei een jonge vrouwenstem.

'Met mij,' zei Joey, die een paar dunne plastic handschoenen aantrok. Dat was een les van haar eerste vuilnisbakkenduik, toen de verdachte een pasgeboren baby bleek te hebben en zij een handvol vieze luiers opviste.

'Hoe ziet de buurt eruit?' vroeg Noreen.

'Die heeft zijn hoogtepunt achter de rug,' zei Joey terwijl ze naar de versleten bakstenen muren en het gebarsten glas van kelderramen keek. 'Ik had yuppieville voor ambitieuze, jonge bankiers verwacht, maar dit is blauwe-boordenland. Mensen die zich nog geen appartement in de stad kunnen veroorloven.'

'Misschien heeft hij het geld gepikt omdat hij het zat was een tweederangs burger te zijn.'

'Ja, misschien,' zei Joey, die blij was dat Noreen actief meedeed.

Noreen, die kortgeleden de avondopleiding rechten aan de universiteit van Georgetown had afgerond, was de eerste maand daarna telkens afgewezen door de grootste advocatenkantoren van Washington D.C. De volgende twee maanden was ze ook afgewezen door middelgrote en kleine advocatenkantoren. In maand vier had haar oude prof een telefoontje gepleegd naar zijn goede vriend bij Sheafe International. 'Zeer goede avondstudent... eerste indruk muisachtig, maar zo ambitieus als het maar zijn kan... net als Joey toen haar vader haar kwam brengen.' Dat waren magische woorden geweest. Een gefaxt curriculum vitae later had Noreen een baan, en had Joey haar nieuwste assistent.

'Klaar om te dansen?' vroeg Joey.

'Kom maar op.'

Joey stak een hand in de eerste vuilnisbak en scheurde de bovenste zak open. Meteen rook ze de geur van gemalen koffie. Ze hield de zak scheef om er goed in te kunnen kijken, zoekend naar alles met een... Daar was het. Een telefoonrekening. Met aangekoekte gemalen koffie erop, maar wel helemaal boven in de zak. Ze veegde de koffie weg en bekeek de naam op het eerste vel. Frank Tusa. Hetzelfde adres. Appartement 1.

De volgende.

De zak eronder was donker en stonk naar rottende sinaasappels. De envelop van een Hallmark-kaart was geadresseerd aan Vivian Leone, Appartement 2.

De volgende.

De middelste vuilnisbak was leeg. Daardoor resteerde het exemplaar helemaal rechts, waarin een goedkope, vrijwel doorzichtige witte vuilniszak zat, dichtgemaakt met een dun, rood touwtje. Die was van iemand die probeerde geld te sparen.

'Heb je al wat gevonden?' vroeg Noreen.

Joey reageerde niet. Ze scheurde de zak open, keek erin en hield haar adem in toen ze de geur van twee dagen oude bananen rook. 'Hmm.'

'Wat is er?'

'Hij doet aan recycling.'

'Wat bedoel je met "hij"?' vroeg Noreen. 'Hoe weet je dat die vuilniszak van Oliver is?'

'Er zijn maar drie appartementen, en hij heeft het goedkoopste. In de kelder. Geloof me. Dit afval is van hem.' Joey keek nogmaals naar de ramen, haalde een zwarte vuilniszak uit haar zak, deed die in de lege vuilnisbak en deponeerde daar Olivers bruine bananenschillen in. Als jurist wist ze dat wat ze deed, volkomen legaal was. Wanneer je je afval eenmaal buiten hebt gezet, mag iedereen daarmee spelen. Dat betekende echter niet dat je ermee te koop moest lopen. Joey sorteerde het afval stukje bij beetje, graaide in handenvol oude spaghetti, rotini en restjes macaroni met kaas en deponeerde alles in de andere vuilnisbak. 'Veel pasta en weinig contant geld,' fluisterde ze tegen Noreen, die een lijst moest samenstellen. 'Uien en knoflook... verpakkingsmateriaal van voorgesneden champignons... zijn eerste stapje richting high society. Verder geen dure groenten. Geen asperges of exotische sla.'

'Oké.'

'Een gescheurde onderbroek – een boxershort om precies te zijn – die op de een of andere manier indrukwekkend lijkt, maar in feite smakeloos is...'

'Ik zal er een aantekening van maken.'

'Wat verpakkingsmateriaal van kaas... een plastic tas van een delicatessenzaak...' Ze hield de bon dichter bij haar ogen. 'Een pond kalkoen, van een goedkoop huismerk, lege zakken van chips en pretzels... Hij neemt elke dag zijn lunchpakketje mee.'

'Afhaalmaaltijden?'

'Geen piepschuim... geen bakjes van de Chinees... niet eens een stuk pizzabodem,' zei Joey, die in de natte massa bleef graven. 'Hij spendeert geen dollar aan afhaalmaaltijden. Met uitzondering van de champignons spaart hij kennelijk elke dollarcent.'

'Verpakkingsmateriaal?'

'Niets. Geen elektronica... geen batterijen... alleen een plastic hoes van een videoband. Allemaal passend binnen zijn budget. De grootste uitspatting zijn dure Gillette-scheermesjes en wc-papier met twee laagjes. O... Ik zie ook een inbrenghuls van superabsorberende Tampax. Het ziet ernaar uit dat onze jongen een vriendinnetje heeft.'

'Hoeveel hulzen?'

'Eentje maar. Ze is hier kennelijk niet elke avond. Of ze kennen elkaar pas kort. Of ze heeft hem liever bij haar thuis.' Joey schudde vier koffiefilters die onder uit de zak waren gekomen leeg en haalde haar vingers door de gemalen koffie heen. 'Dat is alles. Een week uit zijn leven. Natuurlijk hebben we zonder de recycling nu pas een half beeld.'

'Als jij dat zegt...'

'Wat bedoel je met die opmerking?'

'Ik weet het niet... Denk je echt dat het doorzoeken van afval ons zal helpen hen te vinden?' vroeg Noreen schaapachtig.

Joey schudde haar hoofd. O, wat heerlijk om zo jong te zijn. 'Noreen, de enige manier om te bepalen waar iemand naartoe gaat, is weten waar hij is geweest.'

Aan de andere kant van de lijn volgde een lange stilte. 'Denk je dat we dat spul dat gerecycled wordt ook kunnen doorzoeken?' vroeg Noreen toen.

'Dat mag jij me vertellen. Op welke dag...'
'Morgen pas,' zei Noreen. 'Ik heb de webpagina voor mijn neus.'
Joey knikte. Zelfs de muis moest soms brullen.
'Ik durf erom te wedden dat die spullen nog in zijn appartement zijn,' voegde Noreen eraan toe.
'De enige manier om daarachter te komen...' Joey duwde de vuilnisbakken weer op hun plaats, liet haar rode riem uit naar de voorkant van het huis en liep de wankele stenen trap naar Olivers appartement af. Naast de rood geschilderde deur was een klein, uit vier ruitjes bestaand raam met een blauw-witte sticker erop: WAARSCHUWING! BEWAAKT DOOR AMERITECH ALARMS.
'Gelul,' mompelde Joey. 'Deze jongen bestelt niet bij Domino's en hij heeft zeker geen alarminstallatie laten aanbrengen.'
'Wat ben je aan het doen?' vroeg Noreen.
'Niets,' zei Joey terwijl ze haar neus tussen de stangen voor de ramen duwde. Ze kneep haar ogen tot spleetjes samen en keek het kleine appartement in. Toen zag ze op de vloer in de hoek van de keuken de koningsblauwe plastic afvalbak vol blikjes, en de felgroene bak vol papier.
'Zeg me alsjeblieft dat je niet van plan bent in te breken,' zei Noreen, die al in paniek begon te raken.
'Dat ben ik ook niet van plan,' zei Joey droog. Uit haar zak viste ze een zwartleren etui met een rits. Daar haalde ze een dun instrumentje uit en schoof dat in het bovenste slot van Oliver.
'Je weet wat meneer Sheafe daarover heeft gezegd. Als je nog eens wordt betrapt...'
Met een snelle draai van haar pols gingen het slot en de deur open. Joey haalde de laatste vuilniszak uit haar zak, keek snel om zich heen en grinnikte. 'Kom maar bij mama...'

'Waarom maak je hier zoveel stennis over?' vroeg Joey, terwijl ze op haar knieën voor de dossierkast met twee laden zat die dienst deed als Olivers nachtkastje. Om dat uit het zicht en zijn papieren veilig te houden, had Oliver er een dieprode lap overheen gedrapeerd. Joey was er regelrecht op afgestevend.
'Ik maak er helemaal geen stennis over,' zei Noreen. 'Ik vind het alleen merkwaardig. Wat ik bedoel te zeggen is dat Oliver wordt geacht het meesterbrein te zijn achter een diefstal van driehonderddertien miljoen, maar uit wat je me net hebt verteld, begrijp ik dat hij de ziekenhuisrekeningen van zijn moeder met een bepaald bedrag per maand afbetaalt en dat hij bijna de helft van haar hypotheek voor zijn rekening neemt.'

'Noreen, als iemand naar je glimlacht, betekent dat niet dat hij geen mes in je rug zal steken. Ik heb dat wel vijftig keer eerder gezien, en je kunt elke beweegreden invullen die je maar wilt. Onze Oliver werkt al vier jaar bij die bank, denkend dat hij een hoge piet zal worden, en dan wordt hij op een dag wakker met het besef dat hij daar alleen een stapel rekeningen voor heeft gekregen, en een gezond kleurtje door de tl-buizen. Om alles nog erger te maken gaat zijn broer ook bij die bank werken en merkt dat hij in dezelfde val is gelopen. Ze hebben allebei een bijzonder beroerde dag... er dient zich een kans aan... en voilà: het bord gaat met de lepel aan de haal.'

'Ja... nee... misschien,' zei Noreen, die graag weer op het juiste spoor wilde zitten. 'Hoe zit het met die vriendin? Kun je iets ontdekken met een telefoonnummer erop?'

Joey haalde snel alle tijdschriften uit de bak. *Business Week... Forbes... SmartMoney...* 'Hier heb ik iets,' zei ze terwijl ze een exemplaar van *People* pakte en meteen naar de adressering keek. 'Beth Manning. East 87th Street nummer 201, appartement 23H. Als vriendinnetjes op bezoek komen, nemen ze altijd iets te lezen mee.'

'Dat is geweldig. Je bent een genie,' zei Noreen sarcastisch. 'Wil je nu alsjeblieft maken dat je wegkomt voordat de secret service arriveert en de vloer met je aanveegt?'

Joey smeet het tijdschrift terug in de bak, rende naar de badkamer en trok het medicijnkastje woest open. Tandpasta... scheermes... scheercrème... deodorant... Niets bijzonders. In het afvalemmertje zat een verfrommelde witte zak met de woorden BARNEY'S PHARMACY in zwarte letters erop. 'Noreen, ik heb iets gevonden van een apotheek. Barney's Pharmacy. We moeten een lijst bemachtigen van medicijnen die recent aan Oliver en zijn vriendin zijn verstrekt.'

'Prima. Kunnen we het nu voor gezien houden?'

Joey liep terug naar de huiskamer en zag op de keukentafel een zwart fotolijstje staan. Op de foto zaten twee jochies – gekleed in precies dezelfde strakke rode coltruitjes – op een heel grote bank, met voeten die over de kussens heen bengelden. Oliver leek een jaar of zes, Charlie een jaar of twee. Ze zaten allebei een boek te lezen, maar toen Joey beter keek, zag ze dat Charlie zijn boek op zijn kop hield.

'Joey, dit is niet leuk meer,' blafte Noreen. 'Als ze je op inbraak betrappen...'

Joey knikte, liep naar de televisie, stak een hand achter het apparaat, pakte het snoer en volgde dat met een hand tot ze het stopcontact had gevonden. Als het huis zo oud was als zij dacht...

'Wat ben je aan het doen?' vroeg Noreen.
'Wat elektriciteitswerk,' reageerde Joey plagend. Aan het eind van het snoer zag ze de oranje adapter waarmee de televisie op het elektriciteitsnet kon worden aangesloten. Je moet wel van oude huizen houden, dacht ze terwijl ze naast het stopcontact op haar hurken ging zitten. Ze trok haar tas naar zich toe en pakte opnieuw het etuitje met de ritssluiting. Daarin zat een bijna identieke oranje adapter.
Anders dan de op batterijen werkende zender die ze in het kantoor van Lapidus had achtergelaten, was deze speciaal gemaakt voor langdurig gebruik. Hij zag eruit als een adapter en werkte ook als zodanig, maar had in een woonwijk een zendbereik van ruim zes kilometer. Niemand keek ernaar, niemand ging er achterdocht door koesteren en zolang hij maar onder stroom bleef staan, bleef hij werken.
'Ben je daar nu eindelijk klaar?' vroeg Noreen smekend.
'Klaar?' vroeg Joey, die de eerste adapter uit het stopcontact trok. 'Ik begin pas.'

'Kun je het krijgen of niet?' vroeg Gallo, die over het bureau van Andrew Nguyen heen gebogen stond.
'Maak je niet zo druk, man,' zei Nguyen meteen. Andrew Nguyen, een slanke maar gespierde Aziatische kerel wiens haar bij zijn slapen al te vroeg grijs werd, was bezig aan zijn vijfde jaar als ambtenaar op het ministerie van justitie. In die tijd had hij geleerd dat het belangrijk was hard voor criminelen te zijn, maar dat het soms even belangrijk was om dat voor de wetshandhavers te zijn. 'Wil je nog een zaak in hoger beroep verliezen?'
'Begin niet over de grondwet. Die twee zijn gevaarlijk.'
'Ja,' zei Nguyen lachend. 'Ik heb gehoord dat ze jou en DeSanctis een hele middag achter bussen aan hebben laten jagen.'
Gallo negeerde dat grapje. 'Ben je van plan me te helpen of niet?'
Nguyen schudde zijn hoofd. 'Gallo, doe normaal. Wat je vraagt, is niet direct een kleinigheid.'
'Dat is het stelen van driehonderd miljoen dollar en het doden van een ex-agent ook niet,' reageerde Gallo meteen.
'Hmm. Dat was triest,' zei Nguyen, die niet langer in discussie wilde gaan. Hij borg zijn notitieblok op, wetend dat het niet verstandig was aantekeningen te maken. Het laatste wat hij nodig had, was een rechter die hem dwong die aan de advocaat van de tegenpartij te overhandigen. 'Om terug te komen op dat verzoek van jou... zijn alle andere mogelijkheden al uitgeput?'

'Nguyen, kom nou.'
'Jimmy, je weet dat ik dat moet vragen. Als het gaat om afluisteren en video-opnamen maken kan ik het grove geschut niet te voorschijn halen tot je me hebt meegedeeld dat je alle andere onderzoeksmiddelen hebt beproefd, inclusief alle lijsten van creditcards en telefoongesprekken waarop ik deze morgen voor jou beslag heb laten leggen.'
Gallo zweeg even en dwong zichzelf zijn beste grijns te produceren. 'Man, ik ben niet van plan tegenover jou te liegen. We spelen dit geheel volgens de regels.'
Nguyen knikte. Meer had hij niet nodig. 'Je bent echt vast van plan die twee te pakken te krijgen, hè?'
'Reken maar,' zei Gallo. 'Reken maar!'

'Omnibank, afdeling Fraude. U spreekt met Elena Ratner. Waarmee kan ik u van dienst zijn?'
'Hallo, mevrouw Ratner,' zei Gallo door zijn gsm terwijl zijn marineblauwe Ford op de rechterrijbaan van de Brooklyn Bridge reed. 'U spreekt met agent Gallo van de Amerikaanse secret ser...'
'Meneer Gallo, het spijt me dat het zo lang heeft geduurd voordat u werd teruggebeld. We hebben uw papieren net binnengekregen en...'
'Dus alles wordt geregeld?' vroeg hij, haar onderbrekend.
'Natuurlijk, meneer. We houden vanaf heden beide rekeningen in de gaten. Een Omnibank MasterCard voor ene Oliver J. Caruso en een Omnibank Visa voor ene Charles Caruso,' zei ze, en ze noemde beide rekeningnummers. 'Weet u zeker dat we die rekeningen niet moeten blokkeren?'
'Mevrouw Ratner,' zei Gallo tussen opeengeklemde kaken door, 'hoe kan ik zien wat ze kopen en waar ze naartoe gaan als die rekeningen worden geblokkeerd?'
Er volgde een pauze aan de andere kant van de lijn. Om deze reden vond ze het afschuwelijk met wetshandhavers te maken te hebben. 'Het spijt me, meneer,' zei ze droog. 'Vanaf heden zullen we u waarschuwen zodra een van hen iets koopt.'
'En hoe lang duurt het in zo'n geval voordat ik word gewaarschuwd?'
'Tegen de tijd dat wij toestemming voor het gebruik van zo'n kaart geven, zal onze computer uw nummer al hebben gedraaid,' zei ze. 'Dus u hoort het meteen.'

'Hallo, met Fudge,' deelde het antwoordapparaat mee. 'Ik ben er

op dit moment niet, tenzij u een enquêteur bent, want in dat geval ben ik er wel en ben ik u aan het screenen, omdat uw vriendschap me eerlijk gezegd volledig onberoerd laat. Ik heb geen tijd voor klaplopers. Spreek na de piep een boodschap in.'
'Fudge, ik weet dat je er bent,' brulde Joey. 'Neem op, neem op, neem...'
'Ah, lady Guinevere, u zingt een betoverend lied,' croonde Fudge, die de naam van Joey expres niet noemde.
Joey rolde met haar ogen en weigerde het spel mee te spelen. Het was beter niet echt betrokken te raken bij dit soort zaken. En ten aanzien van Fudge... Tja, ze had er altijd een gewoonte van gemaakt niet te intiem te worden met mannen die zich nog altijd bedienden van de naam van hun favoriete Judy Blume-figuur.
'Wat kan ik vanavond voor je doen? Is dit een zakelijk of een privégesprek?'
'Ken je die man bij Omnibank nog steeds?'
Fudge zweeg even. 'Misschien.'
Joey knikte. Dat was het codewoord voor ja. Het antwoord op die vraag luidde altijd ja. Daar ging het bij dit soort business om: mensen kennen. En niet zomaar mensen. Boze mensen. Bittere mensen. Mensen die voor een promotie waren gepasseerd. In elk kantoor is wel iemand te vinden die zijn of haar werk haat. En zulke lui wilden hun kennis graag verkopen. En zulke lui kon Fudge vinden.
'Waar zou je in dat geval naar op zoek zijn?' vroeg Fudge. 'Dossiers van cliënten?'
'Ja. Maar ik wil ook dat twee rekeningen in de gaten worden gehouden.'
'O-o. Dan gaat het dus om veel geld.'
'Als je denkt het niet aan te kunnen...' zei Joey waarschuwend.
'Natuurlijk kan ik het aan. Ik ken een secretaresse op de afdeling Fraude die nog altijd pissig is over een gemene opmerking tijdens een kantoorfeestje met de...'
'Fudge!' onderbrak Joey hem, omdat ze niet wilde weten wie de bron van informatie zou zijn. De jurist in haar vond dit vervelend, maar hier ging het nou net om als je zo'n tussenpersoon gebruikte. Iemand anders doet het smerige werk, en jij krijgt het uiteindelijke product. Zolang je maar niet weet waar het vandaan komt, kun je niet aansprakelijk worden gesteld. En bovendien... Zelfs al is het juridische fictie, het werkt al jaren voor de CIA.
'Honderd dollar voor de dossiers en duizend voor de oren,' zei Fudge. 'Verder nog iets?'

'De telefoonmaatschappij. Geheime nummers en misschien afluisterapparatuur.'
'In welke staat?'
Joey schudde haar hoofd. 'Waar vind je die mensen?'
'Schatje, ga naar welke chatroom ter wereld dan ook en stel de vraag: "Wie haat zijn werk?" Als je dan een e-mailadres ziet met AT&T.com erbij, schrijf je terug,' zei Fudge. 'Denk daar maar aan, de eerstvolgende keer dat je de jongste bediende op zijn nummer zet.'

'Wat is dit?' vroeg DeSanctis. Hij stond tegen de kofferbak van zijn Chevy geleund en bekeek een twee pagina's tellend document.
'Een verzoek om postcontrole,' zei Gallo, die van zijn handen een kommetje maakte en daarin blies. 'Als je dat afgeeft bij hun postkantoor...'
'... zullen ze de post voor Oliver en Charlie eruit vissen en een fotokopie maken van elke afzender,' onderbrak DeSanctis hem. 'Ik weet hoe zoiets werkt.'
'Prima. Dan weet je ook bij welk postkantoor je dit moet afgeven. En als je dat hebt gedaan, moet je met het huiszoekingsbevel naar Olivers appartement gaan. Ik moet eerst nog even iets anders regelen.'

'Wat is dit?' vroeg de Latijns-Amerikaanse vrouw die de donkerblauwe trui van de posterijen aanhad.
'Een bedankje,' zei Joey terwijl ze de vrouw een biljet van honderd dollar toestak.
De vrouw, die tussen twee wankele metalen kasten vol met elastiekjes bij elkaar gehouden stapels post stond, boog zich naar voren en keek om zich heen. Het was druk in dit achterste deel van het postkantoor. Overal werden postzakken neergezet en werd post gesorteerd. Toen ze er zeker van was dat niemand haar kant op keek, bekeek ze het bankbiljet in Joeys hand. 'Bent u van de politie?'
'Nee. Ik ben een privédetective,' zei Joey, die net voldoende kalmte uitstraalde om de vrouw op haar gemak te stellen. Ze vond het vervelend dat ze dit zelf moest doen, maar zoals Fudge had gezegd, waren de posterijen te grootschalig. Als je een echt profiel wilde opbouwen en je alle adressen van afzenders nodig had, moest je zelf de plaatselijke postbode opzoeken. 'En ik ben bereid om te betalen,' voegde ze eraan toe.
'Laat het op de grond vallen,' zei de vrouw.

Joey aarzelde, keek naar de hoeken van de ruimte om te zien of daar camera's waren aangebracht.
'Laat het nu maar gewoon vallen,' zei de vrouw. 'Dat kan geen kwaad.'
Joey liet haar arm zakken, en het bankbiljet dwarrelde naar de grond. Zodra het daar lag, zette de vrouw een stapje naar voren en plantte er haar voet op. 'Waarmee kan ik u van dienst zijn?'
Joey haalde een vel papier uit haar tas. 'Wat fotokopieën van post voor een paar vrienden in Brooklyn.'

'Wat bedoel je met "weg"?' gromde Gallo door zijn gsm terwijl hij op de knop voor de derde verdieping drukte. Met een schok kwam de oude lift langzaam in beweging.
'Weg, zoals in niet langer hier,' zei DeSanctis. 'Het huisvuil is doorzocht en de recyclingbakken staan op de stoep. Helemaal leeggehaald.'
'Misschien is de vuilnisophaaldienst al geweest. Op welke dag worden die bakken geleegd?'
'Morgen,' zei hij droog. 'Ik zeg je dat ze hier is geweest, en als ze kan achterhalen hoe we...'
'Doe niet zo idioot. Het feit dat ze Olivers afval heeft gestolen, betekent niet automatisch dat ze weet wat er gaande is.' De liftdeuren gingen open, en Gallo volgde het alfabet naar appartement 4D. 'Bovendien staan we op het punt om heel wat beters in handen te krijgen dan reclame en een paar oude kranten.'
'Waar heb je het over?'
Gallo belde aan en zei niets.
'Wie is daar?' vroeg een zachte vrouwenstem.
'Amerikaanse secret service,' zei Gallo, die zijn penning voor het kijkgaatje hield.
Er volgde een stilte... daarna een snel gerinkel terwijl een totempaal sloten van het slot werd gehaald. Langzaam ging de deur op een kiertje open en Gallo zag een zwaargebouwde vrouw in een gele trui. Ze haalde twee spelden uit haar mond en stopte die in het rode speldenkussen om haar linkerpols. 'Kan ik u ergens mee van dienst zijn?' vroeg Maggie Caruso.
'Mevrouw Caruso, ik ben hier in verband met uw zoons...'
Haar mond ging open en haar schouders zakten. 'Wat is er aan de hand? Is alles in orde met hen?'
'Natuurlijk,' zei Gallo geruststellend, en hij legde een hand op haar schouder. 'Ze zijn op hun werk alleen een beetje in de problemen

gekomen en... Tja, we hoopten dat u met ons mee kunt gaan om een paar vragen te beantwoorden.'
Instinctief aarzelde ze. In de keuken begon de telefoon te rinkelen, maar ze liep er niet heen om op te nemen.
'Mevrouw Caruso, ik kan u verzekeren dat het niets ernstigs is. We dachten alleen dat u ons misschien zou kunnen helpen dit op te helderen. Voor de jongens, begrijpt u wel.'
'N-natuurlijk...' stamelde ze. 'Laat me even mijn tas gaan pakken.'
Gallo keek toe terwijl ze haar appartement weer in liep, stapte naar binnen en smeet de deur dicht. Zoals hem altijd was geleerd, moest je eerst met het rattennest gaan rotzooien als je wilde dat de ratten naar je toe kwamen rennen.

21

'Klopt dit wel?' vraagt Charlie.
'Dat staat er,' zeg ik. Ik controleer het adres nog een keer en kijk dan naar de nummers die op de vieze glazen deur zijn geplakt: Amsterdam 405, appartement 2B. Het laatst bekende adres van Duckworth.
'Nee, dat is onmogelijk,' houdt Charlie vol.
'Hoezo? Wat is er mis?'
'Ollie, doe je ogen open. Die man had driehonderd miljoen op de bank staan. Hij zou ergens in Upper West Side moeten wonen, met een verwaande kwast van een portier voor de deur. In plaats daarvan woont hij in een smerig vrijgezellenappartement boven een slecht Indisch restaurant en een Chinese wasserette? Vergeet die driehonderd miljoen maar. We hebben het hier niet eens over driehonderdduizend.'
'Schijn kan bedriegen,' zeg ik.
'Ja. Zoals wanneer drie miljoen driehonderd miljoen blijkt te zijn?'
Ik negeer dat commentaar en wijs op de bel van appartement 2B, waar geen naam bij staat. 'Moet ik aanbellen of niet?'
'Waarom niet? Wat hebben we verder nog te verliezen?'
Dat is geen vraag die ik wil beantwoorden. De grijze lucht wordt donker. Over een paar uur zal ma in paniek raken. Tenzij de secret service al contact met haar heeft gezocht, natuurlijk.
Ik druk op de bel.
'Ja?' roept een mannenstem.

Charlie ziet een lege bruine doos voor de wasserette staan. 'Ik moet iets afleveren bij 2B,' zegt hij.
Even volgt er niets anders dan stilte. Dan horen we een raspend gezoem. Charlie trekt aan de deur en houdt hem open. Ik pak de bruine doos. Duckworth, we komen eraan!

Terwijl we de trap op lopen, ruiken we in de slecht verlichte gang de sterke geur van Indiase kerrie en bleekmiddel van de wasserette. De verf op de muur is gebarsten en beschimmeld. De oude tegelvloer mist overal stukjes. Charlie kijkt me weer even aan. Cliënten van de bank wonen niet op dit soort plaatsen. Hij verwacht dat ik langzamer zal gaan lopen, maar het enige dat ik doe, is vaart meerderen.
'Oké,' zegt Charlie. 'Daar is het.'
Bij 2B blijf ik staan en hou de bruine doos bij het kijkgaatje. 'Uw bestelling,' zeg ik terwijl ik op de deur bons.
Sloten kraken en de deur zwaait open. Ik ben voorbereid op een man van vijftig, die op het punt staat in tranen uit te barsten en ons dolgraag het hele verhaal wil vertellen. In plaats daarvan zien we een jonge student met een perfecte Syracuse-honkbalpet op zijn hoofd en een te groot lacrosse-short aan.
'U moet iets afleveren, ja?' vraagt hij.
Ik kijk even naar Charlie. Zelfs in zijn Brooklyn-rapperfase is hij nooit zo clichématig geweest.
'In feite is dit voor meneer Duckworth,' zeg ik. 'Woont hij hier?'
'U bedoelt die rare kleine man, die wel wat weg heeft van de Mollenman?' vraagt hij lachend.
Ik ben in de war en reageer niet.
'Ja, inderdaad,' zegt Charlie snel, gewoon om de jongen aan de praat te houden. 'Heb je er enig idee van waar hij naartoe is gegaan?'
'Naar Florida, om bij de oceaan te genieten van zijn pensioen.'
Pensioen. Ik knik. Charlie denkt hetzelfde. *Dat betekent dat hij geld heeft. Het enige dat hier in dit miezerige pand onzinnig is.*
'Heeft hij een adres achtergelaten?' vraagt Charlie.
'In wat voor een land denk je dat we wonen?' vraagt de student plagend. 'Iedereen is dol op het ontvangen van post.' Hij loopt het studioappartement door en pakt zijn elektronische agenda, die boven op de televisie ligt. 'Ik heb het genoteerd onder de M van Mollenman,' zingt hij, behoorlijk geamuseerd.
Charlie knikt waarderend. 'Mooi zo, jongen.'
Uit mijn achterzak haal ik de brief waarop we het andere adres van Duckworth hadden opgeschreven.

'Hier heb ik het,' zegt de jongen. 'Tenth Street nummer 1004. Zonovergoten Miami Beach, 33139.'
Charlie leest over mijn schouder mee om te zien of het klopt. 'Zelfde tijd, zelfde kanaal,' fluistert hij.
We nemen afscheid en lopen het appartement weer uit. We zeggen geen van beiden iets tot we bij de trap zijn.
'Wat denk jij?' vraag ik.
'Ten aanzien van de vraag of Duckworth al dan niet in leven is? Daar heb ik geen idee van, al deed die wandelende Abercrombie-catalogus niet alsof hij dood was,' zegt Charlie.
'En daar hecht jij geloof aan?'
'Ik zeg alleen dat twee mensen een adres in Miami hebben genoemd.'
'En niet zomaar een adres. Een adres waar hij is gaan wonen nadat hij met pensioen is gegaan.'
Charlie, die nog altijd de gebleekte kerrie ruikt, weet waarop ik doel. Mensen wonen niet in dit soort appartementen om te sparen voor hun pensioen. Ze wonen er omdat het niet anders kan. 'Wat betekent dat Duckworth, als hij naar Florida is gegaan...'
'... opeens wat geld heeft gekregen,' vult Charlie aan.
'Het enige probleem is dat hij volgens de gegevens van de bank al jarenlang meer dan genoeg geld had. Dus waarom doet de prins zich dan voor als een arme sloeber?'
Onder aan de trap trekt Charlie de buitendeur open. 'Misschien probeert hij zijn geld verborgen te houden.'
'Of misschien probeert iemand ánders dat te doen,' zeg ik, en ik begin sneller te praten. 'Hoe dan ook... de hal is niet het enige dat begint te stinken.' Ik loop vlug naar buiten: een man met een missie. 'Tot we met Duckworth hebben gesproken, zullen we het nooit zeker weten.'
Ik smijt de kartonnen doos terug naar de plek waar die stond en loop meteen door naar de telefooncel op de hoek. Daar pak ik mijn telefoonkaart en bel snel Inlichtingen om het telefoonnummer in Florida op te vragen.
'In Miami... Ik ben op zoek naar ene Marty of Martin Duckworth, die woont op Tenth Street nummer 1004,' zeg ik tegen de gecomputeriseerde stem die opneemt. Er volgt een korte stilte terwijl wij zwijgend wachten. Het is pas vijf uur, maar de lucht is al bijna helemaal donker, en de wind blaast hard over Amsterdam Avenue. Terwijl mijn tanden beginnen te klapperen, loopt ik de telefooncel uit en duw Charlie erin, hopend hem warm te houden. En verborgen. Ik kijk onderzoekend over mijn schouder om zeker te weten dat we veilig zijn.

Charlie knikt dankbaar en...
'Duckworth, zei u?' zegt de vrouw aan de andere kant van de lijn.
'Duckworth,' herhaal ik. 'Voornaam Marty of Martin. Aan Tenth Street.'
Opnieuw volgt er een stilte.
'Sorry, maar dat nummer kan ik u niet geven,' zegt ze dan.
'Weet u dat zeker?'
'Een meneer Duckworth aan Tenth Street. Geheim nummer. Kan ik u nog ergens anders mee van dienst zijn?'
'Nee, dat was het,' zegt ik mat. 'Dank voor uw hulp.'
'En?' vraagt Charlie terwijl ik de hoorn op de haak leg.
'Geheim nummer.'
'Maar een telefoonnummer heeft hij nog wel,' zegt Charlie. 'Waar die man ook is, hij heeft een toestel dat het nog doet.'
Ik kijk op, niet overtuigd... en zie dat we op de open straat erg zichtbaar zijn. Ik wijs met mijn kin op het portiek dat de ingang naar het gebouw van de student beschermt. Daar lopen we regelrecht naartoe. 'Charlie, nu hebben we lang genoeg voor Sherlock Holmes gespeeld,' zeg ik. 'Het kan heel goed zijn dat Inlichtingen het bestand na de dood van Duckworth nog niet heeft bijgewerkt.'
'Misschien,' zegt hij. 'Maar hij kan zich ook gemakkelijk schuilhouden in Florida en zitten wachten tot we hem komen bezoeken.' Voordat ik iets kan zeggen, tikt hij met een vinger op het adres van Duckworth dat ik in mijn hand heb. 'Zoals je al zei: tot we met Duckworth hebben gesproken, zullen we het nooit zeker weten.'
'Ik weet het niet... Zouden we eerst niet eens moeten nakijken of er een overlijdensakte van hem bestaat?'
'Ollie, gisteren zei de bank dat deze man niet meer dan drie miljoen dollar had. Heb je echt nog vertrouwen in dossiers?'
Ik leun tegen de betonnen muur aan en overdenk alles zorgvuldig.
'Man, ga niet zo analytisch doen. Volg je instincten.'
Dat is een goede opmerking, zelfs uit de mond van Charlie. 'Denk je echt dat we naar Miami moeten gaan?'
'Moeilijk te zeggen,' reageert hij. 'Hoe lang denk je dat we ons in de kerk schuil kunnen houden?'
Ik zie een menigte forensen een bus vlak bij ons in de buurt uit stappen en ik zwijg.
'Kom op, Ollie. Zelfs ouders weten wanneer hun kind gelijk heeft. Tenzij we kunnen bewijzen wat er in werkelijkheid is gebeurd, zullen Gallo en DeSanctis een vaste greep op de werkelijkheid hebben. En op ons. *Wíj* hebben het geld gestolen. *Wíj* hebben Shep

vermoord. En wíj zijn degenen die daarvoor zullen moeten boeten.'
Opnieuw reageer ik met zwijgen. 'Weet je zeker dat we op deze manier geen valse hoop voor onszelf aan het wekken zijn?' vraag ik uiteindelijk.
'En wat is daar mis mee?'
'Charlie...'
'Oké. Zelfs als dat zo is, is het nog altijd beter dan ons hier blijven schuilhouden.'
Ik knik. Toen ik net bij de bank was gaan werken, had Lapidus tegen me gezegd dat ik nooit een discussie moest aangaan met feiten. Zonder nog iets te zeggen ga ik rechtop staan en draai me naar mijn broer toe. 'Je weet dat ze de vliegvelden in de gaten zullen houden.'
'Ga jezelf geen buikpijn bezorgen,' zegt Charlie. 'Ik heb al een manier bedacht om dat te omzeilen.'

22

'Ben je er klaar voor?' fluisterde Joey in de kraag van haar shirt terwijl ze op haar gemak Avenue U af liep. Omgeven door mensen die van hun werk naar huis teruggingen had ze de hondenriem niet nodig. Nu ging ze op in de menigte.
'Je leert het ook nooit, hè?' zei Noreen.
'Pas als we worden betrapt,' zei Joey, die de hoek om ging en op Bedford Avenue sneller begon te lopen. 'Bovendien is er van inbreken geen sprake als je wordt uitgenodigd om binnen te komen.' Ze keek naar het zes verdiepingen tellende gebouw iets verderop, dat Charlie en zijn moeder hun thuis noemden.
'Een portier?' vroeg Noreen.
'Niet in deze buurt,' zei Joey, die al aan het bedenken was hoe ze binnen kon komen. Veel zou er niet voor nodig zijn. Zolang mama nog van niets wist, was elk afgezaagd verhaaltje goed genoeg. *Hallo, ik ben een makelaar... Hallo, ik ben een van de vriendinnen van Charlie van zijn werk... Hallo, ik ben hier om uw appartement in te sluipen en hopelijk een van die creatief ontworpen zendertjes in uw stopcontacten te kunnen aanbrengen.* Lachend om haar eigen grapje bleef Joey het huizenblok met haar ogen verkennen. Twee kinderen met skateboards op de stoep. Een marine-

blauwe sedan die tegen de regels in aan de overkant van de straat stond geparkeerd. En bij de deur een man met een brede borst die de deur openhield voor een gezette vrouw. Joey herkende Gallo meteen.
'Ik kan mijn ogen niet geloven.'
'Wat is er?' vroeg Noreen.
'Raad eens wie hier is?' gromde Joey terwijl ze haar hoofd liet zakken, maar weigerde om te draaien. Langzaam liep ze naar de tweedehands boekenzaak op de hoek, dook het portiek in en rekte haar hals net ver genoeg uit om nog eens goed te kunnen kijken.
'Wie is er?' vroeg Noreen smekend. 'Wat is er aan de hand?'
Verderop maakte Gallo een portier van zijn auto open en liet mevrouw Caruso plaatsnemen. Ze hield haar tas stevig tegen haar borst gedrukt en verkeerde duidelijk volledig in een shocktoestand. Gallo besteedde daar geen aandacht aan en smeet het portier vlak voor haar neus dicht.
'Wat een heer,' mompelde Joey. Maar terwijl Gallo naar de bestuurdersplaats liep, keek hij de straat af, bijna alsof hij naar iemand op zoek was. Iemand die daar niet was, maar wel spoedig zou arriveren.
'O, verdomme,' zei Joey, die de hanige uitdrukking op zijn gezicht juist interpreteerde.
'Kun je me alsjeblieft vertellen wat er aan de hand is?' vroeg Noreen op hoge toon.
Gallo gaf een dot gas en reed snel weg. Joey zette het meteen op een rennen. 'Hij heeft mensen laten aanrukken,' zei ze waarschuwend.
'Nu?'
'Dat denk ik wel. Over twee tot tien minuten.'
'Dus ze gaan al afluisterapparatuur aanbrengen? Hoe hebben ze daar zo snel toestemming voor kunnen krijgen?'
'Daar heb ik geen idee van,' zei Joey terwijl ze de voordeur van het appartementengebouw openrukte. Toen een oudere vrouw de hal uit kwam, pakte Joey de binnendeur meteen vast, glipte naar binnen en rende naar de lift.
Er volgde een korte stilte aan de andere kant van de lijn. 'Zeg alsjeblieft tegen me dat je niet naar het gebouw toe rent...'
'Dat doe ik ook niet,' zei Joey, die op de knop van de lift drukte alsof ze morsesignalen moest uitzenden.
'Joey, verdomme! Dit is stom.'
'Nee. Wat stom zou zijn, is proberen dit te doen nadat de secret service afluisterapparatuur heeft aangebracht.'

'Dan zou je er misschien helemaal niet aan moeten beginnen.'
'Noreen, weet je nog wat ik je heb gezegd over de aantrekkingskracht van thuis? Het kan me niet schelen hoe gehard die jongens zijn. Als ze eenmaal op de vlucht zijn, zullen ze die uiteindelijk gaan voelen. En in dit geval... Als de een de rekeningen van mama betaalt en de ander nog bij haar woont... Als de banden zo sterk zijn, werkt dat als een magneet in hun borst. Het kan zijn dat ze maar twee seconden bellen, maar als dat gebeurt, wil ik het kunnen horen. En het gesprek kunnen traceren.'
Opnieuw zweeg Noreen. Ongeveer een halve seconde. 'Zeg maar wat je wilt dat ik d...'
Joey stapte de lift in, en de verbinding werkte niet meer. Zo ging dat met een gsm en een oud gebouw. Ze keek de hal nog een laatste keer rond. Er was niets te zien. Toen de deuren dichtgingen, stond Joey er alleen voor.

23

'Weet je zeker dat dit een goed idee is?' vraag ik terwijl ik op de uitkijk sta, en Charlie het nummer intoetst in de openbare telefoon van het Excelsior Hotel. Dat is misschien niet het beste hotel in de stad, maar wel het dichtstbijzijnde met de beste voorraad telefoongidsen.
'Oliver, hoe wil je anders in een vliegtuig komen?' vraagt hij terwijl hij de hoorn naar zijn oor brengt. 'We zouden gek zijn wanneer we ons bedienen van onze echte namen. En als we onze creditcards gebruiken, zijn we te traceren.'
'Misschien zouden we dan op zoek moeten gaan naar een andere vorm van vervoer.'
'Zoals? Een auto huren en erheen rijden? Daar heb je ook een creditcard en een legitimatiebewijs voor nodig.'
'Wat zou je denken van de trein?'
'O, kom nou! Wil je echt twee dagen met Amtrak reizen? Elke seconde die we verspillen, stelt de secret service in staat de duimschroeven strakker aan te draaien. Geloof me. Dit is de beste optie als we de stad uit willen.'
Ik ben niet overtuigd en buig me dichter naar hem toe om te kunnen meeluisteren. Ik hoor het toestel aan de andere kant van de lijn voor de derde keer overgaan. 'Kom op...' bromt Charlie ter-

wijl hij naar de Gouden Gids van New Jersey staart. 'Waar ben je ver...'
'Advocatenkantoor,' zegt Bendini zonder ook maar even te stotteren. 'Wat wenst u?'

24

Het eerste kwartier werd geacht haar te kalmeren. Niemand om tegen te schreeuwen, niemand om tegen te praten. Ze was in haar eentje, in een kamer waarin ze alleen kon staren naar een enkel houten bureau en vier niet bij elkaar passende kantoorstoelen. Overal om haar heen waren de muren spierwit – geen foto's, niets om je af te leiden – met als uitzondering een enorme spiegel aan de muur rechts. Natuurlijk was die spiegel het eerste wat Maggie Caruso opviel. Dat was ook de bedoeling. Zoals de secret service heel goed wist, was er gezien de hedendaagse miniatuurvideotechnologie geen praktische reden om nog spiegels te gebruiken waar je doorheen kon kijken. Maar dat betekende niet dat ze geen psychologisch effect hadden, ook als er niemand aan de andere kant stond. Het was zelfs zo dat Maggie al onrustig op haar stoel heen en weer begon te schuiven toen ze die spiegel zag. En daar ging het het volgende kwartier nu precies om.
Maggie probeerde die spiegel te vergeten en gebruikte haar rechterhand om haar ogen te beschermen. In gedachten bracht ze zichzelf in herinnering dat alles oké was. Dat had Gallo tegen haar gezegd. Recht in haar gezicht. Maar als dat zo was, wat deed ze dan in het hoofdkwartier van de secret service in New York? Het antwoord op die vraag kwam in de vorm van een scherp geratel en het omdraaien van de deurknop. Ze draaide naar links en de deur zwaaide ver open.
'Maggie Caruso?' vroeg DeSanctis terwijl hij naar binnen liep. Hij hield een dossier in zijn hand en ging gekleed in een marineblauw pak, zonder het jasje. Zijn mouwen waren opgerold tot zijn ellebogen. Ernstig, maar nauwelijks bedreigend. Achter hem aan kwam Gallo, die snel gedag knikte. Het viel Maggie – een naaister in hart en nieren – onmiddellijk op hoe slecht zijn pak hem paste: een duidelijk teken van slechte smaak, een immens ongeduld of een te groot ego (mannen dachten altijd dat ze groter waren dan ze waren). Ondanks de rit van veertig minuten vanuit Brooklyn wist

ze nog steeds niet welk van de drie mogelijkheden de juiste was. Maar ze wist wel wat ze wilde. Haar stem brak toen de woorden over haar lippen kwamen.
'Alstublieft... wanneer kan ik mijn jongens zien?'
'We hoopten eigenlijk dat u ons daarbij zou kunnen helpen,' zei DeSanctis. Hij ging links van haar op een stoel zitten, en Gallo rechts van haar. Het viel haar op dat ze geen van beiden tegenover haar zaten. Ze zaten allebei aan haar kant.
'Ik begrijp het niet...' begon ze.
Gallo keek naar DeSanctis, die langzaam het dossier op tafel legde. 'Mevrouw Caruso, gisteravond heeft iemand een... tja... een grote hoeveelheid geld gestolen van de bank Greene & Greene. Toen de dieven vanmorgen bijna waren gepakt, is er een vuurgevecht ontstaan en...'
'Een vuurgevecht?' herhaalde ze met trillende stem. 'Is iemand...'
'Met Oliver en Charlie is niets aan de hand,' verzekerde hij haar terwijl hij zijn handen op de hare legde. 'Maar een andere man, Shep Graves geheten, is doodgeschoten door de twee verdachten, die hebben kunnen ontsnappen.'
Maggie draaide zich naar Gallo toe, die op een bloedrode streep op zijn lip aan het bijten was. 'Wat heeft dit met mijn zoons te maken?' vroeg ze aarzelend.
DeSanctis bleef haar handen vasthouden en boog zich dicht naar haar toe. 'Mevrouw Caruso, hebt u de afgelopen uren iets van Charlie of Oliver gehoord?'
'Wat zegt u?'
'Als ze zich ergens schuilhouden, weet u dan waar?'
Maggie trok haar handen los en ging snel staan. 'Waar hebt u het over?'
Gallo ging al even snel staan. 'Mevrouw, wilt u alstublieft weer gaan zitten?'
'Pas als u me vertelt wat er aan de hand is! Beschuldigt u mijn jongens ergens van?'
'Mevrouw, ga zitten!'
'O, mijn hemel. U meent het serieus, hè?'
'Mevrouw...'
DeSanctis pakte Gallo's pols vast en duwde hem terug in zijn stoel. Toen keek hij naar Maggie en zei: 'Alstublieft, mevrouw Caruso. Het is niet nodig om...'
'Zoiets zouden ze nooit doen. Nóóit!' zei ze heel stellig.
'Dat zeg ik ook niet,' zei DeSanctis, die zijn stem laag en glad hield. 'Ik probeer hen alleen te beschermen...'

'Dat is vreemd, want het klinkt alsof u hen dolgraag te grazen wilt nemen.'
'U mag het noemen zoals u het wilt,' zei Gallo. 'Maar hoe langer ze blijven rondlopen, hoe meer ze in gevaar komen.'
'Wát zegt u?' vroeg Maggie.
Gallo haalde diep adem, en Maggie nam hem aandachtig op. Ze kon niet uitmaken of de man gefrustreerd of echt bezorgd was. 'Mevrouw Caruso, we proberen uitsluitend u te helpen. Maar u weet hoe die dingen gaan. U kijkt vast naar het journaal. Wanneer is iemand die op de vlucht was geslagen veilig weggekomen? Of heeft die verder nog lang en gelukkig geleefd? Dergelijke dingen gebeuren niet, Maggie. En hoe langer jij je mond dichthoudt, hoe groter de kans dat de een of andere heetgebakerde politieman een kogel door de nek van een van je zoons zal schieten.'
Maggie was niet in staat zich te bewegen. Ze stond daar gewoon en liet de logica bezinken.
'Ik weet dat je hen wilt beschermen en ik begrijp je aarzeling,' ging Gallo door. 'Maar stel jezelf eens de volgende vraag. Wil je echt je eigen kinderen begraven? Want vanaf dit moment, Maggie, is de keus aan jou.'
Maggie Caruso kon nog steeds niet in beweging komen en zag de wereld vager worden door een stroom van tranen.

Buiten het appartementengebouw van Maggie draaide het Verizon-vrachtwagentje de open plek vlak achter een oude zwarte wagen in. Er werd niet gerend, er werd niet keihard op de rem getrapt. De zijdeur schoof open, en drie mannen in Verizon-uniformen stapten uit. Ze hadden allemaal legitimatiebewijzen van de telefoonmaatschappij in hun rechterzak zitten en penningen van de secret service in hun linkerzak. Heel kalm pakten ze hun gereedschapskisten. Dat was een onderdeel van hun opleiding geweest. Mensen van een telefoonmaatschappij haastten zich nooit.
Als specialisten van de Technical Security Division hadden ze niet meer dan twintig minuten nodig om welke woning dan ook in een perfecte opnamestudio te veranderen. Gallo had gezegd dat ze op zijn minst twee uur de tijd hadden. Toch zouden ze over twintig minuten weer zijn vertrokken. De langste van het drietal liep naar binnen en stak een pincet uit naar het slot. Vier seconden later was de deur open.
'Telefoonkast in de kelder,' riep de man met het zwarte haar.
'Prima,' zei de derde man, de naar de trap in de hoek van de hal liep. Alleen beginnelingen tapten het telefoontoestel in een woning

af. Dankzij Hollywood was dat de eerste plaats waar iedereen naar dergelijke apparatuur ging zoeken.
In de lift zagen de twee anderen de roestige metalen deur en de ouderwetse telefoon. Oude gebouwen vereisten gewoonlijk wat meer werk. Dikkere muren, dus moest je dieper boren. De lift kwam hikkend tot stilstand op de derde verdieping. De deur gleed open, en daar stond Joey te wachten. Ze keek even naar de uniformen en liet haar hoofd toen zakken.
'Een goede avond,' zei de langere man toen hij de gang op stapte.
'U ook,' zei Joey, die langs hem heen schoof om de lift in te stappen. Toen ze elkaar passeerden, streek de borst van Joey langs zijn arm. Hij glimlachte. Zij glimlachte terug. En toen was ze vertrokken.

'Ik zweer dat ik niets van hen heb gehoord,' stamelde Maggie, die met de manchet van haar mouw haar ogen afveegde. 'Ik ben de hele dag thuis geweest... al mijn klanten... maar ze hebben niet één keer...'
'We geloven je,' zei Gallo. 'Maar hoe langer Charlie en Oliver zich schuilhouden, hoe waarschijnlijker het wordt dat ze jou zullen bellen. En ik wil dat je me belooft dat je hen dan zo lang mogelijk aan de praat probeert te houden. Luister je naar me, Maggie? Meer hoef je niet te doen. Wij zorgen wel voor de rest.'
Maggie haalde diep adem en probeerde zich dat moment in gedachten voor te stellen. De hele situatie leek haar nog steeds krankzinnig. 'Ik weet niet...'
'Ik besef dat het moeilijk is,' zei DeSanctis. 'Maar geloof me. Ik heb zelf twee dochtertjes, en geen enkele ouder zou ooit in een dergelijke situatie terecht moeten komen. Maar als je hen wilt redden, is dit echt het beste... voor iedereen.'
'Nou, wat heb je daarop te zeggen?' vroeg Gallo. 'Kunnen we op je rekenen?'

25

Het kost ons bijna een uur om van het appartement van Duckworth naar Hoboken, New Jersey, te reizen en als de PATH-trein het station in rijdt, knik ik voorzichtig naar de overkant van de wagon, waar Charlie zich schuilhoudt temidden van de menigte yuppies die

van hun werk onderweg zijn naar huis. Geen reden om stom te zijn. De forensen stromen in een reusachtige golf de trein uit en de trappen op terwijl ze zich een weg banen naar buiten. Zoals altijd loopt Charlie voorop en surft met zijn lichaam de menigte door. Hij beweegt zich gemakkelijk. Als hij buiten is, gaat hij sneller lopen. Ik blijf ruim twintig passen achter hem, maar zorg ervoor hem geen seconde uit het oog te verliezen.
Bendini's instructies opvolgend loopt Charlie op Washington Avenue snel langs de bars en restaurants die de indruk willen wekken tot het ware New York te behoren en draait dan scherp naar links Fourth op. Daar krijgt de buurt meteen een heel ander aanzien. Coffeeshops veranderen in rijtjeshuizen, bakkerswinkels in oude herenhuizen en modieuze kledingzaken in flatgebouwen met vier verdiepingen en zonder lift. Charlie kijkt even om zich heen en blijft prompt staan.
'Dit kan niet goed zijn,' roept hij.
Ik loop dichter naar hem toe en moet het met hem eens zijn. We zijn op zoek naar een kantoortje. Dit zijn allemaal woonhuizen. Maar ten aanzien van Bendini is niets verbazingwekkend. 'Laten we het adres nu maar gewoon opzoeken,' fluister ik wanneer een oude Italiaanse man vanachter een raam vlak bij ons in de buurt nieuwsgierig naar ons staart. Achter hem flikkert zijn televisie. 'Schiet nu een beetje op,' dring ik aan.
Drie huizenblokken verderop zien we het. Midden in een reeks rijtjeshuizen staat een één verdieping tellend, vierkant bakstenen gebouw, voorzien van een bordje met MUMFORD TRAVEL. De met de hand geschilderde letters zijn dun en grijs en net als het koperen bord van de bank bedoeld om over het hoofd te worden gezien. Binnen brandt licht, maar de enige levende ziel is een zestigjarige vrouw die achter een oud, metalen bureau zit te bladeren in een veelgelezen exemplaar van *Soap Opera Digest*.
Charlie loopt regelrecht naar de deur. AANBELLEN SVP.
'De deur is open,' roept de vrouw zonder op te kijken. Een duw tegen de deur laat ons binnen.
'Hallo,' zeg ik tegen de vrouw die nog altijd weigert naar ons te kijken. 'Ik kom hier voor...'
'Ik kom al!' brult een krassende stem met een zwaar accent uit Jersey. Een pezige man in een wit golfshirt schuift een rood gordijn achter in de ruimte opzij en komt ons begroeten. Hij heeft iets uitpuilende ogen en zijn naar achteren gekamde haar laat een hoge haargrens zien. 'Is er sprake van een noodgeval?' vraagt hij.
'We zijn gestuurd door...'

'Ik weet wie jullie hierheen heeft gestuurd,' zegt hij, mij onderbrekend. Hij staart over onze schouders en kijkt door het raam naar buiten. Gezien zijn soort business gebeurt dat puur instinctief. Voorzichtigheid vóór alles. Als hij zeker weet dat we niet zijn gevolgd, gebaart hij naar achteren.
Terwijl we achter hem aan lopen, zie ik de vergeelde, ouderwetse posters aan de muren. De Bahama's, Hawaï, Florida. Op elke poster staan vrouwen met veel haar en mannen met snorren. Het ronde lettertype suggereert het eind van de jaren tachtig van de twintigste eeuw, maar ik ben er zeker van dit gebouw al in geen jaren meer als reisbureau in gebruik is.
'Laten we beginnen,' zegt de man, die het gordijn opzij houdt.
'Let niet op de man achter het gordijn,' zegt Charlie, die al probeert aardig te doen.
'Dat klopt,' zegt de man instemmend. 'Maar als ik Oz ben, wie ben jij dan? De Laffe Leeuw?'
'Nee, hij is de Laffe Leeuw,' zegt Charlie, en hij wijst op mij. 'Ik zie mezelf eerder als Toto, of misschien als een vliegende aap – de leider, natuurlijk – en niet een van die stomme, volgzame primaten op de achtergrond.'
Oz moet vechten tegen een glimlach, die er wel degelijk is.
'Ik heb gehoord dat jullie naar Miami moeten,' zegt hij terwijl hij naar zijn bureau midden in de groezelige achterkamer loopt. De kamer heeft dezelfde afmetingen als die aan de voorkant, maar hier staan wel een kopieerapparaat, een papierversnipperaar en een computer met een zeer geavanceerde printer. Overal om ons heen zie ik stapels onopvallende bruine dozen tegen de muren. Ik wil niet eens weten wat daarin zit.
'Eh... kunnen we beginnen?' vraag ik.
'Dat hangt van jullie af,' zegt Oz, die met zijn duim over zijn wijsvinger en zijn middelvinger wrijft.
Charlie kijkt me even aan en ik pak de stapel bankbiljetten in mijn portefeuille. 'Drieduizend, nietwaar?'
'Dat zeggen ze,' reageert Oz, nu weer serieus.
'Ik waardeer het echt dat u ons wilt helpen,' zegt Charlie, hopend alles luchtig te houden.
'Jongeman, dit is geen gunst. Het is gewoon mijn werk.' Hij buigt zich voorover, haalt twee dingen uit de onderste la van zijn bureau en gooit ons die toe. Ik vang het ene. Charlie vangt het andere.
'Clairol Nice 'n Easy Hair Color,' leest Charlie voor. Op de voorkant van zijn doos staat een vrouw met zijdezacht blond haar. Op de mijne is het haar van het model gitzwart.

Oz wijst meteen op de badkamer in de hoek. 'Als je echt zoek wilt raken, moet je bovenaan beginnen,' legt hij uit.

Twintig minuten later staar ik in een smerige spiegel, verbaasd over de magie van goedkope haarverf. 'Hoe zie ik eruit?' vraag ik terwijl ik mijn net zwart geworden haar op zijn plaats borstel.
'Als Buddy Holly,' zegt Charlie, die over mijn schouder kijkt. 'Alleen sulliger.'
'Dank je, Carol Channing.'
'Bullet-head.'
'Aquaman.'
'Hé, ik zie er in elk geval niet uit als al die vriendinnen van ma,' reageert Charlie meteen.
Ik bekijk mezelf nogmaals in de spiegel. 'Over wie...'
'Zijn jullie klaar?' onderbreekt Oz ons. 'Laten we dan doorgaan!'
We zijn meteen weer terug in de werkelijkheid en lopen de badkamer uit. Ik ben nog met mijn haar aan het spelen. Charlie heeft het zijne nog niet aangeraakt. Hij is er al aan gewend. Dit is uiteindelijk niet de eerste keer dat hij zijn haarkleur heeft veranderd. Blond in de tweede klas van de middelbare school. Donkerpurper in de zesde. In die tijd wist ma dat hij er gewoon behoefte aan had om te experimenteren. Ik vraag me af wat ze er nu van zou zeggen.
'Kom hier staan en trek het rolgordijn dicht,' zegt Oz, wijzend op het raam achter in de kamer. Op de vloer is een klein kruis met plakband op het tapijt gezet. Charlie springt erop af en trekt aan het koord.
'Blauw?' vraagt hij als hij de lichtblauwe kleur van de binnenkant van het gordijn ziet.
Op de computer van Oz begint het scherm te knipperen, en er verschijnt een digitaal beeld van een blanco rijbewijs van de staat New Jersey. De achtergrond voor de foto is lichtblauw. Net als het rolgordijn. Oz grinnikt naar dat beeld en gaat voor Charlie staan, met de digitale camera in zijn hand.
'Bij "drie" moet je "rijvaardigheidsbewijzen" zeggen.'
Charlie zegt het, en ik knijp mijn ogen tot spleetjes samen tegen de felwitte flits.

26

Joey strekte haar hals en keek naar het dertig verdiepingen tellende gebouw aan Manhattans Upper East Side. 'Weet je zeker dat ze thuis is?' vroeg Joey, die bijna duizelig werd door de hoogte.
'Ik heb net tien minuten geleden met haar gesproken, zogenaamd als enquêteur,' zei Noreen. 'De tijd voor het avondeten is al voorbij. Ze gaat nergens heen.'
Joey knikte, ging onder de luifel staan en keek door de dubbele glazen deuren die naar de hal leidden. Binnen stond een portier over de balie heen gebogen een krant door te bladeren. Geen uniform, geen das, geen probleem. Gewoon weer zo'n eerste appartement van papa's lieve meisje.
Joey plakte een brede grijns op haar gezicht, haalde haar gsm los van haar ceintuur, hield hem tegen haar oor en trok de deur open.
'O, dat haat ik,' zei ze jammerend in haar gsm. 'Panty's zijn zo burgerlijk.'
'Waar heb je het over?' vroeg Noreen.
'Je hebt me wel gehoord!' schreeuwde ze. Ze liep snel langs de portier, zonder ook maar te zwaaien, en stormde regelrecht op de lift af. De portier schudde zijn hoofd. Typerend.
Drieëntwintig verdiepingen later belde Joey aan bij appartement 23H.
'Wie is daar?' vroeg een vrouwenstem.
'Teri Gerlach, van de Nationale Vereniging van Effectenmakelaars,' zei Joey. 'Oliver Caruso heeft kortgeleden een aanvraag ingediend voor een vergunning voor de serie nummer zeven en omdat hij u als een van zijn referenties heeft genoemd, zouden we u graag een paar vragen willen stellen.' Terwijl Joey dat zei, wist ze dat er voor serie nummer 7 geen referenties werden nagetrokken, maar dat had haar nog nooit eerder tegengehouden.
Ze hoorde een zachte klik en voelde dat ze door het kijkgaatje werd bekeken. Als het buiten donker werd, hadden vrouwen in New York meer dan genoeg redenen om de deur niet open te doen voor vreemden.
'Wie heeft hij nog meer opgegeven?' werd er uitdagend gevraagd.
Op effect belust haalde Joey een klein aantekenboekje uit haar tas. 'Eens kijken... Een moeder die Margaret heet... Een broer, Charles... Henry Lapidus van Greene & Greene... en een vriendin die naar de naam Beth Manning luistert.'
Kettingen rinkelden en sloten rammelden. Toen de deur openging,

stak Beth haar hoofd naar buiten. 'Heeft Oliver die vergunning niet al?'
'Het gaat om een vernieuwing ervan, mevrouw Manning,' zei Joey zakelijk. 'Maar toch trekken we in zo'n geval ook graag referenties na.' Ze wees op het aantekenboekje en glimlachte uiterst vriendelijk. 'Ik kan u beloven dat het slechts om een paar eenvoudige vragen gaat... volstrekt pijnloos.'
Beth, die voor niemand in het bijzonder haar schouders ophaalde, zette een paar stappen van de deur vandaan. 'U zult de troep moeten excuseren.'
'Maakt u zich daar maar geen zorgen over,' zei Joey lachend terwijl ze naar binnen liep en met een arm over Beths onderarm streek. 'Bij mij thuis is het nog vijftig keer erger.'

Francis Quincy was niet iemand die geneigd was te ijsberen. Hij had zelfs niet de neiging zich over dingen zorgen te maken. Nadat het deksel van de snelkookpan was gesloten en alle anderen zenuwachtig over het tapijt heen en weer liepen, bleef hij in zijn stoel zitten en maakte in stilte de balans op. Zelfs toen zijn vierde dochter drie maanden te vroeg was geboren, had Quincy zich afzijdig gehouden en troost geput uit het feit dat het met tachtig procent van even oude baby's uiteindelijk goed ging. Toen had hij het percentage mee gehad. Nu was dat niet zo. Desondanks begon hij niet te ijsberen.
'Heeft hij verder nog iets gezegd?' vroeg Quincy droog.
'Niets... Nog minder dan niets,' zei Lapidus, die met zijn middelste knokkel telkens weer op het bureau tikte. 'Ze willen alleen dat we onze kiezen op elkaar houden.'
Quincy knikte. Hij staarde naar de vele lichtjes buiten. 'Misschien moeten we nog een dag wachten voordat we het de andere leden van de maatschap vertellen.'
'Ben je gek geworden? Als zij merken dat we dit hebben achtergehouden... zullen ze als ontbijt ons bloed drinken.'
'Henry, ik vind het heel vervelend het te moeten zeggen, maar ze zullen sowieso om ons bloed schreeuwen, en tot we Oliver en dat geld hebben gevonden, is er niets wat we kunnen doen.'
Lapidus' knokkel roffelde nog harder. 'Ik heb al twee keer gebeld. Gallo heeft niet teruggebeld.'
'Henry, als ik je daar een plezier mee doe, wil ik het ook nog wel een keer proberen.'
'Ik begrijp niet...'
'Misschien moet hij het in beide oren horen,' zei Quincy. 'Gewoon om de weegschaal een beetje te laten doorslaan.'

Lapidus zweeg en nam zijn partner aandachtig op. 'Ja... nee... dat zou geweldig zijn.'
Quincy liep vrijwel meteen naar de deur.
'Vergeet alleen niet aan welke kant Gallo en DeSanctis staan,' riep Lapidus. 'Als het puntje bij het paaltje komt zijn wetshandhavers net als welke cliënt van ons dan ook. Ze zijn uit op hun eigen belang.'
'Dat hoef je mij niet te vertellen,' zei Quincy terwijl hij de kamer uit liep. 'Ik weet daar alles van.'

'Hoe is de stand van zaken?' vroeg DeSanctis, die de hoorn met zijn kin op zijn plaats hield.
'Moeilijk te zeggen. We hebben duidelijk een paar hobbels gehad, maar ik denk dat alles binnenkort weer gladjes zal verlopen,' zei zijn associé. 'Hoe gaat het bij jullie? Hoe brengt Gallo het ervan af met de moeder?'
DeSanctis keek door de spiegel en zag dat Gallo mevrouw Caruso in haar jas hielp. 'Hier hebben we alles in de hand,' merkte hij droog op.
'Je klinkt niet al te zeker van je zaak.'
'Ik zal me pas echt zeker voelen als we hen te grazen hebben genomen,' zei hij. Charlie en Oliver hadden een keer kunnen ontsnappen, maar dat zou niet nogmaals gebeuren. Niet nu er zoveel op het spel stond.
'Heb je erover gedacht er andere agenten bij te halen?'
'Nee. Geen sprake van,' reageerde DeSanctis meteen. 'Geloof me als ik je zeg dat we die kunnen missen als kiespijn.'
'Dus je denkt echt dat Gallo en jij dit geheim kunnen houden?'
'Persoonlijk denk ik dat wij... wie van ons dan ook... weinig keus hebben.'
'Wat bedoel je daarmee?'
'Niets,' zei DeSanctis koud. Hij zag dat Gallo mevrouw Caruso meenam, de verhoorkamer uit. 'Als jij jouw werk doet, doen wij het onze. En zolang dat gebeurt, hebben ze geen schijn van kans.'

27

'Alsjeblieft,' zegt Oz, die met een blauw-witte envelop van Continental Airlines op de borst van Charlie tikt. Ik scheur de mijne

open. Charlie doet hetzelfde. Vlucht nummer 201. Vanavond, om tien voor tien, non-stop door naar Miami.
'Je hebt ons toch niet naast elkaar gezet?' vraag ik.
Oz zendt me net zo'n zie-ik-eruit-als-een-ezel-blik toe als ik gewoonlijk van Charlie krijg. Toch is dit het moment niet om risico's te nemen. '25C,' zeg ik tegen mijn broer.
Hij bestudeert zijn ticket. '7B.' Charlie draait zich naar Oz toe en voegt eraan toe: 'Je hebt mij een stoel in het midden van een rij gegeven, hè?'
Oz rolt met zijn ogen. Dit is altijd de beste magische truc van Charlie geweest. Hou ze aan de praat. Oz buigt zich voorover naar een apparaat dat op een stapel dozen staat te balanceren. 'Kun je je dat valse legitimatiebewijs nog herinneren waarmee je op de middelbare school bier kon kopen?' zegt hij opschepperig. 'Nou, dan mag je nu het echte werk bewonderen.' Als een smeris die zijn penning laat zien overhandigt hij ons een perfect, van een plastic laagje voorzien rijbewijs, met mijn foto en splinternieuwe zwarte haar.
'Heel fraai,' zegt Charlie.
Oz had tegen ons gezegd dat we namen moesten uitkiezen die gemakkelijk in je geheugen bleven hangen. Charlie had gekozen voor Sonny Rollins, de legendarische jazzvirtuoos. Ik voor Walter Harvey, de eerste en de middelste naam van mijn vader. Fysiek en in naam zijn we niet langer broers.
Charlie kust de foto van hemzelf. 'Hmm, mmm. Dit schatje is goud waard.'
'Maar niet waterdicht,' zegt Oz met een onverbloemd Hoboken-accent. 'Zoals ik altijd tegen iedereen zeg, moet je niet alles inzetten op het legitimatiebewijs. Dat kan je het vliegtuig in helpen, en misschien ook een motel, maar er zijn grenzen...'
'Wat bedoel je daarmee?' vraag ik.
'Zo gaat het in de wereld,' legt Oz uit. 'Hoe snel je ook denkt te zijn, er zijn altijd drie dingen die het kleed onder je vandaan trekken: ego, hebzucht en sex.' Wetend dat hij onze aandacht heeft, gaat hij met zijn hoge stem sneller spreken. 'Ego: je bekt een ober af, je gedraagt je onbeschoft tegenover de gerant. Daardoor zal zo'n man zich je herinneren en je op verzoek van de politie identificeren. Hebzucht: je koopt een groot horloge, je eet vijf keer achter elkaar kreeft. Daardoor zal de barkeeper je van een foto herkennen. En sex... man, daarvoor gaan alle clichés op. Niets laat zich vergelijken met een versmade vrouw.'
'Zie je dit blonde haar met strepen?' vraagt Charlie, wijzend op

zichzelf. 'En dat zwarte vogelnest van hem?' voegt hij eraan toe, wijzend op mij. 'Vanaf dit moment zijn vrouwen wel het allerlaatste waarover we ons zorgen hoeven te maken.'
'Als je daar het reizen en al het andere aan toevoegt,' zeg ik, 'hoe lang denk je dan dat we de tijd hebben voordat mensen gaan beseffen dat we weg zijn?'
Oz kijkt naar zijn computer en bestudeert het valse rijbewijs van Charlie, dat ons vanaf het scherm nog steeds aanstaart. 'Moeilijk te zeggen,' zegt Oz met een lichtelijk trillende stem. 'Dat hangt af van de vraag voor wie jullie op de loop zijn.'

28

'Wat bedoel je met "Wonderbrood"?' vroeg Noreen door de gsm.
'Wonderbrood,' herhaalde Joey terwijl ze door Brooklyn terugreed. 'Zoals in geeuw... zoals in saai... zoals in witter dan wit. Wat Oliver ook in haar ziet, ze is even opwindend als een verkeersdrempel. Dat wist ik zodra ik haar appartement in liep. Bank met bloemetjespatroon, met bijpassende kussentjes, met bijpassende vloerbedekking, met bijpassende onderzettertjes en een bijpassende poster van Monet aan de muur.'
'Hé, ga Monet niet afkraken...'
'Een poster van zijn *Waterlelies*,' zei Joey.
Er volgde een stilte. 'In dat geval had je haar ter plekke naar de andere wereld moeten helpen.'
'Je begrijpt niet waar het om gaat,' zei Joey. 'Er is helemaal niets mis met haar... ze is aardig, ze glimlacht en ze is aantrekkelijk om te zien... maar dat is alles. Eens in de zoveel tijd knippert ze met haar oogleden. Verder valt er niets te melden.'
'Misschien is ze gewoon introvert.'
'Ik heb haar gevraagd naar een geestig verhaal over Oliver, en het enige dat ze kon zeggen, was dat hij aardig was, en lief. Meer opgewonden kan ze niet raken.'
'Oké. Dan zal zij wel niet bij de zaak betrokken zijn. Heeft ze je nog iets anders over Oliver verteld?'
'Dat is nu net het rare,' zei Joey terwijl haar auto door de gaten in Avenue U hobbelde. 'Oliver mag dan misschien een aardige jongen zijn, maar als hij met Beth afspraakjes maakt, kan hij geen echte waaghals zijn.'

'En dus?'
'Denk er eens over na hoe dat bij de andere stukjes van de puzzel past. We hebben te maken met een jongeman van zesentwintig die heel zuinig leeft om de eeuwenoude droom Brooklyn ooit uit te komen te verwezenlijken. Hij bezorgt zijn jongere broer een baan, betaalt de hypotheek van mama en is in wezen fulltime vadertje aan het spelen. Op zijn werk is hij al vier jaar het slaafje van Lapidus, hopend op die manier een ster te kunnen worden. Hij heeft duidelijk hogere aspiraties, maar stapt hij bij Greene & Greene op om een eigen bedrijf te beginnen? Absoluut niet. In plaats daarvan probeert hij economie te gaan studeren en besluit hij de veilige weg naar rijkdom te bewandelen...'
'Misschien wilde Lapidus dat hij economie ging studeren.'
'Noreen, daar gaat het niet alleen om. Let op de details. In Olivers afvalbak zat een exemplaar van *SpeedRead*. Weet je wat dat is?' Toen Noreen niets zei, ging Joey door: 'Ze geven maandelijks een pamflet uit waarin samenvattingen staan van alle belangrijke economische boekwerken, zodat je tijdens cocktailparty's een slimme opmerking kunt maken. Oliver denkt echt dat dat er iets toe doet. Hij denkt dat het systeem werkt. Daarom staat hij keurig in de rij te wachten en daarom gaat hij uit met Beth.'
'Ik ben er niet zeker van dat ik je kan volgen.'
'En ik ben er niet zeker van of er iets te volgen valt,' gaf Joey toe. 'Ik kan het niet beschrijven. Maar... mensen die uitgaan met de Beths van deze wereld zijn wel de allerlaatsten die een roof van driehonderd miljoen dollar plannen.'
'Wacht eens even,' zei Noreen snel. 'Denk je nu opeens dat zij...'
'Ze zijn niet onschuldig,' onderbrak Joey haar. 'Als ze dat waren, zouden ze niet op de vlucht zijn. Maar Oliver heeft zijn comfortabele leventje vast niet zomaar gelaten voor wat dat was. Dus is er duidelijk iets wat we over het hoofd zien. Mensen verkassen niet zonder daar een verdomd goede reden voor te hebben.'
'Misschien zul je je wat beter voelen als ik je vertel dat Fudge zei dat we morgen bijna alle resultaten van het onderzoek binnen zullen hebben.'
'Perfect,' zei Joey terwijl ze Bedford Avenue op draaide. Anders dan de laatste keer dat ze hier was, was de lucht nu pikzwart, waardoor de omgeving meer op een donkere steeg leek dan op een woonwijk. Maar zelfs in het donker viel één ding op: de wagen van de telefoonmaatschappij die voor het appartementengebouw van Maggie Caruso stond. Joey reed er vlak langs en keek toen in haar achteruitkijkspiegel. Twee agenten zaten op de voorstoelen.

'Alles oké?' vroeg Noreen door de gsm.
'Dat zal ik je zo meteen vertellen.' Joey reed nog een eindje door, draaide toen een privéoprit schuin tegenover het appartementengebouw op en zette de motor af. Dicht genoeg bij om alles goed te kunnen zien, maar ook ver genoeg weg om niet op te vallen. Met samengeknepen ogen keek ze naar de bestelauto en wist dat er iets niet klopte. Mensen die afluisterapparatuur aanbrachten, kwamen en gingen zo snel mogelijk. Als ze hier nog waren, was er iets mis. Misschien hadden ze iets gevonden. Of misschien wachtten ze op... Voordat ze die gedachte kon afmaken, kwam een auto met piepende banden de hoek om gereden.
'Wat is er aan de hand?' vroeg Noreen.
'Ssst,' fluisterde Joey, hoewel Noreens stem alleen door het oormicrofoontje kwam. De auto reed snel, maar er zat niet iemand achter het stuur die zomaar door deze straat reed. Toen hij de bestelauto was gepasseerd, stopte hij opeens recht voor een brandkraan. Joey schudde haar hoofd. Ze had het kunnen weten.
De portieren zwaaiden ver open, en Gallo en DeSanctis stapten uit. Zonder iets te zeggen maakte DeSanctis het achterportier open en stak Maggie Caruso een hand toe. Zij stapte uit met gebogen schouders, een trillende kin en haar jas open. DeSanctis nam haar mee naar het appartementengebouw, maar zelfs in silhouet was te zien dat ze er heel beroerd aan toe was. Ze kon zonder hulp het trapje niet op komen. Ze moesten haar aan stukken hebben gescheurd, dacht Joey.
'Ik kom zo meteen naar boven,' riep Gallo terwijl hij naar de kofferbak liep. Maar zodra Maggie en DeSanctis binnen waren, stevende hij regelrecht op de bestelauto af.
De chauffeur draaide het raampje aan zijn kant open, en Gallo stak een hand uit, die werd geschud. In eerste instantie leek het niets anders dan een bedankje tussen vrienden – snel geknik, hoofd lachend in de nek – maar toen hield Gallo daar opeens mee op. Zijn houding werd gespannen, en de chauffeur gaf hem iets. 'Sinds wanneer?' vroeg Gallo zacht en toch bulderend. De chauffeur stak zijn hand naar buiten en wees. Recht op Joey.
'O, verdomme,' fluisterde ze.
Gallo draaide zich bliksemsnel om. Hun blikken kruisten elkaar, en ze keken elkaar aan. Joeys keel was dichtgeknepen. Gallo's donkere blik leek door haar heen te snijden. 'Wat denk je verdomme dat je aan het doen bent?' donderde Gallo, die op haar auto af stormde.
'Joey, is alles met jou oké?' vroeg Noreen.

Joey had geen tijd om te antwoorden. Ze wilde de auto starten, maar daar was het al te laat voor. Hij was er al. Dikke knokkels sloegen tegen haar portierraampje. 'Openmaken,' beval Gallo.
Joey wist wat ze moest doen en draaide het raampje open. 'Ik ben de wet niet aan het overtreden,' zei ze nadrukkelijk. 'Ik ben volledig bevoegd om...'
'Bevoegdheid, mijn reet! Wat was je verdomme in dat appartement aan het doen?'
Joey keek Gallo recht aan en streek met haar tong langs de achterkant van haar tanden. 'Sorry, maar ik weet werkelijk niet waarover je het hebt.'
'Hou je niet van de domme!' zei Gallo waarschuwend. 'Je weet dat je hier geen jurisdictie hebt.'
'Ik doe alleen mijn werk.' Joey haalde een leren etuitje uit haar zak en liet haar vergunning zien. 'En de laatste keer dat ik het heb nagekeken, bleek er geen wet te zijn die...'
Gallo haalde uit met zijn hand en sloeg het etuitje uit haar vingertoppen, waardoor het tegen het andere portierraampje aan vloog. 'Luister naar me!' zei hij woedend. 'Die vergunning van je kan me geen moer schelen, en als je je nog een keer met dit onderzoek bemoeit, zal ik je persoonlijk bij je kladden grijpen en je terugslepen over Brooklyn Bridge!'
Joey was stomverbaasd over die uitbarsting en zweeg. Wetshandhavers maakten altijd een punt van jurisdictie, maar mensen van de secret service schoten gewoonlijk niet zo uit hun slof. Niet zonder daar een reden voor te hebben.
'Verder nog iets?' vroeg Joey.
Gallo's gezicht verstrakte. Hij schoof een vuist de auto in en liet een plastic zakje met rits op Joeys schoot vallen. Daarin zaten allerlei apparaatjes. Al haar microfoontjes en zendertjes, onherstelbaar verwoest. 'Mevrouw Lemont, neemt u nu maar van mij aan dat dit geen spel is dat u wilt spelen.'

29

Als ik zenuwachtig ben, trekt mijn oog. Heel licht, net voldoende om duidelijk te maken dat mijn lichaam volledig in opstand is gekomen. Meestal kan ik er een eind aan maken door de titelsong van *Market Wrap* te neuriën of het alfabet van achteren naar voren op te zeggen, maar terwijl ik achter in de rij sta op het internationale vliegveld van Newark, ben ik te geconcentreerd op alles wat ik zie: de zenuwachtige, bruinharige vrouw voor me, de vijftien mensen voor haar en – het allerbelangrijkste – de metaaldetectors helemaal vooraan en de zes mensen van de beveiligingsdienst met wie ik over dertig seconden zal worden geconfronteerd. Als de secret service alarm heeft geslagen, zal dit de kortste reis worden die we ooit hebben gemaakt. Maar de rij schuifelt naar voren, en er lijkt niets mis te...

Verdomme.

In eerste instantie had ik hem niet gezien. Achter de lopende band voor de bagage. Die breedgeschouderde vent in een uniform van de beveiligingsdienst van het vliegveld. Hij heeft een metaaldetector in zijn hand, maar hij houdt die vast alsof het een honkbalknuppel is. Zijn postuur alleen al... uitsluitend bij de secret service groeien ze zo groot.

Als hij mijn kant op kijkt, laat ik mijn hoofd zakken om oogcontact te vermijden. Tien mensen voor me. Charlie, die zijn hoofd alle kanten op draait, zoekend naar interactie.

'Lange dag, hè?' zegt hij tegen de vrouw die het röntgenapparaat bedient.

'Er lijkt geen eind aan te komen,' reageert ze met een waarderend grijnsje.

Op een normale dag zou ik hebben gezegd dat zo'n praatje typerend voor Charlie was. Maar vandaag... Hij mag dan met die vrouw kwebbelen, maar ik zie welke kant hij op kijkt. Recht naar de breedgeschouderde man. En hij staat net zo op zijn hielen te wiebelen als mijn oog trekt. We weten allebei wat er zal gebeuren als we worden gepakt.

'Geen bagage?' vraagt de vrouw wanneer Charlie dichter bij het apparaat is.

'Die heb ik al ingecheckt,' zegt hij terwijl hij zijn ticket omhooghoudt en wijst op het bagagereçu.

In Hoboken hadden we gedurende een snelle stop een blauwe gymtas met ondergoed, shirts en wat toiletspullen gekocht. En ook een kleine, met lood beklede doos die onder in de tas de perfecte plaats was geworden om Gallo's wapen te verstoppen.

Ongetwijfeld is dat een slecht idee – het laatste wat we kunnen gebruiken is te worden gepakt met het moordwapen – maar zoals Charlie het stelde: die kerels willen ons bloed zien. Tenzij we willen eindigen als Shep, hebben we iets nodig waarmee we ons kunnen beschermen.

'Doorlopen,' roept een zwarte man van de beveiligingsdienst, die Charlie richting detector gebaart.
Ik hou mijn adem in en laat mijn hoofd weer zakken. Niets om je zorgen over te maken... niets om je zorgen over te maken... Twee seconden later komt er een hoog gepiep. O nee. Ik kijk net op tijd op om te zien dat Charlie zichzelf dwingt te lachen. 'Moet komen door dat stuk meccano dat ik vanmorgen heb opgegeten...'
God, laat hem dit alstublieft niet verknallen...
'Man, wat haatte ik dat spul,' zegt de bewaker lachend terwijl hij een detector langs de borst en schouders van Charlie laat glijden. 'Ik kreeg er niets van overeind.' Op de achtergrond draait de breedgeschouderde man langzaam onze kant op.
'Daarom kun je het beter bij lego houden,' zegt Charlie, die zichzelf niet kan beheersen. Hij spreidt zijn armen en zwaait naar de man met de vierkante schouders. Die knikt ongemakkelijk en kijkt een andere kant op. Hij is op zoek naar twee bruinharige broers, niet naar een jonge vent met blond haar die in zijn eentje reist.
De zwarte bewaker kan niets ontdekken en laat zijn detector zakken. 'Een veilige reis toegewenst,' zegt hij tegen Charlie.
'Jij ook,' zegt Charlie, maar zijn gezicht heeft totaal geen kleur meer. Hij loopt struikelend verder, kan zich niet snel genoeg uit de voeten maken.
Een voor een zijn de anderen in de rij aan de beurt. Terwijl ik langs de detector loop, draait Charlie zich om en kijkt mijn kant op. Gewoon om zeker te weten dat alles in orde is. Ik loop langs de twee mannen van de beveiligingsdienst en hou mijn mond. En dan zijn we zomaar een stap verder. We kunnen nergens anders heen dan naar het zuiden. Zonder tussenstop door naar Miami.

30

Terwijl Gallo de straat overstak, terug naar het appartementengebouw, loerde Joey nijdig naar zijn dikke nek. Halverwege de straat zwaaide hij naar zijn makkers in de bestelwagen, die hun koplampen even aan- en uitdeden. Toen reed die wagen met een dot gas weg en zoefde langs de auto van Joey.
'Leuk je te hebben gezien!' schreeuwde de chauffeur naar Joey.
Ze forceerde een grijns, alsof het haar niets kon schelen. Binnen seconden waren de jongens met de zwarte tassen verdwenen. En

toen Gallo het gebouw in was gelopen, was ook het grootste obstakel voor Joey verdwenen.
'Waar ging dat over?' vroeg Noreen in haar oor.
'Nergens over,' zei Joey snel. Ze trapte het portier open en liep naar de kofferbak.
'Misschien moet je de baas bellen. Hij kent een paar jongens van de secret service.'
'Niet nu, Noreen,' zei Joey, en haar stem weergalmde in de kofferbak. Ze pakte een glanzende metalen koffer en liet die op de rand van de kofferbak balanceren. Sloten klikten en gingen open. Het ding zag er vanbinnen uit als een uiterst geavanceerde gereedschapskist met uitklapbare plateaus vol draden, microfoons en kleine metalen dingetjes die op mini-gsm's leken. Onder in de kist stond een grote radio-ontvanger met opvouwbare koptelefoon.
'Wat ben je aan het doen?' vroeg Noreen bezorgd. 'Waar ben je?'
Joey gaf geen antwoord. Wat ze nodig had stopte ze in haar zakken, en toen stak ze de straat over.
'Je gaat toch zeker niet terug naar het appartement?'
'Nee,' zei Joey, die sneller ging lopen.
'Ik heb je horen rommelen in de snoeptrommel. Zeg me alleen waar je naartoe gaat.'
Joey bleef voor de auto van Gallo en DeSanctis staan.
'Noreen, ze hebben al mijn apparatuur gevonden en verwoest, en je weet wat het zou betekenen als ik dat appartement weer in loop terwijl zij luisteren.'
'Wacht eens even! Je bent toch niet...' Noreen werd onderbroken door het dichtslaan van een autoportier. 'Joey, zeg alsjeblieft tegen me dat je niet in de wagen van de secret service zit.'
'Best. Daar zit ik niet in.' Joey keek op haar horloge. Veel tijd had ze niet. Het had geleken alsof ze Maggie weer naar boven aan het helpen waren, maar dat was waarschijnlijk alleen Gallo's manier om nog even snel in het appartement rond te kunnen kijken. Joey keek over haar schouder nog een keer naar het gebouw. Op zijn hoogst twee minuten.
'Joey, hiervoor kunnen ze je neerschieten...'
Joey stak een hand uit naar de binnenverlichting vlak naast het schuifdak, haalde het plastic kapje eraf en draaide snel de twee schroeven los die het kleine peertje op zijn plaats hielden. 'Noreen, zij zijn hiermee begonnen.'
'Zijn zij hiermee begonnen? Je bent van plan de secret service van de Verenigde Staten te gaan afluisteren. Die wagen is eigendom van de federale regering.'

'Het is ook de enige plaats waar die verwaande kwasten niet zullen kijken,' zei Joey. 'Verdomme! Ze zijn zo zeker van zichzelf dat ze het portier niet eens op slot hebben gedaan.' Ze koppelde een kleine microfoon aan de rode draad die naar het lampje liep. Dat was een truc die ze jaren geleden had geleerd. De binnenverlichting was een van de weinige dingen die altijd onder stroom stonden, ook als de motor niet draaide. Als je daar een microfoontje aanbracht, kon je iemand maanden bespioneren. Het enige dat je ervoor hoefde te doen, was een beetje risico nemen.
'Joey, alsjeblieft. Ze kunnen nu elk moment weer naar buiten komen.'
'Ik ben bijna klaar...' Ze zette het kapje weer op zijn plaats, bukte zich en stak een hand onder de stoel van de bestuurder. Daar was nog een van die gemakkelijk te bereiken plaatsen die ook altijd stroom hadden. En dankzij het feit dat federale voertuigen onlangs van de nieuwste snufjes waren voorzien, waren er in de wagen van Gallo meer dan genoeg stroombronnen te vinden.
Ze zocht op de tast naar de draad die uit de vloer kwam, bevestigde daar een rode draad aan en verbond het andere uiteinde snel met het zwarte doosje dat eruitzag als een ouderwetse gsm, maar zonder toetsen.
'Joey, ze zullen je zonder aarzelen de gevangenis in smijten...'
Ze bracht haar hoofd omhoog om door het zijraampje te kijken en zag een fel licht. In het gebouw. De liftdeuren gingen open. Ze kwamen eraan. Minder dan dertig seconden de tijd. Ze moest vechten om haar handen niet te laten trillen en haalde het laatste ding uit haar zak. Het was een glanzende, uittrekbare antenne met een klein haakje aan het uiteinde. Ze trok hem uit tot zijn volle lengte – ongeveer een meter, koppelde hem aan de antenne in het zwarte doosje en stopte het geheel onder de met stof beklede stoel.
'Joey, maak dat je wegkomt.'
Met een harde duw schoof ze alles omhoog, verticaal langs de stoel. Volledig onzichtbaar, maar wel in een perfecte hoek om het signaal door het schuifdak te kunnen versturen. Een zelfgemaakte GPS was in stelling gebracht.
'Joey...'
'Bel hem,' fluisterde ze.
'Wat zeg je?' vroeg Noreen.
'Bél hem.'
Joey stopte het zwarte doosje zo snel ze kon onder de stoel en zette het met een magneetje op zijn plaats. Dat was dat. Tijd om ervandoor te gaan.

Door de achterruit kon ze Gallo en DeSanctis zien komen aanlopen. Minder dan vijftien meter van haar vandaan. Het was te laat... Een hoog gerinkel krijste door de avond, en Gallo bleef meteen staan. DeSanctis deed hetzelfde. 'Gallo,' zei hij toen hij de gsm uit zijn zak had gehaald. De twee agenten draaiden zich weer om naar het appartementengebouw. Meer had Joey niet nodig. Met een enkele, vloeiende beweging dook ze de auto uit en rende de straat over.

'Het spijt me. Ik heb een verkeerd nummer gedraaid,' hoorde ze Noreen in haar oor zeggen.

Gallo zette zijn gsm uit en liep terug naar zijn auto. Toen hij het portier opentrok, keek hij met samengeknepen ogen naar het donkere huizenblok. Joey zat op de motorkap van haar auto.

'Mazzel gehad, daar?' riep ze.

Gallo negeerde haar, plofte op de bestuurdersplaats en trok het portier met een klap dicht. De binnenverlichting was in een mum van tijd uit. Joey leunde achterover en grinnikte.

31

Als ik in Miami uit het vliegtuig stap, blijf ik bij de menigte en ga op in de massa net gearriveerde passagiers die door hun dierbaren worden gesmoord. Het is niet moeilijk om het verschil tussen de mensen die daar wonen en de gasten te zien. Wij hebben lange mouwen en jasjes aan. Zij shorts en T-shirts. Terwijl de groep reizigers uiteenwaaiert om de bagage op te halen, kijk ik in de aankomsthal om me heen, op zoek naar Charlie. Hij is nergens te zien. Overal zijn de winkeltjes en de kiosken gesloten. Het is na middernacht, en de luchthaven is niets anders dan een dode stad. Ik zie het bordje voor de herentoiletten, en omdat ik weet dat Charlie een kleine blaas heeft, draai ik scherp naar rechts en loop naar de urinalen. De enige die daar is, is een te zware man in een blauwgroene Florida Marlins-trui. Ik loop door en kijk in de hokjes. Ze zijn allemaal leeg.

Ik ren de aankomsthal weer in, langs de kerstboom en de menora, verdubbel mijn tempo en vlieg de roltrap af. Charlie weet dat hij werd geacht op me te wachten als we het vliegtuig uit waren. Als hij dat niet heeft gedaan... Ik beheers mezelf. Er is geen reden om het ergste te denken.

Ik spring de roltrap af en ben in de ruimte waar de bagage kan worden opgehaald. Ik controleer elke hoek. Langs de kantoortjes waar je een auto kunt huren, om de lopende banden heen. Nog altijd geen Charlie. Rechts van me zijn telefooncellen, en een Latijns-Amerikaanse vrouw lacht in de hoorn. Achter de telefoons is een ruimte waar je kunt e-mailen en faxen, en daar staat een man met een donkere zonnebril op...

Een donkere zonnebril?

Ik vertraag mijn tempo, kom in de verleiding een andere kant op te draaien. Als hij van de secret service is, ben ik niet van plan mezelf op een presenteerblaadje aan te bieden. Maar net als ik op het punt sta van richting te veranderen... net als ik dicht bij hem in de buurt ben... draait hij zich om alsof ik daar niet eens ben. Ik loop vlak langs hem heen. Hij kijkt niet eens op. En dan besef ik – dit is Miami – dat een zonnebril gewoon bij het landschap hoort. Zolang niemand weet wie we zijn, is er geen reden om...

'Meneer?' vraagt een raspende stem. Er wordt een sterke hand op mijn schouder gelegd.

Ik draai me snel om en zie een zwarte man in het uniform van een kruier. Hij kijkt me recht aan en overhandigt me langzaam een opgevouwen velletje papier. Zijn stem klinkt droog en koud. 'Dit is voor u,' zegt hij.

Ik pak het papiertje aan en vouw het gespannen open. Er staan drie woorden op geschreven, met een zwarte balpen. 'Wacht op me.' Geen ondertekening.

Het handschrift in drukletters doet me denken aan dat van Charlie, maar het klopt niet helemaal. Alsof iemand had geprobeerd dat te imiteren.

Ik kijk over mijn schouder. De man met de zonnebril is weg.

'Wie heeft dit aan u gegeven?' vraag ik aan de kruier.

'Dat zeg ik niet,' zegt hij. 'Anders zou het geen verrassing meer zijn, zeiden ze.'

'*Ze*?' vraag ik bezorgd. 'Wie zijn die ze?'

De kruier draait zich om en loopt weg. 'Een vrolijk kerstfeest.'

Een luide zoemer gaat af. Een alarm. Een seconde later komen de lopende banden in beweging. Onze bagage is eindelijk gearriveerd. Ik haal diep adem en staar naar de kruier, die zijn bagagewagen naar de band toe rolt. Overal om hem heen zoeken medepassagiers een plaatsje. Een student met een T-shirt met CAPITALISM ROCKS erop. Een advocaat met een inktvlek op het borstzakje van zijn pak. Een nijdig kijkende moeder met een zonnebankbruine huid. Ik zweer je dat iedereen opkijkt en mij bestudeert.

Ik kijk weer naar het briefje, dat in mijn hand trilt. Wat is er verdomme aan de hand? We hadden een plan. Samen uit, samen thuis. Hij kan beslist niet in zijn eentje op pad zijn gegaan... Behalve als iemand hem daartoe heeft gedwongen...
Mijn borstkas lijkt in te klappen. Ik haast me naar de dichtstbijzijnde deur en wurm me door de menigte heen, maar zodra ik naar buiten stap, valt er een golf hitte boven op me die zich rechtstreeks mijn longen in boort. Terwijl een plas zweet mijn onderrug drijfnat maakt, besef ik voor het eerst dat ik mijn jas nog aanheb. Ik strek mijn armen naar achteren en vecht als een gek om hem uit te trekken. Het enige dat ik wil, is Charlie vinden.
Achter me pakt iemand anders mijn schouder vast. Ik bal mijn hand tot een stevige vuist, klaar om uit te halen. Dan hoor ik de stem.
'Alles oké, Ahab?' vraagt Charlie.
Ik draai me snel om, om het zeker te weten. Daar staat hij – met kuiltjes in zijn wangen en zijn ondeugende grijns en al. Ik weet niet of ik hem moet vermoorden of hem een knuffel moet geven, dus kies ik voor een harde duw tegen zijn schouder. 'Waar was je ver...'
Een vrouw bij de taxistandplaats kijkt onze kant op, en ik ga fluisterend verder. 'Wat is er verdomme met jou aan de hand? Waar was je?'
'Heb je mijn briefje niet gekregen?' fluistert hij terug.
'Dus jij...' Ik neem hem mee, langs de rij mensen die op een taxi staan te wachten, tot we buiten hun gehoorsafstand zijn. 'Heb je geluisterd naar wat Oz zei? Geen contact, met wie dan ook. Inclusief kruiers!' sis ik.
'Sorry, maar dit was een noodgeval.'
'Wat voor een noodgeval?'
Hij kijkt op, maar wil geen antwoord geven op mijn vraag.
'Wat heb je gedaan?' vraag ik.
Opnieuw komt er geen antwoord.
'O, jezus, Charlie. Je hebt toch niet...'
'Oliver, ik wil het er niet over hebben.'
'Je hebt haar gebeld, hè?'
Zijn stem is zo laag dat hij bijna onverstaanbaar is. 'Maak je er geen zorgen over. Ik heb het onder controle.'
'We hadden afgesproken dat we haar niet zouden bellen!' hou ik vol.
'Ollie, ze is onze moeder en belangrijker is nog dat een van ons beiden nog altijd bij haar woont. Als ik haar niet had gebeld, zou ze een hartaanval hebben gekregen.'

'O ja? Wat denk je dat haar meer van streek zal maken? Ons een paar nachtjes missen of onze begrafenis moeten regelen nadat de secret service ons heeft gevonden en naar de andere wereld heeft geholpen? Ze zullen elk gesprek traceren.'

'Werkelijk? Daar heb ik niet eens aan gedacht, ook al komt het voor in élke film die ooit is gemaakt over een man die op de vlucht is.' Hij laat het sarcasme voor wat het is en voegt eraan toe: 'Kun je me deze ene keer alsjeblieft vertrouwen? Geloof me als ik je zeg dat ik het slim heb aangepakt. Wie er ook meeluisterde... ze zullen geen woord hebben gehoord.'

32

'Hoe is de stand van zaken?' vroeg Gallo.

'Geef me even een seconde,' zei DeSanctis, die op de stoel naast de bestuurdersplaats zat. Zijn vingers drukten op het toetsenbord op zijn schoot, dat bij een doodnormale laptop leek te horen. Nader onderzoek maakte echter duidelijk dat de enige toetsten die werkten, de cijfertoetsen bovenaan waren en dat die door DeSanctis werden gebruikt om de ontvanger bij te stellen die perfect in het toestel was verborgen. Het was net zoiets als het afstemmen van een radio: zoek de juiste frequentie en dan zul je je lievelingslied horen. Hij typte de cijfers in die hij van de technische dienst had gekregen: 3.8 gigahertz... 4.3 gigahertz... Hoe dichter ze in de buurt van magnetronfrequenties kwamen, hoe moeilijker ze door buitenstaanders onderschept konden worden. En als je daar dan nog eens de vervorming door een telkens veranderende frequentie aan toevoegde, was het vrijwel onmogelijk. Met het altijd bewegende signaal was het nu een radiostation voor twee geworden.

DeSanctis typte de laatste cijfers in. Op het scherm begon een venstertje linksonder te knipperen. Toen dat vervaagde en de kleuren helder werden, zagen ze een perfect digitaal beeld van Maggie Caruso, die zich in de huiskamer over de lage tafel had gebogen en op het punt leek te staan daarop over te geven. Haar tot vuisten gebalde handen wreven over de tafel. Haar benen konden haar niet meer dragen, en ze liet zich langzaam op haar knieën zakken.

'Wat is er mis?' vroeg Gallo. 'Is ze ziek?'

'Nog een seconde.' DeSanctis toetste het laatste cijfer in en ze hoor-

den de stem van mevrouw Caruso over de ingebouwde luidsprekers.
'... dank u... dank u, God!' riep ze terwijl de tranen over haar wangen stroomden. Ze schudde haar hoofd en produceerde een gekweld, maar onmiskenbaar glimlachje. 'Zorg gewoon goed voor hen. Zorg alstublieft goed voor hen.'
'Wat is er verdomme aan de hand?' blafte Gallo.
De mond van DeSanctis viel open.
'Ze hebben haar gebeld!' bracht Gallo moeizaam uit. 'Die rotzakken hebben haar net gebeld!'
DeSanctis was als een gek aan het typen en opende een ander venstertje op de laptop. *Caruso, Margaret... Telefoon.* 'Dat is onmogelijk,' zei DeSanctis, voorlezend vanaf het scherm. 'Ik heb alles voor me. Er is geen gesprek gevoerd. Zij heeft niet gebeld, en ze is ook niet gebeld.'
'Fax? E-mail?'
'Niet voor de naaister. Ze heeft niet eens een computer.'
'Misschien hebben de broers een van de buren gebeld.'
DeSanctis wees op het videobeeld op het scherm. Op de achtergrond, achter mevrouw Caruso, was haar voordeur duidelijk te zien. 'De jongens van de technische dienst hebben alles in de gaten gehouden. En zelfs gedurende de twee minuten die het heeft gekost om dit op te zetten, hadden we iemand zien komen en gaan.'
'Hoe hebben ze haar verdomme dan weten te bereiken?'
'Daar heb ik geen idee van. Misschien...'
'Kom niet aanzetten met misschiens! Dit is geen moment voor raadseltjes!' brulde Gallo. 'Ze heeft daar duidelijk iets waarmee ze met de jongens kan praten, en ik wil weten wat dat is, al is het een buurman die morsesignalen verstuurt via de radiator!'

Ze heeft daar duidelijk iets waarmee ze met de jongens kan praten, en ik wil weten wat dat is, al is het een buurman die morsesignalen verstuurt via de radiator.
Joey, die verderop in de straat naar de auto van Gallo en DeSanctis staarde, leunde achterover in haar stoel en zette haar ontvanger, die de afmetingen van een walkie-talkie had, zachter. De ene microfoon die bij de binnenverlichting was aangebracht, deed het prima.
Ze zette de laptop op haar schoot aan en haalde de foto's te voorschijn die ze met haar digitale camera van de kantoren had gemaakt. Het kantoor van Oliver, van Charlie, van Shep, van Lapidus, van Quincy en van Mary. Zes, alles bij elkaar, plus foto's van

de gemeenschappelijke ruimten. Een voor een bestudeerde ze de kamers en nam alle details in zich op. Een goedkope reproductie van een bankierslamp op Olivers bureau... De poster van Kermit de Kikker in het hokje van Charlie... de foto's aan Sheps muur... zelfs het ontbreken van persoonlijke artefacten op Lapidus' bureau.
'Je lijkt gelijk te krijgen,' zei Noreen door de koptelefoon. 'Ze zijn mama al aan het bellen.'
'Ja, dat denk ik ook.'
Noreen kende die toon van haar baas. 'Wat is er mis?'
'Niets,' zei Joey, die de foto's nog steeds aan het bekijken was. 'Alleen... Als Gallo en DeSanctis dit behandelen als een echte mensenjacht, waarom zijn zij dan de enige twee die de wacht houden?'
'Wat bedoel je daarmee?'
'Noreen, het is een kwestie van protocol. De FBI kan soms stuntelen, maar als het op surveilleren aankomt, is de secret service iedereen de baas. Als zij een huis in de gaten moeten houden, gebeurt dat door minstens vier mensen. Waarom zitten er dan nu opeens niet meer dan twee kerels in een auto?'
'Wie zal het zeggen? Misschien kampen ze met een personeelstekort, of hebben ze hun budget al overschreden. Misschien komen de anderen morgen.'
'Of misschien willen ze niemand anders in de buurt hebben,' zei Joey uitdagend.
'Kom nou toch! Geloof je dat echt?'
Joey laste even een pauze in om na te denken. Ze kon Gallo en DeSanctis horen bekvechten.
'Toen Shep werd gedood, hebben ze een oud-collega verloren,' zei Noreen. 'Ik durf er tien dollar om te verwedden dat ze het daarom persoonlijk houden.'
'Ik hoop dat je gelijk hebt,' zei Joey, die de ontvanger dichter naar zich toe trok. 'Maar als ik Charlie en Oliver was, zou ik bidden dat wij de eersten zijn die hen vinden.'

33

Ik lig op mijn buik om me tegen de ochtendzon te beschermen, hou mijn kussen vast alsof dat mijn beste vriend is en weiger mijn ogen open te doen. De futon is vrijwel even comfortabel als een zak vol deurknoppen, maar toch niet zo beroerd als het geluid van de vuil-

niswagen buiten, dat als glasscherven langs mijn trommelvliezen schuurt.
'Klaar!' roept een vuilnisman, en de wagen rijdt door.
Ik rol me om. Mijn linkerarm slaapt. En als ik met mijn ogen knipper, zweer ik dat ik een fractie van een seconde geen idee heb waar ik ben. Dan gaan mijn ogen helemaal open.
Smerig beige tapijt. Verschaalde geur van insectenspray. Rottende vinylvloer in het smerige keukentje. Verdomme. Alleen al door het zien daarvan herinner ik me alles weer. Shep... het geld... Duckworth. Ik hoopte dat het een nare droom was. Dat is het niet. Dit is nu ons leven.
Naast me ligt Charlie nog te slapen, met zijn armen om zijn eigen kussen heen, tevreden in een plasje speeksel liggend. Ik trek de gehavende deken op tot zijn kin en loop naar de douche.
Tien minuten later moet Charlie hetzelfde doen.
'Charlie, opstaan!' roep ik vanuit de badkamer.
Geen reactie.
'Kom op, Charlie! Opstaan!'
Hij haalt zijn schouders op en draait zich eindelijk naar me toe. Terwijl hij het slaapzand uit zijn ogen wrijft, herinnert hij zich duidelijk ook niet waar hij is. Dan kijkt hij om zich heen en beseft dat we allebei dezelfde nare droom hebben. 'Shit,' mompelt hij.
'Er is geen warm water,' zeg ik tegen hem terwijl ik mijn Johnny Cash-haar met een vuist vol achtergelaten papieren handdoeken droogwrijf.
'Ik zal een briefje in de ideeënbus van de huisbaas doen.'
In New York noemen ze het een studio. Hier noemen ze het een eenvoudig appartement. Voor mij is het een rattenhol zonder slaapkamer. Maar toen we vannacht rond een uur of twee hier in de buurt op zoek waren, was het precies wat we nodig hadden. In een zijstraat. Met een bordje met TE HUUR aan de voorkant. En een lamp die brandde in het appartement van de beheerder. Op elke andere plek zouden ze achterdochtig zijn geworden en de politie hebben gebeld. Maar aan de rand van South Beach, dat niet bepaald een trendy wijk van Miami is, vallen we niet op. Met al die drugsdealers en illegalen hier zijn ze helemaal gewend aan huurders die om twee uur 's nachts op de stoep staan.
'Kom, we moeten in actie komen,' zeg ik terwijl ik schoon ondergoed aantrek. 'Ik wil er vroeg zijn.'
Hij gaat rechtop zitten en rolt met zijn ogen. 'Verder nog iets bijzonders?'
Ik loop de grote kamer weer in en kleed me verder aan. Buiten

schijnt de zon, maar we kunnen nauwelijks door het papier voor de ramen heen kijken. Vannacht, in het donker, dacht Charlie dat het kapotte lamellen waren. Vandaag zien we de werkelijkheid. Afgescheurde bladzijden van een gratis Budweiser-kalender met meisjes in bikini, met plakband op elk raam vastgezet. Degene die hier het laatst was, wilde duidelijk niet worden gezien. Dat willen wij ook niet. De kalender blijft waar hij is.
'Charlie, jij bent aan de beurt,' zeg ik terwijl ik de badkamer weer in loop en de douchekraan opendraai. Dat deed ma vroeger om ons in beweging te krijgen.
'Die trucjes werken niet meer,' zegt hij waarschuwend.
Tien minuten later droogt hij zich met papieren handdoeken af en springt zijn eigen nieuwe boxershort in.
'Klaar?' vraag ik.
'Bijna.' Hij steekt weer een hand in de gymtas en zoekt duidelijk naar iets.
'Waar ben je naar op zoek?' vraag ik, ook al weet ik het antwoord op die vraag al. De metalen doos met Gallo's wapen.
'Niets,' zegt Charlie, die nog dieper graaft. Hij kan het niet vinden en begint kleren uit de tas te trekken. Binnen een paar seconden is die leeg. 'Ollie... de doos... hij is weg.'
'Rustig maar,' zeg ik. Hij kijkt over zijn schouder, en ik trek de zoom van mijn shirt, dat ik nog niet in mijn broek heb gestopt, omhoog. Het wapen zit onder de tailleband van mijn broek.
'Sinds wanneer ben jij...'
'Kunnen we nu gaan?' onderbreek ik hem.
Charlie houdt zijn hoofd schuin door de toon waarop ik dat zeg. 'Laat me eens raden. Deze stad heeft een nieuwe sheriff gekregen.'
Ik neem de moeite niet daarop te reageren. Ik draai me om en loop naar buiten. Charlie komt een paar passen achter me aan. Klaar of niet, Duckworth, we komen eraan!

'Wat ben je aan het doen?' roept Charlie die achter me aan komt terwijl ik rechtsaf Sixth Street op draai en nog vlugger ga lopen. Recht voor me uit lopen toeristen die vroeg zijn opgestaan en inwoners van Miami die al aan de late kant zijn voor hun werk zigzaggend Washington Avenue over. Hier in de zijstraten zijn we veilig. Een half huizenblok verderop zullen we ons op open terrein bevinden. Zelfs Charlie zou dat risico niet nemen en daarom pakt hij mijn shirt om me tot staan te dwingen. 'Heb je zonnebrandolie gedronken?' vraagt hij. 'Ik dacht dat we onderweg waren naar Duckwor...'

'Zeg dat niet hardop,' onderbreek ik hem terwijl ik om me heen kijk. 'Vertrouw me. Dit is net zo belangrijk.'
Ik wurm mijn arm los en haast me naar de hoek, waar een lange rij standaarden met kranten staat. *Miami Herald*, *el Herald*, USA *Today*... en de krant waar ik op af vlieg, *The New York Times*. Ik stop vier munten in de strot van het apparaat, klap het deurtje open en grijp naar een krant midden in de stapel.
'Waarom pak je nooit de bovenste?' vraagt Charlie.
Ik negeer die jongere-broertjesuitdaging en pak mijn middelste krant.
'Je hebt natuurlijk volkomen gelijk,' zegt hij. 'De bovenste heeft luizen.' Terwijl het apparaat dichtklapt, schudt hij zijn hoofd.
'Laten we gaan,' roep ik, en ik loop Sixth Street snel weer af. Onder het lopen sla ik de krant open en blader het eerste katern door.
'Staan we erin?' vraagt Charlie.
Ik blijf bladeren, zoekend naar wat voor bericht dan ook over de gebeurtenissen van gisteren. Geen geld, geen verduistering, geen moord. Om eerlijk te zijn ben ik niet verbaasd. Lapidus houdt dit buiten de pers. Toch staan er in een krant elke dag wel bepaalde dingen. Bij een zijstraat hou ik halt en vouw de krant open. Bij de overlijdensberichten.
'Laat me meekijken,' zegt Charlie, die naast me komt staan.
Ik sta onder een uitgedroogde palmboom en hou de linkerhelft van de bladzijde vast. Charlie doet hetzelfde met de rechterhelft. We vinden hem allebei door de lijst alfabetisch af te werken. Meestal lees ik en kijkt hij de lijst door. Vandaag gebeurt het omgekeerde.
'Graves, Shepard, 37, uit Brooklyn. Hoofd beveiligingsdienst van Greene & Greene. Nabestaanden: zijn echtgenote Sherry, zijn moeder Bonnie en zijn zuster Claire. Tijd en plaats van de rouwdienst zullen nog bekend worden gemaakt...'
'Ik wist niet dat hij getrouwd was,' zegt Charlie, die al helemaal opgaat in Sheps leven. Maar hoe meer hij leest... 'Die revisionistische rotzakken,' zegt hij. 'Er staat niet eens vermeld dat hij bij de secret service heeft gewerkt.'
'Charlie...'
'Ga niet op dat toontje tegen me praten. Jij kende hem niet, Ollie. Die secret service was zijn leven.'
'Ik zeg ook niet dat dat niet zo is. Ik vraag je alleen eens een keertje goed op te letten. Het gaat niet om dat curriculum vitae, maar om wat daarin ontbreekt.' Ik betrap mezelf erop dat ik sta te schreeuwen en laat mijn stem tot een gefluister dalen. 'Er wordt driehonderd miljoen gestolen, en dat haalt niet eens de roddelru-

briek? Een ex-agent van de secret service wordt in zijn borst geschoten, en niemand maakt daar ook maar met één woord melding van? Zie je dan niet wat ze aan het doen zijn? Voor die jongens is het opstellen van een vals cv een makkie. Wat ze ook zeggen... de mensen zullen het geloven. En wat er in werkelijkheid is gebeurd, is helemaal uitgewist. Dat zullen ze ook met ons doen, Charlie. Ze schudden de Etch-A-Sketch en dan verdwijnt het hele beeld. Vervolgens schrijven ze wat ze willen. "Verdachte gevonden met miljoenen – onderzoek wijst op moord." Dat is de nieuwe werkelijkheid, Charlie. En tegen de tijd dat ze klaar zijn met schrijven, zullen wij die op geen enkele manier meer kunnen veranderen.'
Ik blijf Charlie aanstaren en laat alles bezinken. Op hetzelfde moment lopen we allebei naar Tenth Street toe. Het appartement van Duckworth is slechts een paar huizenblokken verderop.

Met driehonderd miljoen op zijn rekening en denkend aan een pensioen had Marty Duckworth kunnen uitkiezen wat hij hebben wilde. Ik voorspelde een art-decopand; Charlie een mediterrane bungalow. Als het een quiz was geweest, hadden we er allebei niet verder naast kunnen zitten.
'Ik kan mijn ogen niet geloven,' zegt Charlie die vanaf de overkant van de straat naar het een verdieping tellende, uit de jaren zestig van de twintigste eeuw daterende pand staart. Geteisterd door het weer en met afbladderende roze verf heeft het huis duidelijk zijn hoogtijdagen achter de rug.
'Het is beslist het juiste adres,' zeg ik terwijl ik dat voor de derde en de vierde keer controleer.
Charlie knikt, maar zegt niets. Na alles wat het ons heeft gekost om hier te komen... staan we er eindelijk recht voor.
'Misschien moeten we later nog eens een keertje terugkomen,' stelt hij voor.
'Later nog een keertje terugkomen? Charlie, dit is de man die alle antwoorden heeft. Kom op. Het enige dat we hoeven te doen, is aanbellen.' Ik stap de stoep af en steek de straat over. Als Charlie niet achter me aan komt, blijf ik staan en kijk over mijn schouder.
'Is alles in orde met jou?' vraag ik.
'Natuurlijk,' zegt hij. Hij weigert echter nog steeds over te steken.
'Weet je dat zeker?'
Deze keer duurt het iets langer voordat hij antwoordt. Charlie vindt het niet prettig als ik bang ben en haat het als hij dat is. 'Met mij is het goed,' zegt hij stellig. 'Bel nu maar gewoon aan.'
Ik loop langs de te ver uitgegroeide struiken en om de klassieke

blauwe Kever heen die voor de deur staat, hol het pad naar de voordeur op, maak de door de vochtige lucht rottende hordeur open en druk met een bezorgde vinger op de bel.
Daar wordt niet op gereageerd.
Ik bel nog een keer, leun tegen de openstaande hordeur en probeer ontspannen over te komen.
Nog steeds geen reactie.
Ik ga op mijn tenen staan en rek mijn hals om door het ruitvormige raampje in de deur te kunnen kijken.
'Wat is daar te zien?' vraagt Charlie.
Ik druk mijn neus tegen het glas vol pollen aan en probeer wat meer te kunnen zien. Dan klikken sloten aan de binnenkant. De deurknop wordt omgedraaid. Ik spring terug. Daar ben ik te laat mee.
'Kan ik u ergens mee helpen?' vraagt een jonge vrouw die de deur opendoet. Ze heeft zwart, krullend haar, dunne lippen en een kleine puntneus. Mijn blik gaat meteen naar haar versleten spijkerbroek en het witte topje met spaghettibandjes.
'H-het spijt me,' zeg ik. 'Ik probeerde niet... We zijn gewoon op zoek naar een vriend.'
'Ja. We zijn op zoek naar Marty Duckworth,' vult Charlie snel aan.
Ik bedank hem in stilte, want de lichaamstaal van de vrouw verandert meteen. De frons in haar voorhoofd verdwijnt en haar schouders gaan hangen. 'Zijn jullie vrienden van hem?'
'Ja,' zeg ik voorzichtig. 'Hoezo?'
Ze zwijgt even en kiest haar woorden zorgvuldig. 'Marty Duckworth is zes maanden geleden overleden.'
Die verklaring blijft in de lucht hangen, en ik staar er als betoverd naar. Het is bijna alsof ik wacht tot Duckworth naar voren springt en krijst: '1 april!' Ik hoef je niet te vertellen dat dat niet gebeurt. Ik kijk om me heen, maar lijk niets scherp te kunnen zien. Dat... dat is onmogelijk. Niet na al dit...
'Dus hij is echt dood?' vraagt Charlie, die al in paniek begint te raken.
'Het spijt me,' zegt ze als ze zijn gezichtsuitdrukking ziet. 'Het was niet mijn bedoeling...'
'Het hindert niet,' zegt Charlie. 'U kon niet weten...'
'Hebt u hem gekend?' onderbreek ik hem.
'Wat zegt u?'
'Duckworth. Hebt u hem gekend?'
'Nee,' stamelt ze. 'Maar...'
'Hoe weet u dan dat hij dood is?'

'I-ik herinnerde me zijn naam van de koopakte van dit huis.'
'Hebben ze u misschien een adres gegeven? Kunnen we hem op de een of andere manier bereiken?'
De vrouw weet niet zeker wat ze moet doen en schudt haar hoofd, duidelijk overweldigd. Dat kan me niets schelen. We zijn niet helemaal tot hier gekomen om geen antwoorden op onze vragen te krijgen. 'Het spijt me,' zegt ze nogmaals. 'Er is geen adres. Hij is dood.'
De woorden lijken onzinnig. 'Dat is onmogelijk,' zeg ik met brekende stem. 'Hoe...'
'Hij is van streek,' zegt Charlie, en hij knijpt in mijn rug. 'We moeten gaan,' voegt hij er tussen opeengeperste kaken aan toe. Hij geeft de vrouw een onechte glimlach en een snelle zwaai. 'Nogmaals hartelijk dank voor al uw hulp.'
'Het spijt me echt,' roept ze als we weglopen. 'Mijn oprechte medeleven.'
'Ja,' fluistert Charlie terwijl hij me verder duwt. 'Ons spijt het ook.'

'Wat is er met jou aan de hand?' vraagt Charlie als we weer bijna thuis zijn. Hij stapt over de tuinslang heen en ontwijkt de ronddraaiende sproeier die alles nat maakt. Nadat hij even om zich heen heeft gekeken om er zeker van te kunnen zijn dat er niemand in de buurt is, loopt hij snel door naar ons nieuwe appartement. 'Waarom zat je haar zo op haar huid?'
'Het had kunnen zijn dat ze iets wist.'
'Heb je echt last van zulke waandenkbeelden?' vraagt Charlie, die naar binnen rent. Hij kijkt bezorgd toe terwijl ik begin te ijsberen van de huiskamer naar het keukentje en weer terug. 'Ollie, heb je haar reactie niet gezien? Ze was verbijsterd. Nieuwsflits om elf uur: Duckworth is dood. Einde verhaal.'
'Dat is onmogelijk,' hou ik vol. Terwijl ik dat zeg, hoor ik mijn stem trillen.
Charlie hoort dat ook. 'Ollie, ik weet dat jij altijd meer te verliezen hebt gehad, maar...'
'Stel dat ons iets ontgaat?'
'Wat zou ons mogelijkerwijs kunnen ontgaan? In New York hebben ze tegen ons gezegd dat hij dood was. We zijn hierheen gekomen om dat met onze eigen ogen te zien. En zij vertelt ons hetzelfde. Duckworth is dood, broertje van me. De voorstelling is afgelopen. Tijd om een nieuwe drummer te zoeken.'
Ik blijf ijsberen en staar naar de grond. 'Misschien moeten we teruggaan om nog een keer met haar te praten.'

'Ollie...'
'Duckworth kan zich ergens anders schuilhouden.'
'Luister je wel naar me? Die man is dood!'
'Zeg dat niet!' reageer ik woest.
'Hou jij dan op met je als een krankzinnige te gedragen,' zegt hij al even fel. 'De zon komt niet meer op en gaat ook niet meer onder voor Marty Duckworth.'
'Denk je dat het allemaal alleen om Marty Duckworth draait? Duckworth kan me geen moer schelen. Ik wil alleen mijn oude leven terug! Ik wil mijn appartement, en mijn baan, en mijn kleren terug. En mijn oude haar.' Ik pak een vuist vol zwarte follikels op mijn achterhoofd. 'Charlie, ik wil mijn leven terug. En tenzij we kunnen uitvogelen wat er aan de hand is, zullen Gallo en DeSanctis...'
Een klap tegen het raam. We duiken allebei weg. Het geluid blijft hard, tikkend tegen het glas, alsof iemand aan het inbreken is. Ik kijk op om te zien wie, maar het enige dat ik zie, is een waterval die het met kalenderblaadjes beplakte glas teistert. De sproeier... Het is de sproeier maar.
'Iemand zal wel over de slang zijn gestruikeld,' zegt Charlie.
Ik ben niet bereid enig risico te nemen. 'Kijk even naar buiten,' zeg ik indringend.
Ik ren naar het kleine raam in het keukentje, en hij naar het raampje bij de deur. De sproeier sprietst nog steeds water tegen het glas. Ik trek een stukje van een kalenderblad los en kijk naar buiten. Precies op dat moment duikt een vaag figuur weg onder de vensterbank. Ik spring achteruit, val bijna om.
'Wat? Wat is er?' vraagt Charlie.
'Er is daar iemand.'
'Weet je dat zeker?'
'Ik heb hem net gezien!'
Charlie wankelt naar achteren en doet zijn best zich tegen zijn angst te verzetten, maar zelfs hem lukt dat niet.
'Heb je de...'
'Ja, hier,' zeg ik terwijl ik een hand naar achteren steek en het wapen achter mijn broekriem pak. Ik haal de veiligheidspal eraf en sla een vinger om de trekker.
Charlie is in de keukenladen op zoek naar een wapen. Een mes, een schaar, wat dan ook. Elke la trekt hij open. Leeg. Leeg. Leeg. De laatste la schuift open en zijn ogen worden groot. Er ligt een roestende machete in, doormidden gebroken zodat hij er precies in past.

'Gezegend zijn de drugsdealers,' zegt hij, en hij rukt het ding uit de la.
Ik loop achter hem aan door de huiskamer, naar de badkamer. Net zoals we dat gisteravond hadden besproken. Kleine appartementen mogen dan geen achterdeur hebben, maar ze hebben wel ramen aan de achterkant. Hij springt op de wc, wrikt het goedkope raampje open en duwt de hor naar buiten. Ik ga naast hem staan.
'Jij eerst,' zegt Charlie, die van zijn handen kommetjes maakt om me omhoog te helpen.
'Nee, jij.'
Hij wil van geen wijken weten.
'Charlie...' De toon en de berispende blik in mijn ogen komen van ma. Hij weet dat me sinds mijn geboorte is ingepeperd dat ik mijn kleine broertje moet beschermen.
Hij beseft dat hij dit gevecht nooit zal winnen, gooit de machete naar buiten en laat zich door mij een zetje geven. Binnen de kortste keren is hij buiten. Weer een perfecte landing. Ik kom achter hem aan, maar mijn landing was bijna mijn dood geworden.
'Klaar om het op een rennen te zetten?' vraagt hij terwijl hij het smalle steegje nog eens op en af kijkt. Links van ons is een metalen hek dat naar de straat leidt. Rechts van ons is een open pad naar het binnenplein – waar iemand zich schuilhoudt. We kijken elkaar even aan en gaan naar het hek. Al snel zien we de metalen ketting en het slot waarmee dat stevig dicht wordt gehouden.
'Verdomme,' fluistert Charlie, die het slot een dreun verkoopt.
Ik gebaar met het wapen. *Ik kan het slot kapot schieten.*
Hij schudt zijn hoofd. *Ben je gek geworden? Dat horen ze meteen.*
Zonder erbij na te denken wil hij naar het andere uiteinde van het steegje lopen. Ik pak zijn arm.
'Zo loop je regelrecht hun kant op,' fluister ik.
'Niet als ze al binnen zijn. En bovendien... Weet jij een betere manier om weg te komen?'
Ik kijk om me heen, maar met het onmogelijke kun je niet in discussie gaan.
Kom mee, gebaart Charlie. Hij rent snel het steegje door, stapt op de plekken met droog gras om niet te worden gehoord. Bij de rand van het gebouw blijft hij staan en draait zich naar me om. *Ben je er klaar voor*, vraagt hij woordeloos.
Ik knik, en hij kijkt de eerste hoek om. Hij gebaart me dat de kust veilig is.
Als inbrekers in onze eigen achtertuin glippen we onder de vensterbanken door. Om de volgende hoek is de plaats waar ik de man

heb gezien. Ik hoor het water van de sproeier nog steeds tegen het glas gutsen. Dat geluid maakt onze voetstappen onhoorbaar, net als die van degene die daar op ons staat te wachten.
'Laat mij als eerste de hoek om gaan,' fluister ik.
Hij schudt zijn hoofd en duwt me naar achteren. Hij wil me niet meer de beschermer laten spelen. Dat kan me niets schelen. Ik ga dicht naast hem staan en speur de grond af, op zoek naar mogelijke schaduwen. Dan kijk ik voorzichtig de hoek om. Op het gazon ligt een springtouw, naast een leeggelopen strandbal. Ik kijk van boom naar boom, maar kan mezelf nauwelijks horen denken. De sproeier sproeit nog steeds tegen het raam. Naast me haalt Charlie moeizaam adem. Hoewel er niemand is te zien, kan ik toch het gevoel dat er iets niet klopt, niet van me afzetten. We hebben echter geen keus. Dit is de enige manier om weg te komen. Charlie likt een poeltje zweet uit het kuiltje boven zijn lip en steekt een vuist omhoog. Hij knikt en strekt zijn vingers een voor een. Een... twee...
We rennen zo hard we kunnen en duiken onder de sproeier door. Mijn hart gaat als een razende tekeer. Het enige dat ik zie, is de straat. We zijn er bijna. Het metalen hek is al binnen ons gezichtsveld...
'Waar ga je heen, Assepoester? Ben je te laat voor het bal?' vraagt iemand die bij onze voordeur staat.
We draaien ons bliksemsnel om en blijven dan staan. Ik breng het pistool omhoog. Charlie doet hetzelfde met de machete.
'Rustig aan, cowboy,' zegt ze, en ze heeft haar armen al de lucht in gestoken. Vergeet de secret service maar. Het is de vrouw die we bij het huis van Duckworth hebben gezien.
'Wat doet u hier?' vraagt Charlie uitdagend.
Ze geeft geen antwoord. Ze kijkt strak naar mijn wapen. 'Willen jullie me vertellen wie jullie in werkelijkheid zijn?' vraagt ze.
'Dit gaat niet om u,' zeg ik waarschuwend.
'Waarom vroegen jullie naar hem?'
'Dus u kent Duckworth wel degelijk?' lukt het me uit te brengen.
'Ik heb jullie een vraag gesteld.'
'En ik u,' zeg ik. Ik zwaai met het pistool door de lucht om haar aandacht te trekken. Ze kent ons niet goed genoeg om te kunnen beslissen of we de wapens zullen gebruiken of niet.
'Waar kent u hem van?' vraagt Charlie op hoge toon.
Ze laat haar armen zakken, maar blijft mij strak aanstaren. 'Weten jullie dat echt niet?' vraagt ze. 'Marty Duckworth was mijn vader.'

34

Maggie Caruso had nooit goed kunnen slapen. Ook als alles goed ging – tijdens haar huwelijksreis in de Poconos – had het haar moeite gekost vijf uur achter elkaar te slapen. Naarmate ze ouder werd – toen de creditcardmaatschappijen haar tegen het eind van de maand begonnen op te bellen – had ze al mazzel gehad als ze drie uur achter elkaar kon slapen. En de afgelopen nacht had ze – nu haar zoons weg waren – rechtop in bed gezeten, in de lakens geklauwd en nauwelijks twee uur geslapen. Dat was nu precies waarop Gallo had gerekend toen hij haar deze morgen weer naar het kantoor had gehaald.

'Ik dacht dat je wel trek zou hebben in een kopje koffie,' zei Gallo toen hij de helderwitte verhoorkamer in liep. Anders dan gisteren was DeSanctis niet bij hem. Vandaag was het alleen Gallo, gekleed in zijn gebruikelijke, slecht passende grijze pak, die verbazingwekkend warm grinnikte. Hij gaf Maggie de koffie aan met beide handen. 'Voorzichtig. Hij is heet,' zei hij, en hij klonk oprecht bezorgd.

'Dank u,' zei Maggie, die hem aandachtig opnam en die nieuwe houding van hem bestudeerde.

'Hoe voel je je vandaag?' vroeg Gallo terwijl hij een stoel bijtrok. Net zoals de vorige keer ging hij vlak naast haar zitten.

'Met mij gaat het goed,' zei Maggie, hopend dit kort te kunnen houden. 'Kan ik u ergens mee helpen?'

'In feite wel, ja...' Hij liet die opmerking in de lucht hangen. Dat was een truc die hij meteen nadat hij bij de secret service was gaan werken, had geleerd. Als je mensen aan het praten wilde krijgen, was er geen beter wapen dan een stilte.

'Meneer Gallo, als u op zoek bent naar Charlie en Oliver, moet u weten dat ze gisteravond geen van beiden naar huis zijn gekomen.'

'Werkelijk? Dus je weet nog steeds niet waar ze zijn?'

Maggie schudde haar hoofd.

'En je weet ook nog steeds niet of alles met hen in orde is?'

'Daar heb ik geen idee van,' zei ze snel.

Gallo sloeg zijn armen over elkaar en deed er opnieuw het zwijgen toe.

'Wat is er?' vroeg Maggie. 'Gelooft u me niet?'

'Maggie, hebben Oliver en Charlie gisteravond contact met je opgenomen?'

Maggie aarzelde heel even. 'Ik weet niet waarover u...'

'Lieg niet tegen me,' zei Gallo waarschuwend. Zijn ogen werden kleiner, en de aardige man verdween. 'Als je tegen ons liegt, zullen we dat op hen wreken.'
Ze klemde haar kaken op elkaar en negeerde het dreigement. 'Ik zweer u dat ik niets weet.'
Voor de derde keer liet Gallo de stilte zijn werk doen. Dertig seconden met niets. 'Maggie, heb je er enig idee van waar je mee te maken hebt?' vroeg hij toen.
'Ik heb u al verteld...'
'Laat me je eens vertellen over een zaak waar we vorig jaar mee bezig zijn geweest,' onderbrak hij haar. 'We hadden een doelwit dat een typemachine gebruikte om contact te houden met een andere verdachte. Zoiets is behoorlijk vindingrijk – vernietig het lint, verstuur een fax vanuit een plaats die niet te traceren is, en zorg ervoor dat wij geen enkel aanknopingspunt vinden. Helaas voor het doelwit is het zo dat alle elektrische typemachines hun eigen elektromagnetische emanaties uitzenden. Ze zijn misschien niet zo gemakkelijk te interpreteren als die van een computer, maar onze jongens van de technische dienst hadden er geen moeite mee ze op te pikken. En toen we eenmaal tegen ze hadden gezegd om welk merk en welk modelnummer het ging, hadden ze nog geen drie uur nodig om de boodschap terug te halen met behulp van het geluid dat elke toets maakt. Als hij een A typte, zagen wij ook een A. Binnen een week zaten ze allebei achter slot en grendel.'
Maggie rechtte haar schouders en deed haar uiterste best kalm te blijven.
'Ze kunnen ons niet te slim af zijn,' voegde Gallo eraan toe. 'Het is slechts een kwestie van tijd.' Hij weigerde het op te geven en ging door. 'Als jij ons helpt hen te vinden, Maggie, kunnen we een deal sluiten. Maar als ik dit in mijn eentje moet doen, zul je je jongens alleen nog door vijf centimeter dik glas te zien krijgen. Aannemend dat ze zo ver kunnen komen, natuurlijk.' Met een soepele beweging krabde Gallo langzaam aan zijn nek, en de voorkant van zijn jasje viel open. Maggie kon een glimp opvangen van een wapen in een leren holster. Gallo staarde haar aan en hoefde niets te zeggen.
Haar kin trilde. Ze probeerde te gaan staan, maar haar benen weigerden mee te werken.
'Maggie, het is voorbij. Vertel ons nu maar gewoon waar ze zijn.'
Ze draaide haar hoofd om en perste haar lippen op elkaar. Tranen stroomden over haar wangen.
'Dat is de enige manier waarop je de jongens kunt helpen,' zei Gallo indringend. 'Anders zal hun bloed aan jouw handen kleven.'

Maggie haalde een handpalm over haar ogen en zocht wanhopig naar iets – wat dan ook – waar ze zich op kon concentreren. De muren waren echter zo kaal en zo wit dat ze haar telkens weer dwongen om naar Gallo te kijken.
'Het is oké,' zei hij, en hij boog zich dicht naar haar toe. 'Zeg het maar, en dan zullen wij ervoor zorgen dat ze veilig zijn.' Hij legde een hand op haar schouder en bracht langzaam haar kin omhoog. 'Maggie, wees een goede moeder. Dat is de enige manier waarop je kunt helpen. Waar zijn Charlie en Oliver?'
Maggie staarde omhoog en had het gevoel dat de wereld vlak voor haar wegsmolt. Het enige dat ze nog had, waren haar zoons. Zij waren alles wat ze had. En alles wat ze ooit nodig had gehad. Maggie Caruso ging rechtop zitten, trok haar schouder los en deed eindelijk haar mond open. 'Ik weet werkelijk niet waarover u het hebt,' zei ze afgemeten en gladjes. 'Ik heb helemaal niets van hen gehoord.'

'Wees niet zo'n moederskindje,' zei Joey berispend in haar gsm. Ze leunde achterover in haar auto en staarde naar het appartementengebouw van Maggie aan de overkant van de straat. 'Vertel me nu maar gewoon wat er in de dossiers staat.'
'Je weet dat ik dat niet kan doen,' zei Randall Adenauer met zijn accent van de staat Virginia. 'Maar je kunt het me nog eens vragen.'
'O, kom nou.' Joey rolde met haar ogen. Maar als ze te weten wilde komen wat er in de officiële dossiers van Charlie en Oliver te vinden was, kon ze het spel slechts op één manier spelen. 'Zijn het types die ik in dienst zou willen nemen?' vroeg ze.
Er volgde een stilte aan de andere kant van de lijn. Adenauer, die als speciaal agent de leiding had over de afdeling Geweldsdelicten van de FBI, had toegang tot de beste dossiers en databases van die FBI. En als een oude vriend van Joeys vader had hij ook nog wat wederdiensten te goed. 'Zeer beslist,' zei hij. 'Ik zou die twee stante pede in dienst nemen.'
'Werkelijk?' vroeg Joey verbaasd maar nauwelijks geschokt. 'Dus alles is zuiver op de graat?'
'Niet helemaal,' antwoordde hij. 'De jongste is vroeger een paar keer opgepakt wegens lanterfanten, maar daar is het wel bij gebleven. Volgens onze dossiers zijn die twee jongens engeltjes. Waarom vraag je daarnaar? Wat had je verwacht?'
Ditmaal was Joey degene die even aarzelde. 'Niets...' zei ze toen. Voordat ze nog iets kon zeggen, hoorde ze een piep op de andere

lijn. Noreen. 'Luister, ik moet ophangen. Ik spreek je later nog wel weer. Bedankt, Poochie.'
Een klik en toen was ze verbonden met haar assistente. 'Zijn Gallo en mama al terug?' vroeg Noreen.
Joey keek naar de stoel naast haar, waar een digitaal scherm een knipperende blauwe driehoek liet zien die over een elektronische plattegrond de kant van de Brooklyn Bridge op ging. 'Ze zijn op de terugweg,' zei ze. 'Heb jij nog iets interessants te melden?'
'Alleen een paar oude schoolrapporten van Oliver, uit het personeelsdossier van de bank. Academisch gesproken haalde Oliver goede, maar geen geweldige cijfers.'
'Weinig vissen, grote vijver... nieuw competitieniveau.'
'Maar volgens zijn cv had hij in die tijd twee baantjes, waaronder een als zelfstandig ondernemer. Het ene semester verkocht hij T-shirts, het volgende bood hij zichzelf met limousine aan als chauffeur en aan het eind van elk jaar had hij zelfs zijn eigen verhuisbedrijf. Je kent het type wel.'
'Eeuwig de jonge ondernemer. Hoe zit het met Charlie?'
'Twee jaar Kunstacademie. Toen is hij daarmee gestopt en overgestapt naar het City College. In beide gevallen het ergste soort van een middelmatige student. Tienen voor de vakken die hem interesseerden, lage cijfers voor de rest.'
'Waarom heeft hij de Kunstacademie niet afgemaakt? Angst voor succes, of angst om te falen?'
'Daar heb ik geen idee van, maar hij is duidelijk de onberekenbare factor.'
'In feite is Oliver dat,' zei Joey.
'Denk je dat echt?'
'Kijk nog eens naar de details. Charlie mag dan beter zijn in het maken van afspraakjes, maar als het op het nemen van risico's aankomt, is Oliver degene die verdere stappen deed in een wereld die de zijne niet was.' Joey wachtte, maar Noreen ging er niet over in discussie. 'Wat heb je nog meer gevonden?'
'Dat was het,' zei Noreen. 'Verder niets, nada. Los van het appartement van mama hebben Charlie en Oliver nu niets anders dan een paar onbetaalde rekeningen van creditcards en een inmiddels lege bankrekening.'
'Heb je echt alles nagetrokken?'
'Luister ik als jij tegen mij praat? Rijbewijs, sofinummer, verzekeringsmaatschappijen, bedrijfsdossiers, het kadaster. Alle persoonlijke gegevens die de overheid al jaren aan de kredietverlenende instanties verstrekt, al wordt daar nu pas door de pers enige aandacht

aan besteed, omdat ze het internet er de schuld van geven. Verder heb ik niets verdachts kunnen ontdekken. Hoe ben jij bij de FBI gevaren?'
'Hetzelfde verhaal. Geen veroordelingen, geen aanhoudingsbevelen, geen recente arrestaties.'
'Dus dat is het?' vroeg Noreen.
'Grapje zeker! Dit is pas de eerste kilometer. Wanneer zei Fudge ook alweer dat we de details zouden hebben van de creditcards en de telefoonrekening?'
'Die kunnen elk moment binnenkomen,' zei Noreen, die sneller begon te spreken. 'O, er is één ding dat jij misschien wel interessant zult vinden. Kun je je die apotheek nog herinneren waar ik van jou navraag moest doen? Nou, die heb ik gebeld, gezegd dat ik werkte voor de verzekeringsmaatschappij van Oliver, en gevraagd of ze herhalingsrecepten voor ene meneer Caruso hadden uitstaan.'
'En?'
'Niets voor Oliver.'
'Verdomme.'
'Maar wel voor ene Caruso met als voornaam Charles. Charlie Caruso.'
'Mooi, mooi,' zong Joey. 'En wat heb je ontdekt?'
'Voor hem is er een recept voor iets wat mexiletine heet.'
'Mexiletine?'
'Dat zei ik. Toen heb ik de arts gebeld die het middel had voorgeschreven, en die was maar al te graag bereid mee te werken aan een lopend verzekeringsonderzoek.'
'Je begint hier echt goed in te worden, nietwaar?' zei Joey. 'En wat was het uiteindelijke resultaat?'
'Charlie heeft een ventrikeltachycardie.'
'Een wat?
'Hartritmestoornissen. Lijdt hij al aan sinds zijn veertiende,' legde Noreen uit. 'Daar komen al die ziekenhuisrekeningen vandaan. We hebben aldoor gedacht dat die voor mama waren. Dat is niet zo. Ze zijn voor Charlie. De enige reden waarom ze op naam van mama staan, is dat hij in die tijd nog minderjarig was. Jammer voor hen, maar toen hij de eerste aanval kreeg, was er een operatie van honderdtienduizend dollar voor nodig om hem beter te maken. Het schijnt dat er een paar elektrische draadjes in zijn hart zo slecht zijn dat het bloed er niet op de juiste manier doorheen wordt gepompt.'
'Dus is het ernstig?'
'Alleen als hij zijn medicijnen niet op tijd inneemt.'

'O, verdomme,' zei Joey hoofdschuddend. 'Denk je dat hij ze bij zich heeft?'
'Ze zijn regelrecht vanuit Grand Central op de vlucht geslagen. Ik denk dat hij nog geen paar schone sokken bij zich had, laat staan een dagelijkse dosis mexiletine.'
'Hoe lang redt hij het zonder dat spul in te nemen?'
'Dat is moeilijk te zeggen. De arts dacht aan drie tot vier dagen onder perfecte omstandigheden, maar korter als hij zich te veel inspant of onderhevig is aan stress.'
'Je bedoelt zoals vluchten en proberen in leven te blijven?'
'Inderdaad,' zei Noreen. 'Vanaf nu tikt de klok voor Charlie. En als we hem niet snel vinden, zijn geld en moord wel de kleinste problemen voor die jongeman.'

35

'Hij is jouw vader?' flapt Charlie eruit. Hij laat het formele 'u' nu maar varen.
'Dus hij is nog in leven?' vroeg ik eraan toe.
De vrouw kijkt naar ons beiden, al richt ze haar aandacht voornamelijk op mij. 'Hij is al zes maanden dood,' zegt ze, bijna iets te kalm. 'Wat willen jullie eigenlijk van hem?' Haar stem is hoog maar sterk en klinkt totaal niet geïntimideerd. Ik zet een stap naar voren. Zij zet geen stap naar achteren.
'Waarom heb je tegenover ons gelogen over wie je bent?' vraag ik, haar eveneens tutoyerend.
Tot onze verbazing grinnikt ze geamuseerd en strijkt met haar voet over de bovenkant van het gras. Voor het eerst besef ik dat ze blootsvoets is. 'Geestig. Ik wilde jullie hetzelfde vragen.'
'Je had kunnen zeggen dat je zijn dochter was,' zegt Charlie beschuldigend.
'En jullie hadden ook weleens mogen melden waarom jullie naar hem op zoek zijn.'
Ik bijt op mijn onderlip. Een patstelling herken ik als zodanig. Als we informatie willen hebben, zullen we die ook moeten geven. 'Walter Harvey,' zeg ik, mijn valse naam noemend terwijl ik een hand uitsteek.
'Gillian Duckworth,' zegt ze, en ze drukt mijn hand.
Aan de overkant van de straat, iets verderop, is de postbode zijn

ochtendronde aan het maken. Charlie verbergt zijn machete achter zijn rug en gebaart mijn kant op. 'Eh... misschien zouden we beter naar binnen kunnen gaan.'
'Ja, dat is geen slecht idee,' zeg ik terwijl ik het pistool weer achter mijn broekriem stop. 'Heb je trek in een kopje koffie?'
'Koffie drinken met jullie? Nadat jullie me een pistool en een piratenmes hebben laten zien? Zie ik eruit als iemand die haar foto op een pak melk wil hebben?' Ze draait zich om om weg te gaan en Charlie kijkt me nijdig aan. *Zij is alles wat we hebben*, zegt die blik.
'Wacht alsjeblieft nog even,' zeg ik terwijl ik een hand uitsteek naar haar arm.
Ze trekt die arm weg, maar verheft haar stem niet. 'Leuk je te hebben ontmoet, Walter. Ik wens je verder nog een goed leven toe.'
'Gillian...'
'We kunnen het uitleggen!' roept Charlie.
Ze mindert niet eens vaart. De postbode verdwijnt in het appartementengebouw naast het onze. Laatste kans. Charlie komt met grof geschut, wetend dat we de informatie nodig hebben.
'We denken dat je vader kan zijn vermoord.'
Gillian blijft meteen staan en draait zich met een scheef gehouden hoofd om. Ze strijkt drie zwarte krulletjes uit haar gezicht.
'Geef ons vijf minuten,' zeg ik smekend. 'Daarna kun je ons gedag zwaaien.' Ik maak gebruik van een bladzijde uit Lapidus' boek over halsstarrige onderhandelingen, loop snel naar onze voordeur en geef haar zo de kans niet om nee te zeggen. Gillian komt vlak achter me aan.

Terwijl ik ons miezerige appartementje in loop, wacht ik op een kwinkslag of een dubbelzinnige opmerking van haar. De kale muren... de ramen met kalenderbladen... ze moet iets zeggen. Maar dat doet ze niet. Als een kat die op verkenning is loopt ze snel een rondje door de kamer. Haar dunne armen zwaaien langs haar lichaam en haar vingers plukken aan de gerafelde zakken van haar vale spijkerbroek. Ik bied haar de opvouwbare stoel naast mij in de keuken aan. Charlie doet hetzelfde met de futon. Ze loopt naar mij toe. Maar in plaats van op de stoel te gaan zitten hijst ze zich op het aanrechtblad van wit formica. Haar blote voeten bengelen over de rand. Ik kijk daar net iets te lang naar, en Charlie schraapt abrupt zijn keel. *O, alsjeblieft*, zegt zijn blik. *Alsof je nog nooit in een kleedkamer voor meisjes bent geweest.*
Ik schud mijn hoofd en draai me weer om naar Gillian. 'Je was ons over je vader aan het vertellen...' begin ik.

'Ik was jullie helemaal niets aan het vertellen. Ik wil alleen weten waarom jullie denken dat hij is vermoord.'
Ik kijk naar Charlie. *Wees voorzichtig*, deelt hij me met een knikje mee. Maar zelfs hij beseft dat we ergens moeten beginnen.
'Tot gisteren woonden wij in New York, waar we bij een bank werkten,' zeg ik aarzelend. 'Toen waren we afgelopen vrijdag die oude rekeningen aan het bekijken...'
'... en vonden er een op naam van Marty Duckworth,' onderbreekt Charlie me. Hij wil er vaart achter zetten. Ik sta op het punt hem weer te onderbreken, maar besluit toch dat niet te doen. We weten allebei wie beter kan liegen. 'Voor zover wij konden nagaan had de rekening van je vader haar beste tijd gehad. Een slapende rekening, zoals wij dat noemen. Maar nadat we die eenmaal hadden gevonden en dat hadden gemeld aan het hoofd van de beveiligingsdienst... Tja, toen waren we gisteren alle drie opeens op de vlucht. En nu zijn wij nog maar met z'n tweeën.'
Charlie kan zijn zin bijna niet afmaken, draait zich om en zwijgt. Hij wordt nog steeds achtervolgd door wat er is gebeurd. En terwijl hij het verhaal opnieuw vertelt, is het duidelijk dat hij Shep nog steeds op de houten planken hoort vallen. De ogen van mijn broer zeggen alles. *Mijn god, waarom hebben we zoiets stoms gedaan?*
Charlie kijkt nu naar Gillian, die hem recht aanstaart. Het was me eerder nog niet echt opgevallen dat ze zich zelden afwendt. Ze houdt alles voortdurend in de gaten. Hun blikken kruisen elkaar, en op dat moment zwaait ze niet meer met haar benen. Ze zit op haar handen, doodstil. Wat ze in de ogen van mijn broer ook heeft gezien... het is kennelijk iets wat ze maar al te goed kent.
'Alles in orde met jou?' vraag ik aan haar.
Gillian knikt. 'Ik wist... i-ik wist het...' stamelt ze even later.
'Wat wist je?'
Eerst aarzelt ze, weigert ze te antwoorden. We zijn nog steeds volstrekte vreemden voor elkaar. Maar hoe langer we daar zitten, hoe meer ze beseft dat wij even wanhopig zijn als zij.
'Wat wist je?' hou ik vol.
'Dat er iets mis was. Dat wist ik zodra ik de mededeling kreeg.' Ze ziet ons niet-begrijpend kijken en gaat door. 'Zes maanden geleden. Op een ochtend zoals alle andere. Ik doe voor mezelf wat Cheerio's in een kom en dan gaat de telefoon opeens. Ze delen me mee dat mijn vader is overleden door een ongeluk met zijn fiets. Dat hij op de Rickenbacker Causeway aan het fietsen was toen er plotseling een auto van de weg schoot...' Ze gaat iets anders zit-

ten terwijl ze de herinnering opnieuw beleeft. Ze drukt die weer weg en vraagt: 'Hebben jullie de Rickenbacker ooit gezien?'
We schudden tegelijkertijd ons hoofd.
'Het is een brug die even steil is als een kleine berg. Toen ik zestien was, had ik er al moeite mee. Mijn vader was tweeënzestig. Hij had al problemen met de geplaveide weg langs het strand. Hij kan nooit over de Rickenbacker aan het fietsen zijn geweest.'
We zwijgen allemaal. Charlie is de eerste die reageert. 'Heeft de politie...'
'De dag na het ongeluk ben ik naar zijn huis gegaan om het pak uit te kiezen waarin hij zou worden begraven. Toen ik de deur openmaakte, leek het alsof dat huis door een orkaan was getroffen. Kasten overhoopgehaald, laden leeg gekieperd... Voor zover ik kon nagaan was er echter niets anders meegenomen dan zijn computer. Het vreemdste was nog dat de inbraak toen niet is onderzocht door de politie, maar door...'
'... de secret service,' vul ik aan.
Gillian draait zich om en kijkt me van opzij aan. 'Hoe weet jij dat?'
'Wie denk je dat er achter ons aan zit?'
Meer is er niet nodig. Net zoals ze dat met Charlie deed, kijkt ze mij nu recht aan. Ik weet niet of ze op zoek is naar de waarheid, of alleen naar een connectie. In elk geval heeft ze gevonden wat ze zocht. Haar zachte blauwe ogen staren dwars door me heen.
Charlie hoest luid en onnodig. 'Wat denk je dat ze zochten?'
'Wie? De secret service?' vraag ik.
'Ja, natuurlijk.'
'Daar ben ik nooit achter gekomen,' zegt Gillian nog altijd zacht en verloren. 'Toen ik hun kantoor in Miami belde, hadden ze geen dossier van een onderzoek. Ik vertelde dat ik de agenten had ontmoet, maar dat ze hun namen niet hadden genoemd, en toen zeiden zij dat ze niets konden doen.'
'En daarna heb je het gewoon opgegeven?' vraagt Charlie. 'Vond je dat alles niet een heel klein beetje vreemd?'
'Charlie!'
'Nee, hij heeft gelijk,' zegt Gillian. 'Je moet echter wel begrijpen dat geheimen gewoon bij het spel hoorden als het om de zaak van mijn vader ging. Zo... zo was hij nu eenmaal.'
Charlie slaat haar oplettend gade, maar ik geef haar een geruststellend knikje. Ik ben in staat geweest onze eigen stomme vader zijn handelwijze te vergeven. Charlie vergeet nooit iets. 'Het is oké,' zeg ik. 'Ik weet hoe dat is.' Terwijl ik een hand uitsteek om die op haar arm te leggen, zakt het bandje van Gillians beha onder het

topje uit naar haar schouder. Uiterst gracieus duwt ze het weer terug op zijn plaats.
'Oké, wacht even,' zegt Charlie. 'Ik heb nog steeds problemen met de tijdstippen. Je vader is zes maanden geleden gestorven, nietwaar? Was dat vlak nadat hij vanuit New York was verhuisd?'
'New York?' herhaalt Gillian verward. 'Hij heeft nooit in New York gewoond.'
Charlie kijkt even naar mij en geeft Gillian dan weer al zijn aandacht. 'Weet je dat zeker? Heeft hij nooit een appartement in Manhattan gehad?'
'Niet dat ik weet,' zegt ze, omdat ze het type niet is om iets heel stellig te beweren. 'Hij ging er eens in de zoveel tijd voor zaken naar toe. Ik weet dat hij de afgelopen zomer geld bij elkaar aan het schrapen was voor zo'n reisje, maar verder heeft hij zijn hele leven in Florida gewoond.'
Zijn hele leven. De woorden schieten door mijn hoofd heen en weer als balletjes in een flipperkast. Het is onzinnig. Al deze tijd dachten we dat we op zoek waren naar iemand uit New York die wat geld had verdiend en naar Florida was verhuisd. Nu horen we dat hij zijn leven lang in Florida had gewoond en zich de paar reisjes die hij naar New York had gemaakt, maar nauwelijks had kunnen veroorloven. Marty Duckworth, waar was je verdomme mee bezig?
'Kan iemand me alsjeblieft vertellen wat er allemaal aan de hand is?' vraagt Gillian terwijl ze zenuwachtig van Charlie naar mij en weer terug kijkt.
Ik knik naar Charlie. Hij knikt naar mij. Tijd om haar nog een stukje van de puzzel te geven. Het kost Charlie tien minuten om haar alles te vertellen wat we weten over het miezerige appartement van haar vader in New York.
'Ik begrijp het niet,' zegt ze, en ze gaat weer op haar handen zitten. 'Had hij een appartement in New York in eigendom?'
'Als ik ernaar zou moeten raden, denk ik dat hij het had gehuurd,' zeg ik.
'Hoe lang is hij de vorige zomer weg geweest?' vraagt Charlie snel.
'Ik... Dat weet ik niet,' sputtert Gillian. 'Tweeëneenhalve week. Misschien drie weken. Ik heb er nooit veel aandacht aan besteed. Ik zag hem zelfs maar heel zelden als hij hier was...' Ze zwijgt en het lijkt alsof ze met een mes in haar buik is gestoken. Haar toch al lichte huid wordt albinowit. 'Hoeveel zeiden jullie dat er op die rekening stond die jullie hebben gevonden?'
'Gillian, jij hoeft niet betrokken te raken bij...'

'Vertel me nu maar gewoon hoeveel!'
Charlie haalt diep adem. 'Drie miljoen dollar.'
Haar mond raakt bijna de grond. 'Wát zeg je? Op een rekening van mijn vader? Dat kan niet. Hoe zou hij mogelijkerwijs...' Ze brengt zichzelf tot zwijgen en dan beginnen de radertjes snel te draaien, de mogelijkheden langs. Hoewel Charlie haar het nieuws heeft verteld, blijft ze strak naar mij kijken. 'Jij denkt dat ze hem daarom hebben vermoord, hè?' vraagt ze uiteindelijk. 'Omdat er iets met dat geld is gebeurd...'
'Dat proberen we te achterhalen,' zeg ik, in de hoop dat ze doorgaat.
'Kende je vader iemand die bij de secret service werkte?' vraagt Charlie.
'D-dat weet ik niet,' zegt ze, duidelijk nog steeds overrompeld. 'We hadden niet zo'n goed contact, maar... maar ik dacht wel dat ik hem beter kende dan dat.'
'Heb je nog spullen van hem in het huis staan?' vraagt hij.
'Een paar wel, ja.'
'En heb je die ooit bekeken?'
'Zo'n beetje,' zegt ze met een stem die steeds hoger begint te worden. 'Maar zou de secret service niet...'
'Misschien hebben ze iets over het hoofd gezien,' zegt hij tegen haar. 'Misschien is die lui iets ontgaan.'
'Waarom gaan we er samen niet een kijkje nemen?' stel ik voor. Het is een perfect aanbod. Met zijn allen sta je sterker.
Leuk bedacht, deelt Charlie me door een grijns mee.
Ik negeer het compliment, omdat ik me al schuldig voel. Hoeveel wijzer we er ook van zouden kunnen worden... het is nog altijd wel het huis van haar overleden vader. Ik had het al eerder in haar ogen gezien. Het verdriet verdwijnt niet.
Als Gillian aarzelend knikt, springt Charlie van zijn stoel af. Ik loop achter hem aan naar de deur. Achter ons blijft Gillian nog even op het aanrecht zitten.
'Alles oké met jou?' vraag ik.
'Vertel me nog één ding,' zegt ze. 'Denk je echt dat zij mijn vader hebben vermoord?'
'Eerlijk gezegd weet ik niet wat ik moet denken,' zeg ik. 'Maar vierentwintig uur geleden heb ik die lui een van onze vrienden zien vermoorden. Ik heb de trekker zien overhalen en ik heb gezien dat ze hun wapens toen op ons richtten, alleen omdat we een rekening hadden gevonden die op naam van jouw vader stond.'
'Dat betekent nog niet...'
'Je hebt gelijk. Dat betekent nog niet dat zij hem hebben vermoord,'

zegt Charlie instemmend. 'Maar als ze dat niet hebben gedaan, waarom zijn ze dan niet hier om hem te zoeken?'
Soms vergeet ik hoe agressief scherp Charlie is. Zij heeft geen antwoord op die vraag.
Ze kijkt nog een laatste keer om zich heen in het appartement en bestudeert elk detail. Het ontbreken van meubels, het papier voor de ramen, zelfs de machete. Als wij de slechteriken waren, zou ze nu al dood zijn.
Aarzelend glijdt ze van het aanrecht af, laat haar blote voeten op het zeil klappen en wacht nog weer even voordat ze de deur openmaakt. Ze probeert er kalm uit te zien, maar terwijl haar hand de deurknop vasthoudt, moet ze alles nog steeds verwerken. Zonder zich om te draaien zegt ze: 'Dit kan maar beter geen list zijn.'
Charlie en ik lopen haar kant op. Zij stapt naar buiten. De zon schijn nog niet, al scheelt dat niet veel meer.
'Gillian, hier zul je geen spijt van krijgen,' zegt Charlie.

36

Gallo hield de zijkanten van het computerscherm met zijn eeltige handen vast en keek nijdig naar de laptop die balanceerde tussen zijn buik en de onderkant van het stuur. Hij had al twee uur toegekeken hoe Maggie Caruso een lunch klaarmaakte, de afwas deed, de zomen van twee broeken veranderde en drie zijden overhemden aan de waslijn buiten haar raam hing. Gedurende die tijd had ze twee telefoontjes gekregen. Een van een cliënt, een van iemand die een verkeerd nummer had gedraaid. 'Kunt u hem donderdag klaar hebben?' En: 'Sorry, maar hier woont niemand die zo heet.' Dat was alles. Verder niets.
Gallo draaide de volumeknop hoger en maakte verbinding met alle vier de digitale camera's. Dankzij de laatste ondervraging van Margaret en haar recente contact met haar zoons hadden ze toestemming gekregen nog drie extra camera's aan te brengen: in haar slaapkamer, in die van Charlie en in de keuken. Gallo kon elke kamer in het appartement op het scherm zien. Maar de enige die er was, was Maggie, die over haar naaimachine op de eetkamertafel heen gebogen zat. In de hoek stond een televisie, met een talkshow keihard aan. De naaimachine bonkte als een drilboor. Twee volle uren lang. Dat was alles.

'Klaar om te worden afgelost?' vroeg DeSanctis toen het portier aan de passagierskant werd geopend.
'Waar heb jij verdomme al die tijd gezeten?' vroeg Gallo, die strak naar de laptop bleef kijken.
'Geduld. Heb je nooit van geduld gehoord?'
'Vertel me nu maar gewoon of je iets bruikbaars hebt meegenomen.'
'Natuurlijk.' DeSanctis, die nog altijd buiten stond, zwaaide twee aluminium aktekoffertjes de auto in en legde ze boven op elkaar op de stoel. Toen ging hij ernaast zitten en trok de bovenste op zijn schoot.
'Hebben ze je het moeilijk gemaakt?' vroeg Gallo.
DeSanctis reageerde met een sarcastische grijns en een klik van een van de sloten van het koffertje. 'Je weet hoe ze zijn bij Delta Dash. Je zegt wat je nodig hebt en dat het een noodgeval betreft. En dan zitten de James Bond-snufjes prompt in de volgende shuttle. Het enige dat je hoeft te doen, is ze ophalen bij de lopende band voor de bagage.'
In het zilverkleurige koffertje, in zwart piepschuim, vond DeSanctis iets wat eruitzag als een dikke, ronde camcorder met een te grote lens. Op een sticker op de onderkant stond EIGENDOM VAN DE DEA. Typerend, dacht DeSanctis. Als het op geavanceerde surveillanceapparatuur aankwam, hadden de Drug Enforcement Administration en de grenspolitie altijd de mooiste speeltjes.
'Wat is dat?' vroeg Gallo.
'Germanium lens... indinium-antimoondetector.'
'Lekentaal, graag.'
'Een met de hand bedienbare, infraroodvideocamera, met volledige thermische beelden,' legde DeSanctis uit terwijl hij door de zoeker keek. 'Als ze 's avonds laat de deur uit glipt, zal hij inzoomen op haar lichaamswarmte en haar zelfs in het donkerste steegje nog kunnen ontdekken.'
Gallo keek op naar de heldere winterlucht. 'Wat heb je verder nog gekregen?'
'Kijk niet zo naar me,' zei DeSanctis waarschuwend. Hij legde de infraroodcamera op zijn schoot, smeet het eerste koffertje op de achterbank en maakte het tweede open. Daarin zat een geavanceerd radarwapen met een lange loop die eruitzag als een zaklantaarn van de politie. 'Dit is een prototype,' legde DeSanctis uit. 'Hij meet beweging, van hardlopen tot het stromen van bloed door je aderen.'
'En wat betekent dat?'

'Dat je dwars door niet-bewegende objecten heen kunt kijken. Zoals muren.'
Gallo sloeg zijn armen sceptisch over elkaar. 'Je kunt op geen enkele manier...'
'Het werkt. Ik heb het zelf gezien,' zei DeSanctis stellig. 'De computer die erin zit laat je weten of het een ventilator aan het plafond is, of een kind dat rondjes aan het draaien is. Dus als ze in de gang iemand ontmoet, of buiten het bereik van de camera's stapt...'
'Kunnen we haar te grazen nemen,' zei Gallo, die het wapen pakte en op het appartement van Maggie richtte. 'Het enige dat we hoeven te doen, is wachten.'

37

'Waar willen jullie beginnen?' vraagt Gillian als we het vaalroze huis van haar vader in stappen.
'Waar jij maar wilt,' zegt Charlie terwijl ik in de veel te volle huiskamer om me heen kijk. Het lijkt wel alsof er een tweedehands verkoop gaat worden georganiseerd, want de kamer staat vol met... tja... met een beetje van alles. Stampvolle boekenplanken vol technische boeken en sciencefiction bedekken twee van de witgekalkte muren, stapels oude kranten begraven een oude rieten stoel en minstens zeven verschillende kussentjes – waaronder een in de vorm van een roze flamingo en een andere in die van een laptop – zijn her en der op de leren bank vol vlekken gegooid.
Midden in de kamer gaat een lage tafel uit het Woodstock-tijdperk schuil onder afstandsbedieningen, vergeelde foto's, plastic knijpfiguurtjes van Happy en Bashful uit *Sneeuwwitje en de zeven dwergen*, een stapel onderzettertjes van Sun Microsystems en minstens twintig konijnenpoten die in onmogelijk felle kleuren zijn geverfd.
'Ik ben onder de indruk,' zegt Charlie. 'In deze kamer is het een nog grotere troep dan in de mijne.'
'Wacht maar eens tot je de rest hebt gezien,' zegt Gillian. 'Functie was voor hem veel belangrijker dan vorm.'
'Dus zijn deze spullen van hem?'
'Voor het merendeel wel,' zegt Gillian. 'Ik ben al tijden van plan alles uit te zoeken, maar... het is niet zo gemakkelijk iemands leven weg te gooien.'

Daarmee slaat ze de spijker op zijn kop. Het heeft mijn moeder bijna een jaar gekost voordat ze de tandenborstel van mijn vader kon weggooien. En dat terwijl ze hem haatte.
'Waarom beginnen we hier niet?' stelt ze voor terwijl ze ons meeneemt naar een logeerkamer die haar vader als kantoor gebruikte. Daarin zien we een L-vormig werkblad van zwart formica dat aan de achtermuur is bevestigd en langs de rechtermuur doorloopt. De helft ervan is bedekt met papieren, de andere helft met gereedschap en elektronica – snoeren, transistors, een miniatuursoldeerbout, buigtangen, een setje precisieschroevendraaiers en zelfs wat tandartsengereedschap om met dunne draden te kunnen werken. Boven het werkblad hangt een ingelijste foto van Geppetto uit Disneys *Pinokkio*.
'Vanwaar dat Disney-fetisj?' vraagt Charlie.
'Hij heeft vijftien jaar in Orlando gewerkt. Als imagineer.'
'Werkelijk? Heeft hij ooit spannende attracties ontworpen?' vraagt Charlie.
'Om eerlijk te zijn weet ik dat niet eens. Toen ik opgroeide, kende ik hem nauwelijks. Hij stuurde me elk jaar een Minnie-pop voor mijn verjaardag, maar daar bleef het in feite bij. Daarom heeft mijn moeder hem verlaten. We waren voor hem alleen maar een tweede baan.'
'Wanneer is hij weer teruggegaan naar Miami?'
'Vijf jaar geleden, geloof ik. Toen heeft hij Disney vaarwel gezegd en een baan gevonden bij een plaatselijk bedrijf dat computerspelletjes maakt. Hij verdiende er maar nauwelijks half zoveel, maar gelukkig had hij een zak vol Disney-opties. Daarmee heeft hij het huis kunnen kopen.'
'En misschien ook een rekening bij Greene kunnen openen,' zegt Charlie, en zijn blik zegt de rest. We weten echter allebei dat zelfs Disney-opties alles bij elkaar geen driehonderd miljoen kunnen vertegenwoordigen.
Ik knik instemmend. 'Hij was bij Disney geen hoge piet?'
'Mijn vader?' vraagt ze met die volledig ontwapenende glimlach. 'Nee. Ondanks het feit dat hij ingenieur was, was hij puur een werkbij. Het enige min of meer belangrijke dat hij heeft gedaan was de computersystemen aan elkaar koppelen. Als het centrale weerstation van Disney regen ziet aankomen, krijgen alle cadeauwinkels in het park meteen de boodschap door dat ze paraplu's en Mickey-poncho's te voorschijn moeten halen. Die staan dan op de planken voordat de eerste druppel valt.'
'Dat is toch behoorlijk cool.'

'Ja, misschien wel. Maar mijn vader kennende kan hij zijn rol daarbij een beetje hebben aangedikt.'
'Sluit je aan bij de club,' zeg ik knikkend. 'Onze vader was een...'
'Onze vader?' Ze zwijgt even. 'Zijn jullie broers?'
Charlie verkoopt me met zijn blik een dreun, en ik bijt op mijn tong.
'Wat is daar zo belangrijk aan?' vraagt Gillian.
'Niets,' zeg ik tegen haar. 'Het is alleen zo dat we ons na gisteren gedeisd proberen te houden.' Terwijl ik dat zeg, zie ik haar elk woord wegen. Maar net als Charlie op zijn beste dagen laat ze het verder rusten. 'Het is oké,' zegt ze. 'Ik zal er nooit met een woord over reppen.'
'Dat wist ik wel.' Ik glimlach naar haar.
'Kunnen we nu aan de slag gaan?' vraagt Charlie. 'We moeten nog steeds een huis doorzoeken.'

Twintig minuten later zitten we diep in de papieren. Charlie is bezig met de stapels op het werkblad, ik neem de laden eronder voor mijn rekening en Gillian de dossierkast in de hoek. Voor zover we kunnen nagaan is het meeste onbruikbaar. 'Luister hier eens naar,' zegt Charlie, die zich door een stapel wetenschappelijke nieuwsbrieven heen werkt. *The Institute of Electrical and Electronics Engineers' Lasers and Electro-Optics Society Journal.*'
'En wat vind je hier dan van?' vraag ik. 'Beste Martin, als Abby aan de overkant van de zee woonde, zou je een geweldige zwemmer zijn. Gelukkige Valentijnsdag. Je vriendin, Stacey B.'
'Vind je dat opzienbarender dan de *Lasers and Electro-Optics Society*?'
'Het is een Valentijnskaart uit de jaren vijftig van de twintigste eeuw!' schreeuw ik terwijl ik met de schimmelige kaart door de lucht zwaai. In de onderste la, recht voor mijn neus, liggen nog duizenden andere. 'Hij heeft elke prentbriefkaart, elk bedankbriefje en elke verjaardagskaart die hij ooit heeft gekregen, bewaard. Vanaf zijn geboorte!'
'Dit zijn allemaal tijdschriften en oude kranten,' zegt Gillian, die een la van de dossierkast met een klap dichtschuift. 'Alles van *Engineering Management Review* tot de nieuwsbrieven voor de werknemers van Disney. Maar niets waaraan we echt iets zouden hebben.'
'Ik begrijp het niet,' zegt Charlie. 'Hij bewaart alles wat hij ooit heeft aangeraakt, maar hij heeft geen enkel bankafschrift en geen enkele telefoonrekening?'

'Ik vermoed dat hij die hier bewaarde,' zeg ik, en ik trek de la boven die van de verjaardagskaarten open. Daarin zwaait een tiental lege dossiermappen aan metalen haken heen en weer.
'Die moeten ze dan samen met de computer hebben meegenomen,' zegt Gillian.
'Dat is het dan. Dan zijn we ten dode opgeschreven,' zegt Charlie.
'Dat moet je niet zeggen,' zeg ik tegen hem.
'Maar als de secret service dit alles al heeft doorgespit...'
'Wat dan? Moeten we het dan opgeven en wéglopen? Moeten we domweg aannemen dat ze alles hebben meegenomen?'
'Ze hébben alles meegenomen!' schreeuwt Charlie.
'Nee, niet waar,' reageer ik kortaf. 'Kijk eens om je heen. Duckworth heeft overal troep staan. Konijnenpoten in vijftien kleuren. En omdat we er geen idee van hebben wat de secret service heeft achtergelaten, ga ik hier pas weg als ik elk onderzettertje heb omgedraaid, elke la heb doorzocht en de piepende koppen van Happy en Bashful van hun romp heb getrokken om te kijken of er iets in die figuurtjes is verborgen. Als jij betere ideeën hebt, hoor ik die graag, maar zoals je al eerder hebt gezegd, moeten we nog een heel huis doorzoeken!'
Charlie zet een stap naar achteren, verbaasd door die uitbarsting, maar haalt al even snel zijn schouders op en loopt de gang op. 'Als jij de keuken neemt, pak ik de badkamer.'

38

'Ze weet het,' zei Gallo.
'Hoe zou dat nu in vredesnaam kunnen?' vroeg DeSanctis.
'Kijk nu maar gewoon eens naar haar,' zei hij, en hij stak een dikke vinger uit naar de computer die tussen hen in stond. 'Haar zoons worden vermist... ze is weer een avond alleen... maar meldt ze dat? Huilt ze door de telefoon terwijl ze met een vriendin belt? Nee. Ze zit daar gewoon te naaien en naar het Food Channel te kijken.'
'Beter dan soaps,' zei DeSanctis, die de thermische camera op het donkere blok richtte.
'Daar gaat het niet om, uilskuiken. Als ze weet dat we haar in de gaten houden, is het minder waarschijnlijk dat ze...'
Het geluid van een deurbel schalde door de luidsprekers van de laptop. Gallo en DeSanctis schoten overeind.

'Ze krijgt bezoek,' zei DeSanctis.
'Was dat de benedenbel?'
DeSanctis richtte de camera op de glazen ruiten van de hal. Er verscheen een modderig, donkergroen beeld van die hal. Groen was koud, wit was heet. Maar terwijl hij de ruimte tussen de bellen en de rest van de hal verkende, zag hij alleen twee witte, rechthoekige vlekken aan het plafond. Geen mensen. Alleen tl-buizen. 'Beneden is er niemand.'
'Ik kom eraan!' riep Maggie in de richting van de deur.
'Hoe zijn ze langs ons heen gekomen? Is er een achterdeur?' schreeuwde Gallo.
'Het kan een buur zijn,' zei DeSanctis.
'Wie is daar?' vroeg Maggie.
Het antwoord werd gemompeld. Microfoons werkten niet door deuren heen.
'Een momentje,' zei Maggie, en ze zette de televisie uit. Toen maakte ze met een hand de sloten los en streek met haar andere hand haar haar en haar rok glad.
'Ze wil indruk maken,' fluisterde DeSanctis. 'Ik wed op een klant.'
'Op dit late tijdst...'
'Sophie! Wat leuk je te zien,' zong Maggie terwijl ze de deur opendeed. Over de schouder van Maggie heen zagen ze een grijsharige vrouw met een bruin kabelvest aan, maar geen jas.
'Buurvrouw,' zei DeSanctis.
'Sophie...' zei Gallo. 'Ze zei Sophie.'
DeSanctis maakte snel het handschoenenvakje open en trok er een stapel papieren uit. *Bedford Avenue 4190. Bewoners. Eigenaars.*
'Sophie... Sofia... Sonja...' zei Gallo terwijl DeSanctis als een gek met een vinger de uitgeprinte lijst langsging.
'Ik heb een Sonia Coady in 3A en een Sofia Rostonov in 2F,' zei DeSanctis.
'Hoe gaat het met je?' vroeg Sophie met een vet Russisch accent.
'Rostonov, dus.'
'Prima, prima,' zei Maggie, die Sophie uitnodigde om binnen te komen.
'Kijk naar haar handen,' blafte Gallo toen Maggie de schouder van Sophie aanraakte.
'Denk je dat ze iets doorgeeft?' vroeg DeSanctis.
'Ze heeft geen keus. Geen fax, geen e-mail, geen gsm, niet eens een elektronische agenda. Haar enige hoop is iets van buiten krijgen. Een pieper, vermoed ik, of iets anders waarmee een tekst kan worden verzonden.'

DeSanctis knikte. 'Let jij op mama. Ik hou Sofia in de smiezen.' De twee agenten bogen zich dicht naar de laptop toe en zwegen. In het donker glansden hun gezichten in het vage licht van het scherm.
'Ik heb zo'n tweeëneenhalve centimeter van alle mouwen af gehaald,' zei Maggie. 'Ik zal ze van de lijn halen.' Ze liep naar het keukenraam. Gallo kon nu alleen haar rug zien, maar hij bestudeerde wel alles wat ze aanraakte. Handen langs haar lichaam. Keukenraam openmaken. De waslijn binnenhalen. Twee blouses loshalen en op een hangertje hangen. Het raam weer sluiten.
'Heb je ze in dit weer buiten gehangen?' vroeg Sophie.
'De kou is er juist goed voor. Dan zijn ze weer nieuwer dan op de dag dat je ze hebt gekocht.' Maggie hing beide hangertjes aan een van de drie kledingrekken die langs de muur van de huiskamer stonden.
'Let op het betalen,' zei Gallo waarschuwend.
'Waar zat ik met mijn hoofd?' vroeg Sophie, zoekend naar een tas die er niet was. 'Ik heb mijn...'
'Dat is niet erg,' zei Maggie. Ondanks de duidelijk zichtbare pixels van het computerbeeld kon Gallo haar gespannen grijns zien. 'Kom me maar betalen als dat je uitkomt. Ik ga nergens heen.'
'Verdomme!' schreeuwde Gallo.
'Je bent een aardig mens,' zei Sophie. 'Je bent een aardig mens en jou zullen goede dingen overkomen.'
'Ja,' zei Maggie, die omhoogkeek naar de rookmelder. 'Ik mag weleens een beetje mazzel hebben.'

Maggie deed de deur achter Sophie dicht, haalde geruisloos een keer diep adem en liep terug naar het keukenraam. De oude radiator aan de muur hikte met een harde knal, maar dat viel Maggie nauwelijks op. Ze had te veel andere dingen aan haar hoofd: haar zoons, Gallo, en zelfs haar normale routine. Vooral haar normale routine.
Ze zette haar handpalmen onder de bovenkant van de raamlijst, duwde twee keer hard en kreeg het raam uiteindelijk weer open. Een vlaag koude wind kwam naar binnen maar ook daar trok Maggie zich niets van aan. Nu de blouses van Sophie weg waren, was er een open plek aan de waslijn ontstaan. Een open plek die ze zo snel mogelijk weer wilde vullen.
Ze pakte het vochtige witte laken dat over een strijkplank in de buurt was gedrapeerd, boog zich naar buiten, pakte een knijper uit de zak van haar schort en zette een hoek vast. Centimeter voor centimeter schoof ze het laken verder het steegje in en zette het tel-

kens weer met een knijper vast. Toen trok ze het laken strak. Een windvlaag deed zijn uiterste best het op te laten vliegen, maar Maggie hield het stevig vast. Gewoon weer een normale avond. Het moeilijkste moest nog komen.
Toen de wind weer ging liggen, stak ze beide handen in de zak van haar schort. Haar linkerhand zocht een knijper, haar rechterhand zocht naar iets anders. Een paar seconden later streken haar vingers langs de rand van een briefje dat ze eerder die avond had geschreven. Ze zorgde ervoor haar rug naar de keuken toe gedraaid te houden en nam het opgevouwen papiertje in de palm van haar al trillende hand. Vanuit haar ooghoek zag ze de vage gloed in de auto van Gallo en DeSanctis. Dat vertraagde haar tempo niet.
Vechtend tegen haar tranen klemde ze haar kaken op elkaar en zette haar voeten stevig op de grond. Toen boog ze zich met een vloeiende beweging naar buiten, stak haar rechterhand onder het laken en zette het briefje met een knijper vast. Het raam in het gebouw tegenover het hare was donker, maar Maggie kon nog wel het inktzwarte silhouet zien van Saundra Finkelstein. De Fink, die zich schuilhield in de hoek van haar raam, knikte voorzichtig. En voor de derde keer sinds gisteren trok Maggie Caruso onder het toeziend oog van vier digitale videocamera's, zes microfoons, twee gecodeerde zenders en de beste militaire surveillanceapparatuur van de overheid – met een waarde van meer dan vijftigduizend dollar – aan de waslijn van twee dollar en gaf zo onder een goedkoop, al te veel gebruikt, nat laken een met de hand geschreven briefje door aan haar overbuurvrouw aan de andere kant van de steeg.

39

Je kunt veel te weten komen over iemand door zijn badkamer goed te bekijken. Een tandenborstel die betere tijden heeft gekend... zuiveringszout... tandpasta... nergens wattenstaafjes. Je kunt zelfs meer te weten komen dan je wilt weten. Ik zit op mijn knieën onder de wasbak, steek mijn arm tussen de roestende buizen door en rommel in allang niet meer bruikbare toiletartikelen.
'Heb je al in het medicijnkastje gekeken?' vraagt Charlie, die zich langs me heen wurmt en op de rand van het bad springt.
'Ja.'
Ik hoor een magneet klikken als de deur van het kastje wordt ge-

opend. Ik kijk op. Charlie is het grondig aan het doorzoeken.
'Ik zei toch dat ik daar al heb gekeken.'
'Dat weet ik. Ik doe het gewoon voor de zekerheid nog een keer,' zegt hij, terwijl hij snel de bruine apothekerspotjes bekijkt. 'Lopressor voor je bloeddruk. Glyburide voor suikerziekte. Lipitor voor een te hoog cholesterolgehalte. Allopurinol voor jicht...'
'Charlie, wat ben je aan het doen?'
'Wat denk je, Arendsoog? Ik wil weten welke medicijnen hij van de dokter moest slikken.'
'Waarom?'
'Gewoon om dat te weten. Ik wil achterhalen wie die man was, in zijn kop duiken, kijken uit welk hout hij was gesneden...'
Hij gaat net even te lang door. Ik zend hem nog een blik toe. Snel begint hij de bruine potjes weer op hun plaats te zetten.
'Wil je me vertellen wat je in werkelijkheid aan het doen bent?' vraag ik.
'Je rookt te veel Twinkies,' zegt hij met een geforceerde lach. 'Ik ben alleen op zoek naar zijn...'
'Je bent jouw medicijnen vergeten, hè?'
'Wat bedoel je...'
'De mexiletine. Die heb je niet ingenomen.'
Hij rolt met zijn ogen als een knorrige tiener. 'Kun je alsjeblieft niet zo overdreven scherp reageren? Dit is *General Hospital* niet.'
'Verdomme. Ik wist wel dat er iets...' Ik hoor een geluid in de gang en maak mijn zin niet af.
'Gered door de bella,' fluistert Charlie.
'Wat is er aan de hand?' vraagt Gillian, die bij de deur blijft staan.
'Niets,' zegt Charlie. 'Ik ben alleen het medicijnkastje van je vader aan het plunderen. Weet je dat hij daar tampons in bewaarde?'
'Die zijn van mij, Einstein.'
'Dat bedoelde ik ook... Dat ze van jou zijn.' Hij danst om me heen en glipt de badkamer uit. Maar op dit moment kijk ik naar Gillian, die de gang verder door loopt.
'Kijk uit, je hebt wat speeksel op je lip,' fluistert hij terwijl hij langs me loopt. 'Niet dat ik je dat kwalijk neem, hoor. Door al die voodoo van haar begin ik zelf ook overal te zweten.'
'We hebben het hier later nog wel over,' zeg ik grommend.
'Ja, natuurlijk. Maar als ik jou was, zou ik niet al te snel een corsage voor haar gaan kopen en me meer concentreren op het onderhavige probleem.'

Om zeven uur resteren ons alleen nog de keuken, de garage en de

twee halkasten. 'Ik doe de keuken wel,' zegt Gillian. Dan blijven de garage en de kasten over. Charlie grijnst me toe. Ik kijk hem met samengeknepen ogen aan. Alleen een gek zou voor de garage kiezen.
'We zullen een muntje opgooien,' zegt hij uitdagend.
Ik grijns ook. 'Munt voor mij.'
'Een, twee, drie, daar gaat-ie,' zegt Charlie. 'Munt.'
'Verdomme!' zeg ik geërgerd.
Ik storm naar de garage.
Van oor tot oor grijnzend draait hij zich om en loopt de gang in. Vlak voor ik de hoek om ga, draai ik me nog een keer om. Charlie zou bij de halkasten moeten zijn. In plaats daarvan staat hij bij de dichte deur aan het eind van de gang. De slaapkamer van Duckworth. De enige plek waar we niet zijn geweest. Eigenlijk zou dat er niets toe moeten doen. Gillian heeft gezegd dat ze die al heeft doorzocht. Maar ik ken mijn broer langer dan vandaag. Ik zie zijn sluipende houding. Hij staart naar de deur alsof hij röntgenogen heeft. Na negen uur te hebben gewroet in het leven van deze overleden man, wil hij weten wat er in die kamer is.
'Waar ga je heen?' vraag ik.
Hij kijkt even over zijn schouder en geeft me niets anders dan een ondeugend opgetrokken wenkbrauw. Dan draait hij de deurknop om en verdwijnt de slaapkamer van Duckworth in. Ik blijf staan waar ik sta, zijn spelletje kennende. Misschien had dat succes toen ik een jaar of tien was, maar nu kan hij me er niet meer toe verleiden. Ik draai me weer om naar de garage en ik hoor de slaapkamerdeur achter me dichtgaan. Ik zet drie stappen en blijf dan weer staan. Wie ben ik nu in de maling aan het nemen? Ik draai me snel om naar de slaapkamer en hol naar de gesloten deur.
'Charlie?' fluister ik, wetend dat hij niet zal reageren.
Dat doet hij inderdaad niet. Ik kijk even over mijn schouder de gang af, om het zekere voor het onzekere te nemen. De kust is veilig. Ik probeer geen geluid te maken terwijl ik de deurknop omdraai en naar binnen stap. De deur klapt achter me dicht. De lampen branden niet, maar door de goedkope verticale lamellen voor de ramen wordt de kamer nog gebaad in het vager wordende licht van de schemering.
'Nogal griezelig, hè?' zegt Charlie. 'Welkom in het sanctum sanctorum.'
Het duurt ongeveer vier seconden voordat mijn ogen zich hebben aangepast, maar als dat is gebeurd, is het duidelijk waarom Gillian deze kamer zelf heeft doorzocht. Net als de huiskamer en het

kantoortje straalt deze kamer de functionele smaak van de ingenieur uit: een eenvoudig bed, tegen de groezelige crèmekleurige muur aan geschoven, een ongeschilderd houten nachtkastje met een oude wekker erop, en als om te benadrukken dat elk voorwerp volstrekt willekeurig is uitgekozen, een amandelkleurige ladekast van formica, die eruitziet alsof hij uit een vrachtwagen is geplukt. Maar als ik beter kijk, ga ik steeds meer beseffen dat er nog iets anders is. Op het bed ligt een fraai, crèmekleurig dekbed. Op de ladekast staat een vaas met dieprode eucalyptus. En in de hoek staat een schilderij in de stijl van Mondriaan tegen de muur te wachten tot het wordt opgehangen. Deze kamer mag dan eens van Duckworth zijn geweest, maar nu is hij helemaal van Gillian. Hier woont ze dus. Ik voel me even schuldig. Dit is nog altijd haar privéterrein.

'Kom mee, Charlie. Laten we gaan.'

'Ja... nee... Je hebt volkomen gelijk,' zegt hij. 'We hebben alleen maar ons leven aan haar toevertrouwd. Waarom zouden we ooit meer over haar te weten willen komen?'

Ik wil zijn arm vastpakken, maar zoals altijd is hij me te snel af.

'Charlie, ik meen het serieus.'

'Ik ook,' zegt hij, en hij glipt langs me heen. Hij bekijkt de vloer, het bed en de rest van de meubels, zoekend naar aanwijzingen in de context. Na tien stappen blijft hij opeens verward staan.

'Wat is er? Wat is er mis?' vraag ik.

'Vertel jij mij dat maar eens. Waar is haar leven?'

'Waar heb je het over?'

'Haar leven, Ollie. Kleren, foto's, boeken, tijdschriften. Alles om het beeld in te vullen. Kijk eens om je heen. Los van de bloemen en de kunst is er niets persoonlijks te vinden.'

'Misschien houdt ze alles graag netjes.'

'Misschien,' zegt hij instemmend. 'Maar het kan ook zijn dat ze...'

We horen een luide knal als een deur achter ons dichtslaat. Ik draai me snel om en besef dat het geluid uit de gang kwam. We weten echter wanneer we ergens langer zijn gebleven dan we welkom zijn. Ik kijk even naar de wekker op het nachtkastje om te zien hoe laat het is en hou dan snel mijn hoofd schuin. Dat is geen wekker. Het is een oude...

'Eight-track speler!' zegt Charlie, die meteen opgewonden is. Maar als hij met samengeknepen ogen de donkere kamer door kijkt, ziet hij dat de gleuf waarin de 8-track gestopt moet worden, iets breder oogt dan normaal. Bij de randen is het zilverkleurige plastic weggehakt. Alsof iemand hem heeft opengesneden, of groter heeft

gemaakt. Nieuwsgierig loopt hij er dichter naartoe en gaat er recht voor op zijn hurken zitten.
'Wel heb je ooit,' fluistert hij.
'Wat is er nu weer?' Ik ga achter hem staan en buig me over zijn schouder heen, pogend het maximale uit het vager wordende licht te halen. Hij wijst op de speler.
'Ik begrijp het niet,' zeg ik tegen hem.
'Ollie, het gaat niet om de 8-track,' zegt hij. 'Hier.' Hij wijst opnieuw. Niet op het apparaat, wel op het nachtkastje eronder. 'Kijk eens naar het stof,' zegt hij.
Ik hou mijn hoofd net scheef genoeg om de dikke laag stof boven op het nachtkastje te zien.
'Het is zo perfect dat het nauwelijks opvalt,' zegt hij. 'Alsof niemand er iets op heeft gezet en het ook niet heeft aangeraakt. In geen maanden. Ook al staat het vlak naast haar bed.' Hij draait zich naar me om en kijkt me strak aan.
'Wat wil je daarmee zeggen?'
'Zeg jij dat maar eens, Ollie. Hoe is het mogelijk dat ze niet...'
'Wat is dit? Zijn jullie op slipjesjacht?' vraagt een vrouwenstem achter ons.
Charlie draait zich snel naar Gillian om.
Ze doet de lichten aan, waardoor wij onze ogen ter compensatie tot spleetjes samenknijpen. 'Wat doen jullie in mijn kamer?'

40

'O, is dit jouw kamer?' vraagt Charlie. 'We waren alleen deze indrukwekkende 8-track aan het bekijken.' Hij wijst met zijn duim over zijn schouder, maar ze neemt de moeite niet die kant op te kijken. Haar donkere ogen kijken hem strak aan en blijven dat doen. Ze staat daar, met haar armen over elkaar geslagen. Ik kan het haar niet kwalijk nemen. We hadden niet in haar spullen mogen neuzen.
'Luister. Het spijt me echt,' zeg ik. 'Ik zweer je dat we niets hebben aangeraakt.' Ze kijkt mij nu strak aan en onderwerpt me zo aan dezelfde test. Anders dan Charlie lieg ik echter niet, zoek ik niet naar woorden en doe ik niet neerbuigend. Ik zeg haar de waarheid en hoop dat dat voldoende is. 'Ik... ik wilde alleen meer over je te weten komen,' voeg ik eraan toe.

Perfect, grijnst Charlie naar me.
Hij denkt dat het een act is, maar in veel opzichten is het het eerlijkste wat ik vandaag heb gezegd. Alle anderen zitten achter ons aan, en Gillian is de enige die hulp heeft aangeboden. Terwijl ze me uitdagend blijft aanstaren, houdt ze haar armen nog steeds over elkaar geslagen. De vrije spirit is verdwenen. En dan... is die er opeens weer.
'Nogal cool, hè?' zegt ze met dansende schouders.
Ik bedank haar met een glimlach. Charlie, die achterdochtig wordt door die vriendelijkheid, kijkt om zich heen, alsof ze het tegen iemand anders heeft.
'Die 8-track,' zegt ze, terwijl ze opgewonden naar het nachtkastje loopt.
Ze duwt mijn broer opzij en gaat op het bed zitten, vlak naast me. Ze schuift nog wat naar achteren, naar voren en weer iets naar achteren. 'Moet je eens zien wat hij ermee heeft gedaan,' zegt ze enthousiast tegen mij. 'Druk maar eens op de pauzetoets.'
Ze lacht weer even zangerig als voorheen. Maar Charlie wijst naar de grond, waar haar blote tenen als vuisten tegen de vloerbedekking zijn gedrukt.
Zie je nu wel, deelt Charlie me mee met dezelfde ik-had-het-je-toch-al-gezegd-blik die hij gewoonlijk voor Beth reserveert. Maar we weten allebei dat Gillian Beth niet is.
Gillian zet het apparaat aan en leunt achterover, steunend op haar handen. 'Nu de pauzetoets indrukken,' zegt ze.
Ik steek een hand uit en doe dat. Het oude apparaat begint te zoemen. Het is zo'n bekend geluid. En net als ik dat heb kunnen plaatsen, schuift een plastic cd-houder – met een glanzende cd erop – uit de vergrote opening.
'Behoorlijk cool, hè?' zegt Gillian.
'Waar kom jij ook alweer vandaan?' vraagt Charlie snel.
'Wat zeg je?'
'Waar kom je vandaan? Waar ben je opgegroeid?'
'Hiervandaan,' zegt Gillian. 'Even buiten Miami.'
'O, wat eigenaardig,' zegt Charlie. 'Toen je net "behoorlijk cool" zei, had ik erop durven zweren iets van een New Yorks accent te horen.'
Gillian schudt duidelijk geamuseerd haar hoofd, maar ze blijft strak naar mijn broer kijken. 'Nee, ik kom echt uit Florida,' zingt ze volstrekt onbezorgd. Dat is de beste manier om hem aan te pakken. Je moet hem gewoon niet aanpakken. Ze draait zich weer naar mij en het apparaat toe. 'Kijk eens wat er op die cd staat,' zegt ze.

Ik steek een hand uit en spiets hem aan een vinger: De verzamelde toespraken van Adlai E. Stevenson. 'Ik neem aan dat je vader die heeft gemaakt?'
'Nadat hij bij Disney was vertrokken, had hij veel te veel vrije tijd. Hij was altijd...'
'En wanneer ben je hier weer gaan wonen?' vraagt Charlie, haar onderbrekend.
'Sorry?' zegt ze. Als ze zich ergert, laat ze daar in elk geval niets van merken.
'Je vader is zes maanden geleden overleden. Wanneer ben je hier gaan wonen?'
Speels grinnikend springt ze het bed af en loopt naar de voet van het matras.
Zie je dat, vraagt Charlie met een nijdige blik. *Dezelfde truc waarvan ik me bij jou bedien. Afstand nemen om een confrontatie te vermijden.*
'Ik weet het niet,' begint ze. 'Een maand of zo geleden, denk ik. Moeilijk te zeggen. Het duurde een tijdje voordat al het papierwerk rond was, en daarna moest ik mijn spullen hierheen halen.' Ze draait zich om naar het raam, maar ze raakt geen moment van streek. Ik speur naar een New Yorks accent, maar ik hoor alleen dat van Florida. 'Het is nog steeds niet gemakkelijk om in zijn oude bed te slapen en dus krul ik me het merendeel van de nachten op de bank op,' gaat ze verder terwijl ze naar Charlie kijkt. 'Natuurlijk is de hypotheek afbetaald, dus heb ik geen reden om te klagen.'
'Hoe zit het met een baan?' vraagt Charlie. 'Werk je nog?'
'Zie ik eruit als een meisje dat haar tijd op het strand verdoet omdat ze geld genoeg op de bank heeft staan?' vraagt ze plagend. 'Ik werk op de donderdag-, vrijdag- en zaterdagavond in Waterbed.'
'Waterbed?'
'Dat is een club aan Washington Avenue. Fluwelen koorden, kerels die op zoek zijn naar supermodellen die zich nooit zullen laten zien... Het hele trieste verhaal.'
'Laat me eens raden. Je bent barkeeper en je gaat gekleed in een strak zwart T-shirt.'
'Charlie...' zeg ik berispend.
Ze haalt nonchalant haar schouders op. 'Zie ik er in jouw ogen zo clichématig uit? Ik ben een manager, schat.' Ze probeert aardig te doen, maar Charlie hapt niet. 'Het leuke ervan is dat ik verder vrij ben en kan schilderen, wat in feite de beste uitlaatklep is,' voegt ze eraan toe.

Schilderen? Ik bekijk het doek in de hoek en zoek naar een signatuur. *G.D.* Gillian Duckworth. 'Dus dat is van jou,' zeg ik. 'Ik vroeg me al af of...'
'Heb jij dat geschilderd?' vraagt Charlie sceptisch.
'Waarom ben je zo verbaasd?' vraagt Gillian.
'Hij is niet verbaasd,' zeg ik, in de hoop alles luchtig te houden. 'Hij houdt alleen niet van concurrentie.' Ik wijs op Charlie en voeg eraan toe: 'Raad eens wie er op de Kunstacademie heeft gezeten en er nog steeds naar streeft musicus te worden?'
'Werkelijk?' zegt Gillian. 'Dan zijn we dus allebei kunstenaar.'
'Ja. Dat zijn we,' zegt hij vlak. Hij kijkt snel naar haar vingers. Als ik ernaar had moeten raden, zou ik hebben gewed dat hij wilde controleren of er verf onder haar nagels zat. *Tweede slag*, deelt zijn blik me waarschuwend mee, alsof dat iets te betekenen heeft. 'Verkoop je weleens wat?' vraagt hij.
'Alleen aan vrienden,' zegt ze zacht. 'Al probeer ik ze wel in een galerie geplaatst te krijgen.'
'Heb jíj ooit een liedje verkocht?' vraag ik snel. Ik zal het niet toestaan dat hij een trap onder de gordel uitdeelt. Bovendien laat Gillian ons het hele huis doorzoeken, wat zijn verbeelding verder ook nog kan verzinnen. Natuurlijk blijft Charlie naar het stof op het nachtkastje staren.
'Heb ik iets verkeerds gezegd?' vraagt Gillian.
'Nee, je bent geweldig geweest,' zegt Charlie terwijl hij naar de deur loopt.
'Waar ga je heen?' roep ik.
'Ik ga weer aan het werk. Ik moet nog kasten doorzoeken.'

41

Rond middernacht zat Maggie Caruso aan haar eetkamertafel, met de krant voor zich uitgespreid en een hete kop thee naast zich. Een kwartier lang raakte ze geen van beide aan. Geef het tijd, zei ze tegen zichzelf terwijl ze naar het schilderij van de Brooklyn Bridge keek, dat door Charlie was gemaakt. Je kunt beter de volle twee uur wachten. Zo hadden ze het om negen uur doorgegeven en zo hadden ze het om elf uur gedaan. Ze wilde graag gaan staan, maar was niet bereid haar gezichtsuitdrukking te laten zien. Subtiel draaide ze haar pols iets en keek naar de seconden die wegtikten op het plastic horloge met de gemene heks uit de *Wizard of Oz* dat Charlie haar voor moederdag had gegeven. Ze moest alleen een beetje geduld hebben.

'Ik haat het als ze dit doet,' zei DeSanctis, die nijdig naar de laptop keek. 'Gisteravond deed ze dat ook al. Ze zit maar naar de kruiswoordpuzzel te staren, maar ze vult niks in.'
'Het gaat niet om de puzzel,' zei Gallo. 'Ik heb dit al eerder gezien. Als mensen weten dat ze onder vuur liggen, bevriezen ze. Ze zijn zo bang een verkeerde beweging te maken dat ze volledig verlamd zijn.'
'Ga naar bed!' schreeuwde DeSanctis tegen het scherm. 'Maak het jezelf gemakkelijk!'
'We hebben allemaal zo onze gewoonten,' zei Gallo. 'Dit is duidelijk de hare.'

Vijftig minuten later bleven de ogen van Maggie heen en weer gaan tussen het horloge en de krant. Op elke andere avond zou het wachten alleen al haar in slaap hebben gebracht. Vanavond tikten haar voeten op de grond om haar wakker te houden. Nog twee minuten, zei ze woordloos en in zichzelf tellend.

Geërgerd en onmogelijk gespannen richtte DeSanctis de infraroodcamera op het appartementengebouw. Door de zoeker heen had de wereld een donkergroene tint. Straatlantaarns en lichten in huizen gloeiden helderwit op. Net als de motorkap van de auto van Joey, die hij nu onmogelijk kon missen, ook al stond die in een steegje. Als ze wilde dat de verwarming het deed, moest in elk geval het contact aanstaan.
'Raad eens wie ons nog altijd in de gaten houdt,' zei DeSanctis.
'Dat wil ik niet horen,' bromde Gallo. Hij wees naar de laptop en voegde eraan toe: 'Kijk in de tussentijd eens wie er eindelijk klaar is om naar bed te gaan...'

Vechtend tegen de uitputting schuifelde Maggie naar de keuken en deed net alsof ze een laatste slok thee nam. Maar terwijl ze haar hoofd naar achteren hield, stak ze een hand in de zak van haar schort en zocht naar haar nieuwste briefje. Het was tijd om in actie te komen. Ze draaide haar pols en gooide de rest van haar volle kop thee weg. In plaats van naar de slaapkamer te gaan, draaide ze zich echter om naar het keukenraam.

'Wat is ze nu weer aan het doen?' vroeg Gallo.
'Hetzelfde wat ze de hele dag al doet. Kosten besparen door niet naar een stomerij te gaan.'

Maggie boog zich naar de waslijn toe en trok de laatste lading van die avond naar binnen. Halverwege die bezigheid hield ze er even mee op om haar vingers te strekken, die opeens brandden van de pijn. Los van de reuma en de uren die ze over de naaimachine gebogen zat, begon alleen al de stress uiteindelijk zijn tol te eisen.

'Ze staat op het punt om in te storten,' zei Gallo, die het kleine scherm bestudeerde en haar lichaamstaal interpreteerde. 'Nog een avond als deze zal ze niet meer kunnen doorstaan.'
'Kijk naar haar armen. Die kun je zien,' zei DeSanctis opschepperig terwijl hij nog altijd door de zoeker van de camera keek. Hij klapte het LCD-scherm aan de zijkant van de camera open, om Gallo mee te laten kijken. Inderdaad staken er uit het groen getinte gebouw twee bleke armen, gloeiend als lichtgevende slangen die zich door de nacht kronkelend voortbewogen.
'Wat is dat voor spul?' vroeg Gallo, terwijl hij op kleine witte vlekjes op het touw van de waslijn wees.
'Dat blijft over van haar aanraking,' legde DeSanctis uit. 'Die lijn is zo koud dat hij elke keer wanneer ze hem vastpakt iets van haar lichaamswarmte vasthoudt en ons een thermische gloed laat zien.'
Gallo's ogen vernauwden zich tot spleetjes terwijl hij de witte vlekjes op de gloeiende lopende band bekeek. Ze werden vager en verdwenen volledig naarmate ze verder uit de buurt van Maggie waren gekomen.

Een voor een inspecteerde Maggie de kledingstukken aan de lijn. Droge werden naar binnen gehaald, natte bleven buiten. Toen ze daarmee klaar was, restte alleen nog het nog altijd vochtige witte laken. Ze hield haar hoofd omlaag en keek naar het donkere raam aan de overkant van het steegje. Net als voorheen knikte Saundra Finkelstein in de schaduw.

Op het LCD-scherm zagen Gallo en DeSanctis hoe Maggie knijpers losmaakte en het laken een halve draai liet maken. Dankzij de lage temperatuur van de natte stof gloeiden haar armen daaronder vaag. Ze zette de knijpers weer op hun plaats, trok nog een laatste keer aan de lijn en stuurde het laken weer op weg. Opnieuw veranderden de witte vlekjes op de lijn in een horizontale, vage

streep. Maar deze keer bleef er nog iets anders achter. Vlak onder het touw, waar de knijper het laken raakte, schoot een witte komeet met de afmetingen van een golfbal het steegje over. En verdween toen.
'Wat was dat verdomme?' vroeg Gallo.
'Waar heb je het over?'
'Op het laken! Draai de band terug!'
'Wacht even.'
'Nu!' bulderde Gallo.
DeSanctis drukte als een gek op knoppen van de camera, bevroor het beeld en drukte op REWIND. Op het scherm werd de film teruggedraaid en zoefde het laken van Maggie weer terug naar haar raam.
'Daar!' schreeuwde Gallo. 'Weer vooruit laten draaien!'
De band herkreeg zijn normale snelheid. De camera stond op het dashboard en Gallo en DeSanctis bogen zich er dicht naartoe. Voor de tweede keer zagen ze Maggie het laken anders ophangen. Haar linkerhand klemde zich om de knijper heen. Haar rechterhand hield ze eronder, om hem op zijn plaats te houden. Met een snelle beweging trok ze haar hand weg en stuurde het laken het steegje over. En net als de keer daarvoor was er net onder de knijper een wit vlekje te zien.
'Daar!' zei Gallo, die de band stopte. Hij wees op het witte vlekje. 'Wat is dat?'
'D-daar heb ik geen idee van,' zei DeSanctis. 'Misschien heeft haar arm het laken geraakt...'
'Natuurlijk heeft haar arm het laken geraakt. Ze heeft hem daar een volle minuut onder gehouden, stomkop. Maar toch is dat vlekje het enige dat oplicht.'
DeSanctis boog zich nog dichter naar het scherm toe. 'Denk je dat ze er iets onder hield?'
'Dat mag jij zeggen. Jij bent de expert in deze nonsens. Wat zou mogelijkerwijs zo lang warmte vast kunnen houden?'
DeSanctis kneep zijn ogen tot spleetjes samen, bleef naar het scherm staren en schudde zijn hoofd. 'Als ze het in haar hand verborgen hield... als haar handpalmen zweetten... zou het van alles kunnen zijn. Plastic, een kledingstuk... Zelfs een opgevouwen papiertje zou...'
DeSanctis zweeg.
Gallo keek omhoog. Drie verdiepingen boven hem wapperde het witte laken van Maggie Caruso in de nachtlucht. Het raam recht aan de overkant van het steegje was donker. Zonder iets te zeggen

stopte DeSanctis de band en bracht de camera omhoog. Het donkergroene beeld verscheen weer, maar achter het raam zag hij een vaag, melkgrijs silhouet van een oudere vrouw die naar de waslijn staarde. Ze keek. En ze wachtte geduldig.

'Verdomme!' schreeuwde Gallo, en hij sloeg met een vuist tegen het dak van de auto. Het lampje van de binnenverlichting knipperde aan en uit. 'Hoe heeft dat ons verdomme kunnen ontgaan?'

'Moet ik...'

'Ga die buurvrouw zoeken!' schreeuwde Gallo verder. 'Ik wil weten wie ze is en hoe lang ze hen kent. En – het allerbelangrijkste – ik wil een lijst hebben van elk telefoongesprek dat gedurende de laatste achtenveertig uur het huis van dat mens in of uit is gegaan!'

Als ze het in haar hand verborgen hield... als haar handpalmen zweetten... zou het van alles kunnen zijn. Plastic, een kledingstuk... Zelfs een opgevouwen papiertje zou...

Er volgde een lange stilte terwijl de stem van DeSanctis vervaagde. Joey keek naar de plaats waar de twee agenten omhoog staarden naar...

'Verdomme!' donderde Gallo, en Joey hoorde een hoog gekrijs door haar ontvanger. Het geluid deed haar huiveren en ze zette het apparaatje zachter. Toen ze het weer harder zette, hoorde ze niets anders dan statische geluiden.

'O, kom op,' zei ze, en ze sloeg tegen de zijkant van de ontvanger. Nog steeds alleen statische geluiden. Ze zette het systeem uit en weer aan. Statische geluiden en nog meer statische geluiden. 'Nee, nee, nee...' zei ze smekend terwijl ze als een gek aan knoppen draaide, zoekend naar de juiste frequentie. 'Alsjeblieft... niet nu...' Ze keek opnieuw naar de agenten. Gallo sloeg met een vuist op het stuur en schreeuwde iets naar DeSanctis. Rode remlichten gingen aan, en Gallo startte abrupt de wagen.

'Je houdt me zeker voor de gek,' mompelde Joey.

De banden kreunden terwijl ze als een gek langs een bergje smerige sneeuw ronddraaiden. Toen kregen ze weer greep op de weg. De wagen schoot de straat op en kwam halverwege het blok bijna in aanvaring met een bruine Plymouth. Toen Joey de rode remlichten bij de hoek zag oplichten en vervolgens uit haar gezichtsveld zag verdwijnen, wist ze dat dit slechts het begin was van een nog langere nacht.

42

'Welkom in Suckville. Inwonersaantal: twee,' zegt Charlie droog terwijl hij tot zijn knieën in een zee van kartonnen dozen staat.
'Kun je alsjeblieft ophouden met klagen en gewoon die doos daar nakijken.'
'Dat heb ik al gedaan.'
'Weet je ze...'
'Ja, Oliver, dat weet ik zeker,' zegt hij, met nadruk op elke lettergreep. 'Voor de negenenvijftigste keer: dat weet ik volkomen zeker.'
Het is drie uur geleden sinds Charlie zich bij me heeft gevoegd in het Pakhuis van Waardeloze Rommel dat dienst doet als garage. Het eerste uur hadden we nog hoop. Het tweede uur werden we ongeduldig. Nu voelen we ons alleen geërgerd.
'En hoe zit het met die dozen daar?'
Charlie kijkt even naar een stapel bruine dozen tussen een berg roestende tuinstoelen en een kapotte, weggeroeste barbecue. 'Die. Heb. Ik. Ook. Nagekeken,' gromt hij.
'En wat zat erin?' vraag ik uitdagend.
Zijn ogen worden knalrood. 'Laat me eens even nadenken. O ja, nu herinner ik het me weer. Het was doos nummer zoveel vol beduimelde sciencefictionromans en stokoude computerhandleidingen...' Hij haalt het deksel van de bovenste doos en haalt er twee boeken uit: een pocketeditie van *Fahrenheit 451*, met waterschade, en een vergeeld handboek met de titel: *De Commodore 64 – Welkom in de toekomst.*
Ik kijk hem streng aan en wijs op de andere dozen. 'Hoe zit het met de exemplaren eronder?'
'Nu is het welletjes. Ik hou ermee op,' kondigt Charlie aan, en hij vliegt naar de deur. Hij struikelt over een van Gillians supergrote doeken, maar landt deze ene keer niet meteen op zijn voeten. Hij knalt tegen een andere stapel dozen op en hervindt zijn evenwicht, maar wel pas nadat de hele stapel is omgevallen. Tientallen boeken schieten de vloer over.
'Charlie, wacht even!'
Ik ren achter hem aan naar de huiskamer en zie al snel Gillian, die over de armleuning van de rieten stoel van haar vader gebogen zit. Ze houdt haar hoofd omlaag en haar ellebogen rusten op haar knieën. Als ze opkijkt, zijn haar ogen helemaal rood, alsof ze aan het huilen is geweest.

Charlie loopt vlak langs haar heen en verdwijnt de keuken in. Ik kan er niets aan doen dat ik blijf staan.
'Wat is er aan de hand?' vraag ik. 'Is alles met jou in orde?'
Ze knikt zwijgend. Meer wil ze me niet geven. In haar handen heeft ze een blauw geverfd houten fotolijstje met een kleine Mickey Mouse in de hoek rechtsonder geschilderd. De foto is een oud kiekje van een te dikke man die in een zwembad staat en trots zijn kleine, eenjarige dochtertje laat zien. Er speelt een scheve maar stralende glimlach om zijn lippen, en zij heeft een slappe zonnehoed op en een felroze badpakje aan. Zelfs de Mollenman liet zich af en toe in de zon zien. Hij houdt het kleine meisje, dat in haar handen aan het klappen is, tegen zijn borst, met zijn armen stevig om haar heen. Alsof hij haar nooit zal loslaten.
Ik ken Gillian Duckworth helemaal niet zo goed, maar ik weet wel hoe het is om een ouder te verliezen.
Ik ga naast haar op mijn knieën zitten en doe mijn best haar aandacht te trekken. 'Het spijt me dat we zo in zijn leven aan het wroeten zijn...'
'Het is jullie schuld niet.'
'In feite is het dat wel. Als we je niet zo op stang hadden gejaagd, zouden we nu niet...'
'Luister. Als ik zijn spullen nu niet had doorzocht, zou ik dat over een halfjaar hebben gedaan. Bovendien,' voegt ze eraan toe terwijl ze naar de foto kijkt, 'heb je me nooit iets beloofd.' Ze wil nog iets anders zeggen, maar de woorden komen niet over haar lippen. Ze staart alleen naar de foto en schudt licht haar hoofd. 'Ik weet dat het zielig klinkt, maar dit doet me gewoon beseffen hoe slecht ik hem kende.' Ze blijft haar hoofd gebogen houden en haar krullende zwarte haar valt als een waterval langs de zijkant van haar hals.
'Gillian, misschien zul je je iets beter voelen als ik je vertel dat wij thuis net zo'n foto hebben. Ik heb mijn vader al in acht jaar niet meer gezien.'
Ze kijkt op en onze blikken kruisen elkaar eindelijk. Met de rug van haar hand veegt ze de tranen weg. Haar lippen zijn iets vaneen geweken. Ik leg een hand op haar schouder, maar ze heeft zich al afgewend. Ze begraaft haar gezicht in haar handen. De tranen beginnen weer te vloeien en ze huilt zacht in zichzelf. Ondanks het feit dat ik naast haar op mijn knieën zit, doet ze haar best haar verdriet privé te houden. Toch hebben we uiteindelijk allemaal de behoefte ons open te stellen, zoals ik begin te leren. Ze zakt naar opzij, legt haar hoofd op mijn schouder, slaat haar armen om mijn

hals en laat de rest eruit komen. Bij elke ademloze snik maakt ze nauwelijks geluid, maar ik voel mijn shirt doorweekt raken door haar tranen. 'Het is oké,' zeg ik als ze langzamer ademhaalt. 'Het is oké om hem te missen.'

Over haar schouder zie ik Charlie vanuit de keuken naar ons kijken. Hij zoekt naar een glinstering in haar ogen, een trilling in haar stem... wat dan ook maar kan bewijzen dat dit een act is. Iets dergelijks laat zich echter niet zien of horen. En terwijl hij haar ziet instorten, is zelfs hij niet in staat een andere kant op te kijken.

Wanneer mijn broer doorheeft dat ik hem zie, draait hij zich snel om en doet net alsof hij de keukenkastjes nog eens bekijkt. Zodra het snikken van Gillian minder wordt, draait hij zich weer naar ons toe.

'Wie heeft er zin om even televisie te kijken?' zegt Charlie. 'We kunnen...' Hij zwijgt en doet opeens verrast. 'Het spijt me... Het was niet mijn bedoeling om...'

'Het hindert niet,' zegt Gillian, die rechtop gaat zitten en zichzelf weer onder controle krijgt.

Wat ben je aan het doen, vraag ik mijn broer met een blik. Ik ben er niet zeker van of hij jaloers is of alleen wil proberen haar te kalmeren, maar zelfs ik moet toegeven dat ze de afleiding kan gebruiken.

'Kom op,' zegt Charlie, die zijn vriendelijke stem opzet en naar de televisie wijst. 'Geen hartzeer meer. Tijd om ons te ontspannen met wat onbenullig amusement.'

Ze kijkt mijn kant op om te zien hoe ik daarop reageer.

'Het is misschien nog niet zo'n slecht idee,' zeg ik instemmend. 'Gewoon om het mentale verhemelte weer even schoon te maken.'

'Verstandig,' zegt Charlie terwijl hij langs ons loopt. Hij springt van het tapijt en landt op de bank, met zijn voeten al kruiselings over elkaar op de lage tafel. Gillian houdt mijn hand vast.

'Prima. Plaats genoeg voor iedereen. Eén grote, gelukkige familie,' zegt Charlie plagend terwijl hij de afstandsbediening pakt. Hij richt hem op de televisie en drukt op de knop. Er gebeurt niets. Hij drukt nogmaals op de knop. Opnieuw gebeurt er niets.

'Staat de stroom wel ingeschakeld?' vraag ik.

'Ja, maar ik heb het geluid uitgezet; helaas kan ik jou nog steeds horen.' Charlie draait de afstandsbediening om, drukt zijn duim op de achterkant en schuift het vakje voor de batterijen open.

Hij trekt een wenkbrauw op en kijkt naar Gillian. Het feest is voorbij. 'Er zitten geen batterijen in.'

'O ja, dat klopt,' zegt ze. 'Ik was van plan er nieuwe in te doen.'

'Maak je geen zorgen,' zeg ik. 'Charlie, zei je niet dat er batterijen in de kast lagen?'
'Ja,' reageert hij droog terwijl hij nog altijd strak naar Gillian kijkt. 'Een hele doos vol, in alle mogelijke maten.'
Ik ren naar de kast en kom terug met een paar nieuwe batterijen. Gillian heeft de televisie al met de hand aangezet, en Charlie concentreert zich op de afstandsbediening. Hij zet de batterijen op hun plaats en drukt nogmaals op de knop. Er gebeurt nog altijd niets.
'Misschien is-ie kapot.'
'In dit huis?' vraagt Gillian. 'Mijn vader repareerde altijd alles.'
'Geef mij dat ding eens,' zeg ik tegen Charlie terwijl ik op de rand van de lage tafel ga zitten. Tijd voor de truc die ik met mijn oude walkman uithaalde. Ik haal de batterijen er weer uit, breng het apparaatje naar mijn lippen en blaas snel in het lege vakje voor de batterijen. Tot mijn verbazing hoor ik een snel, fladderend geluid, zoals wanneer je hard tegen een grassprietje blaast... of tegen de rand van een vel papier.
Charlie laat zijn hoofd langzaam schuin zakken. Ik weet wat hij denkt.
'Misschien is-ie wel degelijk kapot,' geeft Gillian toe.
'Geen sprake van,' zegt Charlie. Zijn ogen zijn groot door die hongerige uitdrukking op zijn gezicht. In elk ander huis is een kapotte afstandsbediening gewoon een kapotte afstandsbediening. Maar hier... Zoals Gillian had gezegd, repareerde Duckworth alles. 'Geef hem aan mij,' zegt Charlie op hoge toon.
Ik ben hem al een stap voor. Ik duw twee vingers in het vakje en begin op de tast te zoeken naar wat dat geluid had gemaakt. Niets te vinden.
Charlie gaat staan en buigt zich bezorgd over me heen. 'Breek hem open.'
Gillian schudt haar hoofd. 'Denk je echt dat hij...'
'Breek hem open!' herhaalt hij.
Met mijn vingers nog in het vakje geef ik een harde ruk aan de achterkant. Die geeft niet mee. Te weinig hefboomkracht.
'Hier,' zegt Charlie, en hij gooit me een potlood toe dat binnen handbereik lag. Ik zet die in het vakje en oefen druk uit. Een luid gekraak. De gehele achterzijde breekt af en vliegt regelrecht op Gillians schoot.
'Wel heb je me ooit,' zegt Charlie.
Ik weet niet zeker waar hij het over heeft. Dan kijk ik omlaag. In de afstandsbediening, vastgezet met twee dikke nietjes, zit een velletje papier dat zo klein en zo strak is opgevouwen dat het de leng-

te en de breedte van een platgedrukte sigaret heeft. De secret service mag dan alles hebben doorzocht, maar die lui hebben beslist geen televisie gekeken.
Gillians mond hangt wijd open.
'Wat is dat?' vraagt Charlie.
Ik wrik de nietjes los met de punt van het potlood. Geeuwend waaiert het opgevouwen papiertje langzaam open. De opwinding komt zo snel dat ik nauwelijks...
'Openvouwen!' brult Charlie.
Ik doe dat met snelle vingers, en uit het eerste velletje papier dwarrelt een glanzend en veel kleiner velletje naar de grond. Charlie duikt erop af.
In eerste instantie ziet het eruit als een boekenlegger, maar Charlie kijkt verward.
'Wat staat erop?' vraag ik.
'Geen idee.' Charlie draait het papiertje naar opzij en laat vier foto's zien – foto's van hoofden, allemaal op een rijtje. Een oudere man met peper-en-zoutkleurig haar, naast een bleek bankierstype van ergens midden in de veertig, naast een vrouw met sproeten en kroezend rood haar, naast een vermoeid ogende, zwarte man met een kuiltje in zijn kin. Het is net zo'n strip die je in een fotohokje kunt laten maken, maar omdat de foto's horizontaal zijn afgedrukt, ziet het er eerder uit als mensen die in een politiebureau op een rij zijn gezet voor een identificatie.
'Wat staat er op dat briefje van jou?' vraagt Charlie.
Dat was ik bijna vergeten. Ik pak het officieel ogende document en bekijk dat zo snel ik kan. *Vertrouwelijk... Niet voor ieders ogen bestemd... Geldt niet alleen voor formules, tekeningen, ontwerpen...* 'Ik mag dan nooit rechten hebben gestudeerd, maar na vier jaar omgaan met paranoïde, rijke mensen, herken ik een overeenkomst tot geheimhouding zodra ik die zie. Je ondertekent die bij het sluiten van een zakelijke deal, opdat beide partijen hun kiezen op elkaar zullen houden. Zo kun je voorkomen dat een nieuw idee uitlekt.'
'En deze...' begint Charlie.
Ik hou het document omhoog en wijs op de handtekening onderaan. Het is een krankzinnige krabbel, met zwarte inkt. Desondanks is het echter volkomen duidelijk om welke naam het gaat. Martin Duckworth.

43

'Ik begrijp het niet,' zegt Gillian. 'Denk je dat mijn vader iets had uitgevonden?'
'O, dat heeft hij heel beslist gedaan,' zeg ik, en mijn stem begint al over te slaan. 'En zo te zien was het iets groots.'
'Waar heb je het over?' vraagt Charlie.
Ik zwaai opnieuw met het gevouwen velletje door de lucht. 'Kijk eens wie het contract nog meer heeft ondertekend.'
Hij pakt mijn vuist om mijn hand stil te houden. *Overeengekomen en getekend – Brandt T. Katkin, manager strategie, Five Points Capital.* 'Wie is Brandt Katkin?' vraagt Charlie.
'Vergeet Katkin maar. Ik heb het over Five Points Capital. Met zo'n naam en zo'n brief durf ik mijn kop eronder te verwedden dat het om risicodragend kapitaal gaat.'
'Risicodragend kapitaal?' herhaalt Gillian.
'Ja. Participatiemaatschappijen lenen geld aan nieuwe bedrijven... geven ondernemers een start door in hun ideeën te investeren. Als een maatschappij als Five Points Capital zo'n overeenkomst ondertekent – en geloof me nou maar gewoon – hebben we het over zakken vol geld.'
'Hoe weet je dat?'
'Zo werken die dingen nu eenmaal. Dergelijke instellingen zien elke dag honderden nieuwe ideeën. Iemand vindt een dingetje uit. Een ander iets anders. Beiden willen ze zo'n overeenkomst ondertekend hebben voordat er ook maar een tipje van de sluier wordt opgelicht. Maar degenen die het geld moeten investeren, haten die overeenkomsten. Ze willen alles zien waarop hun oog kan vallen. Belangrijker is nog dat men zich door het tekenen van zo'n overeenkomst aansprakelijk stelt. Toen we het afgelopen jaar een cliënt in contact brachten met Deardorff Capital in New York, zei een van de compagnons dat ze alleen hun handtekening onder zo'n overeenkomst zouden zetten als Bill Gates in hoogsteigen persoon naar binnen liep en zei: "Ik heb een geweldig idee. Als jullie dit ondertekenen, zal ik jullie erover vertellen."'
'Dus het feit dat Duckworth die handtekening heeft verkregen...'
'Betekent dat hij een idee met de afmetingen van Bill Gates had,' zeg ik bevestigend. Dan draai ik me om naar Gillian. 'Heb jij er enige notie van waar hij mee bezig was?'
'Nee. Ik... ik wist niet eens dat hij überhaupt ergens mee bezig was. Al zijn andere uitvindingen waren klein, zoals die 8-track.'

'Kennelijk niet meer,' zeg ik. 'Als dit klopt, heeft hij iets uitgevonden waarbij de 8-track in het niets verzinkt.'
'Het moet iets met computers te maken hebben gehad,' zegt Charlie.
'Werkelijk? Denk je dat echt?' vraagt Gillian sarcastisch.
'Nee, het is puur giswerk,' reageert hij meteen.
'Hou allebei je mond,' zeg ik waarschuwend. 'Gillian, weet je zeker dat je niets kunt bedenken? Iets – wat dan ook – wat hij misschien probeerde te verkopen?'
'Waarom denk je dat hij iets wilde verkopen?'
'Je gaat niet om risicodragend kapitaal vragen als je geen contant geld nodig hebt. Of hij heeft die lui ertoe overgehaald geld te investeren, of hij heeft zijn idee voor contant geld verkocht.'
'Dus zo kwam hij aan het geld?' zegt Charlie. 'Denk je dat het idee zo goed was?'
'Als ze hem er drie miljoen voor hebben gegeven, moet het geweldig goed zijn geweest,' merkt Gillian op.
Charlie zendt me een blik toe. *Als het om driehonderd miljoen gaat, was het beregoed.*
'Hoe zit het met die foto's?' vraagt Gillian zomaar opeens. Ze klinkt ongelooflijk opgewonden, maar zoals Charlie me wijzend meteen duidelijk maakt, zijn haar blote voeten op het tapijt opnieuw verkrampt. Wat had hij anders verwacht? We maken ons allemaal zorgen.
'Dus het zijn geen familieleden of zo?' vraagt Charlie.
'Ik heb hen nog nooit eerder gezien.'
'Vrienden?' vraag ik.
'Ik durf erom te wedden dat een van hen Brandt Katkin is,' zegt Charlie, die met zijn kin op de overeenkomst wijst.
'Wie kan zeggen wie het zijn,' zeg ik, niet in staat gas terug te nemen. Met de smaak van hoop op mijn tong staar ik naar de vier foto's. 'Ik denk dat zij zijn contactpersonen waren binnen die participatiemaatschappij.'
'Misschien waren het mensen met wie hij samenwerkte,' vult Charlie aan. 'Of mensen die hij vertrouwde.'
'Of misschien zijn zij degenen die hem hebben vermoord,' zegt Gillian. 'Ze zouden allemaal van de secret service kunnen zijn.'
We zwijgen alle drie. Op dit punt is alles mogelijk.
'Wat gaan we nu doen?' vraagt ze.
'We moeten die Brandt Katkin bellen en hem naar Five Points Capital vragen,' suggereert Charlie.
'Om twee uur 's nachts?' vraagt Gillian.

'Hoe later hoe beter.' Hij kijkt haar nijdig aan, weigerend een centimeter toe te geven. 'We zouden erheen moeten gaan en via een raam moeten inbreken. Op de middelbare school heeft Joel Westman me ooit geleerd hoe je een alarm met een keukenmagneet kunt uitschakelen. Dan kunnen we à la Watergate de dossiers bekijken.'
'Dat is een geweldig idee,' zeg ik. 'Jullie kunnen me met een touw door de luchtkokers laten zakken, en daarna zal ik proberen te voorkomen dat er ook maar één zweetdruppeltje op de belachelijk goed beschermde grond valt en tegelijkertijd de lijst pakken.'
Charlies ogen worden kleiner. 'Ben je sarcastisch aan het doen?'
'Blijf geconcentreerd,' zeg ik tegen hem. 'Waarom zouden we alles riskeren door via een achterdeurtje naar binnen te gaan als we dat gewoon via de voordeur kunnen doen?'
'Hoe bedoel je?'
'Je moet werken met wat je hebt,' zeg ik, en ik wijs op Gillian. 'Als ze zoveel geld in de toekomst van Duckworth hebben geïnvesteerd, zullen ze toch zeker wel zijn meest naaste verwante willen ontmoeten...'
'Dus je wilt er echt naartoe gaan?' vraagt Charlie.
'Morgenochtend vroeg,' zeg ik, met die zoete smaak nog steeds in mijn mond. 'Ik, jij en Gillian... en al onze nieuwe vrienden bij Five Points Capital.'

44

'Dit zal je niet aanstaan,' waarschuwde DeSanctis toen hij Gallo's kantoor bij de secret service in liep. Het was bijna twee uur 's nachts en hoewel de gangen volstrekt verlaten waren, deed DeSanctis de deur toch dicht.
'Vertel het me maar gewoon,' zei Gallo op hoge toon.
'Ze heet Saundra Finkelstein en ze is zevenenvijftig jaar oud,' begon DeSanctis, voorlezend van het bovenste vel van de stapel. 'Volgens de belastingdienst huurt ze haar appartement al bijna vierentwintig jaar... dus tijd zat om de beste vriendinnen te worden.'
'En de lijsten van de telefoonmaatschappij?'
'We zijn zes maanden in de tijd teruggegaan. Gemiddeld belt ze per dag minstens een kwartier met Maggie. Maar sinds gisteravond hebben ze elkaar niet een keer meer gebeld.'
'En interlokale gesprekken?'

‘Daar begint het er beroerd uit te zien. Gisternacht om één uur heeft ze voor de allereerste keer van haar leven een telefoontje aangenomen waarvoor zij moest betalen. Van een nummer dat we hebben geïdentificeerd als – ben je hier klaar voor? – behorend bij een openbare telefooncel op het internationale vliegveld van Miami.’
Gallo, die op de knokkel van zijn duim aan het bijten was geweest, hield daarmee op. ‘Wát zeg je?’
‘Kijk niet naar mij...’
‘Naar wie zou ik anders moeten kijken?’ vroeg hij terwijl hij met zijn vuist op het bureaublad sloeg. ‘Als ze in het huis van Duckworth zijn...’
Geloof me als ik je zeg dat ik me terdege bewust ben van de gevolgen.’
‘Heb je al gekeken wanneer we erheen kunnen vliegen?’
‘Ik heb twee tickets gereserveerd, en daar zijn ze nu mee bezig.’
Gallo ramde zijn stoel achteruit toen hij ging staan en liet hem tegen zijn dressoir op denderen. De zes oorkonden van de secret service en de foto’s aan de muur schudden door de klap. ‘Daar is niets te vinden,’ zei hij stellig.
‘Dat heeft niemand ook gezegd.’
‘Toch moeten we contact opnemen met...’
‘Dat heb ik al gedaan,’ onderbrak DeSanctis hem.
Gallo knikte in zichzelf en stormde naar de deur. ‘Wanneer zei je dat we zouden vertrekken?’
‘De eerste de beste vlucht. Om zes uur, regelrecht naar Miami,’ zei DeSanctis, die snel achter hem aan kwam. ‘Rond de tijd voor het ontbijt zullen we op hun nek staan.’

‘Fudge, ik weet dat je er bent!’ brulde Joey naar het antwoordapparaat. ‘Doe niet net alsof je slaapt. Ik weet dat je me kunt horen. Neem op, neem op, neem op...’ Ze wachtte, maar er werd door niemand gereageerd. ‘Ben je daar, God? Ik ben het, Joey.’ Nog steeds niets. ‘Oké. Zo is het welletjes. Nu kun je luisteren naar het alfabetliedje van mijn nichtje. A is van aapje, B is van bakker, C is van Charlotte die drinkt chocola, D is van...’
‘Dood, schatje,’ zei Fudge met een schorre stem van de slaap. ‘Ook van destructie, decapitatie, duimschroeven...’
‘Dus je kent dat liedje?’ vroeg Joey, die haar uiterste best deed dit luchtig te houden.
‘Allerliefste moesje, het is op dit moment veertien over twee ’s nachts. Je bent wis en zeker de duivel in hoogsteigen persoon.’
‘Luister. Morgen zal ik dit goedmaken. Echt waar. Maar je moet

sneller de lijst van telefoongesprekken van en naar Maggie Caruso te pakken zien te krijgen.'
'Het is verdomme kwart over twee 's nachts.'
'Fudge, ik meen het serieus. Ik zit in een crisis!'
'Wat wil je dan dat ik doe?'
'Kun je je mensen bij de telefoonmaatschappij bereiken?'
'Nu?' vroeg hij, nog altijd slaperig. 'Mijn mensen werken rond deze tijd niet. Deze uren zijn voor gekken en rocksterren en... en gekken.'
'Fudge, alsjeblieft.'
'Bel me morgen nog maar eens, schatje. Na negenen ruik ik even lekker als een baby.' Een klik, en toen was hij er niet meer.
Joey haalde het apparaatje uit haar oor en keek naar de digitale plattegrond op haar laptop. Een kwartier geleden had een blauw, knipperend driehoekje zich langzaam in de richting van het centrum begeven. Wat Gallo en DeSanctis ook hadden gezien, ze gingen ermee terug naar het hoofdkwartier. Maar toen ze de garage van de secret service in reden, verdween dat knipperende blauwe driehoekje en krijste er een hoge piep in de auto van Joey. *Systeemfout*, was de mededeling op het scherm. *Zending onderbroken*. Joey knipperde niet eens met haar oogleden. De secret service was er heel goed in om externe zenders uit te schakelen.

45

Toen Charlie op de middelbare school zat, vond hij het heerlijk om om twee uur 's nachts door verlaten straten te lopen. Het vacuüm van stilte. De onderstroom van duisternis om elke hoek. De nobele kracht van de man die als laatste nog op de been was. Hij gedijde erbij. Nu haat hij het.
Hij holt bijna terug naar ons appartement, loopt op de stoepen, gaat verloren onder de rijen palmbomen en kijkt om de paar stappen bezorgd over zijn schouder.
'Naar wie ben je aan het uitkijken?' vraag ik.
'Wat zou je ervan denken om wat zachter te praten?' sist hij. 'Sorry hoor, maar ik wil zien of ze ons volgt.'
'Wie? Gillian? Ze weet al waar we onze intrek hebben genomen.'
'Oké. Dan denk ik dat we ons nergens zorgen over hoeven...'
'Nu ben jij degene die paranoïde is.'

'Luister, Ollie. Het feit dat jij met een nieuwe zwier rondloopt, betekent nog niet dat je je hersenen kunt uitschakelen.'
'Doe ik dat dan? Mijn hersenen uitschakelen?' Ik steek schuin over. Ik ben het ruziën zat. En de jaloezie ook.
'Kom terug,' zegt hij, wijzend op de stoep.
'Wie heeft jou tot mijn moeder benoemd?' vraag ik. Hij trekt een gezicht. Ik geniet van mijn sarcastische opmerking. Er staat een bijna volle maan aan de hemel, maar hij neemt de moeite niet daarnaar te kijken. 'Waarom maak je het Gillian eigenlijk zo lastig?'
'Waarom denk je?' vraagt Charlie, die opnieuw even over zijn schouder kijkt. 'Heb je die laag stof in haar slaapkamer niet gezien?'
'En dat heeft jou zo zenuwachtig gemaakt? Het feit dat ze haar nachtkastje niet aanraakt?'
'Het gaat niet alleen om het nachtkastje. Ook om de badkamer en de kasten en de laden en alles wat we verder hebben doorzocht. Zou jij de spullen van je overleden vader overal laten liggen als je zijn huis betrok?'
'Heb je niet gehoord dat ze zei dat ze meestal op de bank sliep? Bovendien, het heeft ma een jaar gekost voordat ze...'
'Begin niet over ma. Gillian woont daar al een maand en het huis ziet eruit alsof ze er vorige week is ingetrokken.'
'O, dus nu is ze ons aan het tegenwerken?'
'Ik zeg alleen dat ze er wat willekeurig uitgekozen kleren heeft, en een stuk of tien moderne schilderijen die ze gewoon heeft nageschilderd. Waar is de rest van haar leven? Haar meubels, haar cd's... En zou ze na al die tijd geen eigen tv hebben?'
'Ik zeg niet dat ze haar eigenaardigheden niet heeft. Maar dat heb je wel vaker met kunstenaars...'
Hij staat nu echt op het punt zijn zelfbeheersing totaal te verliezen. 'Doe me een lol en noem haar geen kunstenaar. Overtrekpapier op een oude Mondriaan leggen maakt iemand nog geen kunstenaar. Heb je trouwens naar haar vingernagels gekeken? Die meid heeft nog nooit van haar levensdagen geschilderd.'
'O, en jij bent opeens een autoriteit geworden op het gebied van artisticiteit? Charlie, dat noemen ze gewoon de kift. Jij bent alleen maar kwaad omdat ze je met je eigen spel te slim af is.'
'Waar heb je het over?'
'Je hebt gezien hoe ze leeft. Het feit dat ze gelukkig is met de meest noodzakelijke levensbehoeften. Dat ze niet hoeft mee te doen aan de race. Begint dat bekend te klinken? Zelfs toen ze achter ons aan was gekomen, werd ze niet kwaad. Ze kijkt alleen zo ongeveer door je heen, alsof ze nergens bang voor is.'

'Mensen die met een bijl moorden zijn ook nergens bang voor.'
'Kun je het nu laten rusten?' vraag ik smekend terwijl we ons blok naderen. 'Jij bent degene die altijd zegt dat ik niet avontuurlijk ben. Zou je liever hebben dat ik omga met iemand als Beth?'
'Omgaan? Je gaat helemaal niet met Gillian om. Je bent haar niet eens het hof aan het maken. Jullie zijn alleen twee mensen die in een extreme situatie toevallig naast elkaar zijn komen te staan. Het is zoiets als verliefd worden tijdens een tienertoer, maar dan zonder de liedjes van James Taylor.'
'Je kunt er de draak mee steken zoveel je wilt, maar we weten allebei dat je het afschuwelijk vindt als iemand je naar de kroon wil steken in je rol van meneer Non-conformisme. Om diezelfde reden heb je je nooit aangesloten bij een band. Je voelt je bedreigd zodra je enige competitie ruikt.'
'O, nu begrijp ik het. Jij denkt dat dit een competitie is? Je mag haar hebben, Ollie. Ze is helemaal voor jou. Maar je moet wel weten dat het niet meer om competitie gaat, maar om verdelen en heersen. En dat zal ze gaan doen.'
'Hoe kun je dat nu zeggen?'
Hij checkt ons blok nog een laatste keer, steekt dan snel over, duwt het goedkope metalen hek open en rent naar ons appartement. We zwijgen allebei tot ik de sleutel heb omgedraaid en ons binnenlaat. De geur van de insectendoder slaat ons tegemoet. 'Dit is nog altijd beter dan bij Gillian blijven,' zegt Charlie als hij die lucht opsnuift.
'Je kent haar niet eens,' zeg ik uitdagend.
'Dat betekent niet dat ze geen vibraties heeft,' reageert Charlie meteen terwijl hij zijn schoenen uittrapt en zich uitkleedt om naar bed te gaan.
'O, mijn excuses. Ik besefte niet dat je druk bezig was contact op te nemen met je innerlijke Boeddha. Als het om vibraties gaat die mensen uitstralen, ben je net een wichelroede.'
'Wil je zeggen dat ik geen gelijk heb?'
'Ik zeg alleen dat ik niet degene ben geweest die zijn favoriete versterker aan een volslagen onbekende heeft uitgeleend en vervolgens heeft toegekeken toen die bij een miezerige pandjesbaas op Staten Island werd beleend.'
'In de eerste plaats was dat ding oud en had ik sowieso een nieuwe nodig. En in de tweede plaats heb ik voor jou een geweldige naam. Ernie. Della. Costa.'
'Ernie Dellacosta?' vraag ik. 'Dat oude vriendje van ma?'
'Zeveneneenhalve eindeloze maand lang,' vult Charlie aan. 'Kun je je nog herinneren wat er gebeurde toen ma hem de eerste keer

had meegenomen om kennis met ons te maken? Hij deed respectvol en aardig en heeft zelfs met succes mijn liefde kunnen kopen door Chicken Delight voor het avondeten mee te nemen. Maar zodra ik die kip uit zijn handen had getrokken, haatte ik hem. Haatte ik dat over zijn kale schedel gekamde haar... zijn nepmerkschoenen. Al die tijd dat ze met elkaar zijn omgegaan, haatte ik die man alsof hij vergif was. En zal ik je eens wat vertellen? Ik had gelijk.'

Ik duw hem een eindje opzij om bij het aanrecht naast hem te kunnen staan, maak een kommetje van mijn handen en maak mijn gezicht goed nat. Even duwt hij terug. Dan schiet hij om me heen en stormt naar de futon. Ik kom achter hem aan en zeg: 'Tja, als je je de rest van de werkelijkheid wilt herinneren... Terwijl jij op je gitaar aan het jengelen was...'

'Het is een bas.'

'Ook goed. Terwijl jij op je bas aan het jengelen was en in Fantasia woonde, was Ernie Dellacosta degene die me tijdens mijn eerste jaar als student aan dat baantje bij Moe Ginsburg hielp. Als hij er niet was geweest, zou ik het geld niet hebben gehad om op de Universiteit van New York te blijven.'

'Weet je dat ik dat helemaal was vergeten? Je hebt gelijk. Hij was werkelijk een bron van inspiratie voor ons allemaal,' zegt hij, met een extra schepje sarcasme erbovenop.

'Wat bedoel je daar nou weer mee?' vraag ik.

'Niets. Vergeet het maar.'

'O nee. Ga die passief-agressieve spelletjes niet met mij spelen. Zeg me wat je denkt.'

Charlie zwijgt, wat betekent dat hij iets achterhoudt. 'Laat maar zitten,' zegt hij uiteindelijk.

'Laat maar zitten? Maar je had bijna een heel belangrijke opmerking gemaakt. Kom op, Charlie, we moeten allemaal weleens iets slikken. Je hebt duidelijk een reden gehad om Dellacosta ter sprake te brengen. Wat is je probleem? Dat ik aan het kontlikken ben geweest zodat hij me aan een baantje zou helpen? Dat ik onbedaarlijk heb gelachen om die stomme grappen van hem? Dat ik me heb gedragen als alle tot de werkende klasse behorende Amerikanen en me rot heb gewerkt om me op een dag geen zorgen meer te hoeven maken over schuldeisers die op de stoep stonden en de laatste veertig dollar van mijn bankrekening wilden hebben? Vertel me eens waarom je zo nijdig bent?'

'Daar heb jij voor gezorgd! Jij en je obsessie met jezelf, je gejammer over je zielige ik en je armzalige levensstijl. Oliver, dit gaat

niet om jou, en als je even de tijd zou nemen om dat te beseffen, zouden de dingen die onder je eigen dak gebeuren, je misschien opvallen, verdomme!'
'Waar heb je het over?'
'Die man was een zak, Ollie. Een grote eikel. En waarom denk je dat ma toch zo lang met hem om bleef gaan?'
'Wat wil je daarmee zeggen?'
'Wist je dat ze doodsbang was dat jij je baantje kwijt zou raken? En dat ze hem na een maand of twee haatte, maar bang was dat je zonder zijn salaris het semester niet zou kunnen afmaken? Je kunt je verleden begraven onder alle cv's die je kunt schrijven, maar thuis was zij degene die het misbruik moest verdragen.'
Ik zwijg, begrijp er werkelijk niets meer van. 'W-wat bedoel je met "misbruik"?' vraag ik. 'Heeft hij haar geslagen?'
'Dat heeft ze nooit gezegd, maar ik heb hun ruzies gehoord. Je weet hoe dun onze muren zijn.'
'Dat vroeg ik niet,' hou ik vol. 'Heb je hem haar ooit zien slaan?'
Deze ene keer gaat Charlie geen ruzie maken. 'Ik kwam naar binnen, en ze waren in de keuken,' begint hij. 'Zij huilde en hij sprak op een toon die verhitter was dan je ooit tegenover je moeder wilt horen gebruiken. Hij draaide zich bliksemsnel om, om te kijken of ik me uit de voeten zou maken. Ik zei tegen hem dat ik zijn luchtpijp als mijn persoonlijke springtouw zou gebruiken als hij niet gauw vertrok. Ma begon nog harder te huilen, maar ze belette hem niet weg te gaan. We hebben hem nooit meer gezien. En dat was jouw maatje: meneer Dellacosta.'
Ik sta op mijn benen te wankelen en heb het gevoel dat mijn borstkas zal ontploffen. Mijn kin trilt, en ik kijk naar Charlie alsof ik hem nog nooit eerder heb gezien. Al die tijd had ik gedacht dat ik het het moeilijkst had gehad. Al die tijd had ik me vergist. 'Charlie, ik wist niet...'
'Zeg het niet,' zegt hij waarschuwend, niet in de stemming om naar mij te luisteren. Hij duikt het bed in, draait me zijn rug toe en trekt de smerige deken die we in de kast hadden gevonden over zijn hoofd. De sigarettengeur van de deken moet erger zijn dat die van de insectendoder, maar voor Charlie is het duidelijk heel wat beter dan met mij te moeten praten. 'Onthou wel wat ik over Gillian heb gezegd,' roept hij terwijl hij onder de deken verdwijnt. 'Verdeel en heers. Zo werkt het altijd.'

46

Ik kan niet slapen. Ik ben daar niet goed in. Zelfs toen we klein waren – toen Charlie en ik elkaar om de beurt horrorverhalen vertelden over de oude Kelly en de griezelige mensen die in ons gebouw woonden – was Charlie altijd als eerste aan het snurken. Deze nacht gaat het niet anders.
Ik kijk naar de zwarte watervlek op ons popcornkleurig gestuukte plafond en hoor nog steeds de echo van het gehuil van mijn moeder. En van het vertrek van Dellacosta. Waarom had niemand me dat verdomme verteld? Nog altijd worstelend met het antwoord op die vraag luister ik naar de moeizame ademhaling van mijn broer. Toen hij ziek was, was het veel erger – een nat gepiep waardoor ik hem als een menselijke hartmonitor in de gaten hield. Het is een geluid dat me altijd zal blijven achtervolgen – net als de snikken van mijn moeder – maar terwijl ik op mijn andere zij ga liggen en naar Charlie kijk, terwijl de minuten verstrijken en zijn ademhaling rustig wordt, probeer ik troost te putten uit het feit dat we eindelijk iets hebben waar we mee aan de slag kunnen. Door de foto's, de geheimhoudingsovereenkomst en Five Points Capital is er een klein lichtpuntje aan het eind van de tunnel. Dan opeens, vanuit het niets, is het lichtpuntje verdwenen door een licht getik tegen het raam aan de voorkant.
Ik schiet overeind in bed.
Het tikken houdt op. Ik verroer me niet. Dan begint het weer. Het aanhoudende getik van een knokkel tegen glas.
'Charlie, wakker worden,' fluister ik.
Hij komt niet in beweging.
'Oliver,' roept een stem buiten.
Ik spring het bed uit en doe mijn uiterste best geen geluid te maken. Als ik schreeuw, weten ze meteen dat we wakker zijn. Ik steek een hand uit om de deken van mijn broer af te trekken...
'Oliver, ben je daar?' vraagt de stem.
Ik draai me snel om en laat de deken los. Dat is niet zomaar een stem...
'Oliver, ik ben het.'
... het is een stem die ik ken. Ik ren naar de deur en ram mijn oog tegen het kijkgaatje, gewoon om het zekere voor het onzekere te nemen.
'Doe open...'
Ik maak de sloten los, zet de deur op een kier en kijk naar buiten.

'Sorry. Heb ik je wakker gemaakt?' vraagt Gillian met een zacht glimlachje. Zoals altijd kan ze niet stilstaan. Ze stopt haar handen in haar achterzakken, verplaatst haar gewicht van haar ene op haar andere voet en weer terug. Wiegend als een folkzanger.
'Wat doe jij hier?' vraag ik fluisterend.
'Dat weet ik niet... Ik bleef maar denken aan die afstandsbediening... en de foto's... en ik kon op geen enkele manier de slaap vatten, dus...' Ze zwijgt en kijkt even snel naar mijn boxershort. Ik bloos. Zij lacht. 'Luister, ik weet dat je er je eigen redenen voor hebt, maar ik waardeer wat je voor mijn vader aan het doen bent. Hij... hij zou je ervoor bedanken.'
Mijn gezicht wordt alleen maar roder.
'Ik méén het,' zegt ze.
'Dat weet ik.'
Genietend van het moment voegt ze eraan toe: 'Wanneer ben jij jarig?'
'Wat?'
'Wat voor een sterrenbeeld ben jij? Ram of Leeuw? Melville en Hitchcock waren Leeuwen, maar...' Ze zwijgt even, verwerkt mijn reactie. 'Je bent een Ram, nietwaar?'
'Hoe kun je... Hoe weet je dat?'
'Kom op, man. Het is met verf op je voorhoofd gespoten. Het streven naar perfectie, de berispende vaderlijke toon als je het tegen je broer hebt, zelfs het smetteloze witte boxershort...'
'Dat ding is splinternieuw.'
'Ongetwijfeld,' zegt ze terwijl ze ernaar staart. Opnieuw begin ik te blozen en zij te lachen. 'Kom,' zegt ze. 'Trek wat kleren aan, dan mag je me op een goedkoop kopje koffie trakteren.'
Over haar schouder kijk ik de verlaten straat in. Ook op dit uur is het niet slim om me buiten de deur te wagen. 'Mag ik die uitnodiging voor later bewaren?'
Ze wenst zich af als een gewonde pup.
'Dat betekent niet dat je weg moet gaan...' zeg ik.
Ze blijft weer staan en draait zich snel om. 'Dus je wilt dat ik blijf?'
Dat is een uitdagende opmerking, en dat weten we allebei. Charlie zou tegen me zeggen dat ik de deur dicht moet doen. Maar dan zou ik in het donker wakker blijven liggen. 'Ik zeg alleen dat ik voorzichtig moet zijn.'
'O, vanwege de... Ik heb er niet eens bij nagedacht...' Ze hakkelt allerliefst. Het is een van die momenten waarop niemand toneel kan spelen. 'Natuurlijk wil ik dat je voorzichtig bent. In feite...' Haar gezicht licht op door een speelse glimlach.

'Wat is er?'
'Pak een paar gympen,' zegt ze, nu helemaal stralend. 'Ik heb een idee.'
'Om weg te gaan? Ik geloof niet dat dat...'
'Geloof me nu maar, mooie jongen. Hier zul je me later voor bedanken. Niemand zal ook maar weten dat we daar zijn.'
Ze zegt nog iets, maar ik ben 'mooie jongen' nog aan het herkauwen. 'Weet je zeker dat het veilig is?'
'Ik zou het je niet vragen als het dat niet was,' zegt ze, opeens ernstig. 'Zeker nu we het samen gaan doen.'
Dat duwtje is voldoende. Als ze ons kwaad wilde doen, zouden Gallo en DeSanctis hier al uren geleden zijn gearriveerd. In plaats daarvan hebben we een hele dag van vrede achter de rug. Hoe langer ze vanaf nu bij ons blijft, hoe groter de risico's voor haarzelf worden. Het kan haar niets schelen. Ze wil de waarheid over haar vader achterhalen. Dat willen wij ook. Ik schrijf snel een briefje voor mijn broer en kijk dan even zijn kant op om zeker te weten dat hij nog slaapt.
'Maak je geen zorgen,' zegt Gillian. 'Hij zal nooit weten dat je weg bent geweest.'

We rennen de steiger af, en ik moet wel bewondering voor haar hebben. In een stad die er trots op is te worden gezien, heeft zij de enige coole plek gevonden waar niemand kijkt.
'Verlaten genoeg naar jouw smaak?' vraagt ze terwijl onze schoenen op de houten planken van de jachthaven van Miami Beach tikken. Overal om ons heen heerst stilte. Op de kust is een bewaker zijn ronde aan het doen, maar een vriendelijke zwaai van Gillian houdt hem op een afstand.
'Kom je hier vaak?' vraag ik.
'Zou jij dat niet doen?' vraagt ze, en ze blijft staan.
Ik weet niet zeker wat ze bedoelt, tot ze op de kleine, verweerde, witte vissersboot wijst die op en neer wipt tegen de steiger. Hij is nauwelijks groot genoeg om aan zes personen plaats te bieden, voorzien van gerafelde zitkussens en een windscherm met een zigzaggende scheur in het midden. Gillian trapt haar sandalen de boot in.
'Is hij van jou?' vraag ik.
'Het laatste cadeau van mijn vader,' zegt ze trots. 'Zelfs goddeloze ingenieurs waarderen het majestueuze van het vangen van een vis bij zonsondergang.'
Terwijl ze de touwen losmaakt, zie ik haar dunne armen zich gratievol en glanzend in het maanlicht bewegen. Zonder te aarzelen

spring ik de boot in. Ze start de motor en pakt het roer licht maar zelfverzekerd vast. Zelfs om vier uur 's nachts zijn er op zee nog majestueuze dingen te zien.

We draaien scherp naar links als we de jachthaven uit varen en dan geeft Gillian vol gas, waardoor we over het water huppelen, ook al is dat volgens de bordjes verboden. We dreigen op onze zitplaatsen te worden gedrukt, maar we pakken allebei het instrumentenpaneel vast en vechten om te blijven staan. 'Als je je hoofd niet boven het windscherm houdt, kun je de oceaan niet proeven!' brult ze boven het lawaai van de motor uit. Ik knik en lik het zout van mijn lippen. Toen ik net bij Greene was gaan werken, had Lapidus me met het privévliegtuig een keer meegenomen naar St. Bart en daar waren we aan boord gegaan van het privéjacht van een van onze cliënten. Je kon daar wijn leren proeven, er werden Thaise massages gegeven en er liepen twee butlers fulltime rond. Vergeleken met dit stelde het niets voor.
Dankzij een mistlamp aan de voorkant van de boot kunnen we een paar meter door de duisternis voor ons heen kijken, maar omdat de maan achter een wolkendek schuilgaat, is het zoiets als met je koplampen aan over een verlaten veld rijden. In de verte vervaagt de oceaan en wordt de hele wereld zwart. We zien alleen de parallel aan elkaar lopende pieren links en rechts van ons – een natuurlijke vangrail die ons naar de oceaan brengt.
'Klaar om in de toverbus te stappen?' roept ze zodra we open zee hebben bereikt. Ik verwacht dat ze nog meer gas zal geven. In plaats daarvan neemt ze gas terug. Bij het eind van de pier draait ze scherp naar links, om de rotsen heen, en zet dan de motor uit.
'Wat doe je nou?'
'Dat zul je nog wel zien,' zegt ze plagend, en ze rent naar de voorkant van de boot.
We zijn ruim honderdvijftig meter uit de kust, maar ik kan de golven nog wel vaag op het strand horen slaan.
'Kunnen mensen ons zien?' vraag ik terwijl ik met samengeknepen ogen naar een nauwelijks zichtbaar hokje van de reddingsbrigade kijk.
'Nu niet meer,' zegt ze, en ze zet de mistlamp uit. De duisternis verslindt ons meteen.
Zoekend naar veiligheid glijdt mijn blik meteen naar de felroze, hemelsblauwe en limoengroene neonborden boven op de art-decohotels aan Ocean Drive. Vanaf deze afstand lijken ze op Day-Gloh landingslichtjes. Al het overige is verdwenen.

'Weet je zeker dat dit geen kwaad kan?'
Ik hoor een luide plof in het water en de voorkant van de boot wipt even op en neer. Het anker zakt.
'Gillian...'
Ze loopt terug naar achteren, haalt de kussens van de bank, tilt het deksel op en haalt uit de ruimte daaronder twee duikerpakken, maskers en zwemvliezen te voorschijn.
'Help eens een handje,' zegt ze, worstelend met iets zwaarders.
Ik loop snel naar haar toe en help haar een koude metalen fles op te tillen. En nog een. Persluchtcilinders.
'Probeer je me iets duidelijk te maken?' vraag ik, en ik doe mijn uiterste best niet geïntimideerd te klinken.
Ze pakt een zaklantaarn en richt die op mijn gezicht. 'Ik dacht dat je wel zin had in een avontuurtje...'
'Dat is ook zo,' zeg ik terwijl ik het licht met mijn hand blokkeer. 'Daarom zijn we in de boot gestapt.'
'Nee, we zijn in de boot gestapt om onder water te gaan. Hier begint het avontuur.' Met rode wangen door de adrenaline legt ze de zaklantaarn op de bank en duikt op de uitrustingsstukken af. Ze controleert de meters, draait aan knoppen, ontwart een knoop van slangen. 'Wacht maar eens tot je het ziet,' zegt ze heel enthousiast.
'Gillian...'
'Je zintuigen zullen er overbelast door raken – je gezichtsvermogen, je tastzin, je gehoor... Boem! Opgeblazen als een reusachtige luidspreker.'
'Misschien zouden we...'
'En het beste is dat alleen de plaatselijke bevolking ervan op de hoogte is. De toeristen die met open mond op South Beach paraderen, weten er niets van. Dit is alleen voor de mensen van hier. Hier. Trek aan.' Ze gooit me een duikerpak toe en dat raakt me tegen mijn borst.
Ook als het me punten kost, moet ik nu mijn mond opendoen. 'Gillian, ik kan niet duiken.'
'Maak je geen zorgen. Er zal niets met je gebeuren.'
'Maar is het niet gevaar...'
Ze maakt de rits van haar spijkerbroek los en laat die op haar enkels zakken. Ze stapt eruit, knoopt haar shirtje los en smijt dat weg. 'Maak je niet druk,' zegt ze terwijl ze daar staat in alleen een beha en een witkatoenen slipje. 'Ik zal het je leren.' Vlak boven de tailleband van haar slipje zie ik een kleine tatoeage van een paarse vlinder. Ik kan mijn ogen er niet van afhouden.

'Kijk uit, anders word je nog blind,' zegt ze plagend terwijl ze zich in haar duikerpak wurmt.
'Heb ik je ooit verteld hoe heerlijk ik duiken vind?' vraag ik, nog altijd naar het vlindertje starend.
Ze grinnikt en wijst op mijn broek. Ik trek hem uit en het duikerpak aan, dat strakker blijkt te zitten dan ik had verwacht. Vooral in het kruis.
'Maak je geen zorgen,' zegt Gillian, die mijn gezichtsuitdrukking juist interpreteert. 'Het wordt losser als het nat wordt.'
'Doel je op mij of op het pak?'
'Allebei, hopelijk.'
Ik schuif mijn armen in de mouwen en ren bijna achter haar aan. Achter in de boot zet ze de persluchtcilinders rechtop en draait ze open. 'Dit is je octopus,' zegt ze terwijl ze op de bovenkant van de tank wijst, waaraan ze een klein zwart dingetje bevestigt met vier slangen die elke kant op gaan. 'En dit is de ademautomaat.' Ze overhandigt me de korte zwarte slang rechts.
Ik doe haar na, stop hem in mijn mond en haal een keer diep adem. Ik hoor een traag Darth Vader-gesis als koude lucht zich door mijn keel ploegt en mijn longen vult.
'Zo gaat het goed,' zegt ze terwijl ik uitadem en nog eens inadem. 'Prima. In het juiste, langzame tempo. Je bent ervoor in de wieg gelegd.'
Dat zijn gemakkelijke lovende woorden, maar terwijl mijn adem piepend door de slang gaat, daalt het testosteronniveau. 'Waar zijn al die andere slangen voor?' vraag ik zenuwachtig.
'Laat je niet van de wijs brengen door dat soort details,' zegt ze terwijl ze de rits van mijn duikerpak dichttrekt en me een klopje op mijn borst geeft. 'Als je gaat duiken, is er maar één regel waarvan je leven afhangt: blijf ademhalen.'
'Maar al die slangen en...'
'Alle apparatuur werkt automatisch. Zolang jij blijft ademhalen, blijft de lucht stromen en wordt de druk gereguleerd. Verder is het net zoiets als autorijden. Je hoeft niet te weten hoe de motor en de verbranding en alles werken. Je hoeft alleen te weten hoe je moet chaufferen.'
'Maar ik heb nog nooit eerder gereden...'
Ze negeert mijn commentaar en gebaart me dat ik mijn armen omhoog moet steken. Dan bevestigt ze een dikke gele loodgordel om mijn middel en zet die vast met iets wat eruitziet als een plastic versie van een veiligheidsriem in een vliegtuig. 'Hoeveel weeg je?' vraagt ze terwijl ze de Velcro-zakken in de riem met loden gewichten vult.

'Ongeveer tachtig kilo. Hoezo?'
'Perfect,' zegt ze, en ze maakt het laatste zakje dicht. 'Daarmee zink je als iemand die de mafia heeft verlinkt.' Ze weigert het tempo te verlagen en gaat achter me staan. Ik draai me snel om, maar het extra gewicht rond mijn middel en het geschommel van de boot zorgen ervoor dat ik lichtelijk uit balans raak.
'Heb ik hier geen diploma voor nodig?' vraag ik.
'Jij bent dol op regels, hè?' reageert ze meteen terwijl ze haar eigen gordel omdoet. 'Het enige dat je tijdens zo'n cursus leert, is hoe je niet in paniek moet raken.' Ze wurmt mijn armen in een opblaasbaar rood trimvest. Achter op dat vest zit de persluchtcilinder met zijn tentakels van slangen. Terwijl ik op mijn hurken ga zitten, legt ze het vest op mijn schouders en val ik bijna achterover door de vijftien kilo extra gewicht. Gillian vangt me meteen op. Terwijl ze zich ervan vergewist dat het vest goed zit, zegt ze: 'Ik zweer je dat ik je niet mee naar beneden zou nemen als het niet veilig was.'
'Hoe zit het met de caissonziekte? Ik wil niet eindigen in een decompressiekamer, zoals in die sciencefictionfilms.'
'We gaan niet meer dan zes meter onder water. Het risico van caissonziekte bestaat pas als je op zijn minst achttien meter omlaaggaat.'
'En wij gaan niet verder dan zes meter?'
'Ja. Zes, of op zijn hoogst negen meter.' Ze gaat op haar hurken zitten en trekt haar eigen trimvest met persluchtcilinder aan. 'Niet veel meer dan de lengte van deze boot.' Als het vest goed op zijn plaats zit, pakt ze een van mijn vier slangen en drukt op een knop aan het uiteinde daarvan. Ik hoor een scherp gesis. Het vest wordt met lucht gevuld en spant zich strak rond mijn ribben. 'Als alle overige apparatuur er de brui aan geeft, heb je in elk geval nog een reddingsvest,' zegt ze, en ze laat het klinken alsof ik bang ben in het kikkerbadje te verdrinken.
Ze vult haar eigen vest met lucht, pakt een masker en een zaklantaarn, doet de zwemvliezen aan en stapt op de koeler achter in de boot.
'Gillian, wacht...'
Ze draait zich niet eens om. Ik hoor gespetter en de boot schommelt. Ze verdwijnt onder water en komt meteen weer boven. 'O... dit moet je voelen!' schreeuwt ze.
'Is het warm?'
'Nee, ijskoud! We hebben het over een ijsberg in mijn broek.' Ze lacht hard, alsof dit het feestje van het jaar is. En hoe meer ik naar haar kijk, hoe meer ik besef dat het dat ook inderdaad is.

'Kom,' roept ze. 'Je moet in elk geval het water in. Als je het niet prettig vindt, kun je hier gewoon blijven ronddrijven.'
Het is niet eerlijk, maar ik probeer me Beth in dezelfde situatie voor te stellen. Zij haat kou. En op dit uur? Ze zou niet eens in de boot zijn gestapt.
'Oké!' brult Gillian als ik een masker en zwemvliezen pak. 'Niet aarzelen. Ga op de koeler staan en spring het water in!'
Ik trek het masker over mijn gezicht en hou alle slangen bezorgd in een vuist vast. 'Weet je zeker dat dit de beste manier is om het water in te gaan?'
'Jacques Cousteau zou het niet beter kunnen doen. Een reusachtige stap voor de gehele mens...'
Ik doe mijn ogen dicht, spring en zak snel. Het extra gewicht laat me meteen kopje-onder gaan, maar dankzij mijn trimvest kom ik direct weer boven. De temperatuur zorgt voor de eerste klap. Zonder de zon op het water... zelfs ondanks het duikerpak... heb ik een ijsberg in mijn broek.
'Koud genoeg voor je?' vraagt Gillian.
'Nee, dit is goed. Ik vind het prettig wanneer ik mijn penis totaal niet kan voelen.'
Het is een gemakkelijke grap, maar ze weet dat ik niet alleen door de kou aan het trillen ben. Het water is donker en verlaten, het masker zit strak om mijn gezicht en het enige dat ik kan horen, is de titelsong van *Jaws*.
'Klaar om te duiken?' vraagt ze.
'Nu meteen?'
Ze kijkt me door haar eigen masker strak aan, schiet door haar benen te bewegen naar voren en pakt mijn beide schouders vast. 'Je zult het ongetwijfeld geweldig doen.'
'Weet je...'
'Ja, daar ben ik zeker van,' belooft ze.
Terwijl ze achteruit drijft, steek ik een hand over mijn rechterschouder heen en pak de slang met de ademautomaat. 'Het enige dat ik hoef te doen is hierdoor ademhalen?'
'Ja, dat is alles. Ademen, ademen en ademen. Waarom ga je niet een rondje rond het blok draaien?'
Net als de eerste keer zet ik de ademautomaat tussen mijn tanden, en Darth Vader keert terug. Nadat ik drie of vier keer adem heb gehaald, wijst Gillian op het water. Ik bijt hard op het rubber dat de ademautomaat op zijn plaats houdt, buig me voorover en stop mijn gezicht in de oceaan.
Het duurt even voordat ik weer ademhaal, maar mijn hersenen her-

inneren zich meteen Gillians spoedcursus. Ademen, ademen, ademen. Ik zet mijn longen open, zuig er wat lucht in... en blaas die snel weer uit. Uit de octopus komen belletjes. Daarna haal ik elke keer kort en aarzelend adem, maar alles blijft werken.
Gillian tikt hard op mijn schouder. Ik til mijn hoofd op en verwijder de ademautomaat.
'Klaar voor de popquiz?' vraagt ze.
Ik knik, hopend dat ze het dan wat langzamer aan zal doen. Het enige gevolg is dat ze het tempo verhoogt.
'Oké. Ik zal je zeggen wat ik op het spiekbriefje zou schrijven. Als je gedesoriënteerd raakt, moet je de luchtbelletjes volgen. Die brengen je altijd terug naar het wateroppervlak.'
'De luchtbelletjes volgen. Oké.'
'En dan nog iets. Als we naar beneden gaan, moet je je trommelvliezen intrekken, want je hebt er geen behoefte aan er een te laten scheuren.'
Ik knijp in mijn neus om te oefenen.
'En in de derde – belangrijkste – plaats moet je blijven ademhalen als je weer boven water bent. Je zult in de verleiding komen je adem in te houden, maar daar moet je je tegen verzetten.'
'Hoe bedoel je dat?'
'Het heeft te maken met het menselijk instinct. Je bent onder water en je begint in paniek te raken. Het eerste wat je gegarandéérd zult doen, is je adem inhouden. Maar als je zo naar het wateroppervlak gaat – zonder in en uit te ademen, zullen je longen als een ballon ploffen.' Ze zet haar masker weer goed en neemt me nog een keer snel op. 'Klaar om te gaan?'
Opnieuw knik ik, maar ik concentreer me nog steeds niet op een enkel beeld. Mijn longen die als een ballon ploffen. Zodra ik onder de golven ben, begin ik mijn voeten als een gek te bewegen om weer naar boven te komen.
'Wat is er? Ben je nu bang?' vraagt ze.
'Wil je zeggen dat ik dat niet zou moeten zijn?'
'Ik wil helemaal niets tegen je zeggen. Als je wilt terugkrabbelen, is dat je eigen keus.'
'Het gaat niet om terugkrabbelen.'
'Werkelijk?' vraagt ze geërgerd. 'Waarom doe je dan opeens alsof je de eerste rat bent die het zinkende schip wil verlaten?'
De vraag gaat als een kurkentrekker mijn borstkas in. Die toon heb ik nog nooit in haar stem gehoord.
'Luister,' zeg ik tegen haar. 'Ik ben mijn best aan het doen. Ieder ander zou jou in je eentje hebben laten duiken.'

'Dat zal best...'
'Denk je dat ik een grapje maak? Noem me één ander persoon die om vier uur 's nachts een duikerpak zou aantrekken, een ijskoude oceaan in zou springen en zijn leven zou riskeren voor een goedkoop moment van opwinding.'
'Je broer,' zegt ze meteen terwijl ze strak naar me blijft staren om die opmerking goed te laten bezinken. Voordat ik daar iets op kan zeggen, pakt ze haar ademautomaat, zet die op zijn plaats en pakt de slang die op haar linkerschouder rust. Die heft ze op tot boven haar hoofd en drukt op de knop aan het uiteinde ervan. Tranen van lucht sissen door de stilte. Terwijl haar vest leegloopt, begint ze langzaam te zakken.
Ik pak mijn eigen ademautomaat, til mijn slang op en druk met mijn duim op de knop. Het trimvest komt losser rond mijn ribben te zitten. Het water reikt al tot mijn kin.
'Oliver, hier zul je geen spijt van hebben!' roept ze terwijl ze de ademautomaat weghaalt om nog een laatste keer frisse lucht in te ademen. Vlak voordat ze onder water verdwijnt, voegt ze eraan toe: 'Je zult me er later voor bedanken.'
Ik schud mijn hoofd en doe alsof ik het plotselinge enthousiasme negeer. Maar terwijl ik omlaagga, terwijl het zwarte water aan mijn hielen likt en mijn oren vult, bedenk ik me opeens dat ik haar nooit heb verteld dat ik in werkelijkheid Oliver heet.

47

Toen de auto van Joey om drie uur 's nachts de brandslang voor het huis van Maggie Caruso blokkeerde, beloofde ze zichzelf dat ze niet in slaap zou vallen. Om halfvier draaide ze haar portierraampje open, zodat de kou haar wakker zou houden. Om vier uur begon ze te knikkebollen. Om halfvijf knalde haar hoofd tegen de hoofdsteun aan. Toen werd ze om precies tien voor vijf wakker van een harde, schrille piep.
Knipperend bracht ze zichzelf terug naar de werkelijkheid en merkte dat het geluid van het verlichte scherm van haar laptop kwam. Het felblauwe driehoekje bewoog zich weer over de digitale plattegrond, regelrecht de West Side Highway af. Ze trok de laptop op haar schoot en zag dat Gallo's wagen zich een weg baande naar de punt van de stad. Het leek een primitief videospel waarover ze geen

controle kon uitoefenen. Eerst dacht ze dat ze weer op de terugweg waren naar Brooklyn, maar toen ze langs de oprit naar de brug reden en de FDR Drive op draaiden, voelde ze een vlam in haar nek gaan branden. Op dit late – of vroege – tijdstip waren er maar een paar dingen open. *Mijn hemel, ga me niet vertellen dat ze...*

Het kleine driehoekje draaide de brug van 59th Street op en toen Joey het zag doorgaan naar Grand Central Parkway, draaide ze het contactsleuteltje om en reed weg. Boven aan de digitale plattegrond ging het blauwe driehoekje er regelrecht naartoe. De meest populaire bestemming om vijf uur 's nachts in Queens: het vliegveld LaGuardia.

48

Ik verdwijn onder de golven, drijf als een astronaut en duik het donker in. Overal om me heen gaan luchtbelletjes omhoog, en ze ketsen af op de voorkant van mijn masker. Ik strek mijn hals naar de enige lichtbron, maar hoe verder ik zink, hoe sneller die vervaagt. Zeegroen wordt donkerblauw, wordt een pikzwarte wolk. Gewoon ademhalen, zeg ik tegen mezelf terwijl ik moeizaam lucht door de ademautomaat naar binnen dwing. Ik zuig nog een keer lucht op. Geen golven, geen wind, geen achtergrondgeluiden. Alleen de gorgelende echo van mijn eigen ademhaling. En Gillian, die mijn naam noemt.

Denk daar niet eens aan. Niet nu. Maar sommige dingen kunnen niet worden genegeerd. Ze heeft hem waarschijnlijk van Charlie gehoord. In de garage heeft hij minstens een keer of tien mijn naam genoemd. Ik doe mijn uiterste best om kalm te blijven en kijk om me heen, zoekend naar iets geruststellends. Maar alles is – alle kanten op – donker. Ik knijp in mijn neus vanwege mijn oren en een golf kleine, lichtgevende vissen schiet langs mijn gezicht. Ik duik naar links en ze zijn weer verdwenen. Terug naar zwart. Het is alsof ik door inkt zwem. En dan schiet er een witte flits door het donker. De zaklantaarn van Gillian. Ze richt die op mij en dan weer op haarzelf. Ze was al die tijd vlak naast me.

Kom op, gebaart ze, en ze probeert me ertoe over te halen haar te volgen. Ik aarzel, maar besef al snel dat zij de enige lichtbron bij zich heeft. Bovendien zal ik haar beslist geen gelijk laten krijgen na wat ze over Charlie heeft gezegd.

Ze trappelt met haar benen en haar zwemvliezen schieten door het water. De manier waarop ze zich beweegt – het gracieuze strekken van haar armen – het lijkt wel of ze vliegt. Ik ga achter haar aan en doe mijn uiterste best haar bij te houden, waarbij ik met mijn armen een woeste borstslag produceer. Het is moeilijker dan ik dacht. Elke paar centimeter die ik vooruit zwem, lijkt de onderstroom me terug te duwen. Ze kijkt over haar schouder om te zien of ik haar volg en gaat dan steeds sneller door. Wat ze me ook wil laten zien... we beginnen erbij in de buurt te komen.
Ze zwemt naar voren, en het licht van de zaklantaarn beschijnt een beige muur. Dan zie ik dat de luchtbelletjes langs haar rug schuiven. Het is geen muur. Het is de bodem. We zijn bij de grond.
Instinctief draai ik mezelf rechtop. Mijn ademhaling gaat sneller en ik weet niet zeker waarom.
Ik kijk naar rechts, maar het masker blokkeert mijn perifere gezichtsveld. Snel draai ik mijn hoofd ook naar links. Er is niets te zien. Er is niemand. Dat wil zeggen... tot iets langs de linkerkant van mijn nek glijdt.
Ik draai me bliksemsnel om en pak het bij de keel. Voor me draait Gillian zich eveneens om en laat de zaklantaarn mijn kant op schijnen. Daar is hij. Mijn aanvaller. De slang die wordt geacht naast me te drijven terwijl ik zwem. Aangevallen door mijn eigen octopus.
Alles oké, cowboy, gebaart Gillian met een sarcastische hand op haar heup.
Ik drijf hulpeloos en knik alleen maar.
Opnieuw duikt ze naar de duisternis. Wederom volg ik haar.
Ze richt de zaklantaarn op de bodem van de oceaan, maar we zien alleen een paar wiegende groene planten, losse schelpen en iets wat eruitziet als een roestige, achtergelaten kreeftenval. Gillian draait haar rechterkant naar boven, beweegt haar zwemvliezen en laat een golf van zand opdwarrelen.
Niet veel verder meer, gebaart ze door haar wijsvinger slechts een paar centimeter van haar duim vandaan te houden. Ze ademt diep uit, en de belletjes stijgen tussen ons in op. Dan zwemt ze nog verder omlaag, de hellende bodem volgend. Ik zwem achter haar en zij zwemt maar door. Van mij uit gezien gloeit de omtrek van haar lichaam in een soort halo door het licht van de lantaarn. Het is zoiets als door een bos onder water een vuurvliegje achternazitten.
Een bolronde zwarte muur rijst op uit het zand, naar een punt recht boven ons hoofd. Links van ons loopt hij verder door dan we in het licht van de zaklantaarn kunnen zien. Gillian laat haar hand

langs het metalen oppervlak glijden, zwemt naar rechts en gaat snel een hoek om. Boven een kapot roer en de plek waar de schroef had behoren te zijn, lopen de woorden MON DIEU II – LES CAYES, HAÏTI loodrecht naar de bodem van de oceaan. Je herkent een gezonken schip meteen, ook als dat op zijn zij ligt.
Zodra ik dat schip zie, begin ik weer sneller adem te halen. Het is net alsof je bij een verlaten huis staat. Raar en cool, maar geen reden om naar binnen te gaan. Gillian denkt daar natuurlijk anders over. Ze verspilt geen tijd, zwemt naar het achterdek en laat mij achter in een zee van belletjes. Tegen de tijd dat ik weer bij haar ben, is ze al op onderzoek uit en laat het licht over het nauwelijks verrotte dek heen gaan. Ik zie een beetje groenbruin mos, maar niet veel. Het schip moet hier nog niet zo lang liggen.
Recht boven ons trekt een zilveren flits mijn aandacht. In eerste instantie neem ik aan dat het de metalen reling rond het dek is, maar als Gillian de zaklantaarn hoger houdt, besef ik al snel dat dat er maar een onderdeel van is. Aan het dek vastgenageld hangt een rood-wit Coca Cola-apparaat recht boven ons, met de deur open en alle blikjes eruit. Het lijdt geen enkele twijfel. Het kleine, verroeste schip is op een rots gelopen en leeggeroofd. Haïti steelt blikjes prik van ons, wij stelen ze meteen terug. Alleen in Miami.
Ik draai me om om de grap met Gillian te delen, maar tot mijn verbazing zie ik alleen de zaklantaarn die op de bodem van de oceaan ligt en op het cola-apparaat is gericht. Verward kijk ik om me heen. Er is niemand. Boven mijn hoofd blijft de deur van het apparaat meebewegen met het tij.
'Gillian?' fluister ik door de ademautomaat, hoewel ik weet dat ze me niet kan horen. Ik draai me snel om en rek mijn hals alle kanten op. Een koude golf water dreunt tegen mijn borstkas aan. Ik begrijp het niet. Gillian is weg.
Ik pak de zaklantaarn en richt die horizontaal. Voor me leidt een spoor luchtbelletjes regelrecht naar de twee verdiepingen tellende hut van de boot. De deur is foetsie en het glas is uit de kajuitramen verwijderd. Maar zelfs hiervandaan kan ik zien hoe donker het daar is. Ik schud mijn hoofd. Ik ben absoluut niet van plan die hut in te gaan.
Een minuut later is het spoor van luchtbelletjes allang verdwenen. Nog steeds geen spoor van Gillian te bekennen. Ik richt de zaklantaarn op het gat van de deur. Geen beweging. Geen belletjes. Langzaam zwem ik er dichter naartoe en draai in gedachten elke moordfilm af die ik als tiener heb gezien. Bij de deur sla ik met de zaklantaarn tegen de metalen romp. Een lage vibratie, die haar op

geen enkele manier kan ontgaan. Tenzij ze vastzit... of hulp nodig heeft.
Ik beweeg mijn zwemvliezen en glij naar binnen. Ik laat de zaklantaarn ronddraaien, maar toch is het moeilijk om te bepalen waar ik ben. Het is een kleine kombuis – groot genoeg voor drie of vier mensen – en de spoelbak, het fornuis en zelfs de werkbladen liggen allemaal op hun kant. In de hoek staat een ladder naar de verdieping erboven nu horizontaal. Net als de trap die naar het laadruim leidt. Het plafond is rechts van me, de vloer links van me. Als ik opkijk, zie ik de deuren van twee lege houten kasten openstaan, net als de deur van het cola-apparaat. Daartussenin is een kajuitraam zonder glas. De gewichtloosheid treft me hard en de kombuis begint te draaien.
Ik doe mijn best om de belletjes te volgen, maar de beperkte ruimte begint me te beangstigen. De muren trillen alsof ze van kwik zijn gemaakt. Het is zoiets als door gesmolten glas kijken. Mijn maag draait zich om en achter in mijn keel proef ik braaksel. O, mijn god. Als ik overgeef in de slang die de luchttoevoer regelt... Als een gek draai ik naar links, zoekend naar de deur. In plaats daarvan zweef ik oog in oog met de met zeil bedekte vloer. Ik begrijp er niets van. Ik draai me weer om, maar niets komt me bekend voor. De hele wereld verandert in een caleidoscoop als ik licht in mijn hoofd word. Ik grijp naar mijn borst, hijgend als een hitsige hond. Ik durf erop te zweren dat de ruimte kleiner wordt. En donkerder. Alles wordt grijs – alle kanten op.
Ik voel een scherpe steek in mijn rug en twee armen worden om mijn borst heen geslagen. We draaien naar opzij en ik ben er niet zeker van wat boven en wat beneden is. Door de klap valt de zaklantaarn uit mijn hand en tuimelt langzaam naar de bodem. Terwijl hij valt, flikkert de hele ruimte als een disco. Ik vecht me los, draai me om en kijk Gillian aan. Door alle luchtbelletjes kan ik haar nauwelijks zien. Haar armen maaien wild in het grond, grijpen naar de onderste helft van mijn trimvest. Dat is het enige dat mijn persluchtcilinder op zijn plaats houdt. Waarom probeert ze dat los te maken? Ik raak in paniek, pak haar polsen vast. Maar zij zet haar nagels in mijn huid. Ze weigert het op te geven en komt opnieuw naar me toe, klauwend met een krankzinnige woede. Maar deze keer kan ik de blik in haar ogen zien.
Vertrouw me alsjeblieft, smeekt die.
Wanhopig steekt ze een hand uit. Een plastic haak gaat open en mijn riem met de gewichten komt los. Gillian pakt de revers van mijn trimvest vast en duwt me naar achteren. Haar blik volgend

kijk ik recht omhoog en net als ik het open raampje zie, laat ze me los. Zonder de gewichten schiet ik als een menselijke kurk omhoog. Ze trekt nog even aan me om ervoor te zorgen dat de cilinder onbeschadigd het raam door kan komen, en daarna kan ik regelrecht doorschieten naar het wateroppervlak.
Gillian zwemt als een gek achter me aan en wijst op haar mond om me eraan te herinneren dat ik adem moet halen. Ik adem uit en staar door het water omhoog. Zwart wordt donkerblauw wordt zeegroen. Ze pakt mijn hand om zeker te weten dat ik niet te snel omhoogga. *Verknal het nu niet, Oliver. Ademen, ademen, ademen.*
We komen boven water en de koele nachtlucht geselt mijn gezicht. Naast me is Gillian haar trimvest al aan het opblazen.
'Is alles oké?' vraagt ze heel bezorgd terwijl ze naar me toe zwemt. 'Kun je ademhalen?' Ze houdt me omhoog en drukt op een knop. Lucht komt sissend mijn vest in. Het omhelst mijn ribben en knijpt in mijn maag. Ik maak een kotsbeweging, maar geef niet echt over.
'Is dat beter? Is alles in orde?' vraagt ze nogmaals.
Ik dein op en neer in het water en hoor de vraag nauwelijks. Langzaam zie ik weer kleuren. 'W-waarom heb je me alleen gelaten?' vraag ik.
'Je alleen gelaten?'
'Op het schip. Ik draaide me om en toen was je weg.'
'Ik dacht dat je me had gezien. Ik heb gezwaaid toen ik wegging.'
'Waarom heb je me niet meegenomen?'
'Om dezelfde reden waarom ik je er weg moest krijgen. Naar beneden gaan is één ding. Navigeren in een wrak is iets heel anders... Je raakt gedesoriënteerd en het is niet iets wat je de eerste keer dat je duikt gaat proberen.'
'En dat is de werkelijke reden?'
'Welke andere reden zou er...' Haar ogen worden groot, alsof ik een mes tussen haar ribben heb gestoken. 'D-denk je dat ik... Ik zou je nooit in de steek laten. Ik zou niemand onder die omstandigheden in de steek laten.' Haar stem breekt terwijl ze dat zegt. Het is alsof ze het niet kan begrijpen. Ze laat me los en drijft langzaam van me vandaan.
'Gillian...'
'Ik zou je nooit iets aandoen.'
'Ik zeg ook niet dat je dat zou doen, maar... maar toen je mijn ware naam noemde...'
'Die heb ik in het huis gehoord. Je broer gebruikte hem.'
'Dat had ik me ook al bedacht, maar toen ik me omdraaide en jij weg was, werd ik gewoon bang.'

'Om te denken dat ik... Mijn god! Hier... hier ga ik naartoe voordat ik ga schilderen... Toen ik opgroeide was dit mijn thuis en dat is het nu nog. Als ik had gedacht dat je me niet vertrouwde, zou... zou ik je nooit hebben uitgenodigd.'
Ik strek een arm en pak de schouder van haar trimvest. 'Gillian, als ik jou niet vertrouwde, was ik nooit met je meegegaan.'
Ze werpt me een lange blik toe, elk woord verwerkend.
'Ik meen het,' voeg ik er snel aan toe. 'Ik zou hier niet zijn als ik...'
Haar hand schiet als een pijl naar voren, pakt me bij de nek en trekt me naar haar toe voor een zachte kus. De zoute smaak op haar tong prikt op de best mogelijke manier. Haar vingers trekken aan de rits van mijn trimvest.
We deinen op de oceaan. De wind is koud, het is pikdonker en het zal een hele toer worden om naar de boot terug te zwemmen. Maar nu, met de neonlichten achter ons, geniet ik gewoon van mijn kus.

49

'Zeg alsjeblieft dat je een grapje maakt,' zei Joey smekend door haar gsm terwijl haar auto op het parkeerterrein van USAir de hoek om vloog.
'Op hoeveel verschillende manieren moet ik het tegen je zeggen?' vroeg Debbie. Debbie, die kaartjes verkoopt achter de balie van USAir, was eraan gewend met slechtgehumeurde klanten om te gaan. Maar als oudste vriendin van Joey van de middelbare school wist ze dat deze klant niet kon worden genegeerd of in de wacht gezet. 'Het hele computersysteem ligt plat. Hou op het me zo moeilijk te maken. Over tien minuten hebben ze alles weer draaiend.'
'Ik heb geen tien minuten de tijd,' zei Joey terwijl ze met piepende banden een open plek op draaide. 'Ik moet het nu hebben.'
'Tja, ik heb een push-upbeha nodig die kleine wonderen bewerkstelligt en een echtgenoot die zich herinnert hoe hij mijn tenen in bed kan laten krullen, maar soms moet je gewoon genoegen nemen met wat je hebt.'
'Kun je hen niet opsporen met behulp van de airmiles?'
'Joey, de computers doen het niet, en alles loopt via hetzelfde systeem. Bovendien... hoe kun je weten dat ze met USAir vliegen?'
'Waarom zou je anders je auto op het parkeerterrein van USAir neerzetten?' vroeg Joey terwijl ze het contactsleuteltje omdraaide.

Ze keek nog een laatste keer naar het blauwe driehoekje op het elektronische scherm, wipte de auto uit, kneep haar ogen tot spleetjes samen tegen de langzaam opkomende zon en keek als een gek op het volle parkeerterrein om zich heen. Volgens het scherm moest de auto...
Daar.
In de hoek... vlak bij de vertrekhal. Gallo's marineblauwe Ford, fout geparkeerd op een plaats voor invaliden.
'Verdomme,' fluisterde Joey terwijl ze zich weer omdraaide en haar bagage snel uit de kofferbak viste. Haar gereedschapskistje onder haar ene arm, haar rugzak onder de andere. Met het oormicrofoontje nog aan het draadje bij haar oor bengelend rende ze naar de vertrekhal, niet goed in balans, en sneed twee toeterende taxi's hun pad af. 'Kun je nakijken welke tickets door de overheid zijn geboekt? Zijn er passagierslijsten?' riep ze naar Debbie. 'Heb je op die manier niet achterhaald naast wie die etterbak van een echtgenoot van Marsha zat?'
'Op hoeveel verschillende manieren kan ik het zeggen? Alle gegevens zitten in hetzelfde...'
'Hoe zit het met de lijst van passagiers die wetshandhavers zijn? Moeten die lui geen speciale formulieren invullen als ze hun wapens willen meenemen?'
Er volgde een stilte aan de andere kant van de lijn. 'Weet je wat...' zei Debbie. 'Blijf even aan de lijn. Ik zal de gate bellen.'
Joey liep de automatische deuren door, negeerde de lopende banden voor de bagage, ging meteen rechtsaf en vloog met twee treden tegelijk de roltrap op. Boven, bij de balies, bekeek ze de weinige mensen die daar zo vroeg in de ochtend waren. Een zakenman in een gekreukt pak, een student in een te groot sweatshirt, een oude dame in een lichtgele coltrui. Maar niemand die leek op Gallo of DeSanctis.
'Je kunt de Heer maar beter bedanken voor zinloze paperassen,' zong een bekende stem in haar oor.
'Heb je ze gevonden?' vroeg ze aan Debbie.
'Ik zweer je dat ik soms denk dat een paar van die regels door de CIA zijn bedacht om ons in de gaten te houden.'
'Wat heb je...'
'Volgens onze gegevens zijn agent James Gallo en agent Paul DeSanctis om zes uur zevenentwintig met een toestel van ons naar Miami vertrokken.'
Joey keek meteen op haar horloge. Een minuut over halfzeven. 'Dus ze zijn...'

'Weg.'
'Wanneer gaat het volgende...'
'Over anderhalf uur. Ik heb al opdracht gegeven een stoel voor je reserveren zodra het computersysteem weer werkt.'
Joey schudde haar hoofd en keek naar het televisiescherm. Miami. Vlucht 412. Vertrokken. 'Hoe heb ik hen verdomme kunnen missen?'
'Ga er niet om janken,' zei Debbie. 'Ze hebben hooguit een voorsprong.'

50

'Welke verdieping?' vraagt Charlie als we donderdagochtend vroeg in de lift stappen.
'De zesde,' zeg ik, en hij drukt op de knop. Ik trek mijn das recht. Charlie likt aan zijn hand en drukt zijn verwarde blonde haar plat. Als we nog een keer voor bankiers willen doorgaan, moeten we er als zodanig uitzien. Naast ons voert Gillian het vrouwelijke equivalent uit met haar lange, gebloemde rok. Als ze klaar is met die glad te strijken, kijkt ze mijn kant op. Ik laat mijn blik op haar benen rusten en kan er niets aan doen dat ik daarnaar staar... dat wil zeggen tot ik merk dat Charlie naar mij kijkt. Ik kijk naar de grond, en hij schudt zijn hoofd. Je kunt jongere broertjes niet in de maling nemen.
De lift komt met een klap tot stilstand, en de deuren schuiven open. In de gang hangt een smaakvol en (voor Miami) bescheiden zilver-en goudkleurig logo aan de muur, in de vorm van een ster, maar met een cirkel bij elke punt. De zilverkleurige letters eronder vertellen ons dat we onze bestemming hebben bereikt: Five Points Capital, waar Duckworth een deal had gesloten.
Gillian zet zich af tegen de koperen stang in de lift en glijdt de gang op. Voordat ik achter haar aan kan gaan pakt Charlie me bij mijn arm en fluistert: 'Je hebt haar koekjes aangeraakt, hè?'
'Waar heb je het over?' vraag ik geërgerd terwijl ik de lift uit stap.
'Is dat het beste wat je kunt opbrengen? Woede maar geen ontkenning?'
Deze keer zeg ik niets.
'Wanneer is het gebeurd? Gisternacht? Toen je vanmorgen de kleren ging halen?'

Ik trek me los, draai scherp naar links en steven af op de glazen deuren van de receptie. Charlie komt vlak achter me aan. Hij hoeft het niet te zeggen. Vanaf nu zal hij me niet meer uit het oog verliezen.
'Weet je zeker dat je er klaar voor bent?' vraagt Gillian, die meent angst van mijn gezicht af te lezen.
'Met mij is het best,' zeg ik, nog altijd naar Charlie kijkend. Maar terwijl ik diep ademhaal, kom ik in aanvaring met de werkelijkheid. Hij ziet het aan mijn gezichtsuitdrukking. Opbellen en om een afspraak vragen is één ding. Er een succes van maken is iets heel anders.
Rechts van de deur zien we een bordje met BELLEN VOOR DE RECEPTIE. Maar wat daarboven is aangebracht, trekt onze aandacht: een grijs toetsenpaneeltje dat lijkt op dat wat wij op de bank hebben. Maar naast de getallen is er ook een vlakke ruimte die net groot genoeg is voor een duimafdruk. BIOMETRISCHE IDENTIFICATIE staat erboven.
Ik druk op de bel, en Charlie trekt een wenkbrauw op. 'Herkenning van je vingerafdruk?' vraagt hij. 'Iemand neemt zichzelf een tikkeltje te serieus.'
Een receptioniste met getoupeerd bruin haar kijkt op en drukt op een knop om ons binnen te laten. Charlie loopt voorop als de glimlachende ambassadeur. Elke hoge piet heeft een assistent nodig. 'Hallo. We hebben vanmorgen gebeld...' zegt hij, mijn vertegenwoordigersstem nabootsend en op mij wijzend. 'Van Greene Bank. Dat is Henry Lapidus, die hierheen is gekomen om de heer Katkin te spreken.'
'Natuurlijk,' zegt ze, en ze knikt me toe. 'Meneer Lapidus, ik zal hem voor u oproepen.'
Charlie knarsetandt als die naam over haar lippen komt. *Weet je zeker dat dit goed zal gaan*, vraagt hij me met een blik.
Vertrouw me, sein ik terug. Gedurende de afgelopen vier jaren heb ik tónnen van cliënten als risicodragend kapitaal uitgezet. En zelfs in Florida heb je een grote naam nodig om een grote deur open te krijgen.
Charlie frummelt aan de das die hij van Duckworth heeft geleend en gaat achterover op de crèmekleurige bank zitten. Zodra Gillian naast hem gaat zitten, staat hij op en begint te ijsberen. Ik kijk nijdig, maar dat kan hem niets schelen. Hij negeert me en doet net alsof hij geïnteresseerd is in het uitzicht dat je vanachter de immense ramen op Brickell Avenue hebt.
'Meneer Lapidus, kunt u zich even inschrijven?' vraagt de recep-

tioniste aan me. Ze wijst op een computer die naast haar bureau staat. Op het scherm is een plek waar je je naam moet intypen. Ik typ Henry Lapidus en druk op ENTER. Achter de receptioniste zoemt een geavanceerde laserprinter en spuugt een sticker uit: HENRY LAPIDUS – BEZOEKER. Maar anders dan een normaal gastenpasje heeft de voorkant hiervan iets bijna doorschijnends. Als je hem in het licht schuin houdt, zie je in vage rode letters het woord VERLOPEN.

'Waar is deze van gemaakt?' vraag ik terwijl ik met mijn duim over de gladde pas strijk.

'Zijn ze niet te gek?' croont de receptioniste. 'Na acht uur lost de inkt op de bovenkant op en wordt het woord VERLOPEN felrood.

Ik knik, onder de indruk.

'Jullie nemen de beveiliging behoorlijk serieus, hè?' zegt Charlie.

'We hebben geen keus,' reageert de receptioniste met een lach. 'Ik bedoel... gezien de mensen die onze partners zijn...'

'Natuurlijk,' zegt Charlie, met een geforceerd lachje.

'Uit de aard der zaak,' zeg ik instemmend.

We staren naar de vrouw. Zij staart terug. We hebben er geen idee van waarop ze doelt.

'Hoe is het om met hen te werken?' vraagt Charlie, zoekend naar details.

'Wilt u de waarheid horen? Veel stelt het niet voor. Ik dacht dat ze zouden verschijnen in een donker pak en met een zonnebril op, maar ze zien er doodgewoon uit. Ze trekken hun T-shirt aan door hun armen een voor een door de armsgaten te steken.'

Charlie kijkt naar mij, en ik kijk naar Gillian.

'Het enige verschil is dat we nu T-shirts van de overheid krijgen,' voegt ze er met een lach aan toe.

Mijn gezicht bevriest totaal. 'Ressorteren jullie onder de overheid?'

'Niet rechtstreeks, maar...' Ze zwijgt even en zegt dan: 'O, het spijt me. Ik dacht dat u dat wist. Het staat in alle artikelen over ons.' Ze overhandigt me een bosgroene persmap.

Ik sla die open, en Charlie en Gillian lezen over mijn schouder mee. Het staat op de eerste bladzijde: 'Welkom bij Five Points Capital, de participatiemaatschappij van de secret service van de Verenigde Staten.'

Achter ons zwaait een deur open. 'Meneer Lapidus?' vraagt een bariton. We draaien ons om, en een lange man met militaire schouders en dikke onderarmen steekt een hand uit. Zijn horloge is voorzien van een gouden, presidentieel zegel. 'Brandt Katkin,' zegt hij, zichzelf voorstellend. 'Komt u alstublieft verder.'

51

'Secret service. U spreekt met Marta.'
'Hallo, Marta,' zegt Quincy kalm door de telefoon. 'Ik ben op zoek naar agent Jim Gallo...'
'Een momentje, alstublieft. Ik zal u doorverbinden met een supervi...'
'Ik wil niet worden doorverbonden. Dat is al twee keer eerder gebeurd.' Quincy, die met stevig gevouwen handen achter zijn bureau zat, had zich vast voorgenomen zijn zelfbeheersing niet te verliezen. Na de vergadering van de leden van de maatschap gisteravond was er al wel genoeg geschreeuwd. Gedreigd, zelfs. Nu was het tijd om kalm te zijn en te blijven. 'Degene met wie ik heb gesproken, heeft me weer verbonden met de voicemail van agent Gallo. Daar word ik niets wijzer van,' legde hij uit. 'Kun je hem alsjeblieft voor me zoeken? Het is een noodgeval.'
'Verkeert iemand in lijfelijk gevaar, meneer?'
'Nee, maar hij...'
'Dan zal agent Gallo contact met u opnemen zodra hij terug is.'
Quincy roffelde met zijn vingers tegen het kristallen schaaltje met toffees op de hoek van zijn bureau. Die zoetigheid was alleen voor cliënten. Volwassen mannen voelden zich er weer een jongen door. Voorbij het kristallen schaaltje, door het glas naast zijn deur, keek Quincy naar de vele mensen die op de zesde verdieping heen en weer liepen. Bij het andere uiteinde van de verdieping vloog de deur van het kantoor van Lapidus opeens open, en zijn partner stormde de gang op. Als Lapidus zo snel liep, kon hij maar naar één plaats onderweg zijn.
'Mevrouw, u begrijpt het niet,' hield Quincy vol. 'Ik moet agent Gallo spreken. Nú.'
'Het spijt me, meneer. De supervisor heeft u weer met het toestel van agent Gallo verbonden, en die zit niet achter zijn bureau.'
'Dat is duidelijk. Daarom wil ik weten waar hij wel is.'
'Die informatie kunnen we niet verstrekken, meneer.'
'Maar hij wordt geacht...'
'Het spijt me, maar ik kan niets voor u doen.'
'Maar...'
'Het spijt me. Ik wens u verder een goede dag.' Over de lijn weerklonk een klik, en er werd op de deur geklopt. Quincy bleef de hoorn dicht bij zijn oor houden toen Lapidus naar binnen stapte.
'Ja... nee... maak je geen zorgen. Iedereen houdt het hoofd koel,'

zei Quincy door de telefoon. 'Oké. Bedankt, Jim. Ik spreek je later nog wel weer.'
'Heb je Gallo gevonden?' vroeg Lapidus toen Quincy de hoorn op de haak legde.
'Vraagt en gij zult ontvangen.'
'Wat zei hij?' vroeg Lapidus.
'Eigenlijk niets. Hij wilde niet in details treden.'
'Weet hij waar ze zijn?'
'Moeilijk te zeggen,' zei Quincy terwijl hij een toffee pakte. 'Maar als ik ernaar zou moeten raden, zou ik zeggen dat het nu niet lang meer zal duren. We moeten gewoon nog even geduld oefenen.'

52

'Brandt Katkin. Prettig kennis met u te maken,' zegt hij terwijl hij ieder van ons een hand geeft.
'Jeff Liszt,' zeg ik, een andere naam van de bank gebruikend. Katkin kijkt naar mijn naambordje, waarop 'Lapidus' staat.
'Sorry...' zegt Charlie, precies zoals we het hebben geoefend. 'Meneer Lapidus was verlaat, en daarom hebben we meneer Liszt gevraagd met ons mee te gaan...'
'Natuurlijk,' zegt Katkin, te goed gepolijst om ook maar iets van ergernis te laten blijken. In deze wereld van het laten vallen van namen en het onmiddellijk indruk maken is hij gewend aan lokaasreclame. Hij neemt ons mee naar zijn kantoor, door grijze gangen. Ik loop voorop, gevolgd door Gillian. Charlie sluit de rij.
Hoe verder we van de receptie vandaan komen, hoe stiller het wordt. Ik kijk om me heen, probeer individuele kantoren in te kijken, maar besef al snel dat elke deur gesloten is.
'Dus dit is altijd al een afdeling van de secret service geweest?' vraagt Charlie. Hoewel hij zijn gewoonlijke speelse toon gebruikt, is de angst in zijn stem toch merkbaar.
'Ik zou ons geen afdeling willen noemen,' zegt Katkin terwijl we linksaf zijn kantoor in lopen. Hij heeft een kakibroek aan, instapschoenen en een golfshirt van Doral. Het driedelige pak van Miami. Maar zijn vlakke accent uit Minnesota wekt de indruk dat hij hier niet op zijn plaats is. 'Het is eerder een compagnonschap.'
Gillian en ik gaan in de stoelen voor het immense bureau met het

glazen blad van Katkin zitten. Charlie neemt plaats op de moderne, zwartleren bank. Het kantoor streeft naar hightech, binnen het door de overheid toegekende budget. In de hoek staat een zwartgelakt dressoir vol relatiegeschenken die een bedrijf geeft als er een belangrijke overeenkomst is gesloten: een speelgoedbrandweerauto, een nepinjectiespuit, een boekensteun in de vorm van een microchip. Recht daarboven hangt een ingelijst certificaat ter ere van Katkins benoeming tot speciaal agent van de secret service. Charlie staart daarnaar.

Compagnonschap? Mijn rug op, seint hij.

Ik knik instemmend. Secret service is secret service. Toch lijkt Katkin ons niet te kennen, wat betekent dat Gallo en DeSanctis – waar ze ook zijn – hun mond nog niet hebben opengedaan.

'Hoe werkt uw fonds precies?' stamel ik terwijl ik probeer niet in paniek te raken.

'Laat u niet in de maling nemen door die connectie met de secret service,' zegt Katkin. 'Dit is gewoon de volgende stap in onderzoek en ontwikkeling. Nu de technologie met de snelheid van het licht vooruitgaat, konden de overheidsinstanties dat tempo niet bijhouden. Zodra we de werking van een bepaald beveiligingssysteem hadden uitgevogeld, diende het volgende zich al aan. CIA... FBI... ze liepen allemaal minstens vijf jaar achter de particuliere markt aan. Toen heeft de CIA In-Q-Tel geopend om het gat te dichten. Twee jaar geleden zijn wij gestart met Five Points.

Het is eenvoudig, als je er eens over nadenkt,' gaat hij verder. 'Waarom zou je jezelf de dood in jagen door te proberen het van Silicon Valley te winnen als je dat soort lui zo ver kunt krijgen dat ze voor je deur in de rij gaan staan? Dat is de schoonheid van het spel. Elk nieuw idee heeft geld nodig, ook ideeën die strijdig zijn met de wet, en op deze manier kunnen we alles ten gunste van ons laten werken. Als iemand bijvoorbeeld een kogel uitvindt die dwars door Kevlar heen snijdt, laten we hem daarmee niet de zwarte markt op gaan. In plaats daarvan kopen we zo'n idee zelf, zoeken uit waardoor het werkt en leren onze agenten dan welke tegenmaatregelen ze moeten nemen. Het is het beste van beide werelden. We kunnen zo'n uitvinding zelf gebruiken, of we kunnen haar de baas als zij tegen ons wordt gebruikt. Als wij zo'n zaak rond hebben, krijgen onze ondernemers hun geld, en mogen wij als eerste de besten blauwdrukken zien.'

'Dus de overheid steekt de winst in haar zak?' vraag ik.

'Welke winst?' reageert hij plagend. "Non-profit" is onze middelste naam. Op die manier zijn de politici gelukkig, zien concurren-

ten ons niet als een bedreiging en kunnen wij nog altijd de zakenwereld in springen. Welkom in de toekomst. De Overheid N.V.'
'Als je hen niet kunt verslaan...' begint Charlie.
'Moet je hen opeten,' zegt Katkin gekscherend. Jammer dat hij de enige is die lacht. 'Waarmee kan ik u vandaag van dienst zijn?'
'Het gaat over mijn vader,' zegt Gillian, die eindelijk het woord neemt. 'Marty Duckworth...'
'Was Duckworth uw vader?' vraagt Katkin, en hij klinkt geamuseerd. 'Ik mocht die man echt. Hoe gaat het tegenwoordig met hem?'
Gillian kijkt een andere kant op. 'Hij is kortgeleden overleden.'
'O... Dat... dat is triest,' zegt Katkin. Ik let aandachtig op zijn reactie. Grote ogen. Ingezakte borstkas. Niet al te geschokt, maar duidelijk wel bezorgd. Ik kijk over mijn schouder naar Charlie. Hij ziet het ook.
Als deze vent aan het acteren is, krijgt hij de Emmy van dit jaar, bevestigt Charlie.
'Ik wist niet...' gaat Katkin door.
'Het is oké,' zeg ik, mijn innerlijke bankier aanzettend. 'Zoals u misschien al wel hebt geraden, behartigen wij de belangen van wijlen de heer Duckworth, en we dachten dat u ons misschien met een paar dingen zou kunnen helpen. We hebben zijn bescheiden bekeken, moet u weten, en toen hebben we dit gevonden.' Ik steek een hand in de zak van mijn jasje, haal daar de overeenkomst uit en geef die aan Katkin.
Katkin knikt in zichzelf en moet vechten tegen een grijns. 'Daar hebben we degene die is weggelopen.'
'Wat zegt u?'
'Hij was briljant, maar wel een bijzonder figuur. Een rasondernemer. Op een keer stonden we op een vliegveld op zo'n lopende band voor passagiers en toen zei ik gekscherend: "Hoe lang denkt u dat het zou duren om op zo'n ding om de wereld te lopen?" Daar dacht hij een seconde over na. Toen draaide hij zich naar me toe en zei: "2633,3 uren. Aannemend dat u van de pooldiameter gebruikt maakt, en niet van die van de evenaar."'
Gillian wil gaan lachen, maar dat lukt haar niet.
'Dus u kunt zich nog wel herinneren dat u met hem hebt onderhandeld?' vraagt Charlie.
'Hoe zou ik dat kunnen vergeten? Ik kan jullie wel vertellen dat we helemaal niet op zijn komst hadden gerekend. Hij had onze naam in de telefoongids gevonden. Om eerlijk te zijn hebben ze dit kantoor geopend om verbindingen te krijgen met Latijns-Ameri-

ka... Wie zou ooit hebben verwacht dat iemand als hij zich stomtoevallig zou aandienen?'

Gillian buigt zich naar voren en slaat haar armen over haar buik over elkaar. 'Wat zei hij?' vraagt ze, en ze klinkt verdrietig.

'Hij liep gewoon naar binnen. Laptop in zijn ene hand, roestend, oud klembord in zijn andere. We hebben een stagiaire op hem af gestuurd om met hem te praten, want we ontvangen op kantoor in principe geen mensen die we niet zelf hebben uitgenodigd. Tien minuten later hebben ze hem meegenomen naar de afdeling Vercommercialisering. En nog weer eens tien minuten later werd hij regelrecht naar mij toe gebracht.' Hij zwaait met de geheimhoudingsovereenkomst door de lucht. 'We hebben vaak gekscherend gezegd dat hij dit van de website van een of ander advocatenkantoor moest hebben gehaald. Maar ik moet hem nagegeven dat hij ons pas heeft laten zien hoe het werkte toen we deze overeenkomst hadden ondertekend.'

'Was het zo goed?'

'Weet u hoeveel van dit soort overeenkomsten we vorig jaar hebben ondertekend?' vraagt Katkin. 'Twee,' zegt hij, zijn eigen vraag beantwoordend. 'En die andere was voor die man van...' Hij onderbreekt zichzelf. 'Laat ik alleen maar zeggen... van iemand van wie jullie vast hebben gehoord.'

Charlie gaat rechtop zitten, wetend dat we dicht in de buurt aan het komen zijn. 'Dus u hebt er uw handtekening onder gezet?'

'Hij heeft al het papierwerk aan ons overgelaten. We hebben op alle mogelijke manieren getreuzeld, maar uiteindelijk hebben we getekend. Na de eerste paar afspraken – ik schat een maand of acht geleden – hebben we echter nooit meer iets van hem gehoord.'

'Wat zegt u?' vragen Charlie en ik tegelijkertijd.

'Wij waren net zo verbaasd. We waren klaar om van start te gaan. Ons team stond paraat, en het was al opgenomen in het budget. En we hebben zelfs onze expert op het gebied van financiële delicten uit New York laten overkomen.'

Zodra hij de stad noemt waarin wij wonen, voel ik een scherpe pijnscheut tussen mijn schouders. Alsof een aasgier aan mijn nek aan het knauwen is.

'New York?' vraag ik.

'We hebben wat vrienden op het kantoor daar,' zegt Charlie. 'Hoe heet die man?'

Gillian kijkt nijdig, maar daar boekt ze wel succes mee.

'O, hij is een van de beste mensen die we hebben,' zegt Katkin terwijl de klauwen van de aasgier zich dieper in mijn nek boren. Ik staar door het glazen bureaublad en zie zijn voeten ontspannen op het tapijt rusten. 'Echt een aardige kerel,' zegt Katkin. 'Hij heet Jim Gallo.'

53

'Is alles oké?' vraagt Katkin, die ons zwijgen niet begrijpt.

'Natuurlijk,' zegt Charlie terwijl wij proberen onszelf weer onder controle te krijgen. 'Alleen... alleen is Jim Gallo niet de man die wij kennen.'

'Het is een groot kantoor,' geeft Katkin toe.

'Dus mijn vader heeft bij zijn vertrek zijn idee meegenomen?' vraagt Gillian, die het graag weer over de uitvinding wil hebben.

'Dat gebeurt heel vaak,' zegt Katkin. 'Ondernemers komen hierheen om hun idee te bespreken. En als ze dan van iemand anders een beter aanbod krijgen, horen we nooit meer iets van hen. Zo gaat het nu eenmaal. En met iets als dit, waarmee zoveel geld te verdienen was... Ik bedoel... een paar van de dingen waarmee hij bezig was... Ik weet niet hoe het hem was gelukt, maar... ik nam gewoon aan dat hij met een nieuwe partner in zee was gegaan.'

'Dat is nu precies waarvan we hoopten dat u ons zou kunnen helpen,' onderbreek ik hem. 'Gezien het gebrek aan documenten in de nalatenschap van meneer Duckworth kost het ons veel moeite zijn uitvindingen financieel juist te taxeren.'

'We willen gewoon weten wat hij heeft uitgevonden,' zegt Gillian snel.

Charlie gaat anders zitten. *Vaarwel geduld, welkom wanhoop*, seint hij.

'Het spijt me,' zegt Katkin. 'Ik mag die informatie niet verstrekken.'

'Maar zij is de enige erfgename van de heer Duckworth,' zeg ik nadrukkelijk.

'En dat is een overeenkomst om alles geheim te houden,' reageert Katkin meteen.

'We vragen niet naar schematische diagrammen...'

'Nee, maar jullie vragen me wel een bindende overeenkomst te schenden en ons bedrijf daarmee bloot te stellen aan een proces.'

'Kunt u ons op zijn minst vertellen wat dit alles met die foto's te maken heeft?' vraagt Gillian smekend.

'De wat?'
'Deze...' Uit mijn jaszak haal ik de strip met de vier foto's.
Katkins gezichtsuitdrukking is nietszeggend. Hij heeft er geen idee van waarnaar hij kijkt.
'Die hebben we bij de overeenkomst gevonden,' legt Charlie uit.
'Weet u wie dat zijn?' vraagt Gillian.
'Ik ken niet een van hen,' zegt hij met een vet Minnesota-accent. 'Ik heb hen nog nooit eerder gezien.'
'Dus die foto's hebben niets met de uitvinding te maken?' vraag ik.
'Ik heb u al verteld...'
'Dat weet ik, maar dit is veel belangrijker dan de opdracht van een dode man om uw mond op slot te houden,' zeg ik. Dat is net een duwtje te veel.
Katkin gaat staan en staart ons allemaal aan. 'Ik geloof dat we hier klaar zijn.'
'Alstublieft... u begrijpt het niet,' zeg ik smekend.
'Leuk u allen te hebben ontmoet,' reageert Katkin koud.
Charlie springt op en loopt naar de deur. Gillian gaat achter hem aan. 'Kom mee,' roept Charlie.
'Maar we moeten heel dringend...'
'Oliver, laten we gaan!'
Katkin kijkt mijn kant op en de zuurstof wordt de kamer uit gezogen. Shit. Valse namen.
Ik verstijf. Gillian en Charlie staan daar gewoon. Katkin zendt ons zo'n bittere blik toe dat die daadwerkelijk brandt.
'Jongeman, ik weet niet wie je denkt te zijn, maar laat me je een kleine raad geven. Dit gevecht wil je niet aangaan.'
Charlie legt een hand op mijn schouder en trekt me naar de deur. Binnen vier seconden zijn we verdwenen.

'Wat heeft hij uitgevonden? Wat heeft hij uitgevonden?' vraagt Charlie kreunend op de achterbank van Gillians oude blauwe Kever. 'Waarom moest jij zo nodig aan het rebbelen slaan?'
'Ben ík aan het rebbelen geslagen?' zegt Gillian woest terwijl ze hem via de achteruitkijkspiegel aanstaart. 'Wie is dit? *Oliver... Oliver. Heb ik er net voor gezorgd dat we het gebouw uit zijn begeleid? Sorry. Ik dacht er niet bij na. In feite heb ik niet één grijze cel gebruikt.*'
'Kunnen jullie daar allebei alsjeblieft mee ophouden?' vraag ik smekend. 'We hebben nog mazzel dat we zoveel te weten zijn gekomen.'

'Waar heb je het over?' vraagt Charlie.
'Je hebt Katkin gehoord. Dat verhaal over Duckworth. En dat Gallo erbij is gehaald. In elk geval weten we nu waarmee we worden geconfronteerd.'
'Dus jij denkt dat Gallo mijn vader een beter aanbod heeft gedaan?' vraagt Gillian.
'Vertel jij mij dat maar eens. Eerste acte. Je vader zoekt naar risicodragend kapitaal om hem te helpen met zijn uitvinding. Tweede acte. Hij gaat met het idee naar Five Points Capital, een afdeling van de secret service. Derde acte. Gallo wordt erbij gehaald. Vierde acte. Je vader verandert opeens van gedachten, valt van de aarde af en huurt een miezerig appartement in de geboortestad van Gallo. Wat denkt u dat het meest waarschijnlijke is, Miss Marple?'
'Dus Gallo is er door Five Points Capital als adviseur bij gehaald, maar toen hij de uitvinding zag...'
'... besefte hij dat hij er de zwarte markt mee op kon gaan om het zelf te verkopen. Dan benadert hij Duckworth. "Waarom zouden we het geld met Five Points delen als we het voor onszelf kunnen houden?"'
Charlie buigt zich tussen de voorstoelen door. 'Waarom zou Gallo zich tegen hem keren als ze samenwerkten?'
'Omdat de winst in je eigen zak steken beter is dan die te moeten delen. "Natuurlijk zullen we je helpen met het prototype, Marty. Ja... Marty, het zou beter zijn als je rechtstreeks met ons samenwerkt... Dank voor je hulp, Marty. Nu pakken we jouw idee, zetten al ons geld op een rekening die op jouw naam staat en kun jij van het toneel verdwijnen." Zodra Duckworth besefte wat er gaande was, hebben ze hem vermoord. Toen hadden ze zijn uitvinding echter al wel in handen.'
Gillian staart naar buiten en zwijgt.
'Je weet wat ik bedoel,' voeg ik eraan toe.
Ze reageert niet.
'En het geld zelf?' vraagt Charlie. 'Zelfs als jouw theorie klopt, vertelt die ons nog niet hoe ze het op de bank hebben verborgen.'
'Daarom denk ik dat ze zijn geholpen door een insider,' zeg ik.
'Misschien hebben de foto's daarmee te maken,' zegt Gillian nu.
Ik trek de zonneklep met het spiegeltje net op tijd omlaag om Charlie een gezicht te zien trekken.
'Misschien zijn de mensen die op die foto's staan degenen die Gallo hebben geholpen het geld te verbergen,' zegt Gillian.
'Ik weet het niet,' zeg ik, terwijl ik de strip uit mijn jaszak haal. 'Ik

heb die mensen nog nooit van mijn levensdagen gezien.'
'Kunnen zij op een ander kantoor werken? Hebben jullie her en der in het land geen bijkantoren?'
'Een paar... maar alle leden van de maatschap werken op het kantoor in New York. En uit de manier waarop dat geld is verborgen kan ik opmaken dat er een hoge piet bij betrokken moet zijn geweest.'
Charlie houdt zijn hoofd schuin en wurmt zich opnieuw mijn spiegeltje in. Hij heeft het idee dat ik iets achterhoud. Dat klopt. 'Denk je aan iemand in het bijzonder?' vraagt hij, de Lapidus-uitdrukking op mijn gezicht juist interpreterend. Zoals gewoonlijk slaat Charlie de spijker op zijn kop. Gallo was niet alleen komen opdagen om een onderzoek in te stellen. Hij was op zoek naar zijn eigen geld. En uit wat we op de bank hebben gezien, kunnen we opmaken dat Lapidus en Quincy de enigen waren met wie hij samenwerkte.
'Dus Duckworth heeft iets uitgevonden, Gallo en DeSanctis hebben die uitvinding overgenomen en op een gegeven moment hebben ze een insider gevonden die heeft geholpen het geld op de bank te begraven,' zegt Charlie. 'Oliver, wie van die twee denk je dat het meest verdorven is? Lapidus of Quincy?'
Ik schud mijn hoofd en laat de heel korte tijd die ik de laatste keer in het kantoor van Lapidus heb doorgebracht, nog eens de revue passeren. Er was daar nog een ander figuur geweest. 'Het lijkt zinnig, maar... Hoe weten we dat het Shep niet was? Ik bedoel... Hij hád voor de secret service ge...'
'Shep was het niet,' onderbreekt Charlie mij. 'Geloof me, hij zou zoiets nooit hebben gedaan.'
'Maar als hij...'
'Het was Shep niet!' houdt hij vol.
Ik staar naar Charlie. Gillian kijkt via de achteruitkijkspiegel naar hem. Het is beter om niet te gaan ruziën. Toch moest Duckworth enige hulp hebben gehad.
'Misschien hebben de foto's daarmee te maken,' zeg ik. 'Het kan zijn dat er nog andere mensen bij waren betrokken. Van de zwarte markt... of andere corrupte agenten van de secret service. Het is mogelijk dat Duckworth hun foto's als een soort van verzekering heeft bewaard.'
'Waarom had hij dan geen foto's van Gallo en DeSanctis?' vraagt Gillian.
Dat is een goede vraag. Gillian draait aan het stuur en gaat Alton Road op. Ik staar weer naar de foto's. Ze glanzen niet. Het lijkt wel alsof ze uit een kleurenprinter zijn gekomen.

'Ideeën?' vraagt Gillian.
'Niet echt. Maar als je ze zo naast elkaar bekijkt... De stijve houdingen... Zien ze er dan niet uit als foto's die je nodig hebt voor een legitimatiebewijs?'
'Zoals een rijbewijs?' vraagt Gillian.
'Of een paspoort,' voegt Charlie eraan toe.
'Of misschien een naamkaartje van een bedrijf...' zeg ik.
'In elk geval hebben we Katkins reactie gezien,' zegt Gillian, 'en die alleen vertelt ons al dat zij niet van Five Points waren.'
'Toch denk ik nog steeds dat het mensen zijn die je vader vertrouwde,' zegt Charlie. 'Het is net zoiets als die geheimhoudingsovereenkomst. Je bewaart geen dingen die je in de problemen kunnen brengen. Je bewaart wat je wilt beschermen.'
Gillian remt voor een rood verkeerslicht en knikt Charlie via de achteruitkijkspiegel toe. Ze herkent een goede theorie als ze die hoort. 'Stel dat het mensen zijn die hem met het oorspronkelijke idee hebben geholpen?'
'Of mensen die hij in vertrouwen had genomen,' zegt Charlie.
'Voor welk bedrijf heeft hij na Disney gewerkt?' vraag ik, en ik word opeens opgewonden.
'Neowerks. Volgens mij zitten die in Broward...'
'Ik heb het adres op een oud loonstrookje gezien,' zegt Charlie. 'In de dossierkast.' Er volgt een geladen stilte. We kijken elkaar alle drie aan en proeven de adrenaline in de lucht.
Gillian rijdt snel Tenth Street door en trapt voor haar huis hard op de rem.
'Hoe ver zijn we van Broward vandaan?' vraagt Charlie.
'Op zijn hoogst veertig minuten,' zegt Gillian.
'Ik zal opbellen en een afspraak maken,' bied ik aan terwijl ik het portier opentrap en Charlie help zich van de achterbank af te wurmen. Gillian blijft zitten.
'Ga je niet mee?' vraag ik.
'Ik moet even gaan checken of ik nog steeds een baan heb. Over tien minuten ben ik weer terug.' Ze gooit me de huissleutels toe, zwaait en rijdt weg.
'O, ik mis haar nu al,' zegt Charlie. Hij grist de sleutels uit mijn handen, loopt snel het betonnen pad af en rent naar binnen. Hij gaat meteen door naar de dossierkast. Ik smijt de deur dicht en loop naar de telefoon. Maar wanneer we de grendels achter ons dicht horen schuiven, volgen we dat geluid en draaien ons snel om. Op dat moment zien we dat alle gordijnen dicht zijn. Overal is het donker. En dan horen we... in de hoek... een klik. In de huiska-

mer gaat een lamp aan. Elk onsje lucht verlaat mijn borstkas.
'Leuk je te zien, Oliver,' zegt Gallo, die op de bank zit. 'En nu komt er iets wat zeer doet...'
Bij de deur buigt een schaduw zich en duikt op ons af. Charlie draait zich om en probeert het op een rennen te zetten, maar daar is het al te laat voor. Een arm doorklieft de lucht, zijn kant op. Gallo is achter mij gaan staan en slaat een arm om mijn hals. Het laatste wat ik zie, is de vuist van DeSanctis, die op het gezicht van mijn broer neerkomt.

54

'Welkom op het vliegveld van Miami. Waarmee kan ik u van dienst zijn?'
'Hallo. Ik ben hier om een auto op te halen,' zei Joey tegen de kleine blonde vrouw bij de balie van het autoverhuurbedrijf National. 'Is gereserveerd op de naam Gallo.'
'Gallo...' herhaalde de vrouw terwijl ze de naam intypte in de computer. 'Ik heb niets onder Gallo...'
'Waarschijnlijk heeft hij de naam DeSanctis gebruikt,' zei Joey, verder bluffend. De formica balies van de andere autoverhuurbedrijven strekten zich over de gehele aankomsthal uit, maar toen Joey de roltrap af was gestapt, was ze regelrecht naar die van National toe gelopen. Op de lijst van het reisbureau van de secret service stonden immers maar drie bedrijven vermeld die de voorkeur genoten. National was nummer één.
'Levert die naam wel iets op?' vroeg Joey.
De vrouw keek met samengeknepen ogen en in verwarring naar het scherm. 'Het spijt me. Hier staat dat iemand die auto al heeft opgehaald.'
'O, die enthousiaste rotzakken,' zei Joey lachend. 'Ik wist wel dat ze de vroege vlucht zouden nemen. Alles om een slechterik te vangen!' Ze maakte haar portefeuille open en fluisterde: 'Secret service.' Toen liet ze even een gouden penning zien. Natuurlijk had ze haar vingertoppen op de woorden 'Politie van Fairfax' gedrukt, maar ze had door de jaren heen geleerd dat een penning meer was dan gewoon een penning. Zeker als die van haar vader was. 'We zouden elkaar in Miami treffen en... Mag ik uw telefoon even gebruiken? Dan zal ik proberen hun gsm te bereiken.'

De vrouw stak Joey de hoorn toe en toetste het nummer in dat haar werd opgegeven. Joey hoorde haar eigen antwoordapparaat opnemen. Ze keek de vrouw aan, opeens ernstig. 'Ik krijg alleen de voicemail.'
'I-is dat een slecht teken?'
'Hebt u er enig idee van waar ze naartoe zijn gegaan?' vroeg Joey heel bezorgd.
'In feite worden we niet geacht...'
'Het zijn mijn partners. Als er iets gebeurt...'
De vrouw stond op het punt om iets te zeggen, maar aarzelde toch nog.
'Het is een noodgeval,' zei Joey smekend. 'Alstublieft...'
De vrouw haalde een plattegrond uit de stapel en schoof die over de balie naar Joey toe. 'Ze wilden weten hoe ze bij South Beach moesten komen, en dat heb ik hun verteld.'
'Een adres in het bijzonder?'
'Tenth Street... Ze hebben geen nummer genoemd, maar het is een kleine wijk.'
'Ik vind het wel,' zei Joey, die de plattegrond pakte. 'Hoe snel kunt u me aan een auto helpen?'

55

De derde dreun raakt mijn kaak, en ik proef op mijn tong de zoetzure smaak van bloed.
'Laat hem met rust!' brult Charlie, hoewel hij de woorden nauwelijks over zijn lippen kan krijgen. DeSanctis geeft Charlie met zijn pistool een klap tegen zijn kaak.
'Waar is het?' brult Gallo recht in mijn gezicht, klaar om nog een keer te meppen. Hij grijpt mijn das en slingert me naar de bank. 'Oliver, zeg ons waar het is! Dan zullen we uit je leven verdwijnen!'
Het is een eenvoudige belofte en een volstrekte leugen. De enige reden waarom we nog ademhalen, is dat wij hebben wat zij willen hebben.
'Vertel hem niks!' brult Charlie terwijl er bloed over zijn kin drupt. DeSanctis haalt uit en geeft Charlie deze keer een dreun tegen zijn oor. Charlie zakt op zijn knieën, krijst en drukt een hand tegen de zijkant van zijn hoofd.

'Charlie!'
'Verroer je niet!' zegt Gallo waarschuwend terwijl hij me aan mijn nek terugtrekt.
'Als je hem nog eens slaat, vertel ik jullie niks!' schreeuw ik.
'Denk je dat we hier aan het onderhandelen zijn?' blaft Gallo, die mijn das nog altijd beet heeft. Hij smijt me tegen de boekenkast aan, waarna een stuk of tien technische boeken op de grond vallen. Hij stelt me niet in staat weer op adem te komen, pakt me bij mijn revers en slingert me weer naar de lage tafel. De lamp valt in gruzelementen en de fotolijstjes vliegen in het rond. Ik struikel, doe mijn uiterste best om mijn evenwicht niet te verliezen, maar slaag daar niet in. Ik kan ook niet bij het wapen onder mijn broekriem komen. 'Weet je wel hoeveel tijd van mij je hebt verspild?' tiert Gallo door. 'Heb je er enig idee van wat dit me kost?'
Als een worstelaar in de ring pakt hij de knoop van mijn das, draait me snel om en smijt me opnieuw tegen de boekenkast aan. De rand van de plank raakt me in mijn nek, en mijn hoofd schiet naar achteren. Een seconde lang kan ik niets zien. Gallo trekt me naar voren en duwt me weer naar achteren. En nog eens. Elke keer als ik tegen de boekenkast klap, regent het boeken op me. 'Oliver, waar is het geld? Waar heb je dat verdomme verstopt?'
Spuug vliegt zijn mond uit. Er is een kleine spleet tussen zijn geel wordende tanden. Bij elke dreun knippert de wereld even. Ik sta op het punt flauw te vallen, maar Gallo wil van geen ophouden weten. Uiteindelijk slaat hij zijn klauwen om mijn keel en drukt me tegen de boekenkast aan. Ik kan geen ademhalen. Ik vecht om dat wel te doen terwijl hij zijn greep verstevigt. 'A-alsjeblieft.'
Charlie ligt nog op de grond, met een hand tegen zijn oor gedrukt. DeSanctis staat boven hem, met een brutale grijns rond zijn mondhoeken. En achter hen... Ik zweer dat ik achter hen in de keuken iets zie bewegen. Voordat ik kan reageren, vervaagt de hele kamer en draait naar opzij. Het is alsof ik onder water ben en word meegezogen door het tij. Gallo knijpt hard, en ik drijf terug naar gisteravond. Naar Gillian. Ik zie niets anders dan haar en daarom geloof ik bijna niet dat ze er echt is als ik mijn ogen weer opendoe. Gillian rent de huiskamer in en mikt de glazen kom van de mixer op het achterhoofd van DeSanctis.
Ik hoor een luide knal als die met zijn schedel in aanraking komt. Er verschijnt een zigzaggende barst in de kom. DeSanctis wankelt naar voren en struikelt over Charlie.
Als Gallo zich omdraait om te kijken waar het geluid vandaan komt, pak ik een boek met een harde kaft van de plank en raakt

hem op zijn achterhoofd. Hij verliest zijn evenwicht en meer heeft Gillian niet nodig om naar hem toe te rennen. Gallo steekt een hand uit naar zijn wapen, maar krijgt de kans niet dat te pakken. Gillian haalt met de kom van de mixer uit naar de zijkant van zijn hoofd. Op het moment waarop het glas met zijn hoofd in aanraking komt, begeeft de al bestaande breuk het, en tikken er honderden glasscherven tegen mijn borstkas. Het enige dat Gillian nog vast heeft, is het massief glazen oor. Gallo ligt op het tapijt, verdoofd maar niet buiten westen.

'Laten we gaan!' schreeuwt Gillian terwijl ze mijn hand vastpakt. Hoestend en vechtend om op adem te komen stap ik over Gallo heen en loop naar Charlie toe, die zijn hoofd net optilt. Zijn ogen schieten heen en weer, eerst naar Gillian, dan naar mij en dan weer terug naar Gillian. Hij verkeert in een shocktoestand. Gillian pakt zijn ene arm en ik zijn andere. We hijsen hem bij zijn oksels op en zetten hem neer.

'Alles oké? Kun je me horen?' vraag ik.

Hij knikt, vindt snel zijn evenwicht. 'Loods ons dit huis uit,' fluistert hij. Er klinkt geen angst in zijn stem door. Alleen woede.

Gillian loopt voorop. Niet naar de voordeur, maar naar de slaapkamers achter in het huis, waar ze naar binnen is geslopen. Zij als eerste. Dan ik, dan Charlie. Maar net als ik naar voren vlieg, pakt iets me bij mijn enkel. En draait. Hard. Een elektrische schok van pijn trekt door mijn been en ik klap tegen de grond. Achter me weigert DeSanctis mijn enkel los te laten. Hij ligt op zijn buik en schuift naar voren. Bij zijn haargrens zie ik bloed langs de zijkant van zijn voorhoofd op zijn wang druppen.

Ik trap als een gek, vechtend om los te komen. Zijn nagels begraven zich diep in mijn enkel. Ik kan hem niet van me af schudden.

'Chárlie!'

Ik kijk om, maar hij is er al. De zware zwarte schoen van mijn broer trapt op de pols van DeSanctis. Krijsend van de pijn laat DeSanctis me los en kijkt op naar Gillian.

'Wat ben je...'

Voordat DeSanctis zijn zin kan afmaken, haalt Gillian bliksemsnel uit met haar voet en raakt hem tegen de zijkant van zijn hoofd. Met een onaardse krak schiet zijn hoofd naar opzij. Dat houdt Gillian niet tegen. Ze geeft hem nog een trap. En nog een. Haar schoen heeft de impact van een baksteen. Telkens weer.

'Zo is het genoeg,' zegt Charlie, en hij trekt haar weg. Vanaf mijn plaats op het tapijt lijkt hij zes meter lang. De nieuwe grote broer.

'Laten we gaan!' brult Charlie, die zich bukt en mij overeind trekt.

Omdat hij niet zeker weet wat er aan de voorkant van het huis op ons staat te wachten, rent hij verder naar de achterkant. Ik negeer de pijn in mijn enkel en hobbel zo snel mogelijk achter hem aan de gang door. Achter me legt Gillian een hand op mijn schouder.
'Gewoon doorlopen,' fluistert ze. We lopen de slaapkamer door, waar de glazen schuifpui naar de achtertuin wijd openstaat.
'Rechtsom!' brult Gillian.
Charlie ziet zijn eigen uitweg en draait linksom.
We bevinden ons op een cementen patio. De muur recht voor ons is te hoog. Links loopt het pad door de tuinen van de buren en verbindt de patio's zo met elkaar. Charlie is al aan het eind van het pad en klautert op een roestende, door de zon gebleekte tuinstoel om over de betonnen muur heen te kunnen komen.
'Snel!' roept Charlie, met een been al aan de andere kant van de muur.
'De auto staat daar,' zegt Gillian, die me naar rechts trekt.
Ik kijk beide kanten op, maar het antwoord is eenvoudig. 'Charlie, wacht!' roep ik terwijl ik naar mijn broer toe ren.
'Ben je gek geworden? Deze weg is veiliger,' zegt Gillian, die weigert toe te geven.
Ik hou niet eens even halt.
'Ik meen het,' zegt ze. 'Als jullie nu vertrekken, staan jullie er alleen voor.' Het is een gigantisch dreigement, maar zelfs Gillian wil het niet in haar eentje op een lopen zetten. Ze schudt haar hoofd en komt achter mij aan.
'Kom! Ze kunnen nu elke seconde weer bij hun positieven komen!' brult Charlie, die zijn andere been over de muur heen haalt. Hij zet zijn gewicht op zijn armen, drukt zich op en verdwijnt.
'Wacht nog even!' roep ik. Het is te laat. Hij is al verdwenen.
Ik spring op de tuinstoel en rek mijn hals om over de muur heen te kijken en er zeker van te kunnen zijn dat alles met hem in orde is. Maar net als ik Charlie zie, hoor ik verderop een enkel schot. Een centimeter of vijf links van me wordt de bovenkant van de muur verbrijzeld en spatten betonscherven alle kanten op. Het is alsof je zand in je gezicht krijgt. Met samengeknepen ogen probeer ik door de storm heen te kijken. Gallo komt aan de andere kant van de muur zo snel hij kan de hoek om en heeft zijn wapen recht op mij gericht.
'Laat je zakken!' brult Charlie.
Er weerklinkt een tweede schot.
Ik duik weg onder de rand, verlies mijn evenwicht en val van de tuinstoel op de grond. Terwijl ik plat op mijn rug lig, staar ik naar de muur die mij van mijn broer gescheiden houdt.

'Oliver?' roept Charlie.
'Rénnen! Maak dat je wegkomt!' schreeuw ik.
'Pas wanneer jij...'
'Rennen, Charlie. Nú!'
Geen tijd om te discussiëren. Ik hoor zijn schoenen op het gras terwijl hij wegrent. Gallo kan niet ver bij hem uit de buurt zijn.
Ik krabbel overeind, pak het pistool en bestudeer de muur alsof ik erdoorheen kan kijken. Gillian raakt licht mijn schouder aan. 'Is hij...'
Er weerklinkt een derde schot, dat haar onderbreekt. En dan een vierde. Mijn hart verkrampt, en ik staar naar de muur. Ik hou mijn adem in, doe mijn ogen dicht en luister of ik voetstappen hoor. In de verte hoor ik dof getik. God, laat dat alstublieft Charlie zijn.
Ik wil weer over de muur heen kijken, maar Gillian trekt me de andere kant op. 'We moeten maken dat we wegkomen,' zegt ze. Als ik niet in beweging kom, voegt ze eraan toe: 'Alsjeblieft, Oliver.'
'Ik laat hem niet in de steek.'
'Luister naar me. Als je weer die muur op klautert, kun je net zo goed een roos op je voorhoofd schilderen. Charlie redt zich wel. Hij is tien keer sneller dan Gallo.'
'Ik laat hem niet in de steek,' herhaal ik.
'Niemand heeft het over in de steek laten gehad. Maar als we nu niet maken dat we wegkomen...'
Een vijfde schot dondert langs het blok. We schrikken van het geluid en gaan allebei op onze hurken zitten.
'Hoe ver staat je auto hiervandaan?' vraag ik.
'Volg me.' Ze pakt mijn hand, en we rennen weer over de open patio's. Halverwege passeren we de schuifpui naar Gillians slaapkamer, en precies op dat moment schiet de hand van DeSanctis naar buiten en pakt Gillians krullende zwarte haar.
'Klaar voor de tweede ronde?' vraagt DeSanctis, die nog heel onvast op zijn benen lijkt te staan.
De rechterkant van zijn gezicht is bedekt met bloed. Voordat hij naar buiten kan stappen, draait Gillian zich bliksemsnel om en haalt met haar knie uit naar zijn ballen. Hij valt op de grond. Ik geef hem een dreun met het pistool, en we rennen verder. Als we bij de muur zijn, lijkt die het spiegelbeeld van die waarover Charlie is verdwenen. Tot ik naar links kijk en het zwarte metalen hek in de muur zie. Op de spijlen is een kaartje geplakt, in een plastic zakje. NIET OP SLOT DOEN. BRANDUITGANG staat er met hanenpoten op geschreven.

Gillian pakt de spijlen vast en rukt het hek open. Met een klap valt het achter ons weer dicht, en wij staan op het parkeerterrein van een laag appartementengebouw. Zodra we de straat hebben bereikt, slaan we linksaf.
'Hier,' zegt ze, en ze springt haar blauwe Kever in, die onder een boom geparkeerd staat.
Ze draait het contactsleuteltje om. Ik kijk over mijn schouder om te zien of DeSanctis achter ons aan komt. 'Rijden!'
'Welke kant op?' vraagt ze.
'Rechtdoor. We zullen hem vinden.'
Banden piepen, wielen draaien snel rond, en wij worden in onze stoelen gedrukt. We houden ons hoofd laag, voor het geval we Gallo zien. Maar als we bij het eind van het blok zijn – de kant die Charlie op ging – is er niemand te zien. Gallo niet... Charlie niet... niemand. In de verte horen we vaag sirenes janken. Als er wordt geschoten, komt de politie vanzelf.
'Oliver, we zouden echt...'
'Blijf naar hem uitkijken,' zeg ik, en ik kijk in elk steegje naast elk roze huis dat we passeren. 'Hij moet hier ergens zijn.' Terwijl de auto langs het blok kruipt, zien we echter niets anders dan lege opritten, overwoekerde gazons en een paar wiegende palmbomen. Achter ons zwelt het geluid van de sirenes aan.
Als ik op de vlucht was, zou ik bij het volgende stopteken rechtsom gaan. 'Naar links,' zeg ik tegen Gillian. Ik ken mijn broer nog steeds. Als we de hoek om zijn, zien we helaas alleen een oude man met een huid met de kleur van bruin schoenleer en een hemelsblauw shirt uit de jaren vijftig van de twintigste eeuw. Hij zit op zijn stoepje met een zakmes een grapefruit te schillen.
'Hebt u iemand langs zien rennen?' roep ik terwijl ik het pistool verberg en mijn raampje opendraai.
Hij kijkt me aan alsof ik een onbegrijpelijke taal spreek.
'Praat Spaans,' zegt Gillian.
'O. Eh... hebt u *un muchacho veras*?'
Nog geen reactie. Hij gaat door met het schillen van zijn grapefruit. De sirenes zijn nu bijna bij ons.
Gillian staart bezorgd in de achteruitkijkspiegel. Ze heeft een beslissing nodig. 'Oliver...'
'Wacht even,' zeg ik. '*Por favor. Es muy importante. Es mi hermano!*'
Hij wil niet eens opkijken.
'Oliver, alsjeblieft...'
Achter ons komen banden piepend de hoek om.

'Laten we maken dat we wegkomen,' zeg ik, eindelijk toegevend. Ze geeft een dot gas, en de banden zoeken opnieuw naar tractie. Het negeren van de snelheidslimiet verandert de wijk in een roze en groene, vage streep. Ik staar naar buiten, wachtend tot Charlie tussen de struiken vandaan te voorschijn springt en schreeuwt dat hij in veiligheid is. Dat doet hij niet. Ik blijf wel kijken.
Naast me steekt Gillian een hand uit en legt die zacht tegen mijn hals. 'Ik weet zeker dat alles met hem in orde is,' belooft ze.
'Ja,' zeg ik terwijl South Beach – en mijn broer – achter ons vervagen. 'Ik hoop dat je gelijk hebt.'

56

Als Joey tien minuten eerder was gearriveerd, zou ze alles hebben gezien: de robijnrode lichten van de politiewagen, de geüniformeerde agenten die eruit vlogen en zelfs Gallo en DeSanctis, die met een snel voorbereide verklaring kwamen. Ja, wij hebben geschoten. Ja, ze zijn ontsnapt. Nee, we kunnen het best zelf af. Toch hartelijk bedankt. Maar zelfs nu iedereen weg was en de huurauto van Gallo ook nergens te zien was, kon haar de felgele en zwarte tape die de politie op de voordeur van Duckworth had aangebracht, niet ontgaan.
Joey sprong de auto uit, liep regelrecht naar die voordeur en klopte daarop zo hard ze kon. 'Ik ben het. Is er iemand thuis?' schreeuwde ze nadat ze zich ervan had vergewist dat er geen anderen in de buurt waren.
Een blik over haar schouder en een draai aan de palletjes van het slot deden de rest. Toen de deur openzwaaide, dook ze onder het tape van de politie door. In de keuken was niets bijzonders te zien, maar in de huiskamer was het een puinhoop. Lampen waren kapot, de lage tafel lag op zijn kant en boeken waren van hun planken gevallen. Het gevecht was kort geweest en had alleen op deze plek plaatsgevonden. Bij de voet van de boekenkast lag een stapel oude exemplaren van het tijdschrift *Wire*. Joey liep daarheen, pakte het bovenste blad en bekeek wat er op het etiket stond. Martin Duckworth, las ze voor zichzelf voor, duidelijk verward. Op een plank in de buurt zag ze het gebarsten fotolijstje met de foto van Gillian en haar vader. Eindelijk iets waar ze wat aan had. Ze haalde de foto uit het lijstje en stopte hem in haar tas.

Op de grond zag ze de glasscherven op het lichte tapijt glinsteren en ze zag ook een donkere vlek bij de deur. Ze bukte zich om die beter te kunnen bekijken. Het bloed was al opgedroogd. In de gang lag nog meer bloed, kleine druppeltjes, als planeten van een donkere zon. Hoe verder ze liep, hoe kleiner de vlekjes werden. Ze brachten haar uiteindelijk naar de slaapkamer. En de schuifpui.

Door het glas heen zag ze een vierjarig Cubaans joch in rood ondergoed en een blauw T-shirt van Superman naar haar staren, met zijn handen in zijn broekzakken gestopt. Joey glimlachte en schoof de deur langzaam open om hem niet bang te maken. 'Heb je mijn broer gezien?' vroeg ze speels.

'Beng! Beng!' schreeuwde hij, terwijl hij met zijn vinger als wapen op de muur helemaal links van haar wees. Joey keek die kant op en zag dat het beton boven op de muur kapot was. Daaronder stond een tuinstoel. Op de stoel en over de muur heen, dacht Joey. Ze haalde haar gsm uit haar tas en liet automatisch een nummer draaien.

'Hoe was je vlucht? Heb je gratis pinda's gekregen?' vroeg Noreen.

'Heb je ooit gehoord van een man die Martin Duckworth heet?' vroeg Joey, die naar de opgerolde *Wired* staarde.

'Is dat niet de man op wiens naam de bankrekening staat?'

'Ja. Volgens Lapidus en de dossiers van Greene woont hij in New York, maar ik denk dat we wel wat meer te weten zullen komen als we hem door de gehaktmolen halen.'

'Geef me vijf minuten de tijd. Verder nog iets?'

'Ik wil ook dat je hun verwanten voor me vindt,' zei Joey terwijl ze dichter naar de muur toe liep. 'Van Charlie en Oliver. Iedereen die ze hier in Florida zouden kunnen kennen.'

'Denk je nu echt dat ik dat niet heb gedaan zodra jij in het vliegtuig naar Miami was gestapt?'

'Kun je me de lijst toesturen?'

'Er staat slechts één naam op,' zei Noreen. 'Maar ik dacht dat je zei dat ze te slim waren om zich bij verwanten schuil te houden.'

'Nu is dat niet meer zo. Te zien aan de stand van zaken hier hebben ze een onverwacht bezoekje gekregen van Gallo en DeSanctis.'

'Denk je dat die twee hen te pakken hebben gekregen?'

Joey zag een beeld voor ogen van de vlek op het tapijt, ging op de tuinstoel staan en streek met haar vingertoppen langs de beschadiging in de muur. Geen bloed. 'Ik kan niets met zekerheid zeggen,

maar iets vertelt me dat minstens een van hen is weggekomen. En als die op de vlucht is geslagen...'
'... zal hij wanhopig zijn,' vulde Noreen aan. 'Geef me tien minuten de tijd, en dan krijg je alles wat je nodig hebt.'

57

Toen ik twaalf was, ben ik Charlie een keer kwijtgeraakt in het winkelcentrum bij Kings Plaza. Ma was in een van de goedkope zaken aan het beslissen wat ze opzij wilde laten leggen. Charlie sloop door Spencer Gifts en deed zijn uiterste best de geur op te snuiven van erotische kaarsen die 'uitsluitend voor volwassenen' waren bestemd. En ik... ik werd geacht hem dicht bij me in de buurt te houden. Maar toen ik me omdraaide om hem hun aanbod speelkaarten met naaktfiguren te laten zien, besefte ik dat hij weg was. Ik wist meteen dat hij zich niet had verstopt of naar een hoek van de winkel was gelopen. Hij was zoek.
Vijfentwintig minuten lang rende ik als een gek van de ene naar de andere winkel terwijl ik zijn naam schreeuwde. Tot het moment waarop we hem vonden – likkend aan het glas van JoAnn's Nut House – had ik last van een stekende pijn die zich mijn borstkas in groef. Dat stelde niets voor vergeleken met wat ik nu voel.
'Kan ik u ergens mee van dienst zijn?' vraagt de man van de beveiligingsdienst bij de balie. Het is een oudere man, in het uniform van Kalo Security en met witte orthopedische schoenen aan zijn voeten. Welkom in het Wilshire Condominium in North Miami Beach, Florida. De enige plek waar je in een noodgeval naartoe kunt gaan.
'Ik ben hier om mijn grootmoeder te bezoeken,' zeg ik met mijn aardige-jongensstem.
'Schrijf uw naam op,' zegt hij wijzend op het gastenboek. Ik krabbel iets onleesbaars neer en kijk naar elke naam boven de mijne. Geen ervan is die van Charlie. Toch hebben we dit een keer of tien doorgenomen. Als we elkaar ooit kwijt raken, ga dan naar een veilige plek. Onder BEWONER vul ik 'Oma Miller' in.
'Dus jij hoort bij Dotty?' vraagt hij, opeens aanzienlijk hartelijker.
'J-ja,' stamel ik. Het is natuurlijk een leugen, maar ik ben hier geen vreemde. Mijn grootmoeder Pauline Balducci heeft hier bijna vijftien jaar gewoond. Drie jaar geleden is ze hier gestorven – en dat

is precies de reden waarom ik de naam van haar oude buurvrouw gebruik om ons naar binnen te krijgen.
'Dotty's kleinzoon,' zegt de man opschepperig tegen bewoners die door de hal lopen. 'Hij heeft dezelfde neus, nietwaar?'
Ik trek Gillian aan haar arm mee, loop de hal door, ga langs de liften en volg de bordjes met UITGANG in de kronkelende, naar chloor ruikende gang met afbladderend behang. Het zwembad, recht voor ons uit. Ma stuurde ons hier vroeger heen om wat kwaliteitsuurtjes door te brengen met de goede tak van de familie. In plaats daarvan werden het twee weken vol watergevechten, wedstrijden wie het langst zijn adem kon inhouden en de beveiligingsdienst die klaagde dat we met te veel lawaai aan het duiken waren – wat dat dan ook mocht betekenen. Zelfs nu, terwijl ik naar buiten stap, zijn een broer en zus tot aan hun knieën in het water een meedogenloos Marco Polo-spelletje aan het spelen. De jongen doet zijn ogen dicht en brult: 'Marco!' Het meisje krijst: 'Polo!' Als hij bij haar in de buurt komt, vliegt ze het trapje op, rent om het zwembad heen en duikt er weer in. Regelrecht bedrog. Net zoals Charlie mij belazerde.
'Oliver, waar zijn we...'
'Wacht hier,' zeg ik tegen Gillian, en ik wijs op een stoel.
Naast het zwembad bestudeert een grootvader in een wit shirt, een wit short en tot zijn knieën opgetrokken zwarte sokken een formulier om op paarden te wedden. 'Meneer, het spijt me dat ik u lastig val, maar mag ik uw sleutel van het clubhuis even lenen? Mijn grootmoeder heeft de onze mee naar boven genomen.'
Hij kijkt met zwarte kraalogen op. 'Bij wie hoor jij?'
'Dotty Miller.'
Hij neemt me even van top tot teen op en haalt dan de sleutel uit zijn zak. 'Meteen terugbrengen,' waarschuwt hij.
'Natuurlijk.' Ik knik naar Gillian, en zij komt achter me aan, langs de sjoelbakken en rond het door bomen overschaduwde pad dat het clubhuis aan het oog onttrekt. Zodra ze binnen is, breng ik de sleutel terug naar meneer Zwartsok en ga dan meteen weer naar haar terug.
Binnen is het 'clubhuis' nog net zoals we het jaren geleden hadden achtergelaten: twee waardeloze badkamers, een kapotte sauna, en een roestende set gewichten die uit de tijd vóór Jack LaLane dateert. Het was ontworpen als ontmoetingsplaats voor de oudere bewoners, waar ze elkaar konden treffen en nieuwe vrienden konden maken. Als zodanig is het nooit gebruikt. Wij konden hier dagen doorbrengen zonder door iemand te worden gestoord.
Gillian gaat op het rode vinyl van de bank voor het bankdrukken

zitten. Ik kijk naar de met spiegels bedekte muren en laat me op de grond zakken.
'Oliver, weet je zeker dat hij deze plek kent?'
'We hebben het wel duizend keer besproken. Toen we klein waren, verstopten we ons hier in de sauna. Ik sprong erin en deed alsof ik Han Solo was, bevroren in carboniet. Dan kwam hij mij te hulp en... en...' Ik maak mijn zin niet af en staar opnieuw in een spiegel. Een half persoon.
'Doe dit jezelf alsjeblieft niet aan,' zegt Gillian smekend. 'Wij hebben er veertig minuten over gedaan om hier te komen, en we hadden een auto. Als hij een taxi of een bus heeft genomen, zal het wat langer duren. Het betekent niets. Ik weet zeker dat alles met hem in orde is.'
Ik neem niet eens de moeite om te antwoorden.
'Je moet je positief instellen,' zegt ze. 'Als je het ergste denkt, krijg je ook het ergste. Maar als je het beste denkt...'
'Dan wordt alles toch nog in je gezicht opgeblazen! Begrijp je dat dan nog niet? Dat is de grote practical joke van de kosmos. Klop, klop. Wie is daar? Stevige trap tegen je achterste. Dat is dat. Einde van de grap. Is het niet geweldig?'
'Oliver...'
'Het is net zoiets als meedoen aan de Boston Marathon. Je traint je een ongeluk... je geeft alles van jezelf... en als je bijna bij de finish bent, steekt een ellendeling zijn been uit en hink je naar huis met twee gebroken enkels terwijl je je afvraagt wat er met al dat harde werken is gebeurd. Voor je het weet is alles weg. Je leven, je werk... en je broer...'
Gillian kijkt me oplettend aan. Het lijkt alsof ze net iets heeft gezien wat ze nog nooit eerder heeft gezien.
'Misschien zouden we gewoon naar de politie moeten gaan,' zegt ze. 'Achterhalen wat er met mijn vader is gebeurd, is één ding, maar als ze op ons beginnen te schieten... Ik weet het niet. Misschien is het tijd om met de witte vlag te gaan zwaaien.'
'Dat kan ik niet doen.'
'Waar heb je het over? Het enige dat je hoeft te doen, is het alarmnummer bellen. Als je die lui de waarheid vertelt, zullen ze je heel beslist niet overdragen aan de secret service.'
'Dat kan ik niet doen,' houd ik vol.
'Natuurlijk kun je dat wel. Je hebt alleen een bankrekening op een computerscherm gezien. Je hebt toch niets verkeerds gedaan?'
Ik draai me van haar weg, en de stilte lijkt een eind te maken aan het pulseren van de lucht.

'Wat is er?' vraagt ze. 'Wat heb je me niet verteld?'
Opnieuw reageer ik niet.
'Oliver...'
Niets anders dan stilte.
'Oliver je kunt me vertellen w...'
'We hebben het gestolen,' flap ik eruit.
'Wat zeg je?'
'We dachten dat het van niemand was. We hebben navraag gedaan naar je vader, maar hij was dood. En de overheid kon geen verwanten vinden, dus dachten we dat niemand er het slachtoffer van zou worden.'
'Jullie hebben het gestólen?'
'Ik weet dat we het niet hadden moeten doen, en dat heb ik ook tegen Charlie gezegd. Maar toen ik had ontdekt dat Lapidus me een loer draaide... en Shep zei dat het ons zou lukken... Toen leek het allemaal zinnig. Even daarna ontdekten we echter dat we met driehonderd miljoen van de secret service zaten.'
Gillian hoest alsof ze op het punt staat te stikken. 'Hoeveel miljoen?'
Ik kijk haar recht aan. Als ze tegen ons was, zou ze Gallo en DeSanctis nooit hebben aangevallen. Dat heeft ze wel gedaan. Ze heeft me gered. Net als tijdens het duiken. Het wordt tijd dat ik haar een wederdienst bewijs. Driehonderddertien.'
'Driehonderddertien miljoen?'
Ik knik.
'Jullie hebben driehonderddertien miljoen gestolen?'
'Niet met opzet. In elk geval niet dat bedrag.' Ik verwacht dat ze gaat krijsen, of me een dreun verkoopt, maar dat doet ze niet. Ze zit daar gewoon. Perfecte indiaanse houding. Perfecte stilte. 'Gillian, ik weet wat je denkt. Ik weet dat het jouw geld is.'
'Het is mijn geld niet.'
'Maar je vader...'
'Oliver, dat geld is zijn dood geworden! Het kan nu alleen nog dienen om er zijn doodkist mee te bekleden.' Ze kijkt op en haar ogen zijn gevuld met tranen. 'Hoe is het mogelijk dat je me dat niet eerder hebt verteld?'
'Wat had ik moeten zeggen? "Hallo, ik ben Oliver. Ik heb net driehonderddertien miljoen van je vader gestolen. Wil je met ons meekomen en worden beschoten?" We wilden alleen weten of hij nog in leven was. Maar nadat ik jou had ontmoet en wat tijd met je had doorgebracht... Gillian, het is nooit mijn bedoeling geweest je te kwetsen. Zeker niet na dit alles.'

'Je had het me gisteravond kunnen vertellen...'
'Ik zweer je dat ik dat ook wilde.'
'Waarom heb je dat dan niet gedaan?'
'Omdat ik... gewoon omdat ik wist dat het je pijn zou doen.'
'En je denkt dat dit geen pijn doet?'
'Gillian, ik wilde niet tegen je liegen.'
'Toch heb je dat wel gedaan,' zegt ze nadrukkelijk en met trillende stem.
Ik wend mijn ogen af, ben niet in staat haar aan te kijken. 'Als ik dit alles opnieuw kon doen, zou het anders gaan,' fluister ik.
Ze haalt haar neus op, maar dat doet weinig goeds.
'Gillian, ik zweer je...'
'Het gaat niet eens om de leugen,' onderbreekt ze me. 'En zeker niet om een vrachtlading smerig geld,' voegt ze eraan toe terwijl ze met de palm van haar hand over haar ogen veegt. Hoewel ze nog steeds stomverbaasd is, hoor ik ook voor het eerst een vage ondertoon van woede. 'Oliver, begrijp je het dan niet? Ik wil alleen weten waarom ze mijn vader hebben vermoord.'
Terwijl ze dat zegt, grijpt de trilling in haar stem me bij de keel en brengt me opnieuw in herinnering wat we haar aandoen. Ik hou mijn kin hoog en kijk in de spiegel. Wallen onder mijn ogen. Zwart haar op mijn hoofd. En mijn broer die nog steeds zoek is. Alsjeblieft, Charlie, kom naar huis. Waar je ook bent.

58

'Wat doe jij hier?' vroeg een oudere vrouw, die Joey op haar schouder tikte.
'Sorry. Ik was op zoek naar een sok die ik kwijt ben,' zei Joey terwijl ze de waskamer weer uit liep. Ze draaide zich in de gang naar de dame om en zag het bordje met ROMMELHOK op de metalen deur vlak bij haar.
'Wóón je hier wel?' vroeg de vrouw uitdagend met haar plastic wasmand en haar doublé Medic-Alert-armbandje.
'Natuurlijk,' zei Joey, die om de vrouw heen liep en haar hoofd om de hoek van de deur van het rommelhok stak. Stank van rottende sinaasappelen. Stortkoker in de hoek. Geen Oliver, geen Charlie.
'Luister naar me. Ik heb het tegen jou,' zei de vrouw dreigend.

‘Sorry,’ zei Joey. ‘Maar het is de lievelingssok van mijn moeder. Ze heeft me hier beneden de was laten doen omdat de drogers op de lagere verdiepingen beter zijn.’
‘Dat zijn ze inderdaad.’
‘Dat ben ik roerend met u eens. Maar nu is de sok zoek en... tja... het was haar lievelingssok.’ Joey liep snel van de vrouw vandaan, drukte op de knop van de lift, rende naar de deur toen die openging en dook de lift in.
‘Ik zal ernaar uitkijken!’ schreeuwde de vrouw. Maar voordat ze verder nog iets kon zeggen, ging de deur dicht.
‘Haar lievelingssok?’ zei Noreen plagend.
‘O, hou toch op. De klus is ermee geklaard.’
‘Inderdaad. Je bent weer eens de negentigjarige gepensioneerde mensen in die broeikas van spionage – de Wilshire Condominium & Communist Lodge – te slim af geweest.’
‘Wat wil je daarmee zeggen?’
‘Alleen dat ik er het nut niet van inzie om een appartement te doorzoeken – laat staan de tweede verdieping en de waskamer – alleen omdat de grootmoeder van Charlie en Oliver daar eens heeft gewoond.’
‘In de eerste plaats het volgende. Als oma op de tweede verdieping woonde, kennen ze die het beste. In de tweede plaats moet je een waskamer nooit onderschatten als plaats om je te verstoppen. En in de derde plaats kun je ten aanzien van het menselijk gedrag maar van één ding ter wereld volkomen en onvoorwaardelijk zeker zijn, namelijk dat ze...’
‘... gewoontedieren zijn,’ zeiden Joey en Noreen tegelijkertijd.
‘Daar moet je niet de spot mee drijven,’ zei Joey waarschuwend toen de liftdeuren in de hal opengingen. ‘Gewoonte is het enige dat alle menselijke dieren gemeen hebben. Daar kunnen we niets aan doen. Daarom rijden we via dezelfde weg naar huis, halen ’s morgens op dezelfde plaats koffie en poetsen onze tanden en wassen ons gezicht altijd in dezelfde volgorde.’ Joey liep langs een groep oude dames in bij elkaar passende lavendelkleurige trimpakken en hoofdbanden, volgde het bordje naar het zwembad en stapte naar buiten. ‘Om diezelfde reden gaat mijn vader zijn huis altijd binnen via de achterdeur. Nooit door de voordeur. Ik noem het krankzinnigheid, maar hij denkt dat het zijn leven gemakkelijker maakt.’
‘En zo worden alle gewoontes geboren,’ zei Noreen. ‘Een klein moment van controle in een wereld vol zwarte chaos. We zijn allemaal bang voor de dood, dus trekken we allemaal eerst ons ondergoed en dan pas onze sokken aan.’

'In feite zijn er mensen die eerst hun sokken aantrekken,' zei Joey toen ze de oude man met het formulier om te wedden en de tot zijn knieën opgetrokken sokken bij het zwembad zag. 'Als we echter in de problemen komen, kiezen we voor het bekende. En dat is de meest basale gewoonte van allemaal.' Joey liep langs het zwembad en bestudeerde het favoriete oude speelterrein van Oliver en Charlie. Voor de twee kinderen die op dit moment Marco Polo aan het spelen waren, was er geen betere plek te bedenken. Maar terwijl ze naar de broer en de zus keek die bij de sjoelbakken achter elkaar aan zaten, wist ze dat de beste spelen altijd in beweging blijven. Links was een pad dat naar het verkoopkantoor van het appartement leidde. Rechts was het clubhuis. Het ene was gevuld met werknemers van het appartement. Het andere werd aan het oog onttrokken door struiken en bomen. Joey aarzelde niet.
'Ze hebben een clubhuis,' zei ze tegen Noreen terwijl ze langs het verwarmde bad liep en het door bomen omgeven pad op stapte. Nadat ze een keer rechtsom en een keer linksom was geslagen, was het zwembad niet meer te zien. Joey keek over haar schouder en liep toen langzaam naar de deur toe.
Ze drukte er haar oor tegenaan, maar hoorde binnen niets. Licht tikte ze met haar knokkel op de deur, in de hoop niemand bang te maken. Toen luisterde ze opnieuw. Nog altijd niets. 'Hallo, is daar iemand?' riep ze, en ze klopte iets harder. Nog steeds werd er niet gereageerd.
Ze haalde het zwartleren tasje uit haar tas en pakte het apparaatje waarmee ze sloten kon openmaken. Achter haar knapte een tak en haar tas gleed van haar schouder.
'Is alles oké?' vroeg Noreen.
Joey draaide zich snel om en bekeek de struiken en bomen bij het pad. Niets. In elk geval niet iets wat ze kon zien. Achter een dikke hibiscus knapte nog een twijgje. Joey ging op haar tenen staan en rekte haar hals. De struik was te hoog. Ze stak een hand uit, schoof takken opzij, sprong over de metalen ketting langs het pad en dook tussen de struiken door.
'Joey, is alles oké?' vroeg Noreen nogmaals.
Joey ging onder een uitstekende tak op haar hurken zitten en boog zich naar de struik toe waar het geluid vandaan was gekomen. Aan de andere kant ervan tikte een voet zacht op de grond. Iemand die ongeduldig was. Joey liet haar hoofd naar de met muls bedekte aarde zakken en probeerde of ze zo beter kon kijken, maar de struik was ook daar te dicht. Ze kon er maar op één manier omheen.
Ze stak weer een hand in haar tas en haalde er een glanzende re-

volver uit. Miniatuur .38, met vijf patronen. Het wapen van haar vader. Bij drie, zei Joey tegen zichzelf terwijl ze haar vinger om de trekker sloeg. Haar benen spanden zich, zoemend van anticipatie. Uno... dos...

Ze schoot in volle vaart naar voren, rende naar de andere kant van de struik en richtte haar wapen op de bron van het geluid: een felwitte kleine zilverreiger met grote, klapperende vleugels. Toen Joey de hoek om kwam, vloog de vogel op en was Joey weer helemaal alleen.

'Wat is er aan de hand? Wat is er gebeurd?' vroeg Noreen.

Joey weigerde daar antwoord op te geven, stopte het wapen in haar tas en sprong weer op het betonnen pad bij het clubhuis.

'Sorry, mevrouw...' riep een mannenstem achter haar.

Joey had daar niet op gerekend. Opnieuw draaide ze zich snel om en zag de jongeman met het geblondeerde haar.

'Sorry dat ik u lastig val,' zei Charlie, die met zijn hand de snee in zijn lip bedekte. 'Kan ik misschien uw sleutel van het clubhuis lenen? Mijn grootmoeder heeft de onze mee naar boven genomen.'

59

Charlie staarde naar de roodharige vrouw, wetend dat er iets gaande was. Je zou nog gaan denken dat ik om de sleutel van haar dagboek heb gevraagd, dacht hij.

'W-wat wilt u hebben?'

'Het clubhuis,' zei hij, wijzend op de oude schuilplaats van hem en Oliver. 'Ik moet even naar de wc.' Omdat hij aardig over wilde komen en omdat hij zag dat ze minstens vijftig jaar jonger was dan de gemiddelde leeftijd hier, voegde hij eraan toe: 'Tenzij u me natuurlijk liever de wc van úw grootmoeder laat gebruiken.'

'Dat zou ze prachtig vinden,' zei de vrouw, die Charlie van top tot teen opnam. Ze grinnikte, en Charlie vroeg zich af of ze de ik-hou-van-je-vibraties uitzond. Ze ziet er ook aantrekkelijk uit, besefte hij. Ouder, maar met rood haar, wat elkaar op de een of andere manier ophief. Jammer dat dit er de tijd noch de plaats voor was.

'Dus u bent hier ook op bezoek bij uw grootouders?' vroeg ze.

'Bij mijn grootmoeder.'

'In welk appartement?'

'217,' zei hij, en hij wees op het balkon op de tweede verdieping

met uitzicht op het zwembad. Zij keek niet eens even die kant op. Ze valt duidelijk op me, dacht hij. Tot hij zag dat de rug van zijn hand onder het bloed zat. Verdomme. Zijn lip bloedde nog steeds.
'Is alles oké met u?' vroeg ze.
'Ja... natuurlijk. Ik voel me prima.'
'Weet u dat zeker?' vroeg ze, en ze stak een hand uit. 'Want ik kan...'
'Met mij is het uitstekend,' zei hij, en hij zette een stap naar achteren. Toen besefte hij dat hij haar aan het schrikken had gemaakt en dwong zichzelf tot een geforceerd lachje. 'Een beroerd ongelukje met kauwgum. Cherry Bubblicious – een slecht getimede knauw. We hebben het hier over kolossale lipschade. Ik heb er nog steeds flashbacks van, geloof ik.' Hij keek om zich heen alsof hij aan het dromen was, en voegde eraan toe: 'Mam? Ben jij dat?'
Charlie bleef lachen, maar de vrouw zweeg. Oké. Einde van de show. 'Luister. Als u me die sleutel nu gewoon even wilt geven...'
'Natuurlijk, natuurlijk,' zei ze, en ze stak opnieuw een hand in haar tas. 'Ik heb hem hier...' Ze zweeg even, alsof ze nog iets anders wilde zeggen. 'Laat me hem voor je pakken... Charlie.'
Shit.
Haar hand kwam weer te voorschijn en hield een wapen vast.
'W-wat doet u?' vroeg Charlie, die zijn armen omhoogstak.
'Niet in paniek raken. Het is oké,' zei ze kalm. Haar stem klonk fluweelzacht, en precies om die reden geloofde Charlie er geen woord van.
'Werkt u met Gallo samen?' vroeg hij.
'Ik ben hier niet om je iets aan te doen,' beloofde ze hem.
'Tja, dat lijkt de laatste tijd het vaste thema te zijn,' zei hij terwijl hij met een hand over zijn nog altijd bloedende lip streek. Hij probeerde een gevatte opmerking te maken, maar kon niets anders zien dan de loop van haar revolver.
'Charlie, ik zweer je dat ik niet van de secret service ben, of van welke andere ordehandhavende instantie dan ook. Het enige dat ik wil, is het geld terug en jou veilig thuis krijgen.' Ze zag de twijfel op zijn gezicht, hield de revolver met een hand stevig vast en stak haar andere hand in haar tas om daar een wit visitekaartje uit te halen, dat ze liet zien alsof het een penning was.
Charlie kneep zijn ogen tot spleetjes samen en las: *Advocaat*.
'Ik kan het niet goed zien,' loog hij.
Ze gaf niet toe. Ze was te slim om hem dicht bij haar in de buurt te laten komen.
Ze draaide haar pols en gooide hem het kaartje toe. Het dwarrel-

de bij zijn voeten op de grond. Hij raapte het op en las de rest: *Jo Ann Lemont – Advocaat – Sheafe International.* Rechts onderaan stond: *Vergunning voor detectivewerk, uitgegeven in Virginia, #17-4127.* Advocaat én privédetective. Alsof een van de twee al niet erg genoeg was. 'Bent u Columbo of zo?' vroeg hij.

'Gebruik je humor altijd als een verdedigingsmechanisme?'

Hij sloeg haar oplettend gade en wist dat ze probeerde in zijn hoofd te kruipen. Alleen al daarom mocht hij haar niet. Over haar schouder zag hij het rustige zwembad in de verte. Hij bad om een afleiding, maar ze werden door de bomen te goed verborgen gehouden om door iemand te kunnen worden gezien. 'Wat wilt u van me, mevrouw?'

'Noem me alsjeblieft Joey,' zei ze.

Hij sneerde om die onoprechte opmerking. 'Joey, wat wil je van me?' vroeg hij tussen opeengeklemde kaken door.

'Ik neem aan dat je Henry Lapidus kent?'

Charlie nam de moeite niet daarop te antwoorden.

'Charlie, ik probeer alleen mijn werk te doen. Wil je me vertellen waar Oliver zich schuilhoudt, of moet ik de deur van het clubhuis zelf intrappen?'

Het kostte Charlie ontzettend veel moeite niet even naar het clubhuis te kijken. Hij stond er recht naast. 'Je hebt er geen idee van waarover je het hebt.'

'Dan kun je tegen jezelf blijven zeggen, maar ik heb gezien hoe je het huis van Duckworth hebt achtergelaten. Ik heb het bloed op het tapijt gezien. En op jouw lip.' Hoewel ze haar revolver nog steeds op hem gericht hield, klonk haar stem weer fluweelzacht. 'Charlie, ik weet ook dat je je medicijnen niet bij je hebt. Dus waarom vertel je me niet wat er in werkelijkheid aan de hand is? Misschien kan ik jullie helpen.'

Opnieuw reageerde hij niet.

'Geloof me, ik weet dat ik het recht niet heb je om je vertrouwen te vragen. Ik weet ook dat het niet gemakkelijk is je leven bij het afval te kieperen. Ik heb hetzelfde gedaan toen ik mijn studie staakte. Het heeft drie maanden geduurd voordat ik besefte dat ik moest doorzetten.' Dat had Charlie eerder gehoord. Ze probeerde vrede te sluiten door iets gemeenschappelijks te vinden. Ze liet het idee bezinken en voegde eraan toe: 'Charlie, ik weet wat je aan het weggooien bent. Vergeet die baan en die andere onzin. Je hebt je muziek – en je moeder – en laten we vooral je gezondheid niet vergeten...'

'Het beeld is me duidelijk.'

'Vertel me dan wat er is gebeurd. Had je iets tegen Duckworth? Heb je daarom zijn geld gepikt?'
'We zijn geen dieven,' zei hij. Ze trok een wenkbrauw op. 'Ik zeg alleen dat het niet onze bedoeling was iemand wat aan te doen.'
'En Shep dan?' vroeg ze uitdagend.
'Shep was mijn vriend! Dat kun je aan iedereen vragen, aan al die snotneuzen op de bank. Ik ben degene die een kop koffie met hem ging drinken, met hem over voetbal sprak en de draak stak met het feit dat hij vond dat het eerste deel van de krant alleen bestond om te voorkomen dat de sportpagina's nat werden.'
Ze bekeek zijn gezicht, zijn handen en zelfs zijn schoenen. Charlie wist dat ze op zoek was naar iets veelzeggends, probeerde te achterhalen of hij stond te liegen. Hij wist echter ook dat ze niet met hem zou staan praten als ze hem niet geloofde. 'Oké, Charlie. Als jij het niet hebt gedaan, wie heeft hem dan vermoord?' vroeg ze uiteindelijk.
Hij verwachtte dat ze het wapen zou laten zakken, maar dat deed ze niet. Hij had zijn armen nog omhoog. 'Waarom probeer je die psychologische profielen van je niet eens uit op Gallo en DeSanctis?'
Ze leek niet verbaasd toen Charlie die namen noemde. 'Kun je dat bewijzen?' vroeg ze.
'Ik weet wat ik heb gezien.'
'Maar heb je er bewijzen van?'
Het was precies zoals Oliver had gezegd: hun woord tegen dat van de secret service. 'Daar zijn we mee bezig,' zei hij snel.
'Charlie, je zult met iets beters moeten komen.'
Hij dacht even na. Hij wilde het niet zeggen, maar... Dat was in feite een leugen. Hij wilde het wel. 'En dan zou je Gillian ook eens onder de loep kunnen nemen.'
Ze fronste haar voorhoofd. 'Gillian wie?'
Charlie was er niet zeker van of ze aan het bluffen of aan het vissen was. Inmiddels had hij echter niets meer te verliezen. 'De dochter van Duckworth. Dat huis is nu van haar.'
Om de hoek hoorde Charlie een schuifelend geluid aan de andere kant van het clubhuis. Hij nam aan dat het iemands grootmoeder was. Dat dacht Joey ook. Ze liet het wapen zakken om er zeker van te kunnen zijn dat dat niet zichtbaar was. Met een oog op Charlie gericht zette ze een paar stappen naar achteren om te proberen even om de hoek van het gebouwtje heen te kijken. Net toen ze haar hoofd om de hoek stak, hoorde ze een bekende klik. Haar armen vlogen de lucht in. Ze zette een stap naar achteren, en toen zag Charlie eindelijk waardoor ze zo van streek was. Een klein,

zwart wapen was tegen de zijkant van haar hoofd gedrukt.
'Ik zweer dat ik het zal gebruiken,' beloofde Oliver terwijl hij de hoek van het clubhuis om kwam. Hij had Gallo's pistool in zijn hand en haalde de veiligheidspal eraf. 'Nu jouw wapen laten vallen en maken dat je uit de buurt van mijn broer komt.'

60

'Oliver, dit is niet het moment om domme dingen te doen,' zei Joey waarschuwend terwijl Oliver het wapen strak op haar gericht hield en dichter naar haar toe liep.
'Ik meen het serieus. Ik zal dit wapen gebruiken,' zei hij met een vinger om de trekker.
Joey zag zijn handen trillen. Toen keek ze naar zijn ogen. De blik daarin was strak en donker. Hij was geen grapje aan het maken.
'Joey, wat gebeurt er?' vroeg Noreen. 'Zijn zij dat? Moet ik het doorgeven?'
'Niet doen...' zei Joey waarschuwend. Oliver draaide zich om en Noreen hield haar mond.
'Daarmee zul je de wond alleen maar infecteren,' voegde Joey eraan toe.
'Charlie, ga naar achteren!' beval Oliver.
Charlie sprong.
Joey sloeg alles oplettend gade. Ze wist wie ze moest bewerken.
'Oliver, laat me je helpen om uit...'
'Doe dat wapen weg!' zei Oliver, haar onderbrekend. 'Gooi het op het dak.'
Deze keer gaf Joey geen krimp.
'Op het dak gooien, zei ik!' zei Oliver, wiens hand eindelijk niet meer trilde.
Charlie keek naar zijn broer en was sprakeloos. Dat was Joey ook. Twee dagen geleden had ze niet gedacht dat Oliver Caruso dit in zich had. Nu was ze daar niet meer zo zeker van. Ze keek naar het dak van het clubhuis en trof voorbereidingen om haar wapen weg te gooien. 'Ik wil alleen even waarschuwen dat het waarschijnlijk af zal gaan.'
'Dat risico neem ik wel,' zei Oliver.
Joey gooide de revolver voorzichtig naar de rand van het dak. Hij viel met een zachte plof, maar ging niet af.

Achter Oliver toeterde een auto twee keer. Door de spleten in het houten hek dat het gehele terrein rond het zwembad omgaf, zag Joey de hemelsblauwe Kever van Gillian naar het hek naar het parkeerterrein rijden.
Oliver hoefde niets te zeggen. Charlie zette het op een rennen.
Joey bestudeerde Oliver, zoekend naar een zwakke plek. Omdat ze al zo lang achter hem aan zat, wist ze echter al wat die was. 'Hoe verder je vlucht, hoe onwaarschijnlijker het wordt dat je je oude leven ooit terug zult krijgen.'
Tot haar verbazing vertrok Oliver geen spier. Hij keek alleen naar Charlie. Zodra zijn broer het hek door was, besteedde hij weer aandacht aan Joey. 'Blijf verdomme bij ons uit de buurt,' zei hij waarschuwend.
Hij hield zijn wapen nog steeds op haar gericht terwijl hij achteruit naar de auto rende. Voordat Joey iets kon doen, werd het portier met een klap dichtgetrokken, draaiden de wielen snel rond en waren Oliver, Charlie en Gillian verdwenen.
'Joey, is alles in orde met jou?' vroeg Noreen.
Joey negeerde die vraag en rende naar de opening in het hek. 'Verdomme!' schreeuwde ze toen ze Gillians auto over de drempels zag denderen, de oprijlaan af en de straat op. Joey racete meteen naar haar eigen auto, die voor het gebouw dubbel geparkeerd stond. Net toen ze de hoek om ging, zag ze de lekke banden van haar twee achterwielen.
'O, shit,' mompelde ze in zichzelf. 'Noreen, bel de wegenwacht.'
'Komt voor de bakker.'
'En zodra je hebt opgehangen, wil ik dat je...'
'... gaat kijken wat ik over Gallo en DeSanctis kan vinden. Daar ben ik al mee bezig sinds Charlie die namen over zijn lippen liet komen.'
'En wat vond je van zijn reactie toen ik Lapidus noemde?' vroeg Joey.
'Ik heb alleen stilte gehoord.'
'Je had zijn gezichtsuitdrukking moeten zien.'
'Oké. Ik zal Lapidus ook nakijken. Wist je trouwens dat het kantoor van de laatste werkgever van Duckworth maar twintig minuten van de plaats waar je nu bent vandaan is?'
'Mooi. Zoiets hoor ik graag,' zei Joey terwijl ze terug rende om haar wapen van het dak te halen. 'En zijn dochter? Zijn er over haar nog roddels te melden?'
'Dat is nou juist zo vreemd,' zei Noreen. 'Terwijl jij je met die jongens bezighield, heb ik geboorteakten, rijbewijzen en zelfs belas-

tingaanslagen van de familie van Duckworth omgespit. Ik weet niet zeker waar Charlie het over had, maar volgens alles wat ik kan vinden had Marty Duckworth geen dochter.'
'Wát zeg je?'
'Joey, ik heb het een keer of tien nagekeken. Volgens elke database van de overheid en de particuliere sector bestaat Gillian Duckworth niet.'

61

'Brandt, ouwe zeikerd, hoe voel je je?' vroeg Gallo met een brede glimlach die het stukje dat kortgeleden van zijn voortand was afgebroken, accentueerde.
'Jimmy, mijn jongen,' zei Katkin, die zijn armen om Gallo heen sloeg en hem klopjes op zijn rug gaf. Toen trok hij hem zijn kantoor bij Five Points Capital in en vroeg: 'Waarom ben jij zo ver naar het zuiden gekomen, dikkont?'
Gallo keek even naar DeSanctis en toen weer naar Katkin. 'Brandt, zou je het erg vinden als ik de deur dichtdoe?'
Katkin keek zijn vriend aan en bleef staan. 'Als dit over Duckworth gaat...'
'Dus ze zijn hier al geweest?'
'Die twee jongens met hun geverfde haren? Vanmorgen vroeg. Ik kan je wel vertellen dat ik meteen wist dat er iets niet klopte. En toen jij me belde...'
'Was er nog iemand anders bij hen?' vroeg Gallo, hem onderbrekend.
'Behalve zijn dochter, bedoel je?'
Opnieuw keek Gallo zijn partner even snel aan. 'Wat heeft zij gezegd?'
'Niet veel. De jongen met het donkere haar was voornamelijk aan het vissen. De dochter deed weinig anders dan gewoon daar zitten. Ze was wel aantrekkelijk om te zien. Raar haar, en dat is nog een understatement, maar ook echt vuur in haar ogen. Ze hield me als een kat in de gaten, als je begrijpt wat ik bedoel. Heel anders dan haar vader. Waarom vraag je naar haar? Denk je dat ze ergens mee bezig is?'
'Dat proberen we te achterhalen,' legde Gallo uit. 'Drie dagen geleden is er een rekening op naam van Duckworth uit New York

verdwenen. En nu zit die... die dochter niet lang genoeg stil om haar ook maar een enkele vraag te kunnen stellen.'
'Heb je enig idee waar ze naartoe zouden gaan?' vroeg DeSanctis. 'Heb je nog andere contactadressen voor Duckworth?'
Katkin liep naar zijn bureau en bekeek de elektronische database van zijn computer. 'Hier heb ik alleen zijn huisadres, en een adres van een voormalige werkgever van hem...'
'Neowerks,' zei Gallo, hem onderbrekend. 'Dat klopt. Dat was ik bijna vergeten...'

62

Het verkeer vóór het spitsuur is niet druk en de middagzon staat stralend aan de hemel wanneer Charlie, Gillian en ik over de vrije rijbanen van de I-95 rijden. Maar zelfs met een snorrende motor en een radio die is afgestemd op een plaatselijk popstation, is het in de auto veel te stil. Gedurende de volledige twintig minuten die het ons kost om van oma's oude appartement bij Broward Boulevard te komen, laten we geen van allen ook maar een lettergreep over onze lippen komen.
Ik haal de strip foto's uit mijn jaszak. De witte randen van het papier beginnen om te krullen en voor het eerst vraag ik me af of die mensen wel echt bestaan. Misschien komen ze daarom van een kleurenprinter. Misschien is ermee gedokterd. Valse legitimatiebewijzen om te helpen bij een vermomming. Ik staar naar de vier gezichten op mijn schoot. Ik maak de roodharige man blond, de zwarte blank. Ze blijven volslagen vreemden voor me. Voor Duckworth waren ze belangrijk genoeg om ze zo goed mogelijk te verstoppen. En al zijn we er nog niet zeker van of ze vrienden of vijanden zijn, één ding is volkomen duidelijk. Als we niet te weten kunnen komen wie ze zijn en hoe ze Duckworth kenden, zal dit reisje nog oncomfortabeler worden.
'Hier gaan we de hoofdweg af,' zegt Gillian, die de stilte eindelijk verbreekt en op de afrit wijst. 'We zijn er bijna.'
Ik doe de zonneklep omlaag en gebruik het spiegeltje om naar Charlie te kijken, die op de achterbank zit.
Hij kijkt niet eens op. Drie dagen geleden zou hij in zijn aantekenboekje aan het krabbelen zijn geweest, zich met adrenaline hebben gevoed en elk moeilijk moment hebben veranderd in stanza,

vers en misschien zelfs – als hij mazzel had – een hele ballade. 'Roof van de werkelijkheid,' kon hij vroeger heel opschepperig zeggen. Maar ondanks al zijn bravoure houdt hij niet van gevaar. Ook niet van risico's. En het probleem op dit moment is dat hij dat eindelijk gaat beseffen.
'Het is niet erg om bang te zijn,' zeg ik tegen hem.
'Ik ben niet bang,' blaft hij terug. Ik zie hem echter in het spiegeltje. Zijn blik gaat naar zijn schoot. Drieëntwintig jaar lang heeft hij weinig ambitie gehad. Hij woonde thuis, had de kunstacademie verlaten, weigerde zich bij een band aan te sluiten, had zelfs het baantje op de bank aangenomen. Hij heeft dat altijd afgeschreven op zorgeloosheid. Maar zoals we van mijn vader hebben geleerd, is de scheidslijn tussen een zorgeloze geest en faalangst dun.
'Over een paar blokken moeten we er zijn,' zegt Gillian, die meteen daarna haar mond weer houdt.
Net als Charlie wil ze me niet meer geven dan een snelle, korte zin. Ik ben er niet zeker van of het komt omdat wij over het geld hebben gelogen, of door het verlies van haar vader, of gewoon door de schok van de aanval, maar wanneer ze het stuur met twee vuisten vasthoudt, begint haar kinderlijke aura eindelijk te vervagen. Net als wij weet ze dat ze op een ander zinkend schip is gesprongen en dat we allemaal zullen verzuipen als er niet snel een doorbraak komt.
'Daar is het,' zegt ze, en ze draait rechtsom het parkeerterrein op. Het zonlicht wordt weerkaatst door de glazen voorgevel van het drie verdiepingen tellende gebouw, maar het paars-en-gele bordje boven de voordeur zegt het allemaal: NEOWERKS SOFTWARE.

'Dus jij bent Ducky's dochter?' vraagt een man met een warrige bos haar en een bril met een metalen montuur op zijn neus terwijl hij Gillians handen overdreven opgewonden in de zijne neemt. Hij gaat gekleed in een blauw overhemd, een kreukvrije kaki broek en leren sandalen met sokken en lijkt sprekend op wat je krijgt als je een vijftigjarige miljonair uit Palm Beach kruist met een docent van Berkeley. Maar hij is ook de enige man die naar de hal is gekomen toen we hadden gevraagd of we een van de oud-collega's van Duckworth konden spreken. 'Gillian heet je dus?' zegt hij voor de derde keer. 'Mijn god. Ik wist niet eens dat hij een dochter hád.'
Gillian knikt schaapachtig en Charlie zendt me met een imaginaire katapult een blik toe. Ik breng mijn schild omhoog en laat de blik afketsen op mijn wapenrusting. Na alles wat ze heeft gedaan

– alles wat ze heeft geriskeerd – ga ik niet meedoen aan die kleinzielige gedachtespelletjes van hem.

Als ze ons had willen aangeven, zou ze dat in het appartement en bij het huis hebben gedaan, deel ik hem met een blik mee.

Niet voordat ze haar geld heeft, seint Charlie terug.

'En, jullie zijn ook vrienden van hem?' vraagt de man.

'Ja... ja,' zeg ik terwijl ik een hand uitsteek en hij die ook met zijn beide handen schudt. 'W-Walter Harvey,' zeg ik, mijn verzonnen naam, die ik bijna was vergeten. Ik laat mijn stem dalen, maar het ontgaat me niet dat de donkerharige secretaresse bij de zwart gelakte balie die zo uit *Star Trek* kan zijn weggelopen, naar me staart. Hoewel ze nu weer naar een tijdschrift dat ze aan het doorbladeren was kijkt, voel ik me daar niet beter door. De hele hal met zijn chromen stoelen uit het ruimtevaarttijdperk en zilverkleurige, amoebevormige lage tafel is zo koud dat hij je wel bang moet maken. 'En dit is Sonny Rollins,' zeg ik, op Charlie wijzend.

'Alec Truman,' zegt hij, duidelijk opgewonden omdat hij zich kan voorstellen. 'Sonny Rollins? Net als die jazzgozer.'

'Inderdaad,' zegt Charlie, die al zenuwachtig is. 'Net als die jazzgozer.'

'Luister, meneer Truman,' zegt Gillian snel. 'Ik waardeer het dat u tijd hebt vrijgemaakt om hierheen te komen en...'

'Het is me een eer,' zegt hij stellig. 'We missen hem hier nog steeds. Het spijt me alleen dat ik niet lang kan blijven. Ik zit midden in die virusjacht en...'

'We hebben alleen een vraagje en we hoopten dat u ons daarmee zou kunnen helpen,' onderbreek ik hem. Ik steek een hand in de zak van mijn jas en pak de strip foto's die we in de afstandsbediening hebben gevonden. Als die foto's horen bij mensen die Duckworth bij zijn oorspronkelijke uitvinding hebben geholpen, hopen we dat deze man dat zal weten. 'Komt een van deze gezichten u bekend voor?' vraag ik aan Truman.

Zijn gezicht klaart op als dat van een kind dat op kleurpotloden kauwt. 'Die ken ik,' zegt hij, wijzend op de oudere man met het peper-en-zoutkleurige haar op de eerste foto. 'Dat is Arthur Stoughton.' Hij ziet ons niet-begrijpend kijken en voegt eraan toe: 'Hij werkte bij Imagineering met ons samen. Nu heeft hij de leiding over hun internetgroep.'

'Dus u hebt ook bij Disney gewerkt?' vraagt Gillian.

'Hoe denk je dat ik je vader heb ontmoet?' vraagt Truman speels. 'Toen hij vertrok en hierheen ging, heb ik twee jaar later zijn voor-

beeld gevolgd. Hij behoorde tot de voorhoede. Hij was er het eerst en werd het slechtst betaald.'
'En die Stoughton?' vraag ik, wijzend op de foto. 'Hebben jullie allemaal samengewerkt?'
'Met Stoughton?' Truman lacht. 'Hadden we die mazzel maar gehad. Nee. Hij was de oude directeur van Imagineering. Zelfs al voordat hij overstapte naar Disney.com had hij geen tijd voor knorren zoals wij.' Terwijl hij dat zegt, hoort hij zichzelf en kijkt naar Gillian. 'Sorry... Het was niet mijn bedoeling om... Je vader was geweldig, maar ze hebben ons nooit een kans gegeven om...'
'Het hindert niet,' zegt Gillian, die geen ander onderwerp aangesneden wil zien.
'Hoe zit het met de andere mensen op deze foto's?' vraagt Charlie snel.
Truman bekijkt ze uitgebreid. 'Sorry. Dat zijn onbekenden voor me.'
'Hebben zij bij Disney gewerkt?' vraag ik.
'Of hier?' vraagt Charlie.
'Of zijn het gewoon mensen met wie hij vriendschap had gesloten?' vraagt Gillian.
Truman, die door die barrage van vragen een stap naar achteren zet, wil iets zeggen... en aarzelt dan. 'Ik moet echt weer weg...' zegt hij, en hij voegt de daad bij het woord.
'Wacht!' roepen Gillian en ik tegelijkertijd.
Truman blijft stokstijf staan. We bewegen ons geen van allen. Dat was dat. Hij is bang geworden. 'Leuk kennis met jullie te hebben gemaakt,' zegt hij terwijl hij me de foto's teruggeeft.
'Alstublieft,' zegt Gillian smekend. Haar stem breekt, en ze steekt een hand uit om zijn pols vast te pakken. 'We hebben die foto's in een la van mijn vader gevonden... En nu hij er niet meer is, willen we gewoon weten wie die mensen zijn.' Ze laat die woorden even bezinken en voegt er dan aan toe: 'Het is alles wat we hebben.'
Truman kijkt even naar Charlie en dan weer naar mij en zou duidelijk het liefst meteen weg willen lopen. Maar als hij naar Gillians hand kijkt die zijn pols vasthoudt, en hun blikken elkaar kruisen, gaat hij overstag. 'Als jullie hier even wachten, kan ik de foto's mee naar binnen nemen om te kijken of iemand die andere drie wel kent.'
'Perfect. Dat zou perfect zijn,' zingt Gillian.
Hij pakt de foto's weer van me over, belooft ze meteen terug te brengen en loopt naar de hoofdingang achter de receptioniste. Ik kom in de verleiding achter hem aan te gaan, tot ik een toetsen-

bord van de beveiliging zie dat duidelijk het doel heeft ons buiten te houden. Het is net zo'n ding als wij op de bank hebben, maar er is wel een digitaal scherm – als van een kleine televisie – in de muur erboven ingebouwd. Als Truman dat scherm nadert, knippert het aan en worden er negen blauwe, vierkante vakjes zichtbaar. Maar in plaats van een cijfer verschijnt in elk daarvan een menselijk gezicht, waardoor het wel wat weg heeft van de titelrol van *The Brady Bunch*. Ondanks het feit dat Trumans schouder ons gezichtsveld blokkeert, zien we de weerspiegeling ervan op de glanzende zwarte muren.
Truman raakt het scherm met zijn wijsvinger aan en kiest voor het gezicht rechtsonder. Het vakje licht op, alle negen gezichten verdwijnen en worden vervangen door negen andere foto's van hoofden. Alsof hij het wachtwoord van een alarm doorgeeft drukt Truman op het scherm en kiest voor het gezicht van de Aziatische vrouw linksboven. Opnieuw verdwijnen de gezichten. Opnieuw worden ze vervangen door negen andere.
'Jullie hebben hier alle Buck Rogers-apparatuur, hè?' zegt Charlie.
'Dit?' zegt Truman, en hij wijst op het scherm. 'De eerstkomende jaren zul je overal gezichten als wachtwoord zien.'
'Gezichten als wachtwoord?'
'Is het je bij de geldautomaat weleens overkomen dat je je pincode was vergeten?' vraagt hij. 'Daar hoef je je straks geen zorgen meer over te maken. Er is een reden waarom mensen een gezicht niet vergeten. Dat krijgen we bij onze geboorte mee. Zo leer je pappie en mammie herkennen, en herken je zelfs vrienden die je in jaren niet meer hebt gezien. Nu geven ze je in plaats van willekeurige nummers willekeurige gezichten. Als je dat combineert met een grafische overlay, heb je het enige wachtwoord dat bij elke leeftijd, elke taal en elk opleidingsniveau past. Wereldwijde verificatie, noemen ze het. Ik moet je pincode zoiets nog zien doen.'
Truman drukt op het middelste vakje en selecteert een laatste gezicht. Het vakje met een blonde vrouw knippert aan en uit. Magnetische sloten zoemen, de deur klikt open en Truman loopt naar achteren met onze fo...
Mijn gezicht wordt rood door een plotselinge aanmaak van adrenaline. Ik geloof het niet. Zo simpel is het.
'Zei u dat Stoughton nog steeds bij Disney.com werkte?' roep ik hem na.
'Dat geloof ik wel,' zegt Truman. 'Maar dat kunt u op de website nakijken. Waarom vraagt u daarnaar?'
'Niet om een bepaalde reden,' zeg ik. 'Gewoon uit nieuwsgierigheid.'

De deur slaat dicht, en Truman is verdwenen. Charlie staat er nog steeds verloren bij, maar hoe langer ik naar het schermpje kijk...
'Verdomme,' mompelt Charlie.
Gillians mond valt open en we denken alle drie precies hetzelfde.
'Denk je dat dat...'
'Ab-so-luut,' fluistert Charlie.
Ik kan er niets aan doen dat ik moet glimlachen.
Al die tijd hebben we de zaak op zijn kop gehouden. Zoals Charlie op de terugweg vanuit Five Points had gezegd: je bewaart geen dingen die je in de problemen kunnen brengen. Wel wat je wilt beschermen. Zoals de combinatie van je fietsslot. Toen ik in de zesde klas zat en Charlie in de vierde, bewaarde ik mijn combinatie in zijn tas, en hij de zijne in mijn Velcro-portefeuille. Nu is het niet anders. We dachten dat de sleutel in de gezichten te vinden was. Nu is het echter duidelijk dat de gezichten de sleutel zijn. Letterlijk. Vergeet willekeurige vreemden maar. Duckworth had mensen gebruikt die hij kende.
Charlie is zo opgewonden dat hij niet eens meer naar Gillian staart. Hij wipt op en neer op de ballen van zijn voeten. *Laten we gaan*, zegt hij met een knikje.
Zodra Truman de foto's heeft teruggebracht, sein ik. 'Sorry dat ik u stoor,' zeg ik dan tegen de receptioniste, die opkijkt uit haar tijdschrift, 'maar weet u misschien een plaats waar we kunnen internetten?'

63

Er zijn dertig spiksplinternieuwe computers op de vierde verdieping van de bibliotheek van Broward County. We hebben er maar één nodig. Een computer, toegang tot internet en een beetje privacy, die we krijgen in de vorm van de briefjes met DEFECT die Charlie net heeft vervaardigd en op de schermen van de drie computers het dichtst bij de onze heeft geplakt.
'Heeft iemand er bezwaar tegen als ik typ?' vraagt hij terwijl hij zijn stoel naar het toetsenbord laat rollen.
Hoewel ik op het punt sta ja te zeggen, besluit ik toch dat niet te doen. Het is een eenvoudige concessie, en hoe drukker ik hem bezighoud, hoe kleiner de kans is dat hij ruzie gaat maken met Gillian. Natuurlijk ergert het hem nog steeds dat ik haar heb uitge-

nodigd mee te gaan, maar nu hij moet typen en moet achterhalen wie er op die foto's staan, is hij zo afgeleid dat hij dat nauwelijks nog erg vindt.
'Alles klaar?' vraagt Charlie terwijl Gillian en ik onze stoelen snel naast de zijne schuiven.
Ik knik, barstend van energie. Eindelijk iets wat niet kan missen.
'Ga naar www.disney.com,' zegt Gillian, die al even opgewonden is.
Hij zend haar een blik toe die diamanten had kunnen splijten.
'Meen je dat? Daar was ik niet zeker van,' zegt hij sarcastisch.
Ik buig me naar hem toe en knijp in zijn rug.
Hij schudt zijn hoofd en typt het adres. De computer zoekt de voorpagina van de website van Disney op. *Uitje voor het hele gezin* staat er met gouden letters, vlak naast ons eerste paar muizenoren: Mickey en Pluto, die bij een huisje zitten. *De magie on line!* staat boven aan het scherm. 'Dat kan maar beter zo zijn,' zegt Charlie waarschuwend.
Er zijn drie items die je kunt aanklikken: *Entertainment*, *Parken & hotels* en *Het bedrijf*.
Gillian staat op het punt haar mond open te doen. Charlie kijkt haar nijdig aan, klikt op *Het bedrijf* en geniet er veel te veel van te zien dat ze haar mond houdt. Ik knijp nog een keer in zijn rug. *Je weet dat ze ons bij het huis heeft gered*, sein ik.
Ze is ook degene die ons daar heeft afgezet, zegt zijn nijdige blik terwijl hij zich weer naar de monitor toe draait en *Disney On line* aanklikt.
Als de nieuwste pagina's verschijnen, zien we een hokje met *Zoeken*. En hoewel de makker van Duckworth bij Neowerks ons niet kon vertellen wie er allemaal op de foto's stonden, had hij de eerste van de vier wel herkend.
'Typ Stoughton in,' zeg ik. Ik ben mijn stoel al uit en heb er spijt van dat ik Charlie heb laten typen.
Charlie doet dat en drukt op ENTER.
Er gaan seconden voorbij, en we kijken alle drie om ons heen om er zeker van te zijn dat niemand ons gadeslaat. Vier computers verderop is een tienerjongen de grenzen van het pornofilter van de bibliotheek aan het beproeven, maar hij heeft niet één keer opgekeken.

Resultaat voor 'Arthur Stoughton': 139 documenten
1. Biografie van Arthur Stoughton, directeur
2. Biografieën van Disney.com, management

De lijst gaat door. Charlie klikt op de biografie van Arthur Stoughton, en de computer zoekt Stoughtons overladen cv op. Er vlak naast zien we iets waardoor onze ogen groot worden: de officiële foto, die identiek is aan die op de strip foto's. Arthur Stoughton. Peper-en-zoutkleurig haar, fraai pak, Disney-glimlach.
'Onderdirecteur en manager van Disney On line,' leest Charlie voor. 'Bingo!' Hij zet de cursor op de foto.
'Oké,' zeg ik. Hij klikt op de digitale foto, maar er gebeurt niets. Hij probeert het nog eens. Nog steeds niets.
'Weet je zeker dat je dat goed doet?' vraagt Gillian.
'Wil je het zelf proberen?' gromt hij.
'Ontspan je,' zeg ik waarschuwend.
Hij werpt me een dodelijke blik toe. 'Ollie, misschien wíl ik me wel niet ontspannen.'
De pornotiener kijkt onze kant op, en we zwijgen alle drie. Gillian is de eerste die zich herstelt en ze geeft het joch een knipoog, alsof ze aan het flirten is. Zijn ogen gaan terug naar het scherm.
'Laat mij het eens proberen,' zegt ze, en ze probeert de muis te pakken. Een week geleden had Charlie zo weinig zorgen aan zijn hoofd dat hij bereid was alles met de wereld te delen. Maar na de paar afgelopen dagen, nu zijn tong langs het begin van een korstje op zijn lip strijkt, is controle het laatste wat hem nog rest. Vooral ten aanzien van Gillian.
'Ik. Heb. Het,' zegt hij tegen haar.
Wetend dat we meer gezichten nodig hebben, gaat hij een scherm terug en klikt op *Biografieën van Disney.com, management*. Opnieuw laat de computer dezelfde foto van Arthur Stoughton zien. Verdomme.
'Wat doen we nu?' vraagt hij.
'Verder kijken,' zegt Gillian.
Ze tikt tegen de onderkant van het scherm, wijzend op iets wat eruitziet als de bovenkant van een andere foto. Stoughton is niet alleen. Er verschijnt een piramide van foto's, conform de organisatiestructuur van Disney.com, met Arthur Stoughton bovenaan en de rest eronder. De piramide bevat in totaal zo'n vijfentwintig foto's: onderdirecteuren en andere associés van *Marketing*, *Entertainment* en *Lifestyle Ontwikkeling*, wat dat dan ook moge betekenen.
'Daar is foto nummer twee,' zeg ik. Fluisterend voeg ik eraan toe: 'Het bankierstype.'
Ik geef Charlie de foto's van Duckworth, en hij vergelijkt die met het beeld op het scherm. Daar is de tweede man...

'Zou je kunnen zeggen: bleke, vermoeide potloodknauwer uit het middenkader?' zegt Charlie.
'Ja,' zeg ik instemmend. 'Als ik er ooit zo triest en vaal ga uitzien, moet je een stok door mijn hart steken en me met een beetje knoflook naar de andere wereld helpen.'
'Daar is de derde,' zegt Gillian, die met een vinger op de foto van de roodharige vrouw wijst. Terwijl we de polaroidhiërarchie nog eens bekijken, kunnen we foto nummer vier – de zwarte man met het kuiltje in zijn kin – echter nergens ontdekken.
'Weet je zeker dat er niet meer foto's zijn?' vraagt Gillian.
Charlie gaat door tot het eind van het document, maar we zien geen nieuwe foto's meer.
'Misschien heeft hij het bedrijf verlaten,' zeg ik.
'Misschien is ergens nog een langere lijst te vinden,' zegt Gillian.
'Of misschien is deze toch de goeie,' zegt Charlie terwijl hij teruggaat naar het begin van de lijst. Hij zet de cursor op Stoughtons foto, klikt die aan en bidt om een beetje van zijn gebruikelijke magie. Verbazingwekkend genoeg krijgt hij die. De rand van het venstertje wordt iets verplaatst.
Ik vlieg mijn stoel weer uit. 'Is daar net...'
'Niet zeggen,' zegt hij waarschuwend. 'Je mag er geen doem over uitspreken.'
'Zonder het laatste gezicht hebben we hier niets aan,' stelt Gillian.
Charlie negeert haar, zet de cursor op de bleke bankier en drukt op de knop. Op het scherm verschuift het kader opnieuw en we zien de vrouw met het rode haar.
'Miss Scarlett... in de bibliotheek... met de loden pijp,' verkondigt Charlie. Hij klikt de foto van de roodharige vrouw aan. Het venstertje knippert en ik leg een hand op zijn schouder en hou de achterkant van zijn shirt stevig vast. Gillian en ik buigen ons dicht naar het scherm toe, met onze lichamen over de armleuningen gedrapeerd. We houden alle drie onze adem in. De helikopter staat op de heliport en de tank is vol. Maar er gebeurt niets.
'Wat is er aan de hand?' vraag ik.
'Ik heb al gezegd dat we alle vier de foto's nodig hebben,' zegt Gillian.
Charlie zakt onderuit in zijn stoel en staart nietsziend naar het scherm. Hij wil het niet toegeven, maar deze keer heeft ze gelijk. Er gebeurt niets. En dan – vanuit het niets – gebeurt er opeens wel wat.
Het scherm flikkert en wordt zwart, alsof er een nieuwe webpagina wordt opgezocht.

'Wat ben je aan het doen?' vraag ik.
'Ik doe niets,' zegt Charlie, die zijn twee handen van het toetsenbord af haalt. 'Deze zware jongen staat op de automatische piloot.'
Gillian is daar niet van overtuigd en steekt een hand uit naar de muis. Voordat ze die kan pakken, hikt het scherm opnieuw en zien we de zeven dwergen verschijnen. Doc, Sneezy, Grumpy... ze zijn er allemaal en ze staan bij verschillende knoppen, van *Gemeenschap* tot *Bibliotheek*.
Gillian en Charlie bekijken de pagina. Ik kijk naar het adres boven aan het scherm. Geen *www*. In plaats daarvan *dis-web1*.
'Heb je er enig idee van waar we naar kijken?' vraagt Charlie.
'Het is net zoiets als op de bank. Ik denk dat we op hun intranet zitten,' zeg ik. 'Op de een of andere manier hebben de foto's ons toegang verleend tot het interne netwerk van Disney.'
'Wat is er dan met de website gebeurd?'
'Vergeet die website nu maar. Die is voor het publiek. Nu zijn we officieel aan het rondneuzen in het computernetwerk voor de werknemers van Disney,' zeg ik.
'*Welkom werknemers!*' staat aan de bovenkant van het scherm.
'Hoe zit het met de man met het kuiltje in zijn kin?' vraagt Gillian.
'Ik denk dat we niet veel langer meer op hem hoeven te wachten,' zegt Charlie terwijl hij met een knokkel tegen het scherm tikt. Vlak onder de zweven dwergen is onder aan het scherm een rode knop te zien. *Bedrijfsgids*. 'Als we op zoek zijn naar werknemers...'
'Haal maar te voorschijn,' zingt Gillian.
Charlie krimpt ineen door haar enthousiasme, spant zijn kaken en doet net alsof hem niets is opgevallen. Zelfs hij weet dat dit het moment niet is om ermee op te houden.
Een draai van zijn pols en nog een klik met de muis brengen ons naar *Hoe vind ik de werknemers?* Er verschijnt een nieuw scherm en we staren naar tientallen splinternieuwe gezichten. President-directeur... raad van bestuur... onderdirecteuren... de lijst gaat maar door. Tonnen foto's onder elke kop. Vergeet de paar tientallen mensen die de website beheren. Hier hebben we het over de volledige hiërarchie van de organisatie, van de president-directeur tot mensen die de achtergrond van animatiefilms verzorgen.
'Er moeten hier wel tweeduizend foto's zijn,' zegt Gillian, en ze klinkt overweldigd.
'Ga naar de internetgroep van Stoughton,' zeg ik. Ik laat het shirt van Charlie los, en mijn stem begint hoger te klinken. 'Als ik Duckworth was, zou ik me bij het thuisteam houden.'

'Raad eens wie er nu weer in de wonderkindmodus staat?' vraagt Charlie. Hij vind het heerlijk me te plagen, maar het is me duidelijk dat ook hij opgewonden is. Knikkend zoekt hij *Disney On line* weer op. We zien exact dezelfde piramide als daarnet, en het duurt niet lang voordat we Stoughtons peper-en-zoutkleurige portret hebben gevonden. Onder hem zien we wederom de bleke boekhouder, gevolgd door de roodharige vrouw. Opnieuw eindigt de groep daarmee. Geen zwarte man, geen kuiltje in een kin. Terug bij af.
'Heeft je vader nooit eens iets gemakkelijk gedaan?' vraagt Charlie.
'Toch moet het hier ergens te vinden zijn,' hou ik vol terwijl ik strak naar het scherm blijf kijken.
Gillian zwijgt, maar door de manier waarop ze aan haar rok frummelt, lijkt het alsof ze iets bekends ziet. Iets wat ze weet. Haar stem klinkt langzaam en nadrukkelijk. 'Ga naar *Imagineering*,' stelt ze voor.
Charlie kijkt naar mij en ik knik snel. De oude dansvloer van Duckworth.
Hij gaat zo snel hij kan op zoek. Imagineers. Boven aan de lijst staat de baas van die afdeling, een knappe man van middelbare leeftijd met een ingehouden, uitdagende grijns. Zijn directe ondergeschikte is een man van ongeveer dezelfde leeftijd, met een verzameling onderkinnen die hem een bijna vrolijk voorkomen geven. En onder die twee... staat Marcus Dayal, een zwarte man met een donkere huid en een onmiskenbaar kuiltje in zijn kin.
Charlie drukt de strip foto's tegen het scherm en de statische elektriciteit houdt die op zijn plaats. Volkomen identiek.
'Ik kan je wel vertellen dat we de Hardy Boys elke dag zouden kunnen kloppen,' zegt hij.
'Druk op de knop,' zeg ik, nauwelijks in staat me te beheersen.
Charlie zet de cursor op de digitale foto van Marcus, klikt en begint af te tellen.
Opnieuw gebeurt er niets. En dan gebeurt er wederom opeens wel iets.
'Daar zijn ze...' fluistert Charlie als het scherm weer zwart wordt. Nu gaat het echter anders dan de eerste keer. Een waterval van beelden verschijnt en verdwijnt weer even snel. Webpagina na webpagina wordt razendsnel geopend en de woorden en logo's vervagen meteen nadat ze zijn verschenen. *Team Disney On line... Bedrijfsgids... Hoe vind ik de werknemers?* – de cursor beweegt zich alle kanten op, alsof we *fast-forward* door de site surfen. De beelden vliegen op ons af, sneller en sneller, steeds dieper de website en het

wormgat in. De beelden komen zo snel dat ze in een donkere, purperen streep veranderen. Ik word bijna duizelig van het staren ernaar, maar alleen een dwaas zou een andere kant op kijken.
Dan wordt er op de rem getrapt. Er verschijnt een enkel, laatste beeld op het scherm. Ik spring letterlijk naar achteren. Charlie doet dat ook. Gillian – dat moet haar worden nagegeven – geeft geen krimp.
'Daar hebben we het...' zegt Charlie.
Daar heeft hij gelijk in. Waar we ook zijn, dit is het. Het idee van Duckworth dat driehonderddertien miljoen dollar waard was.

64

Charlie heeft zich zo dicht naar het scherm toe gebogen – met zijn borstkas tegen het toetsenbord gedrukt – dat ik dat bijna niet meer kan zien. Terwijl ik hem naar achteren trek, kost het me twee seconden om te beseffen waarnaar hij met open mond zit te kijken. Linksboven het nachtblauwe logo van Greene & Greene. Rechtsboven *Sinds 1870*.
'Een bankafschrift?' vraagt Charlie.
Ik knik terwijl ik het aandachtig bekijk. Zo op het eerste gezicht oogt het inderdaad als een doodnormaal bankafschrift aan het eind van een maand. Met uitzondering van het logo van Greene ziet het er niet anders uit dan de afschriften van welke andere bank dan ook: bijschrijvingen, afschrijvingen, rekeningnummer. Alles is er. Het enige verschil is de naam van de rekeninghouder...
'Martin Duckworth,' leest Charlie voor vanaf het scherm.
'Is dat de rekening van mijn vader?' vraagt Gillian.
'... 72741342388,' lees ik voor, terwijl mijn vingers langs de getallen op het scherm glijden. 'Dit is zeer beslist zijn rekening. Dezelfde die wij...' Ik zwijg zodra Gillian mijn kant op kijkt. 'Dezelfde als het origineel waarnaar wij hebben gekeken,' zeg ik tegen haar.
Gladjes, deelt Charlie me met een blik mee.
Ik draai me weer om naar Gillian, maar haar ogen zijn nu aan het scherm vastgeplakt, en aan het bedrag dat daarop te zien is: $4.769.277,44.
'Vier miljoen?' vraagt Gillian verbaasd. 'Ik dacht dat jullie zeiden dat er niets meer op die rekening stond?'

'Dat was... dat zou ook zo moeten zijn,' zeg ik, in de verdediging gedrongen. Ze denkt dat ik lieg. 'Toen ik vanuit de bus belde, zeiden ze dat er niets meer op die rekening stond.'
We horen een klik en kijken alle drie naar de monitor.
'Wat was...'
'Daar,' zeg ik, opnieuw met een vinger tegen het scherm tikkend. Ik wijs op het saldo: $4.832.949,55.
'Vertel me alsjeblieft dat het zojuist hoger werd,' zegt Charlie. 'Weet iemand nog wat het eerdere bedrag was?'
Klik.
Saldo: $4.925.204,29.
Geen van ons zegt iets.
Klik.
Saldo: $5.012.746,41.
'Als mijn mond nog verder open komt te staan, zal mijn kin het tapijt raken,' zegt Charlie. 'Ik kan dit niet geloven.'
'Laat mij eens kijken,' zeg ik, en ik schuif Charlie van zijn stoel af. Deze ene keer verzet hij zich daar niet tegen. Hij kan zich nu beter een beetje op de achtergrond houden.
Ik breng de cursor naar *Stortingen* en bestudeer de drie meest recente.
$63.672,11 – telegrafische overboeking van rekening 225751116.
$92.254,74 – telegrafische overboeking van rekening 11000571210.
$87.542,12 – interne overboeking van rekening 9008410321.
Mijn ogen worden kleiner, en ik pers mijn lippen op elkaar.
'Zo bestudeert hij ook de rekeningen van onze moeder,' zegt Charlie tegen Gillian.
Ik druk een handpalm tegen de bovenhoek van de monitor. Dit zal ik uitzoeken. 'O, ga me niet vertellen dat hij...' Ik maak mijn zin niet af en bekijk de nummers nog een keer.
'Wat is er?' vraagt Gillian.
Ik reageer niet. Ik schud mijn hoofd, opgaand in het scherm. Ik zoek naar meer en even later staar ik naar het volledige rekeningoverzicht van Duckworth. Elke storting van het begin tot...
'Hoe heeft hij verdomme... D-dit is onmogelijk,' stamel ik. De ene na de andere storting verschijnt op de digitale bladzijden van de rekening. Zestigduizend, tachtigduizend, zevenennegentigduizend. Er lijkt geen eind aan te komen. Ik heb dat knagende gevoel onder in mijn maag. Het is gewoon onzinnig...
'Zeg nou eens wat!' smeekt Charlie.
Geschrokken draai ik me om.

'Wat is er? Was je vergeten dat we hier waren?' vraagt Gillian verbazingwekkend kortaf.
Ik haal mijn hand van de monitor af en schuif een eindje naar achteren, zodat zij kunnen meekijken. 'Zie je dat daar?' vraag ik, en ik wijs.
Charlie rolt met zijn ogen. 'Zelfs ik weet hoe een overboeking werkt, Ollie.'
'Het gaat niet om de storting op zich, maar om waar die vandaan komt,' zeg ik.
'Ik begrijp het niet...'
Achter ons klinkt de bel van de lift en Charlie draait zijn hoofd in de richting van de opengaande deuren. Twee oudere dames die elkaars hand vasthouden, stappen de lift uit. Niets om ons zorgen over te maken. In elk geval nu nog niet.
'Bekijk elke storting,' zeg ik terwijl Charlie zijn hoofd weer naar het scherm toe draait. 'Drieënzestigduizend... tweeënnegentigduizend... zevenentachtigduizend.' Ik wijs op de andere stortingen. 'Zie je de trend?'
Met samengeknepen ogen kijkt hij naar de monitor. 'Los van het feit dat dat bakken vol geld zijn, bedoel je?' vraagt hij.
'Charlie, kijk naar de bedragen. Op de rekening van Duckworth wordt elke dag meer dan twee miljoen dollar gestort. Maar geen van de afzonderlijke bedragen overschrijdt de grens van honderdduizend dollar.'
'Nou en?'
'Honderdduizend dollar is de drempel waarna het automatische accountantssysteem van de bank in werking treedt. En dat betekent...'
'Dat alles daaronder niet aan een nader onderzoek wordt onderworpen,' zegt Gillian.
'Zo zijn de regels van het spel,' zeg ik. 'Het wordt smurfen genoemd. Je kiest een bedrag dat net onder die kritieke grens blijft. Dat wordt heel vaak gedaan, zeker wanneer cliënten niet willen dat we een vraagteken gaan zetten achter transacties met contant geld.'
'Ik begrijp niet wat daar zo belangrijk aan is. Hij is dus een smurf.'
'Hij is geen smurf. Hij is aan het smurfen,' zeg ik. 'En het belangrijke ervan is dat het de allerbeste manier is om het onder de radar te houden.'
'Om wát onder de radar te houden?'
'Daar zullen we zo meteen achter komen,' zeg ik, en ik draai me weer naar het scherm toe.

65

Joey, die vastzat in een verkeerschaos op Broward Boulevard, zocht in haar tas en viste daar een foto uit van Duckworth en Gillian. Zo op het eerste gezicht waren het vader en dochter, zo gelukkig als ze maar konden zijn. Maar nu ze hem goed in het licht hield, nu ze wist...

Verdomme, dat is een beginnersfout, zei ze tegen zichzelf terwijl ze met een hand op het stuur sloeg. Ze hield de foto vlak voor haar ogen en vroeg zich af waarom het haar niet eerder was opgevallen. Het ging niet alleen om de beroerde proporties. Zelfs de schaduwen liepen verkeerd. Bij Duckworth was de schaduw links van zijn gezicht, en bij Gillian rechts. In alle haast uitgevoerd, dacht ze. In alle haast, maar nog wel fatsoenlijk genoeg om er zo op het eerste gezicht mee door te kunnen gaan.

Ze draaide het parkeerterrein van een winkelcentrum op, maakte haar laptop open en ging terug naar de digitale foto's die ze de eerste dag bij Greene & Greene had genomen. Het kantoor van Oliver, Charlie, Shep, Lapidus, Quincy en zelfs van Mary. Een voor een liep ze ze langs en bekeek snel de...

'Die ellendelingen,' mompelde ze zodra ze het had gezien. Ze boog zich naar het scherm toe, gewoon om er zeker van te zijn dat ze zich niet vergiste. Het haar had een andere kleur en was ontkroest, maar een vergissing was uitgesloten. Daar was het. Een enkel portret. Recht voor haar neus, aldoor al.

Joey gaf een dot gas en een stofwolk dwarrelde achter haar op. Haar rechterhand ging naar de gsm. Automatisch draaien.

'Met Noreen.'

'Je moet een naam voor me natrekken,' zei Joey.

'Is er sprake van een nieuwe ontwikkeling?'

'Nee, in feite van een oude,' zei Joey terwijl haar auto naar de kantoren van Neowerks vloog. 'Maar als de dominostenen de goeie kant opvallen, denk ik dat ik eindelijk het ware verhaal over Gillian Duckworth ken.'

66

'Zie je deze storting? Die van zevenentachtigduizend?' vraag ik terwijl ik Charlie en Gillian wijs op de meest recente bijschrijving op de rekening van Duckworth. Voordat ze iets kunnen zeggen, leg ik het uit. 'Die komt van de rekening van Sylvia Rosenbaum. Maar voor zover ik me kan herinneren, heeft ze die rekening geopend als een beheerd fonds voor specifieke begunstigden.'
'Wat betekent?'
'Wat betekent dat de computer eens per kwartaal automatisch twee interne overboekingen regelt. Een kwart miljoen dollar naar haar zoon en een kwart miljoen dollar naar haar dochter.'
'Waarom is die rijke oude vrouw dan geld aan het overmaken naar mijn vader?'
'Daar gaat het nu net om,' zeg ik. 'Los van de overboekingen naar haar familieleden en de betalingen – eens per jaar – van haar adviseurs, maakt Sylvia Rosenbaum naar niemand geld over. Niet naar jouw vader, niet naar de belastingdienst, naar niemand. Daar gaat het bij zo'n rekening om. Die draait zelfstandig en zorgt per kwartaal voor exact dezelfde overboekingen. Maar als je hier eens naar kijkt...' Ik ga omhoog en wijs op een van de eerste stortingen – ook tachtigduizend van de rekening van Sylvia. Die dateert van juni. Zes maanden geleden. 'Deze zou er ook niet moeten zijn. Het is onzinnig. Hoe kan hij verdomme...'
'Kun je alsjeblieft even wat vaart minderen? Wat bedoel je met die opmerking dat die storting er niet zou moeten zijn?' vraagt Charlie. 'Hoe kun je dat nu in vredesnaam weten?'
'Omdat ik degene ben die zich met haar rekening bezighoudt,' zeg ik, vechtend om mijn stem laag te houden. 'Ik heb de afschriften van die vrouw gecontroleerd vanaf de dag waarop ik bij de bank ben gaan werken. En toen ik die de vorige maand nakeek, waren die overboekingen naar Duckworth er nog niet.'
'Weet je zeker dat ze je niet domweg zijn ontgaan?' vraagt Gillian.
'Dat vroeg ik me ook af toen ik deze overboekingen de eerste keer zag,' geef ik toe. 'Maar toen ik deze zag...' Ik klik een andere interne overboeking aan die kortgeleden op de rekening van Duckworth was gestort. $82.624,00, overgeboekt van rekening 23274990007.
'007,' zegt Charlie, die de laatste drie cijfers bekijkt. Hem ontgaat niets.

'Inderdaad,' zeg ik. Ik zie dat Gillian het niet begrijpt en geef uitleg. '007 is van Tanner Drew.'
'*De* Tanner Drew?'
'Ja, het nieuwste lid van de *Forbes*-400. Vorige week heeft hij ons met de dood bedreigd tot we veertig miljoen hadden overgemaakt naar een van zijn andere rekeningen. Dat is gebeurd op vrijdag, precies om 15.59 uur. Kijk nu eens hoe laat Tanner Drew dit geld heeft overgeboekt naar Duckworth...'
Gillian en Charlie buigen zich naar het scherm toe. Vrijdag 13 december, 15.59.47.
Ik zie een zweetdruppel uit de bakkebaarden van mijn broer druppen. 'Ik begrijp het niet,' zegt Charlie. 'Wij waren de enigen die met die rekening bezig waren. Hoe kan hij zijn geld nu hebben overgemaakt naar Duckworth?'
'Dat is nu precies wat ik wil zeggen. Ik denk niet dat hij dat heeft gedaan,' zeg ik. 'In feite wéét ik zelfs dat hij dat niet heeft gedaan. Toen wij het geld hadden overgeboekt, heb ik de rekening van Tanner Drew een keer of vijf gecontroleerd, gewoon om zeker te weten dat het geld echt onderweg was. Weet je wat de laatste overboeking was? Veertig miljoen.'
'Waar zijn deze tweeëntachtigduizend dan vandaan gekomen?' vraagt hij.
'Dat probeer ik uit te vogelen. Uit welke hoed Duckworth het ook heeft getoverd, het is duidelijk dat hij bij de rekeningen van bijna iedereen kon komen. De helft van deze rekeningen... Hier, en hier en hier...' Ik wijs op alle verschillende rekeningnummers. 'Ieder van hen is een cliënt van de bank. 007 is Tanner Drew. 609 is Thomas Wayne. 727 is Mark Wexler. En 209... Ik ben er vrij zeker van dat dat de Lawrence Lamb Foundation is.'
'Wacht eens even. Kreeg mijn vader geld van al die lui?' vraagt Gillian.
'Daar ziet het wel naar uit,' zeg ik, en ik bestudeer opnieuw de blauw licht uitstralende monitor. 'En het geld is blijven vloeien.'
Gillian kijkt om zich heen om er zich ervan te vergewissen dat er niemand bij ons in de buurt is. Charlie zet een stap bij haar vandaan, gewoon voor de zekerheid. Hij kan er niets aan doen. 'Denk je dat mijn vader die mensen chanteerde?' vraagt ze.
'Ik weet het niet. Maar als je ziet wat hij met dat fonds heeft gedaan, en toen met Tanner Drew, lijkt het alsof die overboekingen niet zouden moeten bestaan. Vergeet wat je hier ziet. Volgens de boekhouding van de bank is er niet één dollar van deze rekeningen af gegaan. Het lijkt bijna wel alsof dit programma probeert de

computer ervan te overtuigen dingen te zien die niet echt...' Mijn borst verkrampt, en ik verstar.
'Wat is er?' vraagt Gillian.
'Is alles in orde met jou?' vraagt Charlie, die haar opzij schuift en een hand in mijn nek legt.
'O, shit,' zeg ik stotterend, en ik wijs op het scherm. 'Dat is wat hij heeft uitgevonden.' Mijn stem ratelt de startbaan af en gaat langzaam de lucht in. 'Het is zoiets als een lachspiegel. Het laat je een werkelijkheid zien die niet echt bestaat.'
'Waar heb je het over?'
'Hoe zou je anders een credit kunnen krijgen dat overeenkomt met een debet? Daarin wilde de secret service investeren. En dat wilde Gallo voor zichzelf hebben. De volgende stap op het gebied van financiële fraude. Virtuele valsemunterij. Waarom zou je geld stelen als je het gewoon kunt creëren?'
'Wat bedoel je met "creëren"?' vraagt mijn broer.
'Het elektronisch maken. De computer ervan overtuigen dat het bestaat. Het uit niets tot leven wekken.'
Charlie kijkt weer naar het scherm. 'Kolere...'
'Wacht eens even,' zegt Gillian. 'Denk je dat mijn vader al dat geld heeft gecreëerd?'
'Dat is de enige zinnige verklaring. Het verklaart waarom de secret service zich ermee bezighoudt, en niet de FBI. Zoals Shep al zei, zijn zij degenen die jurisdictie hebben over vals geld.'
'Maar om geld te maken uit niets...' begint Gillian.
'Daar zou een instantie als Five Points Capital geil van worden,' zeg ik. 'Denk je eens in hoe het is gegaan. Zes dagen geleden had Martin Duckworth drie miljoen dollar op zijn rekening staan. Drie dagen geleden zei de computer dat het driehonderddertien miljoen was. Maar als je naar deze lijst kijkt, is het duidelijk dat dat niet van de ene op de andere dag is gebeurd. Deze transacties gaan zes maanden terug in de tijd. Honderden stortingen. Het lijkt op het bijhouden van twee boekhoudingen. Het reguliere systeem deelde telkens mee dat hij drie miljoen had, maar onder het oppervlak was zijn kleine uitvinding stiekem aan het zorgen voor driehonderd miljoen. En toen het gouden appeltje voor de dorst groot genoeg was geworden, wilden ze dat pakken. Wij waren er echter eerder bij, en zodra het geld onderweg was, ging de tweede boekhouding op in de eerste, en nu stemt elke nepstorting op de een of andere manier overeen met een echte banktransactie.'
'Misschien werkt het programma zo,' zegt Charlie snel. 'Net als de veertig miljoen die we hebben overgeboekt naar Tanner Drew. Het

wacht tot er een werkelijke transactie plaatsvindt en kiest dan een willekeurig bedrag uit dat onder de gestelde limiet blijft. Aan het eind van het verhaal heb je een heel nieuwe werkelijkheid.'
'Nu gebeurt hetzelfde,' zeg ik instemmend. 'De bank denkt dat er niets op de rekening van Duckworth staat, maar volgens deze gegevens staat er weer vijf miljoen op. Het idiote is echter dat geen van de mensen van wie hij geld heeft ingepikt, dat geld ook mist.'
'Misschien lijkt dat alleen zo. Wat mijn vader ook in het systeem heeft gestopt, het kan al die lui kaal aan het plukken zijn.'
Ik schud mijn hoofd. 'Als dat zo zou zijn, had Tanner Drew geen veertig miljoen dollar kunnen overboeken. En als Drew ook maar een paar dollarcenten miste, zouden we dat meteen te horen hebben gekregen. Hetzelfde geldt voor Sylvia en de anderen. Hoe rijker ze zijn, hoe meer ze alles controleren.'
'Dus dat is het supergeheim?' zegt Gillian snel, mij onderbrekend. 'Een of ander computervirus dat een paar mensen rijk maakt?'
'Als we mazzel hebben,' zeg ik, en ik kijk weer naar het felblauwe licht.
Charlie slaat me oplettend gade. Hij kent die toon. 'Waar heb je het over?' vraagt hij.
'Zie je dan niet wat Duckworth heeft gedaan? Natuurlijk heeft hij op kleine schaal wat geld uitgevonden, maar als je de microscoop naar achteren haalt, gaat het veel verder dan een paar nullen toevoegen aan je bankrekening. Om hiervan een succes te maken heeft hij niet alleen al onze interne controles weten te omzeilen, maar is het hem ook gelukt het computersysteem van de bank te laten geloven dat het met echt geld te maken had. En toen wij dat geld overboekten, was dat goed genoeg om de bank in Londen een rad voor ogen te draaien, en de bank in Frankrijk, en elke andere bank daarna. Bij sommige van die banken – inclusief de onze – hebben we het over zeer geavanceerde, door het militaire apparaat ontworpen computersystemen. En de imaginaire transacties van Duckworth hebben iedereen in de maling genomen.'
'Ik begrijp nog steeds niet wat...'
'Charlie, til het naar het volgende niveau. Vergeet de privébanken en de kleine buitenlandse instellingen. Pak het programma van Duckworth en verkoop dat aan de hoogste bieder. Laat een terroristische organisatie het in handen krijgen. Nog erger: installeer het in een te-grote-om-te-kunnen-falen.'
'Een wat?'
'Een te-grote-om-te-kunnen-falen. Zo noemt de Federal Reserve de vijftig of zo belangrijkste banken in dit land. Zodra het wormpje

van Duckworth zich aan het ingraven is, is je driehonderd miljoen opeens driehonderd miljard en vliegt het alle kanten op. Citybank… First Union… tot de kleine mama's en papa's overal in het land. Het enige probleem is dat het geld op de keper beschouwd niet echt bestaat. En zodra iemand beseft dat de keizer geen kleren draagt, stort de piramide in. Geen enkele bank vertrouwt zijn eigen computer dan nog, en geen van ons weet of onze bankrekening wel veilig is. Dan gaat de hele wereld in de rij staan voor de betaalautomaten. Maar wanneer we willen opnemen, is er niet voldoende echt geld in omloop. Omdat het geld vals is, krijg elke bank geldproblemen. De allergrootste imploderen als eerste, gevolgd door de kleinere banken waaraan ze geld leenden, en dan de honderden banken daar weer onder. Ze gaan allemaal op zoek naar geld dat er in feite nooit was. "Sorry, meneer. We kunnen u niet uitbetalen. Al het geld van de bank is nu op." En dan begint de echte paniek. De grote depressie zal er nog uitzien als een kort dipje in de aandelenmarkt.'

Zelfs Charlie kan hier geen grapje over maken. 'Denk je dat ze het daarvoor willen hebben?'

'Wat ze ook willen, één ding weet ik zeker. Het enige bewijs van wat er is gebeurd, is hier te zien,' zeg ik, en ik tik nogmaals op het scherm.

Klik.

Saldo: $5.104.221,60.

Achter ons gaat de bel van de lift terwijl eenennegentigduizend nieuwe dollars ons vanaf het scherm aanstaren. Charlie kijkt naar de lift, maar daar stapt niemand uit.

Ik kijk over zijn schouder, en het valt mij ook op. We zijn hier al te lang. 'We moeten dit uitprinten…'

'… en maken dat we wegkomen,' vult hij aan.

'Wacht,' zegt Gillian.

'Wácht?' herhaalt Charlie.

'Ik… We moeten hier voorzichtig mee zijn.'

'Daarom gaan we een uitdraai maken. Als bewijs,' zegt hij terwijl hij strak naar haar blijft kijken. Zijn lontje is nu korter dan ooit.

Naast de computer staat een ouderwetse laserprinter. Ik draai een schakelaar om, en hij komt mopperend tot leven. Charlie pakt het toetsenbord en drukt op de toets om uit te printen. Op het scherm verschijnt een grijs vierkantje. VOER KAART IN. Onder op de printer zit een met de hand beschreven kaartje geplakt: 'Alle kopieën vijftien dollarcent per pagina.'

'Waar kunnen we zo'n kaart krijgen?' vraagt Charlie.

Er staat een apparaat in de hoek. Twee mensen staan ervoor en

stoppen er dollarbiljetten in. Charlie is niet in de stemming om te wachten. De pornotiener een eindje verderop heeft een kaart op zijn bureau liggen. 'Jongeheer, ik geef je vijf dollar voor je kaart,' roept Charlie.
'Er zit al vijf dollar op,' zegt hij.
'Dan geven we je er tien,' zeg ik.
'Wat zouden jullie denken van twintig?' vraagt hij uitdagend.
'Wat zou jij ervan denken als ik "tietenfreak" ga schreeuwen en jouw kant op wijs?' reageert Gillian dreigend.
De jongen schuift de kaart onze kant op. Ik pak een biljet van tien dollar.
Als ik opsta om handel te drijven, gaat Charlie snel weer op de stoel zitten. Ik buig me over zijn schouder heen, stop de kaart in het kleine apparaat dat met de printer is verbonden en wacht tot dat bedrijfsklaar is. Op het scherm lezen we: *Huidig tegoed*: $2,20. We draaien ons weer om naar de pornotiener. Met een grijns ruikt hij aan het bankbiljet. Charlie wil gaan staan.
'Laat maar,' zeg ik, en ik draai zijn hoofd weer naar het scherm. Opnieuw drukt hij op de knop om uit te printen. Net als de eerste keer zien we een grijs vakje en nu lezen we: *Waarschuwing. Om dit document uit te printen moet u het wachtwoord invoeren.*
'Wat is dit verdomme nu weer?' vraagt Charlie.
'Wat heb je gedaan?' vraag ik snel.
'Niks. Alleen opdracht gegeven om te printen.'
'Daar had ik het nu over,' zegt Gillian.
De pornotiener begint weer naar ons te staren. In de hoek gaan de liftdeuren dicht. Iemand heeft beneden op de knop gedrukt.
Charlie probeert de bankafschriften opnieuw aan te klikken, maar hij kan niet langs de waarschuwing heen komen.
'Vraag er de dame bij de balie naar,' zegt Gillian.
'Ik geloof niet dat deze waarschuwing van de bibliotheek komt,' zeg ik terwijl ik me over de schouder van Charlie heen buig. 'Dit kan een voorzorgsmaatregel van Duckworth zijn.'
'Waar heb je het over?'
'Op de bank doen wij hetzelfde bij de belangrijke rekeningen. Als jij het rokende kanon midden in een van de meest populaire websites van de wereld verstopte, zou je er dan niet een paar landmijnen bij inbouwen om voor jezelf wat veiligheid te kopen?'
'Wacht even. Denk je dat dit een val is?' vraagt Gillian.
'Ik zeg alleen dat we het juiste wachtwoord moeten uitkiezen,' zeg ik zakelijk. Charlie kijkt me aan, verbaasd door de toon van mijn stem.

'Probeer het eens met "Duckworth",' zeg ik.
Hij typt die naam in en drukt op ENTER.
Wachtwoord onjuist. Voer opnieuw wachtwoord in om dit document uit te printen.
Verdomme. Als dit net zo werkt als op de bank, hebben we nog maar twee kansen. Na drie fouten zal het niet meer lukken.
'Nog andere briljante ideeën?'
'Wat zou je denken van "Martin Duckworth"?' vraag ik.
'Misschien is het iets stoms, zoals zijn adres,' suggereert Gillian.
'Wat zou je denken van "Arthur Stoughton"?' zegt Charlie, de eerste naam van de foto's gebruikend.
Gillian en ik kijken Charlie aan. Als we knikken, voert hij die naam snel in en drukt weer op ENTER.
Wachtwoord onjuist. Voer opnieuw wachtwoord in om dit document uit te printen.
'Ik zweer je dat ik mijn voet in dit scherm zal planten,' zegt hij.
Nog maar één kans.
'Probeer de vent met het kuiltje in zijn kin,' zeg ik.
'Probeer het rekeningnummer van mijn vader,' stelt Gillian voor.
'Probeer "Gillian",' zeg ik, met een stem die al minder zeker klinkt en een wankelend zelfvertrouwen. In dat opzicht ben ik niet de enige. Charlie kijkt wanhopig. Hij weet wat er op het spel staat. 'Gillian,' herhaal ik.
Hij draait zich om naar Gillian, bekijkt haar indringende blauwe ogen en zoekt naar de leugen. Maar zoals altijd laat die zich niet zien.
'Probeer het,' zeg ik.
Hij kijkt naar het toetsenbord, typt de naam in en wil op ENTER drukken. Maar om de een of andere reden aarzelt hij als hij zijn vinger al op de toets heeft liggen.
'Kom op, Charlie.'
'Weet je het zeker?' vraagt hij met trillende stem. 'Misschien zouden we...'
Ik buig me voorover en druk de toets zelf in.
We kijken alle drie met samengeknepen ogen naar het scherm, wachtend op het antwoord van de computer.
Er volgt een lange pauze. In de verte hoor ik iemand een tijdschrift doorbladeren. De airco neuriet... de pornotiener grinnikt... en tot ons aller verbazing begint de laserprinter zacht te snorren.
'Ik kan het niet geloven,' mompelt Charlie als de eerste bladzijde te voorschijn komt. 'Eindelijk een doorbraak.'
Met een wilde grijns op zijn gezicht springt hij zijn stoel uit, duikt

naar voren en pakt het bovenste vel. Maar terwijl hij dat omdraait, verdwijnt de grijns opeens. Zijn schouders zakken. Ik kijk naar de bladzijde. Die is leeg.
We draaiden ons net op tijd weer om naar het scherm om te zien dat de rekening van Duckworth langzaam zwart wordt. We zijn net op de landmijnen gesprongen.
'Charlie!'
'Oké.' Hij klikt met de muis op alle knoppen die er te zien zijn. Het proces is niet tot staan te brengen. Het beeld is bijna weg.
'Onthou het adres van die website!' brul ik.
Onze ogen kijken strak naar de bovenkant van het scherm. Ik neem de eerste helft voor mijn rekening, hij de tweede.
Gillian begrijpt er niets meer van. 'Wat zijn jullie aan het doen?'
'Niet nu,' zeg ik kortaf terwijl ik mijn best doe alles in mijn geheugen te prenten.
Op het scherm verschijnt een nieuw beeld. Het zijn de zeven dwergen en een rode knop met *Bedrijfsgids*. Terug bij het begin. Maar in elk geval zitten we nog op de interne site voor de werknemers.
'Charlie, ga naar...'
Voordat ik mijn zin kan afmaken, is hij al bezig. Honderden foto's verschijnen op het scherm. Opnieuw gaat hij naar *Imagineering*. Opnieuw vindt hij de zwarte man met het kuiltje in zijn kin. Nu gebeurt er echter niets. De foto beweegt niet eens. 'Ollie...'
'Misschien moet je ze alle vier aanklikken,' zegt Gillian.
'Nog een keer aanklikken,' zeg ik.
'Dat heb ik al gedaan. Er gebeurt niets,' zegt hij, nu volledig in paniek.
'Voer het adres in.'
Charlie schuift mij het toetsenbord toe en duikt weg terwijl ik de eerste helft van het adres intyp. Dan doet hij hetzelfde met de tweede helft. Zodra hij op RETURN heeft gedrukt, kondigt het scherm een splinternieuwe pagina aan.
'Prima. Alles is nog prima,' zegt hij terwijl we wachten op het beeld.
Even ziet het ernaar uit dat hij gelijk heeft. Maar als de pagina eindelijk verschijnt, verkrampt mijn maag. Het enige dat we zien, is een witte achtergrond. Verder niets. Een blanco pagina.
'W-wat is dit verdomme nou weer?' vraag ik.
'Het is foetsie.'
'Foetsie? Dat is onmogelijk. Ga scrollen.'
'Er valt niets te scrollen,' zegt Charlie. 'Het is foetsie, zoals ik al heb gezegd.'
'Weet je zeker dat je het adres niet verkeerd hebt ingetypt?' vraagt Gillian.

Hij controleert het adres nog een keer. 'Dit is precies waar we waren...'
'Het kan niet weg zijn,' zeg ik stellig. Ik loop langs mijn broer heen naar de dichtstbijzijnde computer en haal het briefje met *Defect* van het toetsenbord.
Een paar seconden later ben ik bij de homepage van Disney.com, *De magie on line!* 'We moeten gewoon van voren af aan beginnen,' zeg ik met een onvervalst Brooklyn-accent.
'Ollie...'
'Het is oké,' zeg ik, en ik ben al halverwege. Gillian zegt iets, maar ik heb het te druk met klikken.
'Ollie, het is weg. Je zult het op geen enkele manier kunnen vinden.'
'Het is hier wel. Nog maar een pagina.' Ik vind de piramide en er verschijnen twaalf foto's van werknemers op het scherm. Voor de tweede keer ga ik naar Arthur Stoughton en klik. Als er niets gebeurt, klik ik nogmaals. En nog een keer. De foto komt niet in beweging. 'Het is onmogelijk,' fluister ik. Ik ga naar de foto van de bleke bankier. Dan naar de roodharige vrouw. Wederom gebeurt er niets.
'Kom op... alsjeblieft,' zeg ik smekend.
Charlie klimt zijn stoel uit en legt een hand op mijn schouder. 'Ollie...'
Ik kijk naar het scherm en zit met gekromde schouders in mijn stoel. Mijn ellebogen rusten op mijn knieën. 'Waarom hebben we nou nooit eens mazzel?' vraag ik met brekende stem.
Het is een vraag die Charlie niet kan beantwoorden. Hij houdt mijn schouder vast en kijkt naar het scherm. Hij kan nauwelijks op zijn benen blijven staan. Dat neem ik hem niet kwalijk. Vijf minuten geleden hadden we alles wat Duckworth had geschapen voor onze neus. Nu kijken mijn broer en ik naar het scherm en hebben we niets meer. Geen logo van de bank. Geen verborgen rekening. En – het allerergste – geen bewijs.

67

'Afdeling reserveringen van Walt Disney World. U spreekt met Noah. Waarmee kan ik u van dienst zijn?'
'Hallo. Ik wil graag worden verbonden met de afdeling Inlichtin-

gen,' zeg ik tegen de wat al te vrolijke stem aan de andere kant van de lijn terwijl ik Charlie zijn ogen tegen de zon van Florida zie samenknijpen.
'Ik zal u doorverbinden met de centrale en die regelt dan de rest,' zegt Noah op een toon waarmee genetisch is gedokterd voor de klantenservice.
'Geweldig. Dank u wel,' zeg ik tegen hem terwijl ik een duim omhoogsteek richting Charlie en Gillian. Ze worden er geen van beiden rustiger van. Ze staan om me heen bij de telefooncel aan de overkant van de bibliotheek en kijken zenuwachtig over hun schouder, er niet van overtuigd dat het me zal lukken. Maar grote bedrijven zijn grote bedrijven. Door via de centrale te bellen is het nu een intern telefoontje geworden. We zijn ons bewijs één keer kwijtgeraakt. Ik ben niet van plan dat nogmaals te laten gebeuren.
'U spreekt met Erinn. Waarmee kan ik u van dienst zijn?' vraagt de telefoniste.
'Erinn, ik ben op zoek naar de groep die het intranet voor werknemers van Disney beheert.'
'Eens kijken of we die voor u kunnen vinden,' zegt ze, het majesteitelijk meervoud van Disney gebruikend. Ze zet me in de wacht en ik hoor de song 'When You Wish Upon a Star'.
'Meneer, ik zal u doorverbinden met Steven van het ondersteuningscentrum,' zegt de telefoniste uiteindelijk. 'Dat is toestel 2538, voor het geval de verbinding wordt verbroken.'
Ik klem mijn kaken op elkaar en wacht tot de muziek ophoudt.
'Met Steven,' zegt een diepe stem. Hij klinkt jong, misschien even jong als Charlie. Perfect.
'Vertel me alsjeblieft dat ik aan het juiste adres ben,' zeg ik smekend.
'S-sorry. Kan ik u ergens mee helpen?' vraagt hij.
'Spreek ik met Matthew?' vraag ik om de paniek te laten toenemen.
'Nee, met Steven.'
'Steven wie?'
'Steven Balizer. Van het ondersteuningscentrum.'
'Ik begrijp ik niets van,' zeg ik, voorwaarts rammend. 'Matthew zei dat het daar zou zijn, maar toen ik aan de slag moest, was de hele presentatie weg.'
'Welke presentatie?'
'Ik ben ten dode opgeschreven,' zeg ik. 'Ze zullen me oppeuzelen als een amuse.'
'Welke presentatie?' herhaalt hij, al geneigd me te hulp te schieten.

Dat komt door de training die ze van Disney krijgen. Hij kan er niets aan doen.
'Je begrijpt het niet,' zeg ik. 'Er zitten vijftien mensen in een vergaderruimte en die wachten allemaal op een eerste blik op onze nieuwe on line-ledenservice. Maar toen ik die van ons intranet wilde halen, was hij opeens verdwenen. Zomaar. Niets meer! Nu kijkt iedereen beschuldigend naar mij. De juristen, de creatievelingen, de financiële jongens...'
'Luister. Komt u alstublieft een beetje tot bedaren.'
'... en Arthur Stoughton, die met een rood gezicht aan het hoofd van de tafel zit.' Het even laten vallen van de naam van de baas is voldoende. Dat heb ik van Tanner Drew geleerd.
'U zei dat het op het intranet stond?' vraagt Steven bezorgd. 'Hebt u er enig idee van waar?'
Ik noem het adres waaronder de rekening van Duckworth te vinden was. Ik kan de jonge Steven op zijn toetsenbord horen hameren. De ene ondergeschikte herkent een andere altijd. We zijn hier allemaal samen bij betrokken. 'Het spijt me,' stamelt hij. 'Het is er niet langer.'
'Nee... zeg dat niet!' smeek ik, dankbaar dat we naar een telefooncel zijn gegaan. 'Het moet er zijn! Ik heb het net nog gezien.'
'Ik heb het al twee keer gecontroleerd...'
'We hebben het hier over Stoughton! Als ik die presentatie niet kan verzorgen...' Ik adem moeizaam door mijn neus en probeer de indruk te wekken dat ik tegen mijn tranen vecht. 'Er moet een manier zijn om het terug te halen. Waar bewaren jullie de back-ups?'
Dat is blufwerk, maar niet riskant. Het computersysteem van de bank maakt om het uur een automatische back-up om het te beschermen tegen dingen als virussen en stroomstoringen. Daarna bergen we die back-ups elders op, puur uit veiligheidsoverwegingen. Een bedrijf dat zo groot is als Disney moet hetzelfde doen.
'In het DISC-gebouw, op het noordelijke serviceterrein,' zegt hij zonder erbij na te denken. 'Daar worden alle dingen opgeslagen die lange tijd bewaard moeten blijven.'
'Met lange tijd heb ik niets te maken. Ik moet iets hebben wat er drie uur geleden nog was!'
Er volgt een stilte aan de andere kant van de lijn. 'Het enige dat ik kan bedenken zijn de banden in DACS.'
Ik haat technisch jargon. 'Welke banden?'
'Databanden. Waar we de back-ups van de site op maken. DACS maakt elke nacht een kopie, dus daar zouden ze moeten zijn.'
'En waar is DACS?'

'In de tunnels.'
'De tunnels?' herhaal ik.
'Ja, de tunnels,' zegt hij, bijna verbaasd. 'Die onder het *Magic Kingd...*' Hij zwijgt en er volgt weer een pauze. Deze duurt langer. 'Waar zei u ook alweer dat u werkte?' vraagt hij dan.
'Disney On line,' zeg ik snel.
'Welke afdeling?' vraagt hij uitdagend. Op de achtergrond hoor ik hem weer typen op zijn toetsenbord.
Ik kan die vraag niet beantwoorden.
'Wat was uw naam ook alweer?' vraagt hij.
Dat is het sein dat ik het schip moet verlaten. Ik smijt de hoorn op de haak.
'Wat zei hij?' vraagt Charlie.
'Zijn er back-ups?' vraagt Gillian.
Ik negeer de vragen en kijk op naar de verblindende zon aan de hemel. Ik moet mijn ogen tot spleetjes samenknijpen om hem te kunnen zien. Het is een paar minuten over twee. We hebben nog maar weinig tijd. Maar eindelijk krijg ik het eind in zicht. De banden laten niet alleen de werkelijkheid zien. Ze laten ook een werkelijkheid zien die Duckworth had uitgevonden en waar Gallo bij kon komen. 'Laten we maken dat we wegkomen,' zeg ik.
'Waar gaan we heen?' vraagt Gillian.
'Is het ver?' vraagt Charlie.
'Dat hangt af van de snelheid waarmee we rijden,' zeg ik terwijl ik naar de auto ren. 'Hoe lang doen we erover om bij Disney World te komen?'

68

'Wát zeg je?' vroeg Gallo. Hij hield de gsm tussen zijn schouder en zijn oor geklemd terwijl hij met DeSanctis over de I-95 racete. 'Weet je dat zeker?'
'Waarom zou ik liegen?' vroeg zijn associé aan de andere kant van de lijn.
'Wil je echt dat ik daar antwoord op geef?'
'Luister. Ik heb al gezegd dat het me spijt.'
'Hou op met dat gelul. Dacht je nu echt dat we je niet zouden zien? Dat je naar binnen kon sluipen zonder wat wij daar iets van merkten?'

'Ik was helemaal niet aan het sluipen. We hebben gewoon zo snel mogelijk gereageerd. We hebben er ongeveer zes uur over gedaan en toen ik binnen was, was jij al weg.'
'Toch had hij moeten bellen.'
'Kun je alsjeblieft ophouden anderen er de schuld van te geven?' vroeg zijn associé smekend. 'Hij zei dat jullie dit al hadden besproken. Dat we het vuurtje beter in zijn geheel konden doven zodra Oliver en Charlie hadden ontdekt wat er in de afstandsbediening zat. Na wat er al is gebeurd hebben we er volstrekt geen behoefte aan ons te branden aan een verdwaalde vonk.'
'Toch had hij het mij moeten zeggen, zeker als hij in New York gewoon op zijn kont zit.'
'Dat doet hij niet meer. Hij heeft vanmorgen meteen een vliegtuig genomen.'
'Werkelijk?' vroeg Gallo terwijl de snelweg in Florida langs zijn raampje suisde. 'Dus hij is dicht in de buurt?'
'Zo dichtbij als mogelijk is. Maar we zullen je de volgende keer een kaartje sturen als je je daardoor beter voelt.'
'Je zou dat naar DeSanctis moeten sturen. Hij heeft een jaap in zijn hoofd.'
'Ja, en dat spijt me.'
'Vast,' zei Gallo koud. Hij draaide zich naar DeSanctis toe en wees op het bord van de tolweg.
'Weet je dat zeker?' fluisterde DeSanctis terwijl Gallo knikte.
'Luister. Ik moet er als een haas vandoor. Er is tegenwoordig veel vraag naar mij.'
Gallo rolde met zijn ogen. 'Dus je weet zeker dat ze naar Disney World onderweg zijn?' vroeg hij.
'Daar zijn de back-ups,' antwoordde ze. 'En verder is het de enige plaats waar Charlie en Oliver nog altijd kunnen bewijzen wat er is gebeurd.'
Gallo dacht na over de banden en hield de telefoon heel stevig vast.
'Ik begrijp nog altijd niet waarom we hen niet nu meteen even flink aanpakken en onszelf op die manier koppijn besparen.'
'Omdat je – anders dan wat het machodeel van jouw hersens zegt – op die manier het geld niet in handen zult krijgen.'
'En wat is jouw manier?'
'Daar zullen we gauw genoeg achter komen,' zei Gillian, wier stem daalde tot een gefluister. 'Over een paar uur, om precies te zijn.'

69

'Weet je zeker dat we geen bestelbusje zouden moeten huren of iets dat meer Disney-achtig is?' vraagt Charlie terwijl hij bij het pompstation de benzinedampen opsnuift. Hij zit op de achterbank en roept de vragen door het raampje bij de bestuurdersplaats. Ik gooi de tank vol. Hij had op het punt gestaan eveneens de auto uit te stappen, maar zichzelf een halt toegeroepen voordat zijn voet het wegdek raakte. Eindelijk leert hij voorzichtig te zijn. Hoe minder we worden gezien, hoe beter het is.
'Hoe was je van plan zo'n wagentje te huren? Met welke creditcard?' vraag ik terwijl ik de voorruit schoonmaak. Alles om ons er zo normaal mogelijk te laten uitzien. 'Kun je je nog herinneren wat die man in Hoboken zei? Door grote uitgaven val je op.'
'Heeft hij ook niet iets gezegd over versmade vrouwen?'
Ik trek een gezicht. Een week geleden had ik gehapt. Nu is het die moeite niet waard.
De tuit van de benzineslang klikt, de tank is vol. Op de achterbank en verloren in de dampen ziet Charlie eruit als een joch van zes. In die tijd, als onze vader ons meenam naar het pompstation aan Ocean Avenue, zei hij altijd: 'Tien dollar, alstublieft.' Niet: 'Vol, graag.' Dat laatste zei hij alleen als hij een belangrijke deal had gesloten. Dat is twee keer gebeurd. Verder was het altijd tien dollar. Maar omdat mijn vader mijn vader was, maakte hij altijd wel gebruik van de volledige dienstverlening. Gewoon om te bewijzen dat we enige klasse hadden.
'Zijn we hier klaar?' vraagt Gillian, die net terugkomt van de wc in de tankshop. Ik knik en draai de benzinedop erop. Gillian gaat op de bestuurdersplaats zitten en stelt de achteruitkijkspiegel bij. Via dat ding kijkt ze even naar Charlie. Wanneer hij die blik retourneert, kijkt ze een andere kant op en trapt het gaspedaal zo hard in dat wij op onze plaatsen worden gedrukt. Die twee liggen elkaar niet. Volgens de man van het benzinestation is het drie uur rijden naar Orlando. Als we opschieten, kunnen we er voor het donker zijn.
Ruim twintig kilometer verderop staat het verkeer stil. De tolweg mag dan de snelste weg naar Orlando zijn, maar als we in de rij staan te wachten bij het tolhokje bij Cypress Creek, gaat alles even langzaam.
'Dit is belachelijk,' zeg ik klagend terwijl we centimeter voor centimeter naar voren schuiven. 'Tweehonderd wagens en vier geopende tolhokjes.'

'Welkom bij de rekenkunde van Florida,' zegt Gillian. Ze draait naar links, naar de enige rij die echt in beweging lijkt te zijn. Recht voor ons blijft een zwarte Acura ongeveer dertig seconden te lang staan als het verkeer voor hem al opnieuw in beweging is. 'Rijden!' schreeuwt Gillian terwijl ze op de claxon drukt. 'Kies een baan uit en ga rijden!'

'Mag ik een domme vraag stellen?' vraagt Charlie vanaf de achterbank. 'Herinner je je die jongen bij Disney nog? Die jongeman die ons over de telefoon zei dat de back-ups bij DACS waren? Stel dat die zo is geschrokken dat hij ze zelf is gaan zoeken?'

'Dat zal hij niet doen,' zeg ik, en ik draai me naar hem om.

'Hoe weet je dat?'

'Dat kon ik aan zijn stem horen. Hij was het type niet om op onderzoek uit te gaan. En zelfs als hij dat wel is, zou hij er geen idee van hebben waar hij naar moet kijken.'

'Weet je dat zeker?'

Ik zit nog altijd naar Charlie toe gedraaid en voel mijn wenkbrauwen opeens heel licht gaan trillen. Hij ziet het meteen. 'Begrijp je nu wat ik bedoel?' zegt hij. 'Het logo van Greene & Greene zou op het scherm te zien zijn. Hij zou alleen maar een telefoontje naar de bank hoeven te plegen... en een tweede naar Gallo en DeSanctis...'

Terwijl we de schaduw van het tolhokje naderen, wordt de zon aan de hemel vager. En snel ook. Pas dan draai ik me weer om en zie ik hoe snel we rijden. De motor raast. We staan op het punt met zo'n vijfenveertig kilometer per uur het tolhokje te passeren.

'Gillian...'

'Maak je geen zorgen. Ik heb een SunPass.' Met haar duim wijst ze over haar schouder op de barcodesticker op haar raampje links achter.

Charlie staart door de voorruit. Ik volg zijn blik. Op het bordje boven het tolhokje staat: UITSLUITEND SUNPASS.

Verdomme.

'Ga niet door...' brult Charlie.

Het is al te laat.

We rijden verder en een digitale scanner kijkt koud naar de auto. Charlie en ik duiken tegelijkertijd weg.

'Wat zijn jullie aan het doen?' vraagt Gillian. 'Dat is geen videocamera.'

Het tolhokje vervaagt. Charlie gaat weer rechtop zitten.

'Verdomme!' schreeuw ik, en ik sla met een vuist op het dashboard.

'W-wat is er?'

'Heb je er enig idee van hoe stom dat was?'
'Wat is er mis mee? Gewoon een SunPass...'
'... die gebruik maakt van dezelfde technologie als een scanner in een supermarkt!' tier ik. 'Weet je niet hoe gemakkelijk het is zoiets te traceren? Binnen de kortste keren zullen ze weten wie je bent!'
Nu is Gillian degene die zich iets in haar stoel laat zakken. 'I-ik dacht niet dat...' Ze maakt haar zin niet af en doet haar uiterste best mijn aandacht te trekken. Die krijgt ze niet. Ik trek de zonneklep met het spiegeltje omlaag om naar Charlie te kunnen kijken.
Wat had ik je gezegd, vraagt zijn blik.
'Oliver, het spijt me,' zegt Gillian, die een hand uitsteekt om mijn arm aan te raken. De gezichtsuitdrukking van Charlie maakt me duidelijk dat hij verwacht dat ik zal bezwijken. Ik duw haar hand weg.
Eindelijk. Goed van je, broertje, seint hij.
'Ik meen het. Het spijt me echt,' zegt ze. Deze keer pakt ze mijn hand vast.
Ollie, blijf op je strepen staan. Tijd om de overwinning op te eisen, seint Charlie.
'Laat verder maar,' zeg ik tegen haar.
'Oliver, alsjeblieft. Ik probeerde alleen te helpen. Het was een onopzettelijke vergissing.'
Charlie schudt zijn hoofd. Hij gelooft niet in onopzettelijke vergissingen, in elk geval niet wanneer die door haar worden gemaakt. Zelfs hij moet echter toegeven dat het niet echt kwaad kan. We zijn alleen langs een tolhokje gereden. En dat is de reden waarom ik Gillians hand niet echt vasthoud als ze haar vingers met de mijne verstrengelt, maar mijn hand ook niet terugtrek.
Charlie duwt met zijn knie in de rugleuning van mijn stoel.
Ik doe de zonneklep weer naar boven. Hij begrijpt het niet. 'Wees de volgende keer alsjeblieft wel voorzichtiger,' zeg ik tegen Gillian.
'Dat beloof ik je,' zegt ze. 'Erewoord.'
Charlie draait zich om en staart door de achterruit. Het tolhokje verdwijnt in de verte. Hij geeft ons nog steeds rugdekking.

70

'Sorry dat ik u niet verder kon helpen,' zei Truman terwijl hij Joey weer begeleidde naar de grote hal van Neowerks.

'U hebt me geweldig geholpen,' zei Joey, die met haar aantekenboekje tegen de palm van haar hand tikte. Op het bovenste vel had ze 'Walter Harvey' en 'Sonny Rollins' geschreven – de valse namen van Oliver en Charlie. 'Dus na het gesprek met uw medewerkers kon u nog steeds niet meer dan één van de mensen op de foto's identificeren?'

'Arthur Stoughton,' zei Truman. 'Maar toen ik terugkwam om dat tegen Ducky's dochter te zeggen, bedankten zij en die twee mannen me en verdwenen ze.' Hij krabde zenuwachtig aan zijn dikke haar en voegde eraan toe: 'Ik heb het alleen gedaan omdat ik dacht dat het Ducky's vrienden waren.'

Joey kende die toon. Ze zag het aan zijn manische bewegingen, zelfs aan de manier waarop hij even naar de receptioniste achter de glanzende zwarte balie keek. 'U hoeft zich echt nergens zorgen over te maken. U hebt niets verkeerds gedaan.'

'Nee... nee, natuurlijk niet. Ik zeg alleen...' Hij maakte zijn zin niet af. 'Prettig u te hebben ontmoet, mevrouw Lemont.'

'Dat is wederzijds, maar alleen als u me Joey noemt.'

Truman dwong zichzelf beleefd te glimlachen, drukte snel de hand van Joey en haastte zich al even snel weer terug naar zijn kantoor. Toen de deur achter hem werd gesloten, keek Joey nog eens naar de receptioniste, die niet opkeek, ook al was dat haar taak.

Joey liep meteen naar de glanzende zwarte balie toe. 'Mag ik u een snelle vraag stellen?' Ze haalde twee foto's uit haar tas – een van Charlie en Oliver en een van Gillian en Duckworth. Die schoof ze over de balie heen en legde er de penning van haar vader naast.

De receptioniste liet het tijdschrift naar haar schoot zakken en staarde zwijgend en aandachtig naar de foto's. 'Dat zijn toch geen verkrachters, hè?' vroeg ze uiteindelijk.

'Nee, dat zijn ze niet,' zei Joey met haar meest geruststellende stemgeluid. 'We willen die lui alleen een paar vragen stellen.'

'U weet toch dat hun haar nu een andere kleur heeft, hè?' zei de vrouw, nog altijd naar de foto's starend.

'Dat weten we,' zei Joey. 'We proberen alleen te achterhalen waar ze hiervandaan naartoe zijn gegaan.'

'Na de bibliotheek, bedoelt u?'

'Inderdaad. Na de bibliotheek,' zei Joey, die knikte alsof ze daarvan op de hoogte was. 'Wat me eraan doet denken... Welke bibliotheek was dat ook alweer?'

Zodra hij de bekende piep hoorde toen hij de tolweg weer op draaide, klapte hij zijn gsm open en zag op het digitale scherm NIEUW BERICHT staan. Hij nam aan dat dat van Gallo of DeSanctis was en toetste kalm het nummer van zijn voicemail in.
'Er is één nieuw bericht voor u,' deelde de computerstem mee. 'Om dat te kunnen afluisteren...'
Hij drukte een toets in en wachtte tot de boodschap werd afgedraaid.
'Waar ben je? Waarom neem je niet op?' vroeg een vrouwenstem.
De man grinnikte zodra hij Gillian hoorde. 'Ik heb net met Gallo gesproken,' zei ze. 'Hij was blij over Disney te horen, maar hij begint beslist achterdochtig te worden. Die man is geen stommeling en is best in staat van een en een twee te maken. Wat je hem ook in het begin hebt verteld... hij ziet de schaakstukken bewegen. Ik weet dat je hem en DeSanctis een lekker kluifje wilde toegooien, maar wat mij betreft is het twee tegen een. Dus als je echt van plan bent hier een succes van te maken, wordt het tijd dat je hierheen komt om mij te helpen. Oké? Oké.'
Hij wiste de boodschap, klapte het dekseltje weer dicht en drukte het gaspedaal ver in. Hij had geprobeerd zo lang mogelijk uit de buurt te blijven, maar zoals hij op de bank altijd zei, sommige dingen vereisten een persoonlijke aanpak.

'Wat wil je?' vroeg Gallo door zijn gsm.
'Agent Gallo, u spreekt met Jim Evans van de verkeerspolitie van Florida. We hebben net de blauwe Volkswagen gezien waarnaar u op zoek bent. Hij blijkt geregistreerd te staan op de naam Martin Duckworth.'
'Dat had ik u al verteld.'
Er volgde een stilte aan de andere kant van de lijn. 'Wilt u de informatie hebben of niet, menéér?' vroeg Evans uitdagend.
Deze keer was Gallo degene die zweeg. 'Vertel het me maar,' zei hij ten slotte terwijl hij en DeSanctis naar de tolweg raceten. Hij kon Evans aan de andere kant van de lijn stilletjes horen genieten.
'We hebben de naam ingevoerd bij SunPass, gewoon om eens even te kijken,' zei Evans. 'Ongeveer veertig minuten geleden is er bij Cypress Creek een auto gepasseerd met een pas op naam van ene Martin Duckworth.'
'Welke kant ging die wagen op?'

'Naar het noorden,' zei de man. 'Als u dat wilt, kan ik er een paar wagens op uitsturen...'
'Nee, geen sprake van!' brulde Gallo. 'Hebt u me goed begrepen? Het zijn geheime informanten.'
'O.'
'Dus u begrijpt dat ik wil dat ze met rust worden gelaten!'
'U doet maar wat u wilt,' zei Evans nijdig. 'Vergeet alleen niet dat u degene bent geweest die contact heeft gezocht met ons.' Een klik en toen was de verbinding verbroken.
DeSanctis, die naast Gallo zat, schudde zijn hoofd. 'Ik ben nog steeds van mening dat je die instantie er niet bij had moeten halen.'
'Het was het waard.'
'Waarom? Uitsluitend om bevestigd te krijgen dat ze naar het noorden rijdt?'
'Nee, om bevestigd te krijgen dat ze niet naar het zuiden rijdt.'
DeSanctis knikte en masseerde zijn achterhoofd, waar een dun, wit verband de nog altijd kloppende snee bedekte die Gillian hem eerder had bezorgd. 'Denk je echt dat ze ons aan het verraden is?'
'Het is heel beslist een mogelijkheid...'
'En hoe zit het met je-weet-wel-wie?'
'Begin daar niet over. Ze zei dat hij vanmorgen hierheen is komen vliegen.'
'En jij gelooft haar?'
'Ik geloof niemand,' zei Gallo. 'Niet na dit alles. Ik bedoel... hoe heeft hij haar in het huis kunnen installeren zonder ons daar iets over te vertellen? Wat kan dat verdomme te betekenen hebben?'
'Daar heb ik geen idee van. Ik wil alleen zeker stellen dat we ons geld alsnog zullen krijgen.'
'Maak je geen zorgen. Als alles is geregeld en het tijd wordt om de baby te verdelen, garandeer ik je dat wij een paar extra armen en benen zullen meenemen.'

'Deze?' vroeg Joey, wijzend op de middelste computer.
'Nee, die daar links van,' zei de vrouw achter de balie.
'Uw links of mijn links?'
De bibliothecaresse zweeg even. 'Het uwe.'
Op de vierde verdieping van de bibliotheek van Broward County liep Joey langs de rij computers naar de verste toe. De computer die volgens het formulier kortgeleden was gebruikt door ene Sonny Rollins. Uit de drie stoelen die ervoor stonden had Joey al meteen bij binnenkomst kunnen opmaken om welke computer het

ging, maar dat betekende niet dat ze het voor de zekerheid niet moest controleren.
'Ja, die daar,' riep de bibliothecaresse.
Joey duwde twee van de drie stoelen opzij en ging in de middelste zitten. Op het scherm was de homepage van de bibliotheek. Ze zette de cursor meteen op *Overzicht*, het equivalent van de computer om een gespecificeerde telefoonrekening voor interlokale gesprekken te bekijken. Ze klikte snel en zag de lijst verschijnen. Daarin stond elke website vermeld die de afgelopen twintig dagen was bezocht, inclusief de laatste pagina die Charlie en Oliver hadden gezien. Ze begon bovenaan.
Mickey en Pluto verschenen op het scherm. *Disney.com – De magie on line!*
Wat heeft dit verdomme te betekenen, vroeg ze zich af.
Ze klikte op het volgende item van de lijst en vond iets soortgelijks. *Over Disney.com... Biografieën, management... Biografie van Arthur Stoughton, directeur.*
Arthur Stoughton?
Er klonk een hoge piep en Joey pakte haar gsm. Iedereen op de vierde verdieping keek haar kant op. 'Sorry,' zei ze, en ze zette de oormicrofoon op zijn plaats.
'Ben je nog in de bibliotheek?' vroeg Noreen.
'Wat denk je?' vroeg Joey fluisterend.
'Nou, bereid je er dan maar op voor om te gaan schreeuwen, want ik heb net over de telefoon gesproken met je vriend Fudge, die net had gesproken met een zekere Gladys, die toevallig bevriend is met een vrouw die absoluut niet tevreden is met de manier waarop ze wordt bejegend door haar baas bij de verkeerspolitie van Florida.'
'Dit kan maar beter iets goeds zijn,' zei Joey.
'O, dat is het. Laat ik het zo stellen. Voor het geringe bedrag van vijfhonderd dollar heeft de vriendin van Gladys met genoegen de naam Duckworth in hun computersysteem ingevoerd.'
'En?'
'En toen ontdekte ze al snel dat een SunPass op naam van Martin Duckworth voor het laatst is gebruikt om de tolweg in Florida op te gaan.'
'In noordelijke richting?' Joey staarde naar de officiële website van Disney, de belangrijkste toeristenattractie in Orlando. In noordelijke richting over de tolweg.
Joey sprong haar stoel uit en rende naar de lift. 'Wat ben je nu aan het doen?' vroeg Noreen, die het lawaai hoorde.
'Noreen... ik ga naar Disney World.'

71

Het bord doet het. Niet de groen-witte borden die ons van de tolweg naar de I-4 brengen, ook niet de bruin-witte borden die ons kronkelend langs World Drive voeren. Charlie, Gillian en ik zijn aldoor verhoudingsgewijs kalm gebleven. Praatjes over koetjes en kalfjes in de auto, zoeken naar radiostations, naar buiten staren om een eerste glimp van het park te kunnen opvangen. Echt een reisje naar Disney World. Maar als ik het roze, purperen en blauwe bord in de verte zie opdoemen, als de immense blauwe letters zich in een boog over de acht banen van de perfect geplaveide weg laten zien, de gestileerde woorden *Magic Kingdom* zichtbaar worden en de auto er vlak onderdoor rijdt, strekken we alle drie onze hals en blijven zwijgen als het graf. Gillians mond valt open. Charlie haalt – hoorbaar – zo oppervlakkig en snel adem dat het me opvalt. En de gespannen opwinding in mijn eigen borstkas geeft me het gevoel dat er een olifant op mijn hart is gestapt.
Ik kijk om naar Charlie, gewoon om zeker te weten dat alles met hem in orde is. Hij glimlacht op een manier waarvan ik weet dat die onecht is. Ik geef hem een koekje van eigen deeg. De eerste keer dat we hier waren, hebben we precies hetzelfde gedaan, toen hij zo opgewonden was dat hij moest overgeven tijdens het ritje in een theekopje van de gekke hoedenmaker, en ik bang was om kapitein Haak te ontmoeten. Zestien jaar later ben ik het moe om bang te zijn.

We zijn Sneeuwwitje aan het stalken. We kijken naar de manier waarop ze zich beweegt en met wie ze praat. Ik leun tegen de muur. Gillian staat naast me en doet alsof ze een praatje aan het maken is. Charlie, die zenuwachtiger is dan normaal, loopt de menigte in en uit. Maar alles wat we doen is staren, bestuderen en in gedachten aantekeningen maken. Natuurlijk heeft Sneeuwwitje er geen idee van dat we daar zijn, omdat we in de schaduw van het kasteel van Assepoester blijven, en hetzelfde geldt voor de om een handtekening vragende kinderen en foto's makende ouders die om haar heen hangen. Op dit moment is de menigte zes kinderen diep, waardoor je haar moeilijk kunt missen.
Zodra we het park hadden betreden zijn we op zoek gegaan naar sprookjesfiguren. Main Street op, het kasteel door en regelrecht Fantasyland in. Maar pas toen we een zesjarig kind achter ons 'Mam, kijk!' hoorden krijsen, draaiden we ons om en zagen de me-

nigte. Daar was ze, midden in de storm. Sneeuwwitje, de mooiste van het hele land. Voor de kinderen leek ze vanuit het niets te verschijnen. Voor ons... Tja, daar ging het nu juist om. Als je de tunnel voor de werknemers wilt vinden, moet je bij de werknemers beginnen.
Een voor een laat ze elk kind zijn of haar moment beleven. Sommigen willen een handtekening, anderen foto's, en de allerkleinsten willen alleen haar rok vasthouden en staren. Naast ons heeft een jongen een zwart T-shirt aan met ALS ZE HET 'T TOERISTENSEIZOEN NOEMEN, WAAROM MOGEN WE ZE DAN NIET NEERSCHIETEN? erop. Dat is Charlie toen hij vijftien was. Naast hem zijn een broer en zus woest op elkaar in aan het meppen. Dat zijn wij, toen we tien waren. Maar als Sneeuwwitje naar het drietal zwaait, zwaaien ze huns ondanks wel terug. Ik begin meteen te klokken. Acht minuten nadat Sneeuwwitje is verschenen – net als de menigte kritieke afmetingen begint aan te nemen – loopt een jongen in de tienerleeftijd met een Disney-poloshirt aan om de meute heen en geeft het teken. Sneeuwwitje kijkt op, maar blijft haar rol perfect spelen. Ze stapt naar achteren, werpt de menigte ten afscheid kushandjes toe en maakt zo duidelijk dat het voor haar tijd wordt om op te stappen.
'Waarom gaat ze weg?' vraagt een meisje met krullend haar duidelijk uit haar humeur.
'Ze is al aan de late kant voor haar afspraakje met de prins,' verkondigt de jongeman zo vriendelijk mogelijk.
'Gelul,' mompelt Charlie. 'Ik heb gehoord dat ze jaren geleden zijn gescheiden. Zij heeft alles gekregen, behalve de spiegel.'
Gillian geeft hem een tik op zijn arm. 'Zeg dat niet over...'
'Ssst. Dit is het moment,' zeg ik.
Een paar lampjes flitsen, er wordt nog een laatste handtekening uitgedeeld en een laatste foto genomen door een ouder die smeekt: 'Nog eentje, alstublieft... Katie, glimlachen!' Dan zwaait Sneeuwwitje als een filmster naar haar fans en loopt weg terwijl iedereen bromt, totdat...
'Winnie de Poeh!' roept een klein joch, en iedereen draait zich om. Negen meter verderop verschijnt de bekende beer met het rode hemdje als bij toverslag en hij wordt meteen omhelsd. Ik moet toegeven dat de lui van Disney beslist weten hoe ze voor afleiding moeten zorgen. De menigte zet het op een rennen. Wij blijven waar we zijn, en dan zien we de oude houten deur. Sneeuwwitje en de jongeman lopen er regelrecht op af. Achter het kasteel van Assepoester, links van de Assepoester-fontein, net onder de bogen, aan de achterkant van de winkel van Tinker Bell. Omdat hij zo ver van

het pad af staat, lijkt het de deur naar een wc. Maar er staat niets op. Het is een onopvallende deur, recht voor onze neus. Perfect ontworpen om over het hoofd te worden gezien.
De jongeman kijkt nog een keer over zijn schouder, zoekend naar achterblijvers. Wij kijken alle drie een andere kant op. Als hij ervan overtuigd is dat niemand kijkt, maakt hij de deur open en begeleidt Sneeuwwitje naar binnen. Dan zijn ze verdwenen.
'Sesam, open u,' zegt Charlie.
'Denk je dat het daar is?' vraagt Gillian.
'Dat moeten we gaan bekijken,' zeg ik, en ik ren naar voren.
'Wacht!' roept Gillian, die de achterkant van mijn shirt vastpakt. 'Wat ben je aan het doen?'
'Antwoorden op vragen zoeken.'
'Maar als er een bewaker is...'
'Dan zullen we "Sorry, verkeerde deur" zeggen en weglopen.' Ik ruk me los en loop verder naar de deur.
'Maak je je opeens zorgen over onze veiligheid?' vraagt Charlie aan haar.
Gillian reageert niet. Ze kijkt strak naar mij. 'Oliver, dit is niet iets wat we overhaast moeten doen,' zegt ze.
Ik luister niet naar haar. Ik heb net drie uur rijden achter de rug met de belofte dat ik mijn leven terug zou krijgen. Alles staat op die banden. Ik ga hier niet weg zonder die dingen. Ik pak de deur en kijk om. De menigte is bij Poeh. Het is nu of nooit...
Ik trek de deur open en draai me om naar Charlie en Gillian. Ze aarzelen allebei, maar ze weten ook dat we niet veel keus hebben. Zodra Gillian in beweging komt, volgt Charlie haar voorbeeld. Ik ben er niet zeker of hij achterdochtig of gewoon bang is. In elk geval glippen we alle drie naar binnen.
De betonnen trap, nauwelijks verlicht door een tl-buis, is donker en leeg. Er is niemand. Geen bewakers. Geen spoor van Sneeuwwitje te bekennen. Ik controleer het plafond en de muren. Ook geen videocamera's. Dat is niet zo vreemd als je er eens over nadenkt. Dit is Disney World, niet Fort Knox.
'Kijk eens,' fluistert Charlie, die over de metalen reling links van ons heen kijkt.
Ik ga tussen hem en Gillian in staan en zie trappen die vier niveaus omlaaggaan. De ingang tot de ondergrondse tunnels.
'Weet je wat voor nare dromen ik hiervan zou krijgen als ik zes jaar oud was?' vraagt Charlie.
Zonder iets te zeggen loop ik de trap af. Het kan niet veel verder meer zijn.

'Doe het rustig aan,' zegt Gillian waarschuwend terwijl we de diepte in draaien.

Onder aan de trap zien we een andere deur, maar deze heeft niet het middeleeuwse uiterlijk van de deur bij het winkeltje van Tinker Bell. Het is een standaarddeur. Ik maak hem open en steek mijn hoofd een korte gang in. Rechts van me lopen tientallen mensen heen en weer in een nog grotere gang die loodrecht op deze staat. Felgekleurde kostuums flitsen langs. Stemmen worden door het beton weerkaatst. Daar is de actie. Tijd om mee te gaan doen. Ik glip het trappenhuis uit, loop onze gang door en ga dan linksaf de grote gang in, waar ik bijna in botsing kom met een mager meisje in een Pinokkio-kostuum, minus het Pinokkio-hoofd.

'Kijk uit,' zegt ze als ik op haar grote schuimrubberen Pinokkioschoenen stap.

'S-sorry.' Ik hervind mijn evenwicht, loop om haar heen en zie rechts van haar Sneeuwwitje – een andere, met bruin haar dat met speldjes naar achteren wordt gehouden, met een zwarte pruik in haar hand en kauwgum in haar mond.

'Kristen, doe je vanavond mee aan de parade?' vraagt Sneeuwwitje, die een accent uit Chicago slecht kan camoufleren.

'Nee, mijn werk zit erop,' zegt Pinokkio.

Ik draai me om als ze langs me lopen, maar zie Charlie en Gillian meteen heel strak naar me kijken.

Doe het alsjeblieft rustig aan, seint Charlie, die duidelijk zenuwachtig is.

Ik knik en loop verder. Zij komen een paar stappen achter me aan, maar ze weten wat er voor nodig is om onzichtbaar te blijven. Blijf in beweging en beweeg je snel. Net zoals toen we Charlie een bioscoop in smokkelden waar een film voor boven de zestien werd gedraaid. Zodra je de indruk wekt er niet thuis te horen, hoor je er ook niet meer thuis.

Ik ben in iets wat eruitziet als een voetgangerstunnel van de ondergrondse, ongeveer even breed als twee auto's. Overal om ons heen is het een komen en gaan van kleurrijke werknemers van Disney, gekleed in van alles – van cowboylaarzen en pioniershoeden van Frontierland tot de zilverkleurige, futuristische shirtjes van Tomorrowland, tot de eenvoudige shirts met kraag van de conciërges. Ik trek mijn das los, stop hem in mijn zak en maak het bovenste knoopje van mijn shirt los. Gewoon een werknemer van Disney die onderweg is om een ander kostuum aan te trekken.

'Smerissen op tien uur,' zegt Charlie waarschuwend.

Ik volg de wijzer, kijk naar links en zie twee agenten die in de tun-

nel patrouilleren. Shit. Instinctief steek ik een hand uit naar de achterkant van mijn broek en tik tegen de tailleband om zeker te weten dat Gallo's wapen daar nog is. Gewoon voor het geval dat.
'Ze zijn niet gewapend,' zegt Charlie, die weet wat ik denk.
Als de mannen dichterbij komen, besef ik dat hij gelijk heeft. Ze hebben zilveren penningen bij zich en blauwe shirts aan, maar daar houdt het ook mee op. Ik kijk even naar hun holsters. Die zijn allebei leeg. Toch betekent dat niet dat we ons een confrontatie kunnen veroorloven. Als een van hen mijn kant op kijkt, kijk ik naar de grond. Niet opkijken, zeg ik tegen mezelf. Blijf geconcentreerd. Dertig seconden zijn meer dan genoeg. De agenten lopen langs me heen zonder ook maar een tweede keer naar me te kijken en ik kijk weer op naar het labyrint. Het probleem is dat ik er geen idee van heb waar ik heen ga.
Ik ga sneller lopen, probeer zoveel mogelijk terreinwinst te maken, en adem de vochtige ondergrondse lucht in. Uit de verkleurde paarse streep langs de onderste helft van de gang maak ik op dat hier in geen tien jaren een verfkwast is gehanteerd. Het mag dan het hoofdkwartier zijn van alle werknemers van het *Magic Kingdom*, maar Disney investeert zijn geld in dingen die te zien zijn. Net zoals wij op de bank goedkope vloerbedekking op de grond hebben liggen in delen waar de cliënten niet komen. De bouten en moeren van het park zijn hier duidelijk te zien: leidingen van de airco boven mijn hoofd, her en der buizen langs de muren en metalen deur na metalen deur met ONDERHOUD, VUILNIS of GEVAAR: HOOGSPANNING erop. Recht boven ons geeft een kind Poeh een knuffel en verbazen ouders zich erover dat het paradijs zo schoon is. Hier beneden is Pinokkio een meisje en maakt de stortkoker voor het afval zoveel lawaai dat je dat in je gebit voelt. Daar is magie van gemaakt.
Rechts van me komt een man in een Tiki-vogelpak een deur door, waarop TRAP 5 – legend of the lion king staat. Aan de overkant komt een blond elfje de deur door met TRAP 12 – ye olde christmas shoppe door. Om de viereneenhalve meter komen mensen te voorschijn vanuit het niets en hoe kalm ik ook probeer te ogen, ik kan het gevoel dat we beginnen op te vallen niet van me af zetten. Ik kijk naar de buizen bij het plafond, zoekend naar camera's van de beveiligingsdienst. Je kunt niet eindeloos blijven rondlopen zonder kostuum of naamkaartje. Als iemand ons in de gaten houdt, begint onze tijd op te raken. En het ergste is nog wel dat we verdwalen.
Hoe verder we komen, hoe meer metalen deuren we passeren. Hoe meer deuren we passeren, hoe meer de gang in een boog lijkt te

gaan lopen. Hoe meer de gang in een boog loopt, hoe meer we de indruk krijgen dat we in een kringetje aan het lopen zijn. Parkonderhoud west. Eerste hulp. Kantine... Waar is DACS verdomme?
'Dit is belachelijk,' zegt Gillian. 'Misschien moeten we ieder een andere kant op gaan.'
'Nee,' zeggen Charlie en ik tegelijkertijd. Het is echter wel duidelijk dat we van strategie moeten veranderen.
Voor ons komt een oudere vrouw in een kostuum van de Pilgrim Fathers een kamer met het bordje PERSONEEL erop uit. Ze lijkt een jaar of vijftig. Ik geef Charlie een teken. Hij schudt zijn hoofd. Hoe ouder ze zijn, hoe groter de kans is dat ze om een legitimatiebewijs zullen vragen. Achter haar zie ik een meisje in een spijkerbroek en een Barnard T-shirt. Charlie knikt. Ik was dit aanvankelijk niet van plan, maar we hebben weinig keus. We weten allebei wie beter kan omgaan met onbekenden.
'Mag ik u een stomme vraag stellen?' zegt Charlie die met zijn charmantste glimlach naar mevrouw Barnard toe loopt. 'Normaal gesproken werk ik in EPCOT...'
'Daarom laten ze u dat geverfde haar dan natuurlijk houden,' onderbreekt ze hem.
Hij lacht hardop. 'Mag dat hier dan niet?' vraagt hij, en hij strijkt met een hand door zijn blonde lokken. Hij probeert ontspannen te klinken, maar vanuit de hoek waar ik met Gillian sta, zie ik zweet op zijn nek glanzen.
'Grapje zeker,' zegt ze. 'Dat is slecht voor de show.'
'Hmm,' reageert hij zenuwachtig. 'Hoe dan ook... ze hebben me hierheen gestuurd om iets op te halen bij DACS.'
'DACS?'
'Volgens mij is het een soort computerruimte.'
'Sorry. Daar heb ik nog nooit van gehoord,' zegt ze terwijl ik op de binnenkant van mijn lip bijt. 'Maar als u wilt kunt u even op de plattegrond kijken.'
Plattegrond?
Ze wijst over haar schouder. Vlak om de hoek van PERSONEEL.
'Dat is geweldig,' zegt Charlie, en hij loopt die kant op. 'Als u ooit bij EPCOT moet zijn...'
Ga geen grapjes met haar maken!
'... zal ik u daar een rondleiding geven.'
'Daar verheug ik me op,' zegt ze met een brede Disney-glimlach.
Charlie zwaait gedag. Mevrouw Barnard begeeft zich de doolhof in. Zodra ze ons is gepasseerd, scheuren we de hoek om. Daar hangt hij, aan de muur. De plattegrond.

Ik bekijk hem en zoek meteen naar het pijltje met U BEVINDT ZICH HIER. De tunnel spreidt zich vanaf het kasteel van Assepoester uit als de spaken van een wiel en loopt onder bijna alle belangrijke attracties door. Het geheel ziet eruit als een klok. Frontierland bij negen uur. Adventureland bij zeven uur. Elk land is – om het nog gemakkelijker te maken – ook voorzien van een kleurencode. Tomorrowland is blauw. Fantasyland is purper. We bevinden ons in Main Street – dieprood – en dat stemt overeen met de rode streep op de muur. Wij bevinden ons op zes uur. De winkel van Tinker Bell was op twaalf uur. We hebben de helft van een klokje rond gelopen.
'Ik zei toch al dat we in een kringetje aan het draaien waren,' zegt Gillian.
'En kijk eens wat er achter in de gang is,' zegt Charlie. Hij tikt met een vinger hard op het bovenste deel van de plattegrond. De letters springen vrijwel op ons af en grijpen me naar de strot.
DACS.
Recht voor ons uit.

72

Ik loop tussen twee prinsen, Cruella de Vil, een spoorwegingenieur, en Knorretje door. Charlie komt achter me aan, maar Gillian loopt voorop en het lijkt haar geen moeite te kosten zich een weg te banen tussen de tientallen mensen door die te voorschijn komen uit een ruimte die 'CHARACTER ZOO' gedoopt is. Rechts van ons loopt ze een korte helling op naar een glazen deur. DACS CENTRAL staat er met kloeke, zwarte letters op.
'Weet je zeker dat je in je eentje naar binnen wilt gaan?' vraagt Charlie, die met opzet niet al te snel loopt. Het lijdt geen twijfel wie van ons beiden sneller kan lopen. Hij probeert alleen dicht bij me in de buurt te blijven.
'Ik red me best,' zeg ik stellig.
De toon van mijn stem verbaast hem en hij neemt me aandachtig op. 'Nu ben je eigenwijs aan het worden.'
'Helemaal niet. Ik... ik weet gewoon wat ik doe.'
Hij schudt zijn hoofd. Hij vindt het niet prettig aan de andere kant te staan. 'Wees wel voorzichtig. Oké?'
'Ja, dat zal ik zijn.'

Als wij bij de helling arriveren, bekijkt Gillian de scanner voor vingerafdrukken naast de intercom bij de deur van DACS. Charlie verstijft. Van alle deuren die we zijn gepasseerd, is dit de enige die beveiligd is. 'Is er tegenwoordig nog iemand die die dingen niet heeft?' vraagt Gillian terwijl ze op een paar knoppen van de scanner drukt.
'Niet aanraken,' zegt Charlie waarschuwend.
'Ga mij de wet niet voorschrijven,' reageert ze.
Charlie weet dat hij geen ruzie moet gaan zoeken. 'Bel nu maar gewoon aan,' zegt hij.
Ze zendt hem een blik toe die morgenochtend nog pijn zal doen. Ik wil de vrede herstellen, maar weet niet meer wat ik moet zeggen. Hoe dichter we bij de back-ups komen, hoe meer die twee op het punt van ontploffen lijken te staan.
'Nog eens bellen,' beveelt Charlie.
'Dat heb ik al gedaan,' zegt ze nijdig.
'Werkelijk? Waarom reageert niemand er dan op?'
Ze rolt met haar ogen en zet haar duim opnieuw op de knop.
'Kan ik u ergens mee van dienst zijn?' vraagt een vrouwenstem door de intercom.
'Hallo. Ik ben Steven Balizer... van het kantoor van Arthur Stoughton,' zeg ik, opnieuw de grote namen te voorschijn slepend.
'Telefoonnummer?' vraagt de vrouw.
'2538,' zeg ik, hopend dat ik me het rechtstreekse nummer van Balizer juist herinner.
Ik knijp mijn ogen tot spleetjes samen en kijk door het rookglas. Ik zie de vrouw achter haar bureau mijn kant op staren. Dankzij het rookglas ben ik echter alleen een amorfe massa met zwart haar. Ik glimlach en produceer mijn beste musketierzwaai.
Er volgt een korte pauze en dan hoor ik een zoemer.
Achter me steekt Gillian een hand uit naar de deurknop en roept zichzelf dan snel tot de orde. Zij is niet degene die naar binnen zal gaan.
Ik stap naar voren. Zij en Charlie zetten een stap naar achteren.
'Ben je er klaar voor?' vraagt ze.
'Dat denk ik wel.'
'En je weet waar je ons weer kunt treffen?' vraagt Charlie, die weer naar beneden loopt.
Ik knik en loop op de deur af. Hoe langer ik hier blijf talmen, hoe verdachter het wordt.
'Neem ze te grazen, broertje van me,' fluistert Charlie als ik op het punt sta om naar binnen te lopen. Ik kijk nog een laatste keer over

mijn schouder. Charlie en Gillian zijn al weg, opgegaan in de menigte van kapiteins van raderboten en toverfeeën.
'Hoe is het vandaag met je?' zegt een lieve, moederlijke stem.
Ik volg het geluid naar de balie van de receptie en zie een kleine vrouw met een bril met een plastic, blauw montuur en een shirtje waarop de Kleine Zeemeermin is geborduurd. Maar als ik dichter naar de balie toe loop, kijk ik naar links en zie de computers en videoschermen langs de andere drie muren. Midden in de kamer vormen rug aan rug staande computers korte gangetjes zoals die in een bibliotheek en bedekken het merendeel van de bruin en wit betegelde vloer. Alleen al door hun afmetingen – elke computer reikt tot mijn hals – doen ze me denken aan een ouderwetse stereo-installatie of een van die gigantisch grote computers uit een oude film over de NASA.
Natuurlijk gaat mijn blik meteen naar de rij computers die het meest ouderwets zijn. Op de voorkant van elke glazen kist is een sticker aangebracht: *It's a Small World... Carousel of Progress... Pirates of the Caribbean... Peter Pan...* Elke attractie in haar eigen antieke computer. Ze hebben een computersysteem dat slecht weer voelt aankomen, zodat ze weten wanneer ze paraplu's te koop moeten aanbieden, maar voor de beroemdste attracties rijdt Disney nog altijd in een Studebaker.
'Verbazingwekkend, nietwaar?' zegt de Kleine Zeemeermin. 'Maar als ze nog functioneren...'
Ik knik en draai me weer om naar haar balie.
'Wat kan ik vandaag voor je doen?' vraagt ze.
'Ik heb ongeveer een uur geleden opgebeld en ik ben hierheen gekomen om de back-ups voor Arthur Stoughton op te halen.'
Ze bladert een stapel papieren door. 'Kun je je nog herinneren met wie je daarover hebt gesproken?'
Ik kijk nog een keer snel om me heen. Rechts van me is een dichte deur. ARI DANIELS staat er op het naambordje. Ik zie geen licht onder de deur door komen. 'Iets met een A... Andre... Ari...'
'Dat is echt weer Ari,' zegt de receptioniste kreunend. 'Hij is al naar huis gegaan.'
'Hoe moet ik dan...'
'Ik zal je laten zien hoe je het kunt meenemen. Ik moet wel eerst je legitimatiebewijs zien.'
Ik klop op mijn borst, en dan op het zakje van mijn shirt, en dan op de achterzak van mijn broek. 'O, het zal toch niet waar zijn dat ik...' Ik pak mijn portefeuille en doe alsof ik als een gek aan het zoeken ben. 'Hij ligt op mijn bureau. U kunt nu meteen bellen.

Toestel 2538. Maar... Tja, als Stoughton nijdig wordt... U begrijpt het vast niet. Als we die back-ups niet krijgen, zal hij...'
'Maak je niet druk, schat. Ik heb ook geen behoefte aan migraine.' Ze schuift haar stoel naar achteren, loopt om de balie heen en gaat naar de dubbele glazen deuren in de rechterhoek van de kamer. Zelfs in Disney World is iedereen bang voor de baas.
Door het glas zie ik de natte droom van een computergek. Beige kasten met de meest geavanceerde hoofdcomputers en servers langs de muren. Rode en zwarte draden kronkelend op de vloer. En midden in de ruimte staat een laboratoriumachtige werkbank met daarop zes computers, twee laptops, een stuk of tien toetsenborden, noodaggregaten en een heleboel moederborden en geheugenchips. Vergeet al die verouderde apparatuur. Hier geeft Disney het geld aan uit. Als we naar binnen lopen, staan twee technici – de een zwaargebouwd, de andere mager, maar beiden verbazingwekkend knap om te zien – naar een monitor met een plat scherm toe gebogen. De receptioniste zwaait. Ze kijken geen van beiden op.
'Vriendelijke lui,' fluister ik.
'Daarom laten we hen niet in de buurt van onze gasten komen.'
Halverwege de rechtermuur is, zoals het bordje meldt, een voorraadkast. Boven de deurknop zie ik drie sloten. De laatste met een code die moet worden ingetoetst. Net als de Kooi op de bank. Voorraadkast? Geouwehoer!
'Ik begrijp nog altijd niet waarom ze deze spullen niet bij de noordelijke servicedienst bewaren,' zegt ze klagend terwijl ze sleutels te voorschijn haalt en de code intoetst.
'Met het merendeel ervan gebeurt dat wel,' zeg ik, en ik kijk of de technici ons gadeslaan. Ze staren nog steeds strak naar het scherm. 'Het is alleen veiliger om de dagelijkse back-ups hier te houden.'
Ze draait aan de knop en de deur zwaait ver open. In de kast staan twee metalen rekken met honderden cassettebanden. Banden die we willen hebben, banden die we ook zullen krijgen. Er moeten er alles bij elkaar vierhonderd zijn. Allemaal naast elkaar neergezet, zodat alleen de ruggen zichtbaar zijn. In eerste instantie zien ze eruit als kleine, dikke cassettes. Maar als we de kast in lopen, lijken ze eerder op de digitale audiotapes die Charlie vroeger van zijn opnamesessies mee naar huis nam.
'Waar waren we ook alweer naar op zoek?' vraagt de receptioniste.
'H-het intranet,' zeg ik, en ik probeer niet overweldigd te klinken.
Ze strijkt met haar vingers langs de door een laserprinter vervaardigde etiketten die met plakband aan de rand van elke plank zijn

bevestigd: *Alien Encounter... Buzz Lightyear... Country Bear Jamboree.*
'Dis-web1,' zegt ze, wijzend op zeven banden. De rug van elk is voorzien van een etiket met een verschillende dag van de week. Maandag tot en met zondag.
'Welke dag heb je nodig?' vraagt ze.
Als ik de keus had, zou ik ze allemaal meenemen, maar nu moet het met een dag tegelijk. 'Gisteren,' zei ik. 'Zeer beslist de dag van gisteren.'
Ze pakt de band van woensdag, controleert of die echt in zijn hoes zit en pakt dan een klembord dat aan de zijkant van het rek is bevestigd. 'Invullen, graag,' zegt ze terwijl ze me het klembord geeft. 'En vergeet niet je telefoonnummer erbij te zetten.'
Mijn vuist klemt zich om de plastic hoes en ik moet een strijd met mezelf leveren om kalm te blijven. Er is nog meer dan genoeg te doen voordat we...
In de andere kamer klinkt een hoge bel. Die van de deur.
Mijn lendenen doen zeer. Ik begin zo snel ik kan het benodigde formulier in te vullen.
'Kan een van jullie even gaan kijken?' roept de receptioniste naar de technici.
Geen van hen kijkt op.
De bel gaat nogmaals, en mijn gids rolt met haar ogen. 'Excuseer me even,' zegt ze, en ze loopt naar de andere ruimte.
Ik sta in mijn eentje in de kast en probeer te horen wie er is gearriveerd. Geen verheven stemmen, geen commotie. Alles is nog oké.
Over mijn schouder kijk ik naar de andere zes banden. De rest van het bewijs, en de enige manier om volkomen safe te zijn.
Ik kijk nog een laatste keer naar de technici. Zij zijn volstrekt niet in mij geïnteresseerd. Dan draai ik me weer om naar de banden. Als ik dit met succes wil afronden, zal ik snel moeten zijn.
Ik pak de cassette van dinsdag van de plank, haal hem uit zijn hoes, stop hem in mijn broekzak en zet de lege hoes weer op zijn plaats. Band voor band doe ik hetzelfde met de hele week, tot mijn zakken vol en zes hoezen leeg zijn. Dan pak ik de band van woensdag en...
'Steven?' roept de receptioniste vanuit de andere kamer.
'Ik kom!' roep ik, en ik ren de kast uit zodra ik mijn valse naam hoor. Bij de glazen deuren ga ik wat langzamer lopen en betreed kalm de andere ruimte.
'Je vrienden zijn er,' zegt ze.
Ik kom de hoek om en blijf halverwege een stap staan. Mijn handen ballen zich woest tot vuisten.

'W-we wilden alleen zeker weten dat alles met jou in orde was,' stamelt Charlie.
'Ja,' zegt Gillian. Ze staan allebei bij de balie, maar bewegen zich niet.
Wat doe jij hier, vraag ik Charlie door middel van een nijdige blik. Hij schudt zijn hoofd, weigert te antwoorden.
'Jullie hebben vanavond zeker een feestje georganiseerd,' zegt de receptioniste.
Een feestje?
Dan zie ik hen. Ze komen de hoek om en gaan vlak achter Charlie en Gillian staan. O, mijn god!
'Daar is hij!' zingt Gallo, die hinkend en met een donkere grijns naar voren stapt. 'We begonnen ons al zorgen over je te maken.'

73

Terwijl ik de angst op het gezicht van Charlie zie, slaat Gallo zijn armen om me heen en drukt me met opzet zo dicht tegen zich aan dat ik zijn wapen met holster en al tegen mijn borst kan voelen.
'Klootzak,' zegt hij zacht in mijn oor.
'Dus ik neem aan dat je hebt gevonden wat je nodig had,' zegt DeSanctis al even vrolijk.
'Natuurlijk,' zegt Gallo, die de band van woensdag in mijn rechterhand ziet. 'Daarom is hij de beste werknemer van Disney, nietwaar... Steven?' Hij spreekt die naam met een roofdierachtige grijns uit en steekt dan een hand naar me uit. 'Laat maar eens zien wat je daar hebt, jongen.'
Ik denk aan het wapen achter mijn tailleband en draai me om naar Charlie. Vlak achter hem en Gillian zet DeSanctis nog een stap mijn kant op. Ik kan zijn handen niet zien. De buik van Charlie komt naar voren, alsof iemand iets tegen zijn rug gedrukt houdt.
'Ik wil jullie niet onderbreken,' zegt de receptioniste, die duidelijk zenuwachtig is, 'maar van welke afdeling waren jullie ook alweer?'
'Maak je geen zorgen. We zijn allemaal vriendjes,' zegt Gallo plagend terwijl hij mij nog altijd aanstaart. 'Laten we nu eens naar die band kijken.'
Ik blijf hem vasthouden. Geërgerd trekt Gallo hem mijn handen uit. Ik verzet me nauwelijks, niet nu er een wapen tegen de rug van mijn broer is gedrukt.

'Waarom heb je de band van woensdag gepakt?' vraagt Gallo, die het etiket op de rug leest. 'Ik dacht dat je zei dat we de andere dagen ook nodig hadden.' Hij wijst op de receptioniste en zegt: 'Kun jij de banden van donderdag tot en met dinsdag vinden?'
De Kleine Zeemeermin begint duidelijk in paniek te raken. 'Het spijt me, meneer, maar ik kan niets doen tot ik uw legitimatiebewijs heb gezien.'
'Ik heb het mijne in mijn andere jasje laten zitten,' zegt Gallo, 'maar je kunt die van onze vriend Steven gebruiken.'
'Dat kan ik niet,' zegt de vrouw.
'Natuurlijk wel. Je hebt hem al de band van...'
'Meneer, dat kan ik niet, en omdat dit een niet openbaar toegankelijke ruimte is, moet ik u verzoeken weg te gaan als u zich niet kunt legitimeren.'
'We zijn alleen op zoek naar de andere banden,' zegt hij, en hij probeert het nog altijd vriendelijk te houden.
'Hebt u gehoord wat ik heb gezegd, meneer? Ik zou graag willen dat u vertrekt.'
Gallo klemt zijn kaken op elkaar. Zijn stem klinkt als schuurpapier. 'En ik zou graag willen dat jij je als een goede werknemer gedraagt en voor ons haalt wat we nodig hebben.'
'Oké, zo is het welletjes,' zegt de receptioniste, die de telefoon pakt. 'U kunt de rest van de discussie met mensen van de beveiliging voeren. Ik weet zeker dat ze het prachtig zullen vinden om...'
Gallo pakt zijn penning van de secret service en houdt die omhoog. 'Hier is mijn legitimatiebewijs. Laat die telefoon met rust en ga de andere banden voor ons halen.'
Haar blik glijdt van de penning naar Gallo en weer terug. 'Het spijt me, maar in dit geval zult u met een superieur moeten spreken.'
'Ik geloof niet dat je het begrijpt,' zegt Gallo. Hij haalt zijn wapen uit zijn jasje en richt dat recht op de receptioniste. 'Leg die telefoon neer en haal de banden voor ons.'
De vrouw laat de hoorn weer zakken en er stromen tranen over haar gezicht. 'I-ik heb een vierjarig...'
'De banden,' gromt Gallo.
Haar handen trillen als ze die de lucht in steekt. 'Ze zijn achter,' stamelt ze.
'Wijs ons de weg,' beveelt Gallo. Hij gebaart naar DeSanctis. 'Ga met haar mee.'
DeSanctis duwt Charlie en Gillian opzij en gaat tussen hen in staan, met zijn wapen in zijn hand. Zodra de receptioniste dat ziet, beginnen de tranen nog harder te stromen.

‘Geef me een leuke Mickey Mouse-glimlach,’ zegt DeSanctis waarschuwend terwijl hij haar naar de glazen deuren duwt.
‘Kom hier.’ Gallo pakt de voorkant van mijn shirt vast en duwt me in de richting van Gillian en Charlie. Ik loop struikelend naar mijn broer toe en onze blikken kruisen elkaar.
De banden zijn daar niet, hè, vraagt Charlie me door een blik.
Ik strijk met een hand over de zak van mijn broek. Gillian ziet dat en grijnst met ons mee.
‘Stil blijven staan,’ zegt Gallo als ik vlak naast Charlie mijn evenwicht hervind. Hij richt zijn wapen op mij en dan op Charlie, maar nooit op Gillian, die weer zwijgend naar de grond staart.
‘Alles oké met jou?’ vraag ik fluisterend aan haar.
‘Wat zei je?’ vraagt Gallo.
‘Ik vroeg of alles met haar in orde was,’ brom ik.
Opeens begint Gallo te lachen.
‘Wat is er?’
Hij kan zichzelf niet beheersen. Hij grijnst van oor tot oor. ‘Je weet het nog steeds niet, hè?’
‘Waar heb je het over?’
‘Je meent het serieus, hè? Je weet echt...’
‘... en dat brengt ons bij DACS, het zenuwcentrum van het geheel,’ verkondigt een vrolijke stem terwijl de deur van de afdeling openzwaait. Achter ons neemt een man met zandkleurig blond haar en een T-shirt met MAGIE BACKSTAGE erop een groep van twintig mensen mee de toch al volle ontvangstruimte in.
Gallo houdt snel zijn arm achter zijn rug om het wapen te verbergen. De groep dringt naar voren en mensen rekken hun hals om naar binnen te kunnen kijken. Een zwaargebouwde vrouw in een roze short met een bijpassende roze zonneklep komt voor mij, Gillian en Charlie staan en plaatst zo – zonder zich ervan bewust van te zijn – de hele groep tussen ons en Gallo in.
‘Sorry. Onderbreken we iets?’ vraagt de man met het blonde haar op de toon van de perfecte gids.
‘Ja,’ zegt Gallo meteen. Door de nog altijd in beweging zijnde groep heen staart hij onze kant op. Hij is klaar om zijn wapen weer te voorschijn te halen, maar hij moet weten wat er zal gebeuren als hij dat doet.
‘Kom nou,’ zegt de gids, en wij zetten een stap naar achteren. ‘We hebben gasten...’
‘Verdwijn uit mijn ogen, verdomme,’ zegt Gallo, die de man opzij duwt. Hij probeert snel naar ons toe te lopen. Daar is de menigte echter te dicht voor.

Charlie kijkt naar de deur. DeSanctis kan nu elk moment beseffen dat er niets in de hoezen zit.
Ga, gebaar ik hem met een knikje. Charlie maakt dat hij wegkomt.
'Blijf staan!' schreeuwt Gallo, die zijn wapen weer laat zien.
Meer is er niet nodig.
'Een pistool!' schreeuwt een vrouw. De menigte verspreidt zich. Iedereen is aan het schreeuwen en duwen. Men slaat op hol. We vliegen naar de deur, gevolgd door de hele meute.
Er weerklinkt een schot als wij bij de drempel zijn. De glazen deur versplintert en glasscherven schieten weg over de grond. Charlie baant zich vechtend en zigzaggend een weg door de schreeuwende menigte toeristen heen. Achter me heeft Gillian zich gebukt, en ze houdt de achterkant van mijn shirt vast. Niemand is geraakt. Iedereen loopt de gang op en het geschreeuw wordt door de betonnen tunnel weerkaatst.
'Blijven lopen!' schreeuw ik, en ik geef Charlie een duw in zijn rug. We schieten de menigte uit en rennen naar de hals van de tunnel. Mijn voeten bonken op het beton. Charlie kijkt om om zeker te weten dat er niets met mij aan de hand is. Dan ziet hij Gillian, die nog altijd de achterkant van mijn shirt vasthoudt.
Zijn gezichtsuitdrukking is zonneklaar. *Raak haar kwijt!*
Wat zeg je?
Raak haar kwijt!
Ze laat mijn shirt los en zet het zelfstandig op een rennen. Ze struikelt niet. Ze probeert onze vaart niet af te remmen. Ze rent. Haar helderblauwe ogen zoeken naar een uitweg. Haar mond hangt open van angst. Hij denkt dat alles volkomen duidelijk is. Dat is het niet.
'Wegwezen,' zeg ik tegen hem.
Charlie klemt zijn kaken op elkaar en begint te rennen. Hij rent vlak voor me uit door de tunnel. Hij kan veel sneller lopen. 'Charlie, racen!' zeg ik indringend.
'Blijf... bij me,' zegt hij terwijl hij zich een weg baant tussen Pocahontas en een Dracula uit het *Haunted Mansion* door.
'De trap op!' roept Gillian terwijl de deuren aan weerszijden van de gang langs ons heen lijken te suizen.
Charlie rent echter door. Pas wanneer de tunnel naar links draait, begrijp ik wat hij aan het doen is. Achter ons verstommen de kreten van de menigte en worden snel vervangen door de voetstappen van degenen die achter ons aan zitten. Ik draai me om om te kijken wat er aan de hand is, maar door de bocht in de tunnel kunnen we niet zien wie dat zijn. Wat betekent dat zij ons ook niet kunnen zien.

'Nu!' zegt Charlie, die scherp naar rechts draait, een korte gang in. Aan het eind daarvan rukt hij de metalen deur open en blijft die voor ons openhouden. Aan de andere kant gaat een geel geverfde trap regelrecht naar boven. Ik vlieg die als eerste op, gevolgd door Gillian. Charlie vormt de achterhoede. Ik neem de trap met twee treden tegelijk. Gillian doet haar best, maar ze is niet zo snel als ik.

'Doorlopen!' blaft Charlie. Hij wurmt zich langs haar heen en plaatst zich zo tussen Gillian en mij. Hij raakt mijn schouder aan en geeft me een duwtje.

'Ik kan niet sneller,' zeg ik.

Boven aan de trap blijven we staan voor een gesloten metalen deur. We halen moeizaam adem. Charlie nog moeizamer dan ik. Het is bijna drie dagen geleden dat hij voor het laatst zijn medicijnen heeft ingenomen.

'Weet je zeker dat alles met jou...'

'Ja, met mij gaat het best,' zegt hij nadrukkelijk. Maar als ik mijn hand op de metalen stang leg om de deur open te maken, komen er twee woorden over zijn lippen die ik van hem nog nooit eerder heb gehoord.

'Wees voorzichtig.'

Ik knik en duw de deur behoedzaam een paar centimeter open. Door alle bochten in de tunnel hebben we er geen idee van waar we zijn. Ik steek mijn hoofd om de hoek van de deur en kan nauwelijks iets zien. De ruimte is donker, maar lijkt leeg te zijn. We zijn in een donkere kamer, of misschien in een heel grote kast. Ik glip erin, zoekend naar aanwijzingen. Over mijn schouder zie ik Charlie en Gillian de deur naar het trappenhuis dichtdoen, waardoor het laatste beetje licht verdwijnt. Aanvankelijk zie ik helemaal niets. Wanneer mijn ogen zich aan het duister beginnen aan te passen, zie ik recht voor me uit een streepje wit licht. Dat komt onder een andere deur door.

Als Frankenstein loop ik met gestrekte armen verder. Ik bereik de houten lambrisering en zoek op de tast naar de deurknop. We komen in een volgende kamer, die al even donker is. Deze keer is er echter iemand in de...

BAM!

Er weerklinkt een schot, en ik duik zo snel ik kan ineen. Achter me hoor ik een klap op de grond. Ik draai me bliksemsnel om en steek een hand uit, maar ik kan Charlie niet vinden.

74

'Kom op, rijden!' brulde Joey terwijl ze op de claxon drukte om woest te toeteren naar de blauwe Lincoln Town Car met als nummerbord GRNDPA7. Gevangen in de enorme rij huurauto's en afgeladen bestelauto's die langzaam het parkeerterrein van Disney op reden, was ze bijna in staat het stuur uit het dashboard te rukken. 'Ja, jij! Trap het gaspedaal in en draai je rijdende boot Dopey 110 in! Volg de andere auto's! Dopey 110!'
'Geniet je niet van je Disney-belevenis?' vroeg Noreen in haar oor.
'Eindelijk!' zei Joey toen ze bijna vooraan in de rij stond. Ze wilde gas geven, maar een werknemer van Disney met een lichtgevend geel vest aan blokkeerde de weg en gebaarde haar naar links te gaan, alsof hij op een startbaan van een vliegveld stond.
'Alle voertuigen naar links, mevrouw,' riep hij zo vriendelijk mogelijk.
Joey bleef staan. 'Ik moet naar de ingang aan de voorzijde!' riep ze.
'Alle voertuigen naar links,' herhaalde hij.
Joey kwam nog altijd niet in beweging. 'Hebt u niet gehoord wat ik...'
Een paar seconden later stonden er twee andere werknemers bij haar raampje. 'Is er een probleem, mevrouw?'
'Ik moet bij het hek aan de voorzijde komen. Nu meteen!'
'Onze trams rijden om de paar minuten,' zei de kleinste van de twee werknemers.
'Het spijt me, mevrouw,' zei de andere. 'Maar tenzij u een invalidensticker hebt, moet u hier parkeren. Net als alle an...'
Joey pakte de penning van haar vader en ramde die in het gezicht van de man. 'Walt, weet je wat dit betekent? Dat ik niet ga parkeren op Dopey 110.'
De twee mannen liepen zwijgend van de auto vandaan en gaven de man in het gele vest een teken dat hij een stap opzij moest zetten. Zonder iets te zeggen gaf Joey een dot gas en reed snel naar het hek aan de voorzijde van het *Magic Kingdom*.

75

'Ga liggen,' zegt Charlie indringend terwijl hij aan mijn been trekt. Ik plof hard op de vloerbedekking en de punt van mijn kin lijkt door de aanraking daarmee in brand te staan. Ver rechts van ons zien we het silhouet van degene die ons heeft aangevallen. Hij staat in de hoek en probeert op te gaan in de schaduw. Hij staat voorovergebogen. Om zijn wapen opnieuw te laden.

Ik ben niet van plan hem ook maar een schijn van kans te geven. In duik op het silhouet af. Er weerklinkt opnieuw een schot. Niet van een wapen... een explosie... de een na de ander... ploffend... als vuurwerk. Voordat onze aanvaller ook maar beseft dat ik bij hem ben, vlieg ik tegen hem op en sla mijn armen om zijn middel. Het is alsof ik een stofzuiger beet heb. Met een metaalachtige klik slaan we tegen de grond.

De lampen gaan langzaam aan en ik kan voor het eerst goed kijken naar de persoon die ik op de grond gedrukt hou. Het is John F. Kennedy.

'In deze *Hall of Presidents* kijken we naar een spiegel van onszelf,' zegt de opgenomen stem van Maya Angelou vanachter het blauwe gordijn. Langs de muur staan een Andrew Jackson-robot zonder been, een rieten mand vol dassen en strikjes, en een hoofd van piepschuim met een geföhnde pruik met BILL CLINTON op het label. We zijn in de coulissen. Het zijn de coulissen maar.

'Dames en heren... de presidenten van de Verenigde Staten,' kondigt Maya Angelou aan. Trompetten schallen, de menigte applaudisseert en ik kijk naar het plafond, waar katrollen het doek automatisch ophalen. Het fluweelblauwe gordijn dat ons verborgen houdt, hangt nog op zijn plaats.

'Laten we gaan, Oswald,' zegt Charlie, die zich bukt om me overeind te helpen.

Rechts van ons komt een man in een Paul Revere-outfit door een zijdeur aangestormd. Hij kijkt even naar ons drietal, dat over JFK heen gebogen staat. De walkie-talkie wordt meteen naar zijn lippen gebracht. 'Beveiliging. Ik heb hier een tweeëntwintig. Ik heb assistentie nodig in de HOP.'

Charlie trekt aan mijn arm en terwijl ik mijn uiterste best doe overeind te komen, spring ik over de borstkas van JFK heen. Gillian is al onderweg naar de zijdeur links van ons. Charlie aarzelt, zich afvragend of hij ons moet volgen, maar de enige andere mogelijkheden zijn langs Paul Revere onder het gordijn door gaan en langs

het vijfhonderdkoppige publiek lopen, of teruggaan via dezelfde weg als we zijn gekomen. Ik ren langs Charlie heen, pak hem in zijn kraag en duw hem naar voren. Zelfs hij weet wanneer we geen keus hebben. We gaan allebei achter Gillian aan.
Met Gillian voorop rennen we een kamer in met rood tapijt op de vloer, vol nepantieke meubels en nepkoloniale vlaggen. Charlie pakt een schommelstoel en zet die onder de kruk van de zijdeur waar we net doorheen zijn gekomen. Paul Revere bonst en schreeuwt, maar hij kan geen stap verder komen.
In de kamer zijn nog drie andere deuren in de muren aangebracht. Onder de twee rechts van ons lijkt geen licht door te schijnen. Die komen uit op het theater. De deur recht voor ons zorgt voor wat licht op de vloerbedekking. Die leidt dus naar buiten.
Gillian duwt de deur open en we worden overweldigd door de plotselinge ruimte. Na de grijze muren van de tunnels en de duisternis in de *Hall of Presidents* zorgt het felle licht op Liberty Square ervoor dat ik mijn ogen samenknijp als ik door Disneys nagemaakte stadje uit de tijd van de Revolutie loop.
'Volg de menigte,' zegt Charlie, wijzend naar de menselijke golf die door de straten stroomt. Links van me staan tientallen kinderen in de rij om hun hoofd door een nepschandblok te steken, zodat hun ouders een foto van hen kunnen nemen. Rechts van me staan honderden toeristen te wachten op het veiligste tochtje ter wereld met een raderboot. Alle anderen zijn onderweg naar het pioniersstadje van het oude westen in Frontierland. Het is de week voor Kerstmis in Disney World. Zoek raken is niet moeilijk.
'Rustig aan,' zegt Gillian waarschuwend terwijl we in de flessenhals voor de Diamond Horseshoe Saloon duiken. Na een paar stappen is het rood, wit en blauw van Liberty Square vervangen door de modderig bruine tinten van de ouderwetse handelspost voor pioniers. Gillian laat haar hoofd zakken en past zich aan het tempo van de menigte aan. Charlie wil daar niet aan meedoen en rent verder, baant zich zigzaggend een weg door de menigte heen.
'Charlie... wacht!' roep ik.
Hij draait zijn hoofd niet eens om. Ik ga achter hem aan, maar hij is al vier gezinnen voor ons. Ik spring op om hem beter te kunnen zien en volg zijn blonde haar. Als hij de *Country Bear Jamboree* passeert, kijkt hij om om er zeker van te zijn dat ik hem volg, maar hoe harder ik probeer bij hem in de buurt te blijven, hoe meer Gillian achterblijft. Ik doe mijn best de afstanden gelijk te houden, maar vroeg of laat zal daar verandering in moeten komen.
Ik kijk over mijn schouder naar Gillian, die eindelijk wat vaart lijkt

te kunnen maken. 'Kom op!' schreeuw ik, en ik gebaar haar door te lopen. Ik loop langs een gezin met een kinderwagen en meerder vaart. Maar als ik kijk waar Charlie is, kan ik hem nergens ontdekken. Ik rek mijn hals en kijk naar de hoofden, zoekend naar zijn blonde haar. Dat is in geen velden of wegen te bekennen. Ik kijk nogmaals. Niets. Het kan me niets schelen hoe boos hij was. Hij zal nooit zonder mij vertrekken.

Mijn maag verkrampt weer, net zoals toen we elkaar eerder kwijt waren. Ik druk op de paniekknop en ren naar voren. 'Sorry... maak de weg vrij,' roep ik naar de menigte terwijl ik me zigzaggend en duwend een weg probeer te banen. Als Gillian me heeft ingehaald, ben ik nog steeds in de menigte op zoek naar de nieuwe haarkleur van Charlie. De man met het blonde haar en het semi-hippe J. Crew-gezin. De roodblonde man met een honkbalpet van Louisiana State. Zelfs de geblondeerde man met zichtbaar zwarte haarwortels. Ik check ze allemaal. Hij moet hier ergens zijn. Aan de overkant van de straat schiet een tienjarige jongen met een proppenschieter een kurk regelrecht in het gezicht van zijn zuster. Achter me zitten twee kinderen elkaar achterna, met paarse tongen van een suikerspin. Naast me huilt een jongen, en zijn vader dreigt hem mee naar huis te nemen. Uit de luidsprekers aan de lantaarnpalen blèrt 'Yankee Doodle'. Ik kan nauwelijks normaal nadenken. Gillian wil mijn hand vastpakken. Dat wil ik nu niet. Voor me uit draait de straat naar rechts. Ik heb bijna geen keus meer. Ik probeer het nog een laatste keer.

'Charlie!' schreeuw ik.

Zes meter voor me uit komt een bekend blond hoofd te voorschijn achter een winkel waar je bontmutsen kunt kopen. 'Charlie! Charlie!' roep ik, en ik zwaai met mijn handen door de lucht.

Zakken, gebaart hij door met zijn handpalmen omlaag op de lucht te tikken.

Wat ben je...

Zakken! Nu!

Hij kijkt de straat af en ik volg zijn blik door de menigte, naar de verste hoek van het *Pecos Bill Cafe*. Ik zie de twee donkere pakken die in de menigte vol Mickey Mouse T-shirts wel moeten opvallen. En dan zien zij mij.

Gallo's ogen vernauwen zich tot woedende zwarte spleetjes. Hij wurmt zich tussen een jong stel door en baant zich een weg door de menigte heen. DeSanctis komt vlak achter hem aan.

76

'Moest je nou echt zo nodig schreeuwen?' vraagt Charlie als Gillian en ik snel langs de winkel lopen.

'Ik? Ik was niet degene...' Ik zwijg en concentreer me weer op Gallo. Aan de overkant van de straat vecht hij zich door het hart van de menigte heen. We hebben bijna geen ruimte meer om weg te rennen. Voor ons loopt de straat dood bij een tot ons middel reikend, houten hek. Link van ons komt Gallo nog dichter onze kant op.

'Daarheen,' zegt Gillian, en ze wijst naar rechts.

Charlie schudt zijn hoofd. Het kan hem niet schelen dat dat misschien de beste weg is. Hij geeft haar geen kans. Met een scherpe ruk trekt hij het houten hek open en rent een soort van geasfalteerde oprit op. Hij stevent regelrecht af op een groene houten muur die het hele park omgeeft. Die moet op zijn minst tweeëneenhalve meter hoog zijn. Daar kunnen we op geen enkele manier overheen klimmen.

'Is hij gek geworden?' vraagt Gillian.

'Charlie... stoppen!' roep ik terwijl ik achter hem aan ren. 'Die weg loopt dood!' Als hij bij het hoogste punt van de oprit is gearriveerd, loopt de weg omlaag naar de groene muur. Vanaf de plaats waar ik me bevind – net aan de andere kant van het hek – lijkt hij geen kant meer op te kunnen. 'Maak dat je wegkomt!' roep ik. Charlie loopt gewoon door.

Als ik bij de top van de oprit ben, zie ik eindelijk wat zijn aandacht heeft getrokken. Aanvankelijk was het me niet opgevallen. Een klein bordje aan de muur met UITSLUITEND VOOR HET PERSONEEL erop.

'Mijn hemel!' zegt Gillian als zij het ook heeft gezien.

Vanaf het hek konden we het door de verkeerde hoek niet zien. Nu merken we dat wat eruitzag als een enkele muur in feite twee muren zijn die elkaar overlappen maar elkaar nooit raken. Charlie draait scherp naar rechts en verdwijnt. De weg loopt niet dood. Het is domweg optische illusie nummer zoveel.

Ik loop zigzaggend door de opening achter Charlie aan en ren een lange, geplaveide oprit af. Het park vervaagt achter ons en alle kleuren en muziek worden vervangen door grijs beton en een knerpende stilte. Naast ons staat een compact, groen gebouw te stinken, waardoor het volkomen duidelijk is waar Disney zijn afval opslaat. In eerste instantie rent Charlie daarheen – als we weg wil-

len komen, weet hij dat we niet meer moeten worden gezien – maar door de stank blijft hij op de oprit en rent het terrein verder af. Het wordt niet veel beter. De dichtstbijzijnde gebouwtjes zijn een paar bouwketen en een oud pakhuis met een bord met MAGIC KINGDOM DECORATING erop.
'Die bouwketen...' zegt Gillian.
Charlie stevent regelrecht op het pakhuis af. Een paar stappen voor me uit draait hij zich om om te kijken of Gallo het hek door is gekomen. Dan zie ik de pijn op zijn gezicht. Hij is even grijs als het beton, volledig uitgeput. Gillian en ik beginnen hem in te halen. Zelfs als hij zijn medicijnen wél had kunnen innemen, had hij dit tempo niet kunnen volhouden.
Nog een klein eindje, broertje van me. We zijn er bijna.
Buiten het pakhuis zijn vijftien praalwagens in keurige rijen geparkeerd onder een verroest, metalen afdak. Om ons heen hangt de geur van verse verf, en tientallen lege blikken verf naast de glanzende praalwagens vertellen ons waar iedereen is. De verf moet drogen. Er is niemand in de buurt.
We rennen langs de wagens en duiken door de openstaande immense garagedeur van het pakhuis. Binnen lijkt het een grote hangar. Een heel hoog, gewelfd plafond en veel donkere, stoffige ruimte. Maar in plaats van vliegtuigen staan er nog meer praalwagens in. Vijf rijen vullen de gehele rechterkant van de hangar, maar deze zijn allemaal voorzien van kerstverlichting. Disneys *Electric Light Parade*. 's Avonds gaan alle lampjes aan. In het donker van het pakhuis zien ze er dood en levenloos uit. De plek staat me nu al niet aan.
Links ligt er van alles en nog wat op de grond: reusachtige hobbelpaarden, een wat al te grote schatkist uit *Aladdin*, twee popcornkarretjes, kroonluchters en zelfs een paar discoballen in een hoek.
We verspillen geen tijd, zoeken alle drie naar een plek waar we ons kunnen verbergen, en...
Dan horen we in de verte – vaag – rennende voetstappen.
Charlie en ik kijken elkaar aan. Hij gaat naar links. Gillian trekt mij naar rechts. Ik wil me verzetten, maar Gallo is te dicht in de buurt. Tijd om ons onzichtbaar te maken. Ik loop struikelend achter Gillian aan en verstop me achter een immense praalwagen in de vorm van de koets van Assepoester. Charlie duikt een kast in die tegen de muur staat en doet de deur achter zich dicht. Mijn broer is niet meer te zien.
Trek nooit meer zo aan me, sein ik met een nijdige blik naar Gillian.

Het kan haar niets schelen. Ze concentreert zich nog steeds op Gallo. 'Heeft hij ons gezien?' fluistert ze terwijl ze op haar hurken achter de praalwagen zit.
Stil, gebaar ik door een vinger tegen mijn lippen te drukken. Buiten wordt het gerommel luider. Ik kijk schuin tussen de wielen van de wagen door en zie de lange schaduwen van Gallo en DeSanctis op de grond bij de ingang. Gallo's arm glibbert zijn jasje in en hij pakt zijn wapen.
DeSanctis loopt achter hem aan naar binnen en geen van hen beiden maakt geluid. Ze mogen dan moordenaars zijn, maar ze zijn ook van de secret service. Gallo gebaart naar zijn partner en ze doorzoeken de ruimte langzaam en methodisch. Eerst gaan ze op de voor de hand liggende plekken af: de schatkist uit *Aladdin*. Een reusachtige theepot die op wielen lijkt te staan. Gallo maakt de kist open. DeSanctis opent de deur aan de zijkant van de theepot. Beide zijn leeg. Als zwerfkatten die een maaltje proberen te vinden lopen ze verder het pakhuis in, draaien kringetjes en nemen langzaam elk detail in zich op. Ze proberen in onze hoofden te graven, te bedenken waar wij...
Gallo wijst op de kast.
Mijn lichaam wordt totaal gevoelloos.
DeSanctis knikt met een alwetende grijns. Hij loopt naar de deur toe en steekt drie vingers omhoog. Bij drie.
Gallo richt zijn wapen op de kast.
Een...
Ik steek een hand onder de achterkant van mijn jasje en pak het wapen dat we in het station van Gallo hebben afgepakt.
Twee...
DeSanctis pakt de deurknop van de kast. Ik kruip geruisloos het pad af, naar de voorkant van de praalwagens. Gillian kijkt me aan alsof ze denkt dat ik gek ben geworden, maar ik ben absoluut niet van plan hen...
Drie...
DeSanctis trekt aan de deur, die nauwelijks meegeeft. Charlie houdt hem aan de binnenkant vast. 'Daar zijn ze,' zegt DeSanctis. Hij trekt nog eens aan de deur, die daardoor nog steviger dicht komt te zitten.
'Zo maak je het alleen maar erger,' zegt Gallo.
DeSanctis vecht met de deur en is duidelijk razend.
'Zo is het welletjes,' zegt Gallo, en hij duwt zijn partner weg. Hij richt zijn wapen op de deurknop en vuurt snel twee keer. Ik wil schreeuwen, maar er komt geen geluid over mijn lippen.

Met een laatste ruk krijgt DeSanctis de deur open. Een verbogen klapstoel hangt aan de binnenkant aan de deurknop en klettert even later op de grond. Ik houd mijn hoofd scheef om de rest van de schade in ogenschouw te kunnen nemen en bid de stem van mijn broer te horen. Het enige dat ik krijg, is stilte.

'Wat is dit verdomme?' vraagt Gallo verbaasd terwijl hij de kast in kijkt.

Pas als DeSanctis een stap opzij zet, zie ik eindelijk waarnaar ze kijken: de donker betegelde vloer... de elektriciteitskasten langs de muren... en nergens een spoor van Charlie. Aan de andere kant is nog een deur en die staat open. Het is geen kast. Het is een kamer. Een kamer die uitkomt op de andere helft van het gebouw. Ik lach in mezelf en er verschijnen tranen in mijn ogen. Rennen, Charlie! Maak je uit de voeten!

DeSanctis en Gallo zetten het eveneens op een lopen. Ik draai me om om het nieuws met Gillian te delen. Maar als ik dat doe, stap ik op een snoer lichtjes dat buiten de wagen hangt. Ik hoor een scherp gekraak en blijf bewegingloos staan. Shit.

'Wat was dat?' vraagt Gallo.

Ik duik weg en kijk om me heen, zoekend naar Gillian. Ze is er niet.

'Kom je nou?' vraagt DeSanctis.

'Ik kom zo,' zegt Gallo terwijl hij zich omdraait naar de praalwagens. 'Ik wil even iets controleren.'

77

Hij besloot te wachten tot het kleine meisje was opgehouden met huilen. Hij stond op de houten veranda van het *Pecos Bill Cafe* en het was niet verstandig de aandacht op hemzelf te vestigen. En zolang het meisje aan de overkant van de straat bleef schreeuwen, zolang zij en haar troostende moeder de weg blokkeerden naar het hek waar Gallo en DeSanctis net doorheen waren gegaan, ging hij nergens heen. Natuurlijk was er iets voor te zeggen om het rustig aan te doen. Vanaf nu was er geen reden meer om haast te maken. Oliver en Charlie... Gallo en DeSanctis... hij had hen al eerder gevonden en hij zou hen opnieuw vinden. De laatste keer had hij alleen maar hoeven te wachten om de hoek bij DACS. Hij had geweten dat ze langs hem heen zouden rennen. Zoals Gillian had gezegd.

Hij grinnikte in zichzelf toen hij daaraan dacht. *Gillian.* Waar had ze die naam vandaan gehaald? Hij haalde zijn schouders op. Het antwoord op die vraag interesseerde hem niet zoveel. Mits ze hun geld maar kregen, mocht ze zich elke door haar gewenste naam aanmeten.
Hij keek naar de menigte en lette op elke toevallige blik en elke blik die iets langer op hem bleef rusten. Hij vond het niet prettig in zijn eentje in Disney World te zijn. Misschien had hij het wel leuk gevonden als hij jonger was geweest, maar op zijn leeftijd – en zonder kinderen – was het een garantie om op te vallen. En opvallen was wel het allerlaatste wat hij nu wilde. Uiteindelijk wipte hij de veranda af, stopte een hand in zijn zak en liep rustig naar de overkant, met de doelbewustheid van iemand die zich weer bij zijn gezin gaat voegen. Voor het hek was het kleine meisje opgehouden met huilen. En de menigte staarde niet meer.
'Sorry. Staan we in de weg?' vroeg de moeder van het meisje, die op haar knieën zat en de neus van haar dochter schoonveegde.
'Helemaal niet,' zei de man met een vriendelijk knikje. Hij liep om hen heen, maakte het hek open en stapte erdoorheen. Toen het achter hem dichtging, keek hij niet één keer om.

78

Ik ga op mijn hurken achter de praalwagen van Assepoester zitten en de deur van de kast klapt dicht. In de verte hoor ik Gallo zich langzaam omdraaien. Zijn schoenen schrapen als glas over de vloer en bonzen even later als een dinosaurus. Hij hinkt langzaam, wachtend op de geringste reactie van mij.
Die geef ik hem niet.
'Ik weet dat je daar bent,' roept Gallo, en zijn stem wordt weerkaatst. Dankzij het immense plafond lijkt het op schreeuwen in een canyon. 'Met wie heb ik de eer?' vraagt hij, met zijn gezicht nog altijd mijn kant op. 'Met Charlie... of met Oliver?'
In het andere deel van de ruimte, drie of vier paden verderop, hoor ik een ander gekraak en snelle voetstappen. Gillian is weer in beweging gekomen.
'Dus jullie zijn met zijn tweeën?' zegt Gallo. 'Heb ik echt zoveel mazzel?'
We reageren geen van beiden.

'Oké, ik zal het spel meespelen,' zegt hij, en hij zet een stap mijn kant op. 'Als jullie hier met zijn tweeën zijn en de derde is in die andere ruimte, dan weet ik dat ik hier niet met Oliver en Charlie te maken heb. Dat zou ze nooit laten gebeuren. Bovendien heb ik in de achtertuin van Duckworth gezien wie de overblijver was...'
Ik zet een piepklein stapje naar achteren. Ik zweer je dat ik Gallo hoor grinniken.
'En, Oliver? Amuseren Gillian en jij je al?'
Het is doodstil in de ruimte. Hij zet nog een stap mijn kant op.
'Dat is het probleem als je met zijn drieën bent,' zegt Gallo waarschuwend. 'Het is altijd twee tegen een. Dat klopt toch, Gillian?'
Achter de praalwagen van Assepoester beweeg ik me als een krab zijwaarts. Ik hoor Gillian bewegen. Gallo springt mijn pad op, maar het enige dat hij ziet, zijn twee rijen verlaten praalwagens.
Ik hurk naast een praalwagen in de vorm van een piratenschip en glip het volgende pad op. Ik buig me zo dicht naar de wagen toe dat de loop van mijn wapen langs de kerstlampjes strijkt. Aan de andere kant van het ruim til ik mijn hoofd op en staar over de boeg. Gallo bevindt zich nog in het pad waar ik daarnet was.
'Kom op, Oliver. Wees niet zo koppig,' zegt hij waarschuwend. 'Zelfs ik ben bereid toe te geven dat het allang bedtijd is geweest. Het kan een tijdje duren voordat de politie van Orlando op het terrein van Disney is gearriveerd, maar zelfs hier, achter de coulissen bij wijze van spreken, zal het geen eeuwen duren. De klok tikt, jongen. Ze zullen ons snel vinden.'
Terwijl hij op zijn gemak door het pad loopt, verandert zijn stem merkbaar. Die wordt rustiger, bijna bezorgd.
'Oliver, ik weet dat je slim bent. Als je dat niet was, zou je niet zo ver zijn gekomen.' Hij zwijgt, hopend dat het compliment me meegaander zal maken. 'Vergeet niet dat er een Brutus voor nodig was om Caesar te vermoorden. Je mag ons een paar stappen voor zijn geweest, maar we waren voortdurend dicht bij je in de buurt. Heel dicht. Alsof we in dezelfde kamer waren. Begrijp je wat ik zeg? Het is tijd om wat moeilijke beslissingen te nemen. En als je slim bent, zul je je eerst eens moeten afvragen in hoeverre je Gillian kunt vertrouwen.'
'Luister niet naar hem, Oliver!' Gillians stem dendert de ruimte door. 'Hij probeert alleen je in verwarring te brengen.' Ik kijk naar links, hopend het geluid van haar stem te kunnen traceren. Dat maakt de akoestiek echter onmogelijk.
'Ik had al gezegd dat het een moeilijke beslissing zou zijn,' zegt Gallo, en zijn stem klinkt alsof hij weer verder is gelopen. 'Maar

het enige dat je hoeft te doen, is je hersens gebruiken. Je bent in de tunnels onder Disney World geweest. Hoe denk je dat we je hebben gevonden?'
Zijn voetstappen zijn dichtbij, maar hij loopt de verkeerde kant op. Ik duik onder de voorkant van het piratenschip en hul me in stilzwijgen.
'Heb je je nooit afgevraagd waarom je, toen je op de bank werkte, geen van de verwanten van Duckworth kon vinden?' vraagt Gallo. 'Die had hij niet, Oliver. Hij is nooit getrouwd geweest. Geen kinderen. Niets. Als dat wel zo was geweest, hadden we zijn naam nooit gebruikt. Dat was de reden waarom we zijn naam aan die rekening gekoppeld hielden. Als er iets misging, zou er niemand zijn om daarover zijn beklag te doen.'
'Hij liegt!' schreeuwt Gillian.
'O, nu wordt ze boos,' zegt Gallo. 'Dat kan ik haar niet kwalijk nemen. Ik heb gezien wat ze heeft gedaan met het oude huis van Duckworth. De foto's... de zachte beddenlakens... Ze moeten een dikke tien voor hun inspanningen krijgen, want ze hebben het behoorlijk snel voor elkaar gekregen.'
Ze?
'Ik persoonlijk vond de schilderijen nog het aardigste detail. Ik durf erom te wedden dat die het doel hadden Charlie te charmeren. Klopt dat, Gillian, of hoorden ze gewoon bij de show?'
Voor het eerst reageert Gillian niet. Ik probeer mezelf wijs te maken dat dat komt omdat ze niet wil laten merken waar ze is, maar zoals ik eindelijk begin te beseffen, eist elke leugen zijn tol. Zeker die welke we onszelf vertellen.
'Tijd om een keus te maken,' zegt Gallo, en zijn stem lijkt van alle kanten tegelijk te komen. 'Je kunt het niet meer allemaal in je eentje doen, Oliver.' Net als eerder laat hij de stilte die mededeling mijn hoofd in hameren. 'Het is tijd om te vertrekken, jongen. Wie van ons wil je vertrouwen?'

79

Het eerste wat DeSanctis zag, waren de koppen. Er waren er twee toen hij naar binnen liep. Die van Goofy en die van de gekke hoedenmaker. Ze stonden geen van beide op een romp. Het waren alleen twee kleurrijke koppen die levenloos op het witte zeil lagen.

Door de omgevallen kleine klaptafel wist DeSanctis waar ze vandaan waren gekomen. Dat was eenvoudig. Moeilijker was om vast te stellen waarheen dit alles leidde. Toen hij vanuit de kast de gang op stapte die daar loodrecht op stond, hield hij zijn wapen met beide handen vast. Rechts van hem, een eindje verderop, stond een kar voor de vuile was. Recht voor hem was een andere ruimte die naar bleekwater rook. Links was de voordeur van het gebouw – de makkelijkste weg naar buiten.
DeSanctis liep naar de deur, maar merkte dat die vergrendeld was. Hij keek snel om zich heen, zoekend naar ramen of andere deuren. Niets wat naar buiten leidde. Waar Charlie ook was, hij moest hier nog ergens zijn. Moest zich schuilhouden. DeSanctis draaide zich om, bracht zijn wapen omhoog en bekeek de lange, witte gang. Langs de muren waren een paar gele kluisjes. De tafel lag nog steeds op de grond en de kar met vuile was stond ook nog op dezelfde plaats. Door de muren heen kon hij Gallo gedempt naar Oliver horen schreeuwen. Links van hem, naast de klaptafel, was de kamer die naar bleekwater rook. Rechts van hem, naast de werkkast, was een kamer die hem in eerste instantie was ontgaan. Dat waren de enige keuzemogelijkheden. De kamer links van hem en de kamer rechts van hem.
Tijdens zijn opleiding had hij geleerd dat de meerderheid van de mensen in zo'n geval voor rechts kiest. Maar natuurlijk had hij te maken met Charlie. Hij begon links. De deur naar de waskamer stond op een kiertje. Zo voorzichtig mogelijk duwde hij die met de neus van zijn schoen iets verder open – net voldoende om door de opening tussen de scharnieren heen te kunnen loeren. Hij hield zijn hoofd scheef om nog eens goed te kijken. Niets.
Hij duwde de deur verder open en liep langzaam naar binnen, met zijn vinger nog om de trekker. Hij hield zijn rug tegen de deurpost. Binnen richtte hij zijn wapen op het enige ding dat in de kamer stond: een immense wasmachine en dito droger die het merendeel van de achtermuur in beslag namen. Grotere apparaten had DeSanctis nog nooit gezien. Groot genoeg om je erin te verstoppen.
Met zijn wapen recht voor zich sloop hij voorzichtig naar de gesloten metalen deur van de wasmachine. Achter hem kon hij Gallo nog steeds tegen Oliver horen schreeuwen. Hij besteedde daar geen aandacht meer aan en stak voorzichtig een hand uit naar de deur van de wasmachine. Hij maakte geen enkel geluid. De scherpe stank van bleekwater vulde de lucht. Net toen zijn vingers zich om de hendel sloten, begon het apparaat luid zoemend aan de volgende fase van zijn programma. DeSanctis sprong naar achteren,

maar terwijl het apparaat van WEKEN overstapte op CENTRIFUGEREN, trok hij de deur open. Een berg kleurrijke kleren viel met een natte plof op de grond. Groene maillots... felrode broeken voor de kerstman... rode, witte en blauwe rokken. Niets anders dan kostuums.

Hij trapte ze opzij, deed de deur van het apparaat met een klap dicht en stevende regelrecht op de droger af. Opnieuw zette hij zijn wapen op scherp. Opnieuw trok hij de deur open. En opnieuw zag hij niets anders dan een berg veelkleurige kostuums. Zonder iets te zeggen smeet hij er een paar nijdig op de grond.

Hij stapte de gang weer op en net toen hij van plan was de andere kamer in te lopen, zag hij het enige dat hier niet thuis leek te horen. Verderop. Tegen de muur. De kar voor de vuile was die midden in de gang had gestaan, stond nu meer naar rechts. Iets bewoog zich. Of iemand bewoog het ding.

DeSanctis grinnikte en liep voorzichtig de gang door. Niet slim, Charlie, mijn jongen, dacht hij. Helemaal niet slim. Hij richtte zijn wapen op de wagen. Maar toen hij er vlak bij was en zijn hals strekte om erin te kunnen kijken, besefte hij dat hij leeg was. Toch bewogen karretjes zich niet uit zichzelf. DeSanctis keek de gang af. Aan het eind ervan blokkeerde een groot houten vouwscherm de toegang tot de kamers erachter. DeSanctis schoof de kar opzij en liep meteen naar het scherm toe.

Tien stappen verder liep hij om het scherm heen en kwam glijdend tot stilstand. In een ruimte die een kleinere versie van het pakhuis leek staarde hij naar rij na rij kledingrekken op wielen. Vooraan hing een bekende jurk met rode en witte noppen aan een hangertje met 'Minnie' op het etiket. Aan een rek verderop hing het blauwe pak met de witte, pluizige staart van Donald Duck. Voor dat pak hing de kop van Donald op zijn kop aan een speciaal hangertje. Een andere kop van hem stond boven op het rek en een derde hing op zijn kant op de grond. De koppen waren de enige dingen die DeSanctis absoluut niet konden ontgaan – van Minnie naar Donald, naar Pluto, naar Iejoor, naar alle zeven dwergen. De koppen leken nietsziend naar hem terug te staren.

DeSanctis deed zijn uiterste best ze te negeren en nam al het overige snel in zich op. De kostuums reikten overal tot op de grond en blokkeerden zo zijn gezichtsveld. Als hij Charlie te grazen wilde nemen, zou hij hem moeten opjagen. Hij liep methodisch naar voren, tussen twee vlinderkostuums met glittertjes door, en stapte het eerste pad op. Bij elke stap streek een caleidoscoop van gekleurde kostuums langs allebei zijn schouders. Dat leek hem echter niet op te vallen. Hij hield zijn blik strak op de grond gericht, zoekend naar de schoenen van Charlie. Eens in de zoveel tijd porde hij met zijn wapen tegen een kostuum dat er te bol uitzag, maar verder liet hij zich door niets weerhouden. Dat wil zeggen... tot hij het eind van het pad bereikte en de bekende zwarte smoking met het felrode short zag. Twee witte handschoenen, met vier vingers, waren aan een mouw vastgezet. DeSanctis keek omhoog, naar de bovenkant van het rek, waar de kop van de beroemdste muis ter wereld prijkte. Instinctief stak DeSanctis een hand uit en tikte met een knokkel tegen het glimlachende gezicht van Mickey.

'Je kon je niet inhouden, hè?' vroeg een stem achter hem.

DeSanctis draaide zich bliksemsnel om, maar toen hij Charlie zag, was het al te laat. Charlie haalde zo hard hij kon uit met een grote bezem, alsof het een knots van een holbewoner was. Er volgde een luide klap toen die met het hoofd van DeSanctis in aanraking kwam.

'Deze krijg je omdat je mijn moeder niet met rust hebt gelaten, klootzak,' zei Charlie, die opnieuw uithaalde. 'En deze namens mijn broer...'

80

Met een mechanisch gekraak kwam de tourniquet in beweging toen Joey de hoofdingang naar het *Magic Kingdom* door ging. Op dit late tijdstip van de dag waren de rijen korter dan normaal, maar er waren nog meer dan genoeg toeristen die haar voor de voeten liepen.

'Hoe ziet het eruit?' vroeg Noreen door de oormicrofoon.

'Als een hooiberg,' zei Joey, die zich midden in de kuierende menigte stortte. Ze werd omgeven door een groep wat al te enthousiast pratende middelbare scholieren en een huilende tweeling, baande zich een weg door dat krankzinnige gedoe heen, rende onder het viaduct van het spoorwegstation door en stond toen oog in oog met de ruim achttien meter hoge kerstboom en de kleurrijke winkelgevels van Main Street, U.S.A. 'Weet je zeker dat ik hier moet zijn?' vroeg ze aan Noreen.

'Ik kijk nu naar hun on line-plattegrond,' zei Noreen. 'Het moet vlak bij je zijn. L...'

'Ik zie het al,' zei Joey, die linksaf sloeg en tegen de stroom vertrekkende mensen in rende. Recht voor haar, naast de felrode brandweerkazerne, was de hoofdingang van City Hall. Joey keek snel om zich heen, trapte op de rem, borg haar oormicrofoon op en dwong zichzelf zo paniekerig mogelijk te kijken. 'O nee,' begon ze, zacht. 'Ga me alsjeblieft niet vertellen... Help!' schreeuwde ze. 'Kan iemand me alsjeblieft helpen!' Een paar seconden later hoorde ze rennende voetstappen in City Hall, niet alleen het onderkomen voor relaties die hier te gast waren, maar ook een van de dichtstbijzijnde plekken waar de beveiligingsdienst van Disney World patrouilleerde. 'Waarom zou je naar hen toe gaan als ze regelrecht naar jou toe zullen komen?' had Joey aan Noreen gevraagd.
Joey telde. Drie... twee... een...
'Mevrouw, wat is er aan de hand?' vroeg een lange man van de beveiligingsdienst met gemillimeterd haar en een zilverkleurige penning.
'Is alles in orde met u?' vroeg een zwarte man die eenzelfde blauw overhemd aanhad.
'Mijn portefeuille!' schreeuwde Joey naar beide mannen. 'Ik maakte mijn tas open en toen was mijn portefeuille weg! Al mijn geld zat erin. En mijn pasje voor drie dagen...'
'Maakt u zich niet druk. Het komt wel goed,' zei de lange man, die een hand op haar pols legde.
'Weet u wanneer u hem voor het laatst hebt gezien?' vroeg de tweede man. Terwijl zij Joey kalmeerden, zag ze hoe ze de naar hen gapende menigte in de gaten hielden. De show moest duidelijk doorgaan.
'Er is niets aan de hand, mensen,' zei de lange man tegen de toeschouwers. 'Ze is alleen haar portefeuille kwijt.'
Toen de menigte zich verspreidde, hielpen de twee mannen Joey naar een houten bank dicht bij hen in de buurt.
'Is hij in een attractie uit uw tas gevallen?' vroeg de zwarte man.
'Of misschien in een van de restaurants?' vulde de ander aan.
'Weet u zeker dat u hem niet nog hebt?' vroeg de eerste, die naar de portefeuille wees die uit haar tasje stak.
Joey keek omlaag. 'O, mijn hemel,' zei ze, een lach forcerend. 'Wat verschrikkelijk... Ik had erop durven zweren dat hij er niet was toen ik...'
'Hindert niet,' zei de lange man. 'Dat heb ik ook steeds met mijn sleutels.'
Joey ging staan, bedankte de twee mannen en bood nogmaals haar

verontschuldigingen aan. 'Het spijt me echt. De volgende keer zal ik eerst nog eens goed in mijn tas kijken.'
'Een prettige avond nog, mevrouw,' zei de lange man.
Joey liep op onvaste benen de menigte weer in en liet de mannen van de beveiligingsdienst verdwijnen. Zodra die weg waren, draaide ze zich om, zette de oormicrofoon weer op zijn plaats en liep vastberaden Main Street op.
'En?' vroeg Noreen.
'Zoals ik altijd al tegen je zeg...' begon Joey. Uit de zak van haar jas haalde ze een zwarte politieradio met BEVEILIGING erop geschreven. 'Als je op vakantie bent, moet je op je hoede zijn voor zakkenrollers.'
Ze draaide aan de volumeknop en bracht de radio naar haar oor. Het enige dat ze hoefde te doen, was luisteren.

81

'Oliver, we kunnen je hier weg krijgen. Het enige dat je hoeft te doen, is een beetje vertrouwen hebben,' roept Gallo, wiens raspende stem uit de achterste hoek van het stille pakhuis komt.
Ik zit weggedoken achter de boeg van het piratenschip, doe mijn ogen dicht en laat de afgelopen twee dagen nog eens de revue passeren. Vanaf het moment waarop we Gillian ontmoetten, tot de nachtelijke duikpartij, tot alles daartussenin.
'Het is de waarheid,' roept Gallo. 'Zelfs als je bang bent die te geloven.'
Opnieuw wacht ik of Gillian daar iets op te zeggen heeft. Wederom hoor ik niets.
'Kom nou, Oliver, ben je echt zo verbaasd? Je weet wat er op het spel staat. Je hebt de worm gevonden...' Uit de manier waarop zijn schoenen over het beton slepen meen ik te kunnen opmaken dat hij een ander pad op draait. 'Het is ook wel behoorlijk verbazingwekkend, nietwaar? Alles met behulp van een computercode. Wanneer je het kortwiekt, blijft het gewoon weer aangroeien.' Gallo lacht in zichzelf. 'Als je er eens over nadenkt, is dat programma het échte kind van Duckworth.'
Waar Gillian ook is, ze zegt niets.
'Oliver, waarom blijf je zwijgen? Zijn je gevoelens gekwetst? Heb je nooit eerder een mes in je rug gehad? Kom nou, jongen. Ik heb

je bazen op de bank ontmoet. Je wordt ervoor betaald om voorover te buigen en elke dag van achteren genomen te worden. En al die rijke klanten die net doen alsof ze je graag mogen? Als het op liegen aankomt, zou je een Oude Meester moeten zijn. Alleen al om die reden had Gillian door de mand moeten vallen. Je had moeten weten dat haar gehele achtergrond nogal verdacht was. Of heb je nooit de moeite genomen je af te vragen waarom ze een New Yorks accent heeft? Bovendien ken je haar pas twee dagen. Hoe kun je nou in vredesnaam zo van de kaart z...'
Gallo maakt zijn zin niet af en lacht opnieuw schor.
'O, Oliver...'
Ik doe mijn ogen dicht, maar het beeld wil niet verdwijnen.
'... je dacht echt dat ze je aardig vond, hè?' vraagt Gallo.
Ik laat me op de grond zakken en mijn rug schraapt langs het schip. In de hoek blijft Gallo staan en draait zich om. Hij weet dat ik daar ben. Net als de beste roofdieren kan hij de wanhoop ruiken.
Een paar seconden later komt hij mijn kant op. 'Hoe heeft ze je laten toehappen?' vraagt hij, duidelijk te veel van die vraag genietend. 'Door dat onzinnige verhaal, of door iets lichamelijkers?'
Te horen aan zijn voetstappen is hij weer bij het begin van het gangpad.
'Laat me eens raden. Ze heeft je dat hele weesmeisjesverhaal opgedist en je toen de-kans-om-een-afspraakje-te-maken-met-het-aantrekkelijke-meisje-dat-je-niet-voor-het-schoolbal-durfde-te-vragen als dessert aangeboden. In combinatie met al dat rondrennen kreeg je plotseling het gevoel dat heel je ellendige bestaan tot leven kwam. Hoe doe ik het, Oliver? Begint het je bekend in de oren te klinken?'
Ik zit nog altijd op de grond en traceer het volume van zijn stem. Hij is nu een pad verderop. Hoewel ik het op een rennen zou moeten zetten, doe ik dat niet.
'En hoe zit het met haar leeftijd?' gaat Gallo door. 'Wat heeft ze je verteld? Wacht... Laat me eens raden... Zesentwintig? Zevenentwintig?' Hij zwijgt net lang genoeg om dat in te wrijven. 'Oliver, ze is vierendertig. Breekt dat je hart, of krijg je daardoor alleen het gevoel een nog grotere ezel te zijn?'
Ik weet het antwoord op die vraag en ga langzaam staan. Ik ben er niet zeker van waar Gallo is en ik ben er niet eens zeker van of me dat iets kan schelen.
'En laten we de naam niet vergeten. Gillian... Gillian Duckworth. Behoorlijk goed als je bedenkt hoe snel ze alles in elkaar moesten

zetten. Natuurlijk zou niemand het verschil zijn opgevallen als ze zichzelf Sherry had genoemd.'

Sherry?

Ik zie twee goedkope zwarte schoenen vooraan in het pad de hoek om gaan en langzaam tot stilstand komen. Ik kijk de rij praalwagens langs. Gallo staart me recht aan. Hij houdt zijn wapen op mij gericht. Het mijne hangt langs mijn lichaam. Met de voor hem typerende macho rattengrijns schudt hij zijn hoofd nog een laatste keer. Maar hij bestudeert al die tijd wel aandachtig mijn gezicht.

'Oliver, je hebt er zelfs ook nooit maar een vermoeden van gehad, hè?'

Ik reageer niet.

'Al die tijd dacht je dat je eersteklas vloog. Dan maakt de stewardess je met een klap in je gezicht wakker en zegt dat je vliegt met een kamikaze...'

Hij observeert mijn reactie, en ik staar naar de grond. Daar ligt veel stof op. Net als op haar nachtkastje. Charlie had het aldoor al gezegd.

'Om eerlijk te zijn dacht ik niet dat het ze zou lukken,' zegt Gallo. 'Maar als je haar nooit eerder hebt ontmoet, zul je wel op geen enkele manier hebben kunnen weten dat ze zijn vrouw was.'

Ik kijk snel weer op. 'Wiens vrouw?' stamel ik, eindelijk mijn zwijgen verbrekend.

Gallo grijnst. 'O, kom nou toch, Oliver. Gebruik nu eens één keer je verstand. Hoe denk je dat we het programma van Duckworth langs de bevei...'

Achter Gallo hoor ik een oorverdovende knal. Voordat ik mijn ogen tot spleetjes kan samenknijpen, explodeert zijn borstkas en vliegen bloedspettertjes in het rond. Ik ben zeker tien meter verderop als de laatste bloedspetters op mijn gezicht en mijn shirt belanden.

Ik kijk op naar Gallo, en zijn ogen zijn wijd open. Zijn lijf wankelt even en valt dan langzaam voorover. Hij knalt tegen de grond, maar ik kijk strak naar een punt iets achter Gallo. Gillian staart me recht aan, en haar wapen is nog steeds mijn kant op gericht. Ik weet niet waar ze dat vandaan heeft gehaald, maar terwijl ze het met beide handen vasthoudt, kringelt er rook uit de loop.

Ze laat het wapen zakken en kijkt naar het natte gat dat ze in Gallo's rug heeft geschoten.

'W-wat ben je... Wat ben je verdomme aan het doen?' schreeuw ik.

Ze kijkt nog steeds naar Gallo, volgt het pad van de kogel.

'Gilli... Sherry... Hoe je dan ook heet... Ik heb het tegen jou!'
'Kijk uit,' zegt ze, wijzend op het lichaam. 'Stap niet in het bloed.'
Ik kijk haar aan alsof ze gek is geworden. 'Waar heb je het over? Wat is er mis met jou?'
Ze wijst op de deur die naar buiten leidt. 'Kom mee, Oliver. We moeten maken dat we wegkomen.'
'Verroer je niet!' schreeuw ik, en ik zet een eerste stap haar kant op. 'Heb je niet gehoord wat Gallo zei? Het is voorbij, Gillian. Verder geen geouwehoer meer!'
Nu kijkt ze mij aan alsof ík gek ben geworden. 'Wacht eens even...' begint ze. 'Je denkt toch niet... Ga me niet vertellen dat je hem gelooft. Hij lóóg, Oliver.'
Nee. Geen intellectuele spelletjes meer. 'Zeg me wie je bent,' vraag ik op hoge toon terwijl ik dichter naar haar toe loop.
'Oliver...'
'Zeg me wie je bent!'
Ze heeft het lef een onschuldige lach te produceren. 'Zie je dan niet wat hij probeerde te doen? Hij wilde ons tegen elkaar opzetten, zodat hij...'
'Zie ik er echt zo onnozel uit?'
'Oliver, dit gaat niet over onnozelheid. Kijk eens naar wie je hebt geluisterd. Die man probeerde ons te vermoorden!'
Ik ren het pad door, en haar woorden dringen niet tot me door. Vanaf het moment waarop ze mijn echte naam over haar lippen liet komen, had ik de andere kant op moeten zwemmen. Dat is een vergissing die ik één keer heb gemaakt, maar het zal niet nogmaals gebeuren. 'Je heet niet Gillian. Je bent niet de dochter van Duckworth. En je geeft heel beslist geen moer om mij. Zeg me nu wie je bent!'
We staan recht tegenover elkaar, en ze steekt een hand uit om mijn arm aan te raken. Met mijn wapen duw ik haar hand weg. Ze mag niet dichter bij me in de buurt komen.
Op dat moment verandert haar gezichtsuitdrukking. De geruststellende glimlach... de onschuldige blauwe ogen... ze vervagen en verdwijnen. Ik zie een diepe frons in haar voorhoofd. Ze schudt haar hoofd, alsof ik me heb vergist. 'Oliver, het spijt me dat je er zo over denkt. Onthou echter wel dat het jouw keus is.'
Ze richt het wapen op mijn borst. 'Geef me de banden,' zegt ze koud.
Ik weiger daarop te reageren en richt mijn eigen wapen op haar hart.
Ze staart er even naar en kijkt me dan weer in de ogen. Grinni-

kend produceert ze een schrille, doordringende lach die als een scheermes door me heen snijdt. 'Alsjeblieft… zelfs op je slechtste dag kun je niet iemand zijn die je niet bent.'
Ik blijf mijn vinger om de trekker houden.
'Heb je je lesje dan nog niet geleerd?' vraagt ze. 'Of zul je altijd Oliver blijven, voor eeuwig de jongen die meer wilde hebben?'
Mijn kaak komt scheef te staan, maar mijn wapen blijft strak op haar gericht.
'Ik weet dat je gevoelens zijn gekwetst. Misschien zul je je wat beter voelen als ik zeg dat het niet allemaal een act was,' zegt ze, opeens weer zogenaamd aardig. Terwijl ze iets aan de stand van haar heupen verandert, verdwijnt alles wat ik over haar wist. De hippie op blote voeten… de stoutmoedige vrije geest… die zijn er allang niet meer. Haar schouders zijn gespannen, lijken bijna van prikkeldraad te zijn voorzien. Ik weet niet waarom me dat eerder niet is opgevallen. Maar net als op alle andere terreinen van mijn leven heb ik gezien wat ik wilde zien. 'Ik heb me echt met jou geamuseerd,' zegt ze, in een poging haar pose van oprechtheid weer aan te nemen.
'Werkelijk? Wat was leuker? Recht in mijn gezicht liegen of mijn vertrouwen beschamen? Ik blijf vergeten dat je zo'n nuchter meisje bent. Je moet van de eenvoudige momenten genieten, zoals dat waarop je het zwaard in mijn rug steekt.'
'Oliver, je kunt uithalen zoveel je wilt. Ik meende wat ik zei. Je kunt nog altijd vertrekken, alleen niet met de banden en niet met ons geld. Dus waarom keer je niet terug naar de realiteit? Berg je wapen op. We weten allebei wie de waaghals in jouw familie is, en het feit dat jij die rol wilt spelen, betekent nog niet dat dat ook gebeurt.'
Net als die nacht op de boot hoopt ze op de juiste knoppen te drukken. Helaas voor haar heeft het alleen tot gevolg dat ik me meer op Charlie concentreer. Hij is in het gebouw hiernaast, staat in zijn eentje tegenover DeSanctis. Het enige dat me ervan weerhoudt hem te hulp te schieten, is Gillian.
Ik zet mijn wapen op scherp. 'Ga uit de weg.'
'Waarom beginnen we niet met de banden?'
'Ga uit de weg, zei ik.'
'Niet tot we…'
'Gillian, mijn broer is daar. Ik zal het je niet nogmaals vragen.' Mijn wapen is op haar borst gericht en mijn vinger omklemt de trekker steviger. Ik dacht dat mijn hand zou trillen. Dat is niet het geval.

'Oliver, dit is wel genoeg boevendrama. Ik bedoel... denk je echt dat je het lef kunt opbrengen op mij te schieten?'
Het is een eenvoudige vraag. Hij is mijn broer. 'Je kent me in feite helemaal niet, hè?' zeg ik tegen haar. Zonder op een antwoord te wachten laat ik mijn arm zakken, richt mijn wapen op haar knie en haal de trekker over.
Het pistool gaat af met een felle flits en een scherp gesis. Maar Gillian krijst niet en valt ook niet op de grond. Ze staat daar gewoon, met een brutale grijs op haar gezicht. Verward kijk ik naar het wapen, dat slechts een paar centimeter van haar knie vandaan is. Ik haal de trekker nogmaals over. Een keiharde knal. Opnieuw is Gillian ongedeerd. Ik begrijp er niets van.
'Heb je nooit van losse flodders gehoord?' vraagt Gillian opschepperig. 'Klinkt en ruikt alsof het echt is, maar als je hem tegen je hoofd houdt, is het ergste wat je kunt doen een bakkebaard verschroeien.'
Losse flodders? Ik bekijk het wapen en kijk dan weer naar de snerende Gillian.
'Om eerlijk te zijn verbaast het me dat het zo lang heeft geduurd,' zegt ze.
Ik begrijp er werkelijk niets van. Al die tijd... Het wapen is niet eens van ons. We hebben het in New York van Gallo afgepakt, vlak nadat hij had geschoten op...
O, mijn hemel.
Links van me verschijnt er bij de openstaande garagedeur van het pakhuis een splinternieuwe schaduw. Toen Gallo zei dat hij hulp had, had ik altijd aangenomen dat hij op Lapidus of op Quincy doelde. Maar nooit op hem. Ik draai me om als hij naar binnen komt. Alleen al het zien van hem is onverdraaglijk.
'Wat is er aan de hand?' vraagt Shep met zijn boksersgrijns. 'Je kijkt alsof je een geest hebt gezien.'

82

'Bij *Pecos Bill* is alles onder controle,' hoorde Joey een stem met een zuidelijk accent door haar radio melden terwijl ze zich een weg baande door de menigte in Frontierland.
'Bij *Country Bear* ook,' zei een andere stem.
Joey hield zich schuil temidden van de toeristen en zag twee man-

nen met gemillimeterd haar en in bijpassende blauwe overhemden de veranda van het *Pecos Bill Cafe* op stappen. Twee anderen verschenen vanaf de kant van de *Country Bear Jamboree.* Ze liepen op dezelfde manier: sterk en doelbewust, maar nooit te snel. Net voldoende om niet op te vallen. Dat hoorde allemaal bij de training, besefte Joey. Breng de gasten nooit in paniek.
Vanuit haar ooghoek zag ze een man en een vrouw door de menigte lopen. Ze hadden niet dezelfde overhemden aan, maar aan hun manier van lopen zag Joey dat zij ook van de beveiliging waren. Binnen seconden gingen de drie groepen elk een andere kant op om de restaurants, winkels en attracties in de directe omgeving te controleren.
'Wij nemen *Pirates*,' zei een vrouwenstem door de radio terwijl het team dat uit een man en een vrouw bestond de hoek om ging, in de richting van *Pirates of the Carribean.*
Joey, die zich midden in de menigte bevond, ging niet achter hen aan. Charlie en Oliver waren slimmer dan dat. Het is één ding om op te gaan in een menigte. Het is heel iets anders om bewust een kant op te gaan die dood kan lopen bij een restaurant of een attractie. Joey kneep haar ogen tot spleetjes samen, draaide haar hoofd van links naar rechts en bekeek de rest van de omgeving aandachtig. Stampvolle souvenirwinkels... al even populaire kiosken voor impulsieve kopers... en een nooit eindigende stroom lawaaiige toeristen. Het enige rustige plekje in de orkaan was recht voor haar, waar een hek een deel van de straat blokkeerde. Joey kon haar ogen er niet van afhouden. De politie van Disney had het druk met het beschermen van betalende gasten, maar als Charlie en Oliver nog steeds op de vlucht waren, zouden ze het zich niet kunnen veroorloven te worden gezien. Dan hadden ze een rustig, afgelegen plekje nodig om zich schuil te houden. Achter het hek zag Joey een bordje met UITSLUITEND VOOR HET PERSONEEL erop.
'Rustig en afgelegen,' fluisterde ze in zichzelf.
'Heb je iets ontdekt?' vroeg Noreen in haar oor.
'Misschien,' zei Joey, die naar het hek koerste en de politie van Disney achter zich liet. 'Dat zal ik je zo meteen vertellen.'

83

'Wa... H-hoe ben jij...' Mijn mond hangt open terwijl ik naar de dode man staar. 'Wat gebeurt hier, verdomme?'
Shep loopt op zijn gemak naar ons toe en richt zijn wapen op mij. Maar zijn aandacht is veel meer bij Gallo, die een zwart gat in zijn rug heeft. Hij zendt Gillian een van zijn berispende blikken toe. Ze haalt haar schouders op, alsof ze geen keus had.
Gallo ligt op zijn buik op het beton, in een steeds groter wordende plas bloed. Precies dezelfde positie waarin ik Shep voor het laatst heb gezien.
'Komt het je bekend voor?' vraagt Shep, mijn gedachten lezend.
Ik verkeer nog steeds in een shocktoestand en kan mijn ogen niet van hem afwenden. De dikke onderarmen. De scheve neus. Het lijkt bijna alsof hij het niet is. Maar hij is het wel.
'Kom, Oliver, zeg eens wat,' zegt hij plagend.
Mijn hand balt zich om het pistool heen tot een vuist. Als Gallo met losse flodders op Shep heeft geschoten en Shep dat wist... dan was hij degene met wie Gallo samenwerkte. Zo hadden ze de worm van Duckworth de bank in gekregen. 'Jij was hun inside-man.'
'Tja, daarom word je nou zo goed betaald.'
Mijn gezicht wordt rood, en de werkelijkheid bezinkt langzaam, als een ijsblok dat in mijn nek aan het smelten is. 'Dus al die tijd... Hoe kon je... Je hebt aldoor alles in de gaten gehouden...'
'Oliver, dit is de plaats niet om dat te bespreken.'
'Dus je bent er vanaf het begin bij betrokken geweest? Je wist dat ze zouden proberen ons te vermoorden? Of... was dat aldoor al het doel? Ons erbij halen om een paar zondebokken te creëren?'
'Laten we nu maar maken dat we wegkomen en dan kunnen we...'
'Shep, ik wil een antwoord op mijn vraag. Heb je ons er daarom bij betrokken? Om ons een kopje kleiner te maken?'
'Waarom gaan we niet...'
'Ik wil een antwoord op mijn vraag!'
Hij beseft dat ik niet in beweging kom en controleert de ingang van het pakhuis. De kust is nog veilig. 'Oliver, wat wil je dat ik had gezegd? "Ik ben zo blij dat je ons geheim hebt ontdekt? Laten we die drie miljoen nu stelen, want er zitten nog eens driehonderd miljoen aan vast?" Toen je de honingpot eenmaal had ontdekt, had ik geen keus meer.'
'Shep, je hebt geprobeerd ons te vermoorden.'
'En jij hebt geprobeerd er met ons geld vandoor te gaan.'

'Iedereen zondigt weleens,' zegt Gillian. Shep kijkt haar nijdig aan, en ze neemt snel gas terug. Ook al heb ik hen nauwelijks samen gezien, het is duidelijk wie het binnen hun relatie voor het zeggen heeft.

'Oliver, in feite was dit jouw keus,' zegt Shep. 'Als jij niet aan het fantaseren was gegaan over wraak nemen op Lapidus, zouden Gallo, DeSanctis en ik er zonder problemen mee weggekomen zijn. En als je met een beschuldigende vinger wilt gaan wijzen, moet ik je meedelen dat jullie degenen zijn geweest die mij een rad voor ogen hebben gedraaid.'

'Waar heb je het over?'

'Ik heb navraag gedaan bij die bank op Antigua die Charlie me op de Rode Lijst had laten zien. Het geld is daar nooit geweest.'

'Dat is het enige dat ons leven heeft gered. Als Charlie dat niet had gedaan, zouden we hier nu niet staan.'

'Nee, jullie zouden hier nu niet staan als ik jullie hachje bij Duckworth thuis niet had gered,' zegt Gillian.

'Je hebt dat alleen gedaan om jezelf te helpen,' reageer ik snel.

Opnieuw brengt Shep haar met een nijdige blik tot zwijgen. 'Oliver, ik zeg niet dat ik het je kwalijk neem. In feite kan ik er zelfs wel respect voor opbrengen. We pakken allemaal onze kansen waar we die kunnen vinden,' zegt hij, en hij kijkt nog steeds naar Gillian. 'Zeker als er geld in het spel is.'

'Dus je was nooit van plan het met iemand te delen, hè?' vraag ik. 'Niet met ons... niet met Gallo... met niemand.'

'Oliver, laat me je eens wat vertellen. Gallo mocht dan de hand hebben weten te leggen op het beste idee ter wereld, maar zonder een bank waar het op gezet kon worden, had Duckworth net zo goed opnieuw Pong kunnen uitvinden.'

'En dat maakt het zeker oké om iedereen te vermoorden die je op je pad tegenkomt?'

'Zoals ik in het begin al heb gezegd, zijn er twee perfecte misdaden. De misdaad die nooit plaats heeft gevonden, en die waarbij de crimineel overlijdt. Het is een behoorlijk goeie truc als je hem kunt uitvoeren. Maar als ik degene zou worden die er de schuld van kreeg... Tja, de buit gaat naar de martelaar. De enige spaak in het wiel was dat ze jullie dat station uit hebben laten lopen.'

'Heb je daardoor dat grootste plan van je gekregen? Ons volgen naar Florida, Gallo een loer draaien en je vrouw erbij halen?'

'Ze heeft je een rad voor ogen kunnen draaien, nietwaar?'

Ik kijk naar Gillian, en zij staart terug. Ze aarzelt niet me aan te

kijken. Zoals Lapidus altijd al onderwees, zijn zaken zaken. Ik kan alleen niet geloven dat ik het niet eerder heb gezien.
'Het is niet het eind van de wereld,' zegt Shep. 'Je hebt nog altijd de kip met de gouden eieren. Nu is het tijd om te besluiten wat je ermee gaat doen.'
Zijn stem heeft een splinternieuwe ondertoon gekregen – net als toen hij op de bank voor het eerst aanbood het geld met ons te delen. Hij is weer Big Brother Shep. Natuurlijk zal hij ons laten zien hoe het geld kan worden verborgen. En zodra hij heeft wat hij wil hebben, zal hij ons kreupel maken. Het is dezelfde toon waarvan Gallo zich twee minuten geleden bediende. Ik ben het zat die te horen.
'Oliver, zeg nog geen nee. Je hebt het aanbod nog niet eens gehoord.'
'O nee? Laat me eens raden. Jij zwaait dat wapen voor mijn gezicht heen en weer en wordt daarmee deze week de vijfde persoon die dreigt me te doden tenzij ik je vertel waar het geld is.'
'Luister naar hem,' zegt Gillian, die haar wapen op mij gericht blijft houden. 'We kunnen allemaal krijgen wat we willen hebben.'
'Ik weet al wat ik wil hebben, en dat zal ik niet van jou krijgen.'
'Van wie dan wel?' vraagt Shep. 'De politie? Lapidus? Al je vriendjes op je werk? Dit is groter dan jij en Char...' Hij zwijgt en kijkt snel om zich heen. 'Waar is je broer?' vraagt hij dan.
Die vraag zal ik nooit beantwoorden.
'Hiernaast,' zegt Gillian.
'Ga hem halen,' beveelt Shep.
'Ga hem zelf maar halen,' zegt ze uitdagend.
'Heb je gehoord wat ik zei?' Net zoals eerder betekent dat het eind van de discussie. Gillian stopt het wapen achter haar tailleband op haar rug en loopt naar de kast met de deur naar het andere gebouw.
Zodra die deur opengaat, schreeuw ik zo hard ik kan een waarschuwing. 'Charlie, ze is een leuge...'
Shep pakt me bij mijn kaak en drukt een hand tegen mijn mond. Ik vecht om los te komen, maar hij is te sterk. Gillian staart me even aan en schudt haar hoofd. 'Je bent echt een slapjanus,' zegt ze. Dan draait ze zich om en loopt de kast in. Ze smijt de deur dicht en de knal wordt door mijn borstkas weerkaatst.
Shep blijft een hand tegen mijn mond gedrukt houden tot ik mijn verzet eindelijk staak. 'Oliver, luister nu eens een keer. Als je niet tot bedaren komt, zullen we hier geen van allen weg kunnen komen. We hebben hier te maken met driehonderd miljoen en we kunnen net zo goed...'

'Zie ik er zo stom uit?' vraag ik terwijl ik zijn hand van mijn kaak trek. Hij pakt de schouder van mijn shirt vast. Hij zal me niet ver laten komen. 'Denk je nu echt dat we je zullen helpen?' vraag ik. 'Het is voorbij, Shep. Zo is het prima voor ons.'
'O ja? Geloof je dat echt?' reageert hij meteen. 'Oliver, je hebt de tijd niet genomen hier eens goed over na te denken, hè? Zodra je die bank weer in loopt, ben je ontslagen. Lapidus zal je hebben begraven voordat je "professionele vergissing" kunt zeggen. En als je naar de politie gaat... zelfs als je aan de gevangenis kunt ontkomen... zelfs als je het geld teruggeeft... denk je dan echt dat ze een overwinningsparade voor je zullen organiseren? Jouw handtekening staat onder het originele verzoek om telegrafische overboeking, en daardoor alleen al is jouw leven voorbij. Je hebt nu geen baan en geen geld en niemand zal je ooit nog vertrouwen. Het ergste is nog wel dat je moeder tegen de tijd dat alle processen achter de rug zijn en al je spaargeld is opgeslokt, geen klosje garen meer zal kunnen kopen, laat staan de uitstaande schulden op haar creditcard en de ziekenhuisrekeningen kunnen voldoen. Wie zal daar nu voor gaan betalen, Oliver? En hoe zit het met Charlie? Hoe lang denk je dat hij zonder jouw hulp in leven kan blijven?'
Terwijl hij dat zegt, weet ik dat hij gelijk heeft. Maar dat betekent nog niet dat ik het bed zal delen met een serpent en zijn...
'Verroer je niet!' schreeuwt een vrouwenstem achter ons.
We draaien ons bliksemsnel om en traceren het geluid naar de deur van het pakhuis. Daar staat een vrouw met een wapen. De privédetective uit het appartement... de roodharige vrouw... Joey. Ze richt haar wapen op ons – eerst op mij, dan op Shep.
Heel opgelucht zet ik een stap haar kant op, weg van Shep.
'Verroer je niet, zei ik!' schreeuwt ze terwijl ik mijn armen de lucht in steek.
'Dat werd tijd,' zegt Shep, die opgelucht klinkt. 'Ik vroeg me al af waar je bleef.'
'Wat zeg je?' vraagt Joey.
Ik verwacht herkenning op haar gezicht te zien. Shep leeft nog en zij is slim genoeg om de rest in te vullen. Maar in plaats daarvan lijkt ze verward. 'Wie ben jij verdomme?' vraagt ze.
Mijn opgestoken armen worden gevoelloos. Ik kan het niet geloven. Ze heeft er geen idee van wie hij is.
'Ik?' vraagt Shep met een scheve grijns. Hij krabt aan zijn onderarmen en lacht diep en rustig. 'Ik ben een privédetective, net als jij.'

'Hij liegt,' zeg ik snel. 'Dat is Shep.'
'Mevrouw Lemont, laat u door hem geen rad voor ogen draaien.'
'Hoe weet je hoe ik heet?' vraagt Joey.
'Zoals ik al heb gezegd, ben ik deze zaak vanaf het begin al aan het onderzoeken. Belt u Henry Lapidus maar op. Hij zal alles uitleggen.' Als hij de naam van Lapidus noemt, klinkt er een nieuwe kalmte in zijn stem door. Hij steekt een hand in zijn jasje...
'Denk daar maar niet eens over!' zegt Joey.
'Het is geen wapen, mevrouw Lemont.' Uit zijn borstzak haalt hij een zwartleren portefeuille te voorschijn. 'Hier is mijn legitimatiebewijs,' zegt hij, en hij smijt het voor de voeten van Joey op de grond. Ze bukt zich om het op te rapen, maar verliest ons geen seconde uit het oog.
'Joey, ik zweer je dat hij Shep Graves heet...'
'Mevrouw Lemont, luister niet naar hem.'
'... hij heeft zijn eigen dood geënsceneerd, zodat men ons overal de schuld van zou geven.'
Ze kijkt naar het legitimatiebewijs en klapt het weer dicht.
'Dus jij werkt met Lapidus samen?' vraagt Joey sceptisch.
Shep knikt.
'En hij zal jouw verhaal bevestigen?'
'Zeker,' croont hij.
Ik ben er niet zeker van of Shep aan het bluffen is, of dat hij een geheel nieuwe kaart in het spel heeft gebracht. In elk geval is Joey te ver gekomen om te vertrekken zonder de waarheid te kennen.
'Noreen, ben je daar?' zegt ze in de microfoon die aan haar shirt is bevestigd. Ze knikt in zichzelf en voegt eraan toe: 'Ik wil Henry Lapidus spreken. Bel hem voor me op.'

84

'Charlie? Charlie, waar ben je?' fluisterde Gillian terwijl ze de kast door liep en de haaks daarop staande gang in stapte. Ze trapte de kop van Goofy opzij, keek de gang op en af en liep langs de omgevallen klaptafel. Links van haar was de deur die naar buiten leidde. Geen schijn van kans, dacht ze. DeSanctis zou niet zijn vertrokken zonder dat tegen hen te zeggen. Een scherp schrapend geluid bevestigde de rest. Ze draaide zich om en liep naar het geluid toe. Naar achteren, achter de kar voor vuile was en het op-

klapbare scherm. Ze kende dat geluid. Alsof iemand aan het rennen was. Of probeerde zich te verstoppen.
Ze liep snel door en bleef kijken of ze DeSanctis ergens kon ontdekken. Hij was nog steeds boos vanwege de klap op zijn hoofd met de mixer, maar niet genoeg om alles te verpesten, concludeerde ze terwijl ze langs het scherm schoof. Toch was het beter als ze zich koest hield om te kijken hoe de stand van zaken...
Gillian maakte meteen pas op de plaats. Vanaf de grond tot de bovenkant van de kledingrekken staarden Minnie, Donald, Pluto en tientallen andere koppen van stripfiguren haar aan, elk met een eigen bevroren glimlach. Met opzet keek ze daar niet naar en liep voorzichtig verder de ruimte in. 'Hallo... Is daar iemand?' fluisterde ze.
Weer reageerde niemand. Toen besefte ze waarom.
Recht voor haar uit, aan het eind van de eerste rij kledingrekken, lag DeSanctis op zijn buik op de grond, zijn armen op zijn rug gebonden met iets wat eruitzag als een springtouw. Gillian kon haar ogen niet geloven. Zijn neus zat onder het bloed en zijn linkeroog was zo opgezwollen dat het dichtzat. Hij bewoog zich niet. Met haar voet gaf ze een duwtje tegen zijn schouder, maar het was net zoiets als een trap geven tegen een baksteen. Verbaasd ging ze op haar hurken zitten om hem beter te kunnen bekijken. Was hij... Nee, besefte ze toen ze zijn borstkas op en neer zag gaan. Hij was alleen buiten bewustzijn.
Ze hoorde een ander geluid, een paar paden verderop. Geschrokken ging ze meteen staan. Maar toen ze het weer hoorde, verscheen er een klein grijnsje om haar lippen. Dit geluid was anders dan het eerste. Dieper. Meer schor. Als iemand die ademhaalde... of hijgde. Iemand die buiten adem was.
Ze keek om zich heen en liep snel verder. 'Charlie!' riep ze. 'Ik ben het! Gillian.'
Het ademen hield op.
'Charlie, ben je daar?'
Nog steeds geen reactie.
Ze liep naar het volgende pad, en het volgende. Die waren allebei leeg, met uitzondering van de kleurrijke kostuums vol glittertjes en een stel koppen van Knabbel en Babbel.
'Charlie, ik weet dat je het vuren hebt gehoord. Oliver is gewond geraakt!'
Wederom geen reactie.
'Charlie, hij is gewond! Hij heeft Gallo geraakt, en die heeft hem in zijn dijbeen geschoten. Als we hem niet naar een dokter kunnen brengen...'

'Gillian, dit kan maar beter geen leugen zijn,' zei een stem achter haar waarschuwend.
Ze draaide zich om, en Charlie stapte uit het pad dat ze net was gepasseerd. Hij had de bezem in zijn rechterhand en hoewel hij probeerde sterk te ogen, kostte elke ademhaling hem duidelijk moeite. Het rennen en vechten was hem te machtig geworden. 'Is alles in orde met jou?' vroeg ze.
Hij nam haar aandachtig op. Ze had niets in haar handen. Alles leek normaal te zijn. 'Wijs me waar Ollie is,' zei Charlie. Hij draaide Gillian zijn rug toe en wilde naar de deur lopen. Maar voordat hij een stap kon zetten, hoorde hij achter zich een gedempte klik. Charlie bevroor.
'Sorry,' zei Gillian, die achter hem haar wapen richtte. 'Dat komt ervan als je onbekenden vertrouwt.'
Charlie weigerde zich naar haar om te draaien en deed zijn ogen dicht. Hij zou zich niet zomaar overgeven. Zijn vingers klemden zich steviger om de bezem heen, en die van Gillian om de trekker. Toen draaide Charlie zich opeens zo snel mogelijk om. Hij was echter lang niet vlug genoeg.

85

Joey houdt haar vinger om de trekker en kijkt naar mij en Shep, maar concentreert zich kennelijk op wat ze in haar oor te horen krijgt. Hoewel ik mijn armen nog boven mijn hoofd houd, kan ik wel op mijn horloge kijken. Het is al na zevenen. Lapidus is in zijn auto, onderweg naar Connecticut. Ze zal op geen enkele manier...
'Hallo, meneer Lapidus? U spreekt met Joey... Ja, dat klopt. De privédetective... Nee, we hebben het geld nog niet gevonden... Nee, dat begrijp ik, meneer. Maar ik heb een snelle vraag waarmee u me hopelijk kunt helpen. Kent u iemand die...' Ze kijkt naar het legitimatiebewijs van Shep. '... Kenneth Kerr heet?'
Er volgt een lange pauze terwijl Joey luistert. Hoe langer het duurt, hoe aandachtiger ze naar Shep kijkt. Hij houdt zijn gezicht strak in de plooi. Hij denkt dat ze bluft. Dus kan ze niet bewijzen dat hij het mis heeft zolang hij maar kalm blijft.
'Nee, ik begrijp het,' zegt Joey. 'Natuurlijk, meneer. Nee, ik wilde het alleen even zeker weten.'
Ze maakt de gsm van haar broekriem los en haalt het microfoon-

tje uit haar oor. Ze heeft haar wapen in haar rechterhand en de gsm in haar linker. Ze steekt Shep die gsm toe en zegt: 'Lapidus wil je spreken.'
Shep kijkt even naar mij en dan weer naar Joey. Zonder te aarzelen stapt hij naar voren en bestudeert de reactie van Joey. Zij glimlacht speels en bestudeert de zijne. Ik sta er bewegingloos bij en besef dat deze twee in een andere klasse spelen. Ik heb er geen idee van wie in het voordeel is.
Terwijl Shep naar Joey toe loopt, zoekt zij naar veelzeggende tekenen. Een tic bij zijn oog, een iets veranderende houding van zijn schouder... alles waaraan ze wat kan hebben. Shep is echter te goed om haar iets dergelijks te geven.
Hoe dichter Shep bij haar in de buurt komt, hoe verder hij boven haar uit torent. Ik verwacht dat Joey een stap naar achteren zal zetten. Dat doet ze niet. 'Alsjeblieft,' zegt ze, en ze steekt hem de gsm toe. Haar wapen is schietklaar als hij dicht bij haar is.
'Dank je,' zegt Shep. Er klinkt geen angst in zijn stem door. Hij is volkomen kalm. Ze staan nu zo vlak bij elkaar dat ze elkaar kunnen aanraken. Geen van beiden deinst terug. Ik kan aan de gezichtsuitdrukking van Joey zien dat hij de test goed heeft doorstaan. Maar als hij zijn hand uitsteekt en hun handpalmen langs elkaar strijken, pakt Shep niet alleen de gsm maar ook haar hand en duwt hun twee vuisten en de gsm in haar gezicht. Het gaat allemaal zo snel dat ik nauwelijks besef wat er gebeurt. Joey wankelt naar achteren en de gsm valt op de grond. Joey probeert haar wapen te richten, maar daar geeft Shep haar de kans niet voor.
Hij haalt nog eens uit en begraaft zijn vuist in haar gezicht. In een reflex haalt ze de trekker over. Met een luide knal wordt de kogel door het beton weerkaatst en maakt een gaatje in de metalen muur. Joey valt bewusteloos op de grond. Haar hoofd raakt het beton met een doffe klap. Shep staat over haar heen gebogen en steekt een hand uit naar zijn wapen om het karwei af te maken.
'Laat haar met rust!' schreeuw ik, en ik duik op Sheps rug af. Je kunt net zo goed een camper aanvallen. Ik bots tegen hem op, maar hij geeft nauwelijks mee. Ik heb geen schijn van kans. Bliksemsnel draait hij zich om en geeft me met de rug van zijn hand zo'n harde dreun in mijn gezicht dat ik bijna het bewustzijn verlies.
'Besef je wel hoe gemakkelijk dit had kunnen zijn?' brult hij.
Ik sta weer rechtop. Terwijl ik vecht om mijn evenwicht te hervinden, pakt hij me bij mijn nekvel en smijt me naar de praalwagens. Ik dender tegen zo'n wagen in de vorm van een treinlocomotief aan en er gaan honderden lampjes kapot. Woest haal ik uit

om terug te meppen. Hij slaat die aanval af en haalt nog harder dan eerst naar mij uit. 'Nu geen geouwehoer meer!' roept hij spinnijdig. 'Ik wil mijn geld hebben.'
Met een gewelddadige klap en een Neanderthaler-gegrom plant hij zijn vuist vol in mijn linkeroog. Dan trekt hij zijn arm terug en doet het nog eens over. Mijn oog trekt en brandt, lijkt zich op de een of andere manier zelfstandig te kunnen bewegen. Het begint al dicht te zitten. 'Oliver, zeg me waar het is!' gromt Shep terwijl hij me nog een dreun verkoopt. 'Waar is mijn geld, verdomme?'
Iets nats druipt over mijn wang. Op de achtergrond hoor ik in de andere ruimte een wapen afgaan. Dan hoor ik mijn broer krijsen. Ik probeer over Sheps schouder te zien wat er gebeurt. Maar het enige dat ik zie, is Sheps vuist, die opnieuw op me af komt.

86

Toen Charlie probeerde Gillian met de bezem te raken, ging haar wapen af. De kogel floot door de stoffige lucht. Er volgde een snel, zuigend geluid. Bloed spoot uit het schouderblad van Charlie op het moment waarop de bezem de hand van Gillian raakte en haar wapen onder het metalen kledingrek gleed. Charlie krijste van de pijn, die doorschoot tot in zijn elleboog.
Toen zijn linkerarm gevoelloos werd, nam hij de bezem in zijn rechtervuist en kneep er hard in om een eind aan de pijn te maken. Gillian wilde haar wapen pakken, maar dat stond Charlie niet toe. Niet na dit alles. De adrenaline nam het heft in handen, hij hief de bezem boven zijn hoofd en zwaaide hem verticaal naar de grond. Gillian sprong weg, viel achteruit een rij kostuums in en struikelde over de stang aan de onderkant van het rek. De bezem knalde op het beton. Charlie voelde zich al licht in zijn hoofd en probeerde de bezem nog een keer op te tillen om uit te halen, maar daar had hij de kracht niet meer voor. Hij snakte naar adem. Zijn schouder hing slap, kloppend op het ritme van zijn hartslag. Gillian zag de uitdrukking van pijn op zijn gezicht, trapte tegen de poten van het rek en stootte het ding zo om. Tientallen koppen – van Mickey tot Pluto tot Goofy – rolden op de grond, met het metalen rek ertussenin.
Voordat Charlie kon reageren was Gillian weer overeind gekrabbeld en ploegde ze zich een weg over de kostuums heen. Ze sloeg

haar armen om zijn middel en kneep zo de lucht zijn longen uit. Ze wankelden naar een lege kar die tegen de verste muur aan stond. Gillian, die weigerde het op te geven, ramde Charlie met zijn onderrug tegen de metalen rand van de kar, maar door de snelheid waarmee ze zich bewogen, vlogen ze eroverheen.
Midden in de vlucht werd hun gecombineerde gewicht echter te groot. De kar schoot naar voren en Charlie klapte op de grond. Hij landde op zijn rug en zijn hoofd knalde keihard op het beton. Gillian landde boven op hem, met een berg felgekleurde kostuums uit de wagen over haar schouder.
Ze ging op de borstkas van Charlie zitten, drukte haar vingers tegen elkaar om daar een botte dolk van te maken en mikte op de wond in zijn schouder. 'Ga niet flauwvallen,' zei ze waarschuwend. Ze hief een arm en...
Een keiharde knal weerklonk in de andere ruimte. Een schot. De echo denderde langs de metalen wanden van het pakhuis.
Gillian schrok en draaide zich om. Meer had Charlie niet nodig. Hij hief een hand op en gaf haar met zijn vuist een dreun in haar nek. Toen Gillian uit balans was, draaide hij zich op zijn buik. Een meter of drie verderop, voorbij de koppen die op de grond lagen te wiebelen, zag Charlie het wapen onder het kledingrek. Tijgerend probeerde hij dat te bereiken, maar Gillian zat op zijn rug. Opeens voelde hij dat haar gewicht werd verplaatst. Hij zag een oranje en zwarte vacht voor zich. En voordat hij goed en wel besefte wat er gebeurde, werd er iets pluizigs om zijn hals gedraaid. Gillian trok aan Teigetjes staart alsof die een paardenteugel was en boog zich zo ver mogelijk naar achteren.
Naar adem snakkend klauwde Charlie aan zijn hals en probeerde zijn vingers onder de staart te wurmen. Toen voelde hij het ijzerdraad. Dat zat in de staart – een kleine metalen veer. Op de meeste dagen overtuigde die duizenden kinderen ervan dat Teigetje echt kon huppelen. Maar nu wond Gillian hem om haar handen en trok hem strak, waardoor hij nog dieper in de hals van Charlie werd begraven.
Charlie kromde zijn rug, krabde meedogenloos aan zijn eigen hals en wrong zich in allerlei bochten. Gillian wilde hem echter niet loslaten. Hoe meer hij steigerde, hoe harder zij trok en hoe moeilijker het voor hem werd om adem te halen. Hij kokhalsde door de druk en voelde het bloed uit zijn gezicht wegtrekken. Hij klemde zijn kaken op elkaar, en probeerde nog een keer adem te halen. Dat lukte niet. Het metaaldraad raakte zijn adamsappel.
Zijn neus begon te bloeden, en een nieuw straaltje bloed voegde

zich bij dat op zijn lip. Recht voor hem zag hij grijze vlekjes ronddraaien. Maar zelfs toen hij niet scherp meer kon zien – zelfs terwijl Gillian op zijn rug zat – kon hij het beeld van Oliver niet uit zijn gedachten zetten. Noch dat van zijn moeder. Met zijn oogleden knipperend kwam hij weer bij bewustzijn en liet het metaaldraad los. Sommige banden moesten worden doorgesneden.
Voorbij de wiebelende koppen van Mickey en Pluto kon hij het wapen nog op de grond zien liggen. Dat was echter te ver van hem vandaan. Een ander ding was wel dichter in de buurt. Charlie strekte zijn goede arm en pakte de leren riem die aan de binnenkant van Pluto's kop was bevestigd. Toen draaide hij zich zo krachtig mogelijk op zijn zij. Het ijzerdraad sneed nog in zijn keel. Dit zou zeer beslist pijn doen. Hij negeerde het brandende gevoel, draaide zich om, hield de riem met al zijn kracht vast en zwaaide Pluto's kop naar Gillian toe. Die raakte haar als een kanonskogel tegen de zijkant van haar gezicht en ze knalde tegen de grond.
Charlie liet zich op zijn rug rollen. Gillian liet de staart van Teigetje los, maar weigerde nog steeds het op te geven.
'Je bent er geweest!' brulde ze terwijl Charlie lucht in zijn longen kreeg en begon te hoesten. Snel ging ze staan. Charlie deed dat ook, zoekend naar zijn evenwicht. Hij kon echter nog steeds niet fatsoenlijk ademhalen. In feite kon hij, gebogen en met kloppende schouder, nauwelijks overeind blijven, laat staan een volgende aanval afweren. Een dun straaltje bloed liep uit Gillians neus. 'Nu voel je het wel, hè?' zei ze.
Zijn mond hing open terwijl hij lucht naar binnen zoog. Hij wist dat hij een volgende dreun niet meer zou kunnen hebben.
Hij wist niet zeker wat hij moest doen en dacht erover het op een rennen te zetten. Hij keek om zich heen, zoekend naar de deur, en toen... Nee. Hij zou niet meer op de vlucht slaan.
Hij plantte zijn voeten goed op de grond, draaide zich weer naar Gillian om en hield de leren riem beter vast. Ze rende razend op hem af. Charlie boog zijn arm naar achteren. Zijn ogen vernauwden zich tot spleetjes. Hij hield de riem zo stevig vast dat zijn nagels zich in zijn handpalm begroeven. Nog niet, nog niet, zei hij tegen zichzelf. Ze was bijna bij hem. Nu!
Charlie haalde bij wijze van spreken als een werper bij het honkballen uit richting tribune en zette al zijn gewicht daarachter. De ruim zeven kilo wegende kop zwaaide door de lucht en kwam met een harde klap in aanraking met Gillians oor. De kop barstte bij Pluto's ogen en deed Gillian regelrecht op de vloer belanden. Vlak voor Charlies voeten klapte ze op het beton. Deze keer kwam ze

niet overeind. Maar toen Charlie eindelijk adem kon halen, voelde hij een bekende trilling in zijn borstkas. Hij schoot naar voren en liet de leren riem los. Hij kon niet anders. Hij kon hem niet langer vasthouden. Pluto's kop klapte op de grond, en Charlie wankelde naar opzij toen hij een pijnscheut in zijn hart voelde.
Hij knalde tegen een kledingrek aan, waardoor er nog meer kostuums op de grond vielen. Zijn hart borrelde en bonkte. Het leek alsof er een zak met wormen in zijn borstkas zat. Alsjeblieft niet nu... smeekte hij in stilte. Hij draaide zich om om naar Oliver te rennen, pakte de kledingrekken vast en vocht zich een weg het pad door, langs het houten scherm. Er kwamen meer wormen, die zich aan zijn luchtpijp vastklampten.
Een scherp gepiep kwam door zijn keel omhoog. Charlie snakte naar adem terwijl zijn hart vlugger begon te slaan en toen echt hard begon te bonken. Sneller en sneller, als een tromgeroffel in zijn borstkas. Hij deed zijn ogen dicht, voelde zijn polsslag. O mijn god, zijn hart was in galop gegaan.
'O-Ollie!' riep hij met brekende stem. 'Ollie!' Struikelend liep hij de kast door, legde een trillende hand op de deurknop en trok de deur open. Het enige dat hij hoefde te doen, was erdoorheen stappen. Hij hield zich aan de muur vast en probeerde zich naar voren te trekken. Het leek zo dichtbij, maar om de een of andere reden scheen het steeds verder van hem vandaan te gaan... Hij voelde zijn hals drijfnat worden. De wormen wriemelden, groeven en balden zich als een vuist om zijn hart. Hoewel hij probeerde adem te halen, kwam er geen lucht naar binnen. Aan de andere kant van de deur waren Oliver en Shep aan het vechten. Shép? Nu wist hij dat dit een droom was. Maar terwijl hij toekeek... zag hij dat Ollie – Ollie – aan de winnende hand was. Er kwamen tranen in zijn ogen toen Shep en Ollie allebei verdwenen. *Je hebt ze te grazen genomen, broertje van me...* De vuist klemde zich steviger om zijn hart. Zijn gezicht verkrampte totaal om zich tegen de druk te verzetten. Zijn hart stond op het punt te ontploffen. En toen hij op zijn knieën zakte, gebeurde dat ook.
'Ollie...' zei hij met een laatste, moeizame piep. Hij probeerde er 'vaarwel' aan toe te voegen, maar toen zijn gezicht het beton raakte, kwam dat woord niet meer over zijn lippen.

87

'Oliver, ik zal het je niet nog eens vragen,' zegt Shep waarschuwend. 'Waar is mijn geld, verdomme?' Ik wankel naar achteren door zijn laatste dreun, bij de praalwagens vandaan, in de richting van de zijmuur.

Achter me heb ik geen ruimte meer. Me een weg banend door het mijnenveld van hoelahoepen, hoeden van spreekstalmeesters en tientallen andere rekwisieten die op de grond liggen, zoek ik als een gek naar iets... wat dan ook... dat ik als een wapen kan gebruiken. Het enige binnen handbereik is een fraaie kandelaar. Maar als ik hem oppak, blijkt hij nog geen pond te wegen en van piepschuim te zijn gemaakt. Ik was het bijna vergeten. Disney World.

Shep rent regelrecht op me af en pakt me bij mijn revers. 'Laatste kans,' waarschuwt hij terwijl zijn hete adem mijn gezicht verschroeit. 'Waar. Is. Mijn. Geld?'

Bellen rinkelen in mijn hoofd alsof dat een brandweerkazerne is. Ik kan het nauwelijks van links naar rechts bewegen. 'Val dood, etterbak. Je zult nooit een cent krijgen.'

Woedend smijt hij me achterwaarts, in de richting van een immens hobbelpaard. Mijn hoofd knalt tegen het houten zadel. Shep laat me niet los. 'Sorry, Oliver. Ik heb niet gehoord wat je zei.'

'Val... dood.'

Hij draait me om en gooit me naar een buitenmaats duveltje-in-een-doos. Mijn gezicht smakt tegen de voorkant aan en het misselijkmakende gekraak vertelt me dat mijn neus is gebroken. 'Wil je het nog eens proberen?' vraagt Shep, die me nu in mijn nek heeft gegrepen.

Ik kijk hem met mijn ene goede oog aan. Ik kan nauwelijks praten. 'V-val...'

Grommend als een beest draait hij me om en smijt me tegen een popcornkarretje aan. Ik steek mijn handen uit om mijn gezicht te beschermen, maar mijn snelheid is te hoog. Ik smak door het glas heen, en de in het rond vliegende scherven veroorzaken snijwonden in mijn handen. Ik val op mijn buik in het karretje en zie een driehoekig stuk glas recht boven mijn borstkas. Aan een kant is dat bot, om in de rand van het wagentje te passen.

Shep pakt mijn benen en trekt me naar achteren. Glasscherven schuren langs mijn buik. Ik negeer de pijn en steek een hand uit naar het driehoekige stuk glas. Ik houd dat zo stevig vast dat het bijna in mijn handpalm snijdt. Net wanneer mijn voeten de grond

raken, draai ik me razendsnel om en steek het gekartelde scalpel recht in zijn maag, voordat hij goed en wel beseft wat er aan het gebeuren is.
Zijn gezicht wordt wit als hij naar zijn maag grijpt en naar het glanzende bloed op zijn handen kijkt. Hij kan het nauwelijks geloven. 'Verdomde...' Hij kijkt op. 'Je bent dood... dood...'
Hij steekt een hand onder zijn jasje om zijn wapen te pakken. Ik haal uit naar zijn arm en raak hem recht boven zijn pols. Hij krijst het uit van de pijn en kan het wapen niet blijven vasthouden. Het valt op de grond, en ik trap het onder het hobbelpaard. Ik zal hem niet nog een kans geven. Zijn ogen zijn brandend rood. Als een gewonde beer duikt hij op mijn nek af. Ik zwaai met de glasscherf door de lucht, en die snijdt zijn borstkas open. Mijn hand bloedt door het vasthouden van de scherpe kanten, maar het is duidelijk wie het het zwaarst te verduren heeft. Voor de eerste keer struikelt Shep. Als hij dichter bij me in de buurt komt, verzamel ik de laatste kracht die ik nog heb. Voor alles wat hij heeft gedaan, voor alles wat hij ons heeft laten doorstaan... Ik negeer het bloed, denk niet na over de mogelijke gevolgen en wil de laatste kla...
In de kast naar het andere gebouw hoor ik een luid gepiep. Meteen blijf ik bewegingloos staan. Ik ken dat even goed als ik mezelf ken. Links van me, in de kast. Charlie houdt zijn borst vast en zoekt steun bij de muur om te blijven staan.
'Ollie...' zegt hij stotterend en met zijn mond wijd open. Meer kan hij niet over zijn lippen krijgen. Hij hapt naar lucht en valt op de grond. Ik draai me niet langer dan twee seconden om. Voor Shep is dat een heel leven.
Als ik me weer omdraai, komt hij al op me af gestormd. Mijn borstkas stort in als hij op me in mept. Ik val op mijn rug op het beton en mijn nieren krijgen een dreun te verwerken. Shep trekt de glasscherf uit mijn hand, waardoor er een nog diepere snee in mijn handpalm ontstaat.
Terwijl ik het uitkrijs van de pijn, zegt Shep niets. Hij vindt dat hij genoeg heeft gezegd. Hij gaat op mijn borstkas zitten en duwt met zijn knieën mijn biceps op de grond. Ik probeer als een gek mijn armen vrij te krijgen. Hij is te zwaar. Ik kijk hem in de ogen, maar het lijkt alsof daar niemand is. Shep kan het allemaal niets meer schelen. Hij is niet meer geïnteresseerd in mij, noch in de banden, zelfs niet eens in het geld.
Hij begraaft zijn knieën in mijn biceps en houdt de glasscherf als een guillotine omhoog. Zijn blik rust op mijn hals. Dit zal ik niet overleven. Ik fluister Charlie een verontschuldiging toe. En mijn

moeder. Dan doe ik mijn ogen dicht, draai mijn hoofd en zet me schrap.
Maar het volgende dat ik hoor, is een schot. En dan nog eens twee schoten, snel achter elkaar. Ik kijk net op tijd op om de kogels door Sheps borstkas te zien gaan. Zijn lichaam beweegt zich elke keer dat hij wordt geraakt spastisch. Een boer vol bloed golft zijn mond uit. Dan zakken zijn armen langs zijn lichaam. Hij wankelt even en valt vervolgens achterwaarts op de grond.
Ik volg het geluid om te zien waar de kogels vandaan komen. Dan ontdek ik haar, zittend op de grond. Niet bewusteloos... wakker... Joey... Door het licht achter haar zie ik alleen haar schaduw. En het rookwolkje dat uit haar pistool komt.
Ze gaat staan, rent naar de muur en ramt met haar pistool op het glazen kastje van een brandmelder. Het schrille alarm krijst door de stilte en binnen een minuut hoor ik in de verte sirenes. Joey draait zich om en loopt naar mijn broer. O, jezus...
'Charlie!' schreeuw ik. 'Charlie!' Ik probeer rechtop te gaan zitten, maar mijn hele arm staat in brand. Ik kan geen van mijn vingers bewegen. Mijn lichaam trilt en gaat over in een shocktoestand.
Bij de ingang komen een stuk of vijf bewakers van Disney snel het pakhuis in. Ze rennen allemaal naar mij toe. Joey blijft bij mijn broer. 'Meneer, blijft u alstublieft rustig zitten,' zegt een van de mannen, die mijn schouder vastpakt. Vier andere bewakers zitten inmiddels bij Charlie op hun knieën en blokkeren zo mijn gezichtsveld.
'Ik kan hem niet zien! Laat me naar hem kijken!' schreeuw ik terwijl ik als een gek mijn hals rek. Niemand komt in beweging. Ze kijken allemaal naar het levenloze lichaam van Shep.
'Hij heeft hartritmestoornissen. Hij heeft mexiletine nodig,' schreeuw ik de kant van Joey op. Ze is bezig Charlie te reanimeren. Hoe meer ik me beweeg, hoe meer de wereld om me heen begint te draaien. Op een gegeven moment valt die op zijn zij. Mijn levenloze arm steekt als een rubberen band boven mijn hoofd uit. De bewaker zegt iets, maar ik hoor alleen statische geluiden. Nee, niet flauwvallen, zeg ik tegen mezelf. Ik kijk op naar het plafond. Het is al te laat. Het leven wordt zwart en wit en vervaagt vervolgens snel tot grijs. 'Is alles in orde met hem? Zeg me of alles met hem in orde is!' brul ik zo hard ik kan.
Er komen nog een stuk of tien bewakers het pakhuis in gerend. Ze schreeuwen allemaal statisch. Het grijs verandert in levenloos zwart, en ik krijg geen antwoord op mijn vraag.

88

Zoals Charlie al had voorspeld, is het staren het ergst. Vergeet het gefluister, het verre van subtiele wijzen en zelfs de manier waarop ze langs me lopen terwijl de roddelverhalen op het kantoor de ronde doen. Met dat alles kan ik wel leven. Maar terwijl ik in de o zo keurige vergaderruimte op de begane grond zit en door het glazen raam kijk dat mij van mijn vroegere collega's scheidt, kan ik er niets aan doen dat ik me een aap in een dierentuin voel. Ze lopen door de doolhof van cilinderbureaus en doen hun best cool te zijn. Maar elke keer als een van hen langsloopt, elke keer wanneer iemand uit de lift stapt, of naar het kopieerapparaat rent, of zelfs gewoon achteroverleunt achter zijn bureau, wordt een hoofd even mijn kant op gedraaid en staren ze me aan met een blik die deels van nieuwsgierigheid getuigt en deels een moreel oordeel uitspreekt. Sommigen doen er een snufje schande bij, anderen voegen er een beetje walging aan toe.

Er zijn twee weken verstreken sinds het nieuws bekend is geworden, maar dit is de eerste keer dat ze het met eigen ogen kunnen zien. En hoewel de meesten van hen zich al een oordeel hebben gevormd, zijn er toch nog een paar die willen weten of het echt waar is. Die zijn het moeilijkst onder ogen te komen. Wat Charlie en ik verder ook hebben gedaan om de zaak te redden, het is nooit ons geld geweest.

Bijna een vol uur lang zit ik daar en verdraag het staren, het gefluister en het wijzen. Ik probeer oogcontact te maken, maar zodra ik dat doe, kijken ze een andere kant op. Op de meeste dagen zijn alleen de laagste werkbijen in de korf van cilinderbureaus bij de hoofdingang te vinden. Vandaag heeft bijna elke werknemer binnen het eerste halfuur wel een excuus gevonden om naar beneden te gaan en de aap achter het glas te bekijken. Daarom hebben ze me hier trouwens neergezet. Als ze het me gemakkelijk hadden willen maken, zouden ze me via de achteringang voor rocksterren naar binnen hebben gesmokkeld en me met de privélift snel mee naar boven hebben genomen. In plaats daarvan hebben ze besloten er een show van te maken en me in herinnering te brengen dat mijn dagen van de privélift voorbij zijn. Net als alles bij Greene & Greene draait het allemaal om perceptie.

Het verkeer bereikt de spits wanneer Lapidus en Quincy eindelijk arriveren. Ze richten niet één keer rechtstreeks het woord tot mij. Alles loopt via hun advocaat, een vervelende muskiet met een hoge, eentonige stem. Hij deelt me mee dat ze mijn laatste salaris zullen inhouden tot het onderzoek is afgerond, dat mijn ziektekosten vanaf heden niet meer zijn gedekt, dat ze juridische stappen zullen ondernemen als ik contact opneem met huidige of oude cliënten van de bank, en – als kers op het taartje – dat ze overleg zullen plegen met de SEC en andere regulerende bankinstanties met de hoop dat ik in de toekomst nooit meer op een bank zal kunnen werken.

'Prima,' zeg ik. 'Is dat alles?'

De advocaat kijkt naar Lapidus en Quincy. Ze knikken allebei.

'Geweldig,' zeg ik. 'Dan is dit voor jullie.' Ik smijt een blauw-witte envelop op het bureau en schuif die naar Lapidus toe. Op de voorkant van de envelop staat niets. Lapidus kijkt even naar de advocaat.

'Maak je geen zorgen. Het is geen dagvaarding,' zeg ik tegen hem. Lapidus draait de envelop om en ziet over de flap heen zijn eigen verscheurde handtekening.

Het is de enige reden waarom ik vandaag hierheen ben gekomen...

Hij haalt de aanbevelingsbrief uit de envelop en vouwt hem open.

... ik wilde zijn gezicht zien. En hem laten weten dat ik het wist.

Hij blijft naar de brief staren, weigert mij aan te kijken. Het feit dat hij zich duidelijk ongemakkelijk voelt, maakt elke seconde hiervan al de moeite waard. Hij vouwt hem weer op, stopt hem in de envelop en loopt zonder iets te zeggen naar de deur.

'Waar ga je heen?' vraagt Quincy.

Lapidus reageert niet. Hij en Quincy mogen dan nooit wat met dat geld te maken hebben gehad, noch met alles wat er is gebeurd, maar dat maakt hen geen heiligen.

De bespreking duurt alles bij elkaar zes minuten. Vier jaren om dit leven op te bouwen. Zes minuten om het uit te wissen. De advocaat vraagt me te wachten terwijl zij mijn spullen gaan halen.

Ze vertrekken, en de deur klapt achter hen dicht. Ik kijk door het glas de hal in. Overal in die ruimte kijken een stuk of twintig employés opnieuw een andere kant op. De verbonden wond in mijn buik steekt elke keer als ik mijn gewicht verplaats. En mijn gebroken neus prikt elke keer als ik ademhaal. Maar dit steekt nog meer.

Vijfentwintig minuten later is er niets veranderd. De dierentuin is nog altijd geopend. Ik knik naar Jersey Jeff. Hij doet net alsof hij dat niet ziet. Mary komt de lift uit en weigert te erkennen dat ik daar ben. Vier jaar heb ik me rot gewerkt voor de partners, geld verdiend voor de cliënten en mezelf verdiept in elk miezerig detail

dat de bank te bieden had. Maar gedurende al die jaren heb ik nooit echte vriendschap met iemand kunnen sluiten.
Ik probeer daar niet aan te denken en staar naar de ingelegde mahoniehouten vergadertafel. Het is dezelfde tafel waaraan ik heb gezeten toen ik mijn eerste cliënt binnensleepte, wat Lapidus' aandacht trok en waardoor ik van de begane grond naar de zesde verdieping verhuisde. Terwijl mijn ogen nu het patroon van het antieke mahoniehout volgen, hou ik mijn hoofd scheef en zie ik een lelijke kras die als een litteken over het midden van de tafel loopt. Die was me nooit eerder opgevallen. Ik durf er echter om te wedden dat hij er aldoor is geweest.
Uiteindelijk word ik het wachten beu en sta ik op om te vertrekken. Maar net als ik mijn stoel naar achteren schuif, wordt er luid op de deur geklopt.
'Binnen,' roep ik, hoewel de deur al openzwaait.
Hij knalt tegen de muur op, en ik bekijk de bekende gestalte die twee kartonnen dozen bij zich heeft. Joey weet niet goed wat ze moet zeggen, stapt aarzelend de kamer in en zet de dozen op de tafel. De ene is gevuld met managementboeken en mijn goedkope imitatie-bankierslamp. In de andere zitten Play-Doh en de rest van de speeltjes van Charlie.
'Eh... ze hebben me gevraagd je deze spullen te brengen,' zegt ze ongebruikelijk zacht.
Ik knik en bekijk de inhoud van de doos. De zilveren pennenset die ik van mijn eerste bonus had gekocht. En het leren vloeiblad, gekocht na mijn eerste salarisverhoging. Natuurlijk zit de art-decoklok die ik van Lapidus had gekregen er niet bij. Ik vermoed zo dat hij die de vorige week van de muur heeft gehaald.
'Het spijt me dat ze jou niet naar boven wilden laten gaan,' zegt Joey. 'Maar na alles wat er is gebeurd, heeft de verzekeringsmaatschappij mij gevraagd...'
'Ik begrijp het wel,' zeg ik, haar onderbrekend. 'Iedereen moet zijn werk doen.'
'Tja... ja... sommige baantjes zijn gemakkelijker dan andere.'
'Dat lijdt geen twijfel.' Ik kijk haar recht aan. Anders dan alle anderen wendt zij haar blik niet af. Ze neemt me aandachtig op... verwerkt mijn reactie. Het is de eerste keer dat ik haar van dichtbij zie – en zonder een wapen in haar hand. 'Luister, mevrouw Lemont...'
'Joey.'
'Joey,' herhaal ik. 'Ik... ik wilde je bedanken voor wat je hebt gedaan. Voor mij... en voor Charlie.'

'Oliver, het enige dat ik heb gedaan, is de waarheid spreken.'
'Ik heb het niet over die getuigenverklaring. Ik doel op Shep. Op het feit dat je ons hebt gered...'
'Het was bijna jullie dood geworden. Dat blufpokeren door net te doen alsof ik Lapidus aan de lijn had...'
'... was de enige manier om te achterhalen wat er in werkelijkheid aan de hand was. Bovendien... Als jij niet precies op dat moment was gearriveerd, en toen niet had gezorgd voor Charlies medicijnen...'
'Zoals je al zei, moeten we allemaal ons werk doen,' zegt ze met een grijnsje. Het is de enige glimlach die ik de hele dag heb gezien. En dat betekent meer voor me dan zij ooit zal weten.
'Wat gaat er nu gebeuren?' vraag ik aan haar. 'Heb je al het geld terug kunnen krijgen?'
'Geld? Welk geld?' vraagt Joey met een lach. 'Dat is geen geld meer. Alleen een assortiment van enen en nullen in een computer.'
'Maar de rekening op Antigua...'
'Toen jij die aan ons had gemeld, hebben ze al het geld meteen teruggestuurd. Maar jij hebt gezien hoe Duckworth de worm had ontworpen. De drie miljoen... de driehonderd miljoen... niets ervan was echt. Ja, de computers dáchten dat het echt was en ja, elke bank waar jij geld naartoe hebt gestuurd is erdoor in de maling genomen – zo geniaal was het programma. Dat betekent echter niet dat het geld er echt wás. Begroet het koude, harde contante geld van de toekomst maar. Het mag eruitzien als een dollar en het mag handelen als een dollar, maar daarmee is het nog geen echte dollar.'
'Dus al die overboekingen van de rekening van Tanner Drew en alle anderen hier...'
'Waren gewoon de makkelijkste manier om het geld koosjer te laten lijken. Het is briljant als je het van dichtbij bekijkt. Volstrekt willekeurig, absoluut niet te traceren. Het grootste probleem is dat de worm zich ingraaft en verstopt als hij eenmaal in het systeem is terechtgekomen.'
'Hoe weet je dan wat echt en wat nep is?'
'Dat is het addertje onder het gras, nietwaar? Helaas voor ons kun je net zo goed praten over reizen door de tijd. Toen Gallo het programma in handen had, en Shep dat op het systeem losliet, heeft de worm zich zo diep ingegraven dat hij een heel nieuwe werkelijkheid heeft geschapen. De technische jongens zeggen dat het maanden zal duren om alles te zuiveren. Vertrouw me. Quincy en Lapidus zijn nu misschien aan het glimlachen, maar gedurende de

eerstkomende jaren van hun leven zullen zij en elke cliënt van de bank onder een vergrootglas liggen met de afmetingen van Utah.'
Ze zegt het om mij me beter te laten voelen. En hoewel ik me de gezichtsuitdrukking van Tanner Drew kan voorstellen wanneer hij dit te horen krijgt, ben ik er niet zeker van of het werkt. 'Hoe zit het met Gillian?' vraag ik.
'Sherry, bedoel je?'
'Ja... Sherry. Weet je hoe het met haar gaat?'
'Behalve dan dat ze officieel in staat van beschuldiging is gesteld? Dat zou jij beter moeten weten dan ik. Jij bent degene die met de officier van justitie praat.'
Daar heeft ze gelijk in. 'Het laatste wat ik heb gehoord, is dat ze net op tijd op borgtocht vrij is gekomen om de begrafenis te kunnen bijwonen.'
Joey zwijgt als ik haar dat vertel. Hoe het ook is gegaan, zij is degene geweest die de trekker heeft overgehaald en Shep heeft doodgeschoten. Ze is echter te intelligent om lang bij iets negatiefs stil te staan. Snel verandert ze van onderwerp en vraagt: 'Wat ga jij hierna doen?'
'Je bedoelt los van de vijf jaar voorwaardelijk?'
'Is dat de definitieve regeling geworden?'
'Mits we DeSanctis en Gilli... Sherry op een presenteerblaadje aanbieden, blijven wij in vrijheid.'
Te zien aan de frons in haar voorhoofd vraagt ze zich af of het een moeilijke keus was. Niets in mijn leven is ooit gemakkelijker geweest.
'En jij?' vraag ik. 'Geven ze jou geen bonus of een bepaald percentage omdat je iedereen hebt weten te pakken?'
Ze schudt haar hoofd. 'Niet wanneer een krenterige verzekeringsmaatschappij moet uitbetalen. Maar er is altijd een volgende zaak...'
Ik knik, probeer met haar mee te leven.
'Dus dat is het?' vraagt Joey.
'Ja,' zeg ik.
Ze kijkt me aan alsof ik iets weglaat.
'Wat is er?' vraag ik.
Ze kijkt even over haar schouder om zeker te weten dat niemand meeluistert. 'Is het waar dat iemand je heeft gebeld met de vraag of ze de filmrechten konden kopen?'
'Hoe heb je dat gehoord?'
'Oliver, dat is mijn werk.'
Ik schud mijn hoofd en reageer er deze ene keer maar niet op. 'Ze

hebben gebeld en ze zeiden dat ik heel wat subplots tot mijn beschikking had... maar ik heb nog niet teruggebeld. Ik weet het niet. Niet aan alles hangt een prijskaartje.'

'Tja, ik ken ook heel wat subplots. Het enige dat ik wil zeggen is dat ze voor mijn rol niet zo'n softe schoonheidskoningin moeten uitzoeken die rondrent met een gsm tegen haar oor. Tenzij ze natuurlijk haar mannetje staat, een normaal lijf heeft en de laatste woorden die iemand tot haar richt "Bedankt, jofele Joe" zijn.'

Ik kan er niets aan doen dat ik hardop lach. 'Ik zal doen wat ik kan.'

Joey loopt naar de deur en trekt die met een ruk open. Vlak voordat ze vertrekt, draait ze zich om en zegt nog: 'Oliver, het spijt me echt dat ze je moesten ontslaan.'

'Geloof me als ik je zeg dat dat het beste is.'

Ze neemt me aandachtig op om te zien of ik lieg. Tegenover haar en tegenover mezelf.

Onzeker draait ze zich weer om naar de deur. 'Ben je klaar om te vertrekken?'

Ik kijk naar de twee kartonnen dozen op de vergadertafel. In de linker zitten handboeken, zilveren pennen en een leren vloeiblad. In de rechter zitten Play-Doh en Kermit de Kikker. De dozen zijn niet groot. Ik kan ze allebei dragen. Toch pak ik er maar één.

Kom mee, Kermit. We gaan naar huis.

Ik druk de doos van Charlie tegen mijn borst en laat de andere staan.

Joey wijst erop. 'Moet ik je helpen sjou...'

Ik schud mijn hoofd. Die spullen heb ik niet meer nodig.

Joey knikt licht, zet een stap opzij en houdt de deur wijd open.

Ik stap de drempel over en begin aan mijn laatste wandeling door de bank. Iedereen staart naar me. Het kan me niets schelen.

'Geef ze van katoen, jongen,' fluistert Joey als ik langs haar loop.

'Bedankt, jofele Joe,' reageer ik met een grijns.

Zonder verder nog iets te zeggen stap ik de menigte in. Ik kijk recht voor me uit en kan de Play-Doh al ruiken.

89

'En? Wat hebben ze gezegd? Zijn we ontslagen?' Charlie onderwerpt me aan een spervuur van vragen zodra ik een teen in zijn slaapkamer heb gezet.

'Raad maar eens,' zeg ik.
Hij zit rechtop in bed, verschuift het verband om zijn schouder iets en knikt. Hij wist dat het eraan zat te komen. Ze zouden wel gek zijn als ze ons niet hadden ontslagen. 'Hebben ze nog iets over mij gezegd?' vraagt hij.
Aan het voeteneinde van zijn bed keer ik de doos vol speeltjes om op het dekbed dat nog uit zijn jeugd dateert. 'Ze wilden je in de maatschap opnemen, maar alleen als ze jouw Silly Putty mochten houden. Natuurlijk heb ik gezegd dat daarover niet te onderhandelen viel, maar ik denk dat we wel wat Matchbox-autootjes kunnen aanbieden. De goeie, natuurlijk. Niet de goedkope imitatie.'
Als ik dat zeg, begrijpt hij er duidelijk niets van. Het resultaat had hij verwacht. Maar niet mijn reactie. 'Ollie, dit is geen grapje. Wat moeten we nu doen? Ma kan niet twee appartementen betalen.'
'Dat ben ik roerend met je eens.' Ik loop de slaapkamer uit en kom twee seconden later terug, slepend met een enorme, legergroene rugzak. Kreunend hijs ik hem het bed op, vlak naast Charlie. 'Daarom gaan we inkrimpen tot één appartement.' Als Charlie de rits opentrekt, ziet hij de keurig opgevouwen kleren in de zak.
'Dus je zet dit door? Je komt echt weer bij ons wonen?'
'Dat hoop ik. Ik heb net drieëntwintig dollar uitgegeven aan mijn laatste taxiritje. Die dingen kosten je een fortuin.'
Charlie vernauwt zijn ogen tot spleetjes en lijkt me te ontleden. 'Oké. Waar zit het addertje onder het gras?'
'Ik weet niet waarover je het hebt.'
'Nee, nee, nee. Ga dat spelletje niet met me spelen. Ik was erbij toen je dat appartement vond en erheen verhuisde. Ik kan me nog herinneren hoe trots je die dag was. Toen je studeerde, woonden al je vrienden in studentenhuizen en moest jij thuis blijven en op en neer reizen. Maar toen je je studie had afgerond... toen je dat huurcontract had ondertekend en je eerste stap zette op de weg naar succes... Ollie, ik weet wat dat voor jou betekende. Dus moet je me niet gaan zeggen dat je het niet verschrikkelijk vindt om hier weer in te trekken.'
'Maar ik vind dat niet verschrikkelijk.'
'O.' Hij neemt me nog altijd onderzoekend op. Dit kan een tijdelijke oplossing zijn, maar het is wel een goede.
'Denk je dat er nog steeds twee mensen in deze kamer kunnen slapen?' vraag ik, wijzend op de piramide van luidsprekers op de plaats waar mijn oude bed eens stond.

'Twee is prima. Ik ben alleen blij dat het er geen drie zijn,' zegt hij achterdochtig.
'Wat wordt dat geacht te betekenen?'
'Je vriendin Beth heeft gebeld. Ze zei dat jouw telefoon was afgesloten.'
'En...'
'En ze wil met je praten. Ze zei dat jullie het hadden uitgemaakt.'
Deze keer ben ik degene die niet reageert.
'Wie heeft het uitgemaakt met wie?' vraagt Charlie.
'Doet dat er iets toe?'
'Ja,' zegt hij, het dunne korstje aanrakend dat nog niet van zijn hals is verdwenen.
'Sinds wanneer ben jij zo somber?'
'Ollie, geef me nu gewoon antwoord op mijn vraag.' Hij wil het niet zeggen, maar het is duidelijk wat hij wil horen. Het leven is altijd een test.
'Zul je je beter voelen als ik je vertel dat ik degene ben geweest die het heeft uitgemaakt?'
'O, Heer, ik ben genezen...' brult Charlie, en hij haalt een schouder omhoog. 'Mijn arm doet het weer! Mijn hart pompt!'
Ik rol met mijn ogen.
'Kan ik een halleluja krijgen?'
'Ja, ja. Zij zal jou ook missen,' zeg ik. 'Kun je me helpen met het sjouwen van de rest van mijn spullen?'
Hij kijkt omlaag en grijpt naar zijn schouder. 'O, mijn arm. Hoest, hoest en nog eens hoest. Ik kan geen adem meer halen.'
'Schiet op, toneelspeler. Kom je nest uit. De artsen zeiden dat het prima met je was.' Ik trek de dekens weg en zie dat Charlie volledig is aangekleed, in een spijkerbroek en met sokken aan zijn voeten. 'Je bent echt een triest figuur. Weet je dat?' zeg ik.
'Nee, ik zou een triest figuur zijn als ik gympen aanhad.' Hij wipt het bed uit, loopt achter me aan de huiskamer in en ziet mijn andere rugzak, twee immense dozen en een paar melkkratten vol cd's, videobanden en oude foto's. Dat is alles wat ik nog heb. Het enige meubelstuk is dat wat ik gisteravond al heb verhuisd: mijn oude ladekast die ik had meegenomen toen ik het huis uit was gegaan. Die hoort hier thuis.
'Waar is je Calvin Klein-bed?' vraagt Charlie.
'Ma zei dat mijn oude bed nog in de kelder stond. Ik weet zeker dat dat prima zal zijn.'
'Prima?' Hij schudt zijn hoofd, niet in staat het te accepteren. 'Ollie, dit is stom. Het kan me niet schelen hoe goed je als acteur bent.

Ik kan het verdriet in je stem horen. Als je dat wilt, kunnen we een paar luidsprekers van me belenen. Dan heb je op zijn minst nog een maand de tijd om...'

'We redden het wel,' zeg ik, hem onderbrekend. Ik pak de andere rugzak. 'We redden het heus wel.'

'Maar als jij geen baan hebt...'

'Geloof me, er zijn massa's goede ideeën te vinden. Ik heb er maar ééntje nodig.'

'Ga je weer T-shirts verkopen? Op die manier kun je geen geld verdienen.'

Ik laat de rugzak op de grond glijden, leg een hand op zijn goede schouder en kijk hem recht aan. 'Eén goed idee, Charlie, en dat zal ik ook vinden.'

Charlie kijkt omlaag en ziet hoe ik op de ballen van mijn voeten op en neer wip. 'Oké. We hebben de studerende Ollie gehad, en de bankierende Ollie, en de gemakkelijk te vergeten Ollie-die-dolgraag-grote-indruk-wil-maken. Over welke Ollie hebben we het nu? Ollie de ondernemer? Ollie de doorzetter? Ollie-die-over-een-maand-bij-Foot-Locker-zal-werken?'

'Wat zou je denken van de echte Ollie?'

Dat staat hem aan.

Ik loop weer de eetkamer in en kan de energie al in mijn maag voelen opborrelen. 'Charlie, nu ik er de tijd voor heb, is er niets om...'

Ik maak mijn zin niet af en mijn ogen vliegen naar de opengescheurde envelop op de rand van de tafel. Coney Island Hospital is de afzender. Ik ken de cyclus van die rekeningen. 'Hebben ze ons nu al een nieuwe rekening gestuurd?' vraag ik.

'Zoiets,' zegt Charlie, die probeert er luchtig over te doen.

Meteen weet ik zeker dat er iets aan de hand is. Ik loop regelrecht op de envelop af. Ik vouw de rekening open. Er is nog niets veranderd. Het totaal is nog altijd ruim eenentachtigduizend dollar. Aan het eind van elke maand moet er nog altijd vierhonderdtwintig dollar worden betaald en de status van de afbetaling is nog steeds 'Op tijd'. Boven aan de rekening staat echter niet langer 'Maggie Caruso' maar 'Charlie Caruso'.

'Wat ben je... Wat heb je gedaan?' vraag ik.

'Het zijn haar rekeningen niet,' zegt hij. 'Deze last zou niet op haar schouders moeten drukken.'

Hij staat daar met zijn handen in zijn broekzakken, en zijn stem heeft een kalmte die ik in jaren niet meer heb gehoord. Maar als dat gezegd is, moet ik constateren dat het overnemen van de ziekenhuisrekening met gemak een van de meest overhaaste, onnodi-

ge en ongewenste dingen is die mijn broer ooit heeft gedaan. Daarom zeg ik hem de waarheid. 'Goed van je, Charlie.'
'Goed van me? Is dat alles? Ga je me niet doorzagen over de details? Waarom ik het heb gedaan? Hoe dit zal aflopen? Hoe ik me zoiets nu in vredesnaam kan veroorloven?'
Ik schud mijn hoofd. 'Ma heeft me al over de baan verteld.'
'O ja? Wat heeft ze tegen je gezegd?'
'Wat valt er te zeggen? Het is een baan als illustrator bij Behnke Publishing. Tien uur per dag tekeningen maken voor een reeks technische computerhandboeken – even saai als schoensmeer zien opdrogen – maar het betaalt zestien dollar per uur. Zoals ik al zei: goed van...'
Voordat ik mijn zin kan afmaken wordt de voordeur achter ons met een klap gesloten. 'Ik zie knappe mannen!' roept mijn moeder als wij ons omdraaien. Ze heeft twee bruine zakken levensmiddelen in een dubbele houdgreep in haar armen. Charlie rent naar haar toe om de ene zak te pakken en ik om de andere van haar over te nemen. Zodra ze haar handen vrij heeft, wordt haar glimlach breder en slaat ze haar dikke armen om onze halzen.
'Ma, kijk uit voor mijn hechtingen...' zegt Charlie.
Ze laat hem los en kijkt hem aan. 'Zeg je nee tegen een knuffel van je moeder?'
Hij weet dat hij beter geen protest meer kan aantekenen en laat zich een natte zoen op zijn wang geven.
'Charlie heeft me verteld dat hij die knuffels van u haat,' zeg ik. 'Hij zei dat hij hoopte dat u hem er niet nog een zou geven.'
'Hou je mond. Nu ben jij aan de beurt,' zegt ze waarschuwend. Ze geeft mij ook een zoen en vecht zich haar winterjas uit. Ze ziet de kratten en de dozen overal op de grond staan en kan zich nauwelijks beheersen. 'O, mijn jongens zijn weer terug,' zegt ze stralend terwijl ze achter ons aan naar de keuken loopt.
Charlie begint spullen in de kasten op te bergen. Bij het aanrecht kijk ik even strak naar de Charlie Brown-koekjespot. Ik ben al op de binnenkant van mijn lip aan het bijten. Bijna vijf jaar lang is dat mijn meest regelmatige gewoonte geweest. Ik wil hem dolgraag openmaken, maar deze ene keer doe ik dat niet.
Charlie houdt me nauwlettend in de gaten. *Het is oké*, deelt hij me met een blik mee. *Iedereen heeft een vrije dag nodig. Jij ook.*
'En raad eens voor wie ik een cadeautje heb meegenomen?' vraagt ma, die zo mijn aandacht trekt. Uit een van de zakken vist ze een blauwe plastic zak. 'Ik zag het in de handwerkwinkel en ik kon er geen nee tegen zeggen.'

'Ma, ik had al tegen u gezegd dat u niets voor mij moest kopen,' zeg ik kreunend.
Het kan haar niets schelen. Ze is te opgewonden. Ze haalt een borduurlap te voorschijn en houdt die omhoog. KOM TOT BLOEI WAAR JE BENT GEZAAID staat er met dikke, rode letters op gestencild.
'Wat vind je ervan?' vraagt mijn moeder. 'Gewoon een cadeautje om je weer thuis te verwelkomen. Ik kan het inlijsten, of er een kussen van maken. Wat je maar wilt.'
Net zoals op de meeste borduurwerkjes van mijn moeder is de tekst een beetje al te sentimenteel.
'Ik vind het prachtig,' zeg ik.
'Ik ook,' zegt Charlie. Hij pakt zijn aantekenboekje en krabbelt de woorden zo snel mogelijk neer. *Kom tot bloei waar je bent gezaaid.* Terwijl hij schrijft, ziet hij er met de pen weer in zijn hand goed uit.
'Tussen twee haakjes: ik heb de moeder van Randy Boxer in de handwerkzaak gezien,' zegt mijn moeder, en ze draait zich naar Charlie toe. 'Ze was zo blij dat je had gebeld. Daardoor was haar dag helemaal goed.'
'De moeder van Randy Boxer?' vraag ik. 'Waarom heb je haar gebeld?'
'Ik probeerde achter het nummer van Randy te komen,' zegt hij, alsof dat elke dag gebeurt.
'Werkelijk?' zeg ik, omdat me de snelheid opvalt waarmee hij reageert. Mij kan hij niet in de maling nemen. Hij heeft Randy minstens vier jaar niet gezien. 'Vanwaar opeens zo'n reünie van de middelbare school?'
Hij draait zich weer om naar de boodschappen en weigert die vraag te beantwoorden. 'Nu nog niet,' zegt hij. 'Niet voordat alles is geregeld.'
'Charlie...'
Hij denkt er nog eens over na. Wat het ook is, het heeft hem zenuwachtig gemaakt. Maar nadat hij een leven lang tegen mij heeft gezegd dat ik paardenbloemen moet gaan eten, weet hij dat het tijd is dat hij er eindelijk zelf een eerste hap van neemt. 'We waren... we waren erover aan het nadenken om een kleine band op te richten...'
Ik kan me nauwelijks inhouden. 'Een band?' herhaal ik met een brede glimlach op mijn gezicht.
'Niets groots. Je begrijpt het wel. Veel lawaai, maar wel leuk. We kunnen na het werk bij elkaar komen en beginnen in Ritchie Rubins club in New Brunswick. En misschien kunnen we ons daarvandaan opwerken naar de stad.'

'Dat klinkt geweldig,' zeg ik, proberend cool te blijven. 'Natuurlijk zullen jullie nu dan wel een naam moeten bedenken.'
'Waarmee denk je dat we de eerste drie uren van onze repetitie hebben doorgebracht?'
'Dus jullie hebben al een naam?'
'Zien we eruit als beginnelingen? "Vroeg in de volgende zomer komen ze naar het Shea Stadium. Dames en heren, geef... *De Miljonairs...* een geweldig New Yorks applaus."'
Ik schiet in de lach, net als onze moeder.
'Gaan jullie die naam echt gebruiken?' vraag ik.
'Tja, als ik ga proberen met één sprong over grote gebouwen heen te komen, kan ik net zo goed een cape omdoen die cool is. Laag beginnen en hoog mikken.'
'Dat is een heel positieve manier van denken.'
'Tja, zo'n type ben ik nu eenmaal. Daar kun je iedereen naar vragen. Trouwens, wie wil er nu een band zien die *Pluto's Afgehakte Hoofd* heet? Als we dat doen, raken we de hele kindermarkt kwijt.'
Onze moeder draait bij het aanrecht de kraan open en wast het dagelijkse vuil van haar handen. Ze heeft pleisters op vier van haar vingertoppen. Achter haar zie ik Charlie naar de koekjespot kijken. De verf is van Charlie Browns neus af geschraapt. Hij steekt een hand uit en tikt tegen de keramische, ronde oren. 'Hij is lang niet zo groot meer als vroeger,' fluistert Charlie me toe. 'Het kan me niks schelen hoeveel tekeningen ik moet maken. Binnen een jaar is dat kreng leeg.'
'Dus je bent er klaar voor?' vraagt ma, en ze kijkt strak naar Charlie.
'Wat zegt u?' vraagt hij. In eerste instantie vat hij het op als een voor onze moeder typerende vraag. Maar als hij haar gezichtsuitdrukking interpreteert – en ik de vraag in gedachten nog eens laat weerklinken – beseffen we allebei dat het geen vraag is. *Dus je bent er klaar voor* is de constatering van een feit. 'Ja,' zegt Charlie. 'Dat denk ik wel.'
'Kan ik komen kijken als jullie repeteren?' vraagt ze.
'Vergeet dat komen kijken maar. We hebben op het toneel een ster nodig zoals u. Wat denkt u ervan? Bent u er klaar voor om met een paar tamboerijnen aan de slag te gaan? Morgenavond hebben we onze eerste try-outs.'
'Morgenavond kan ik niet,' zegt ze. 'Dan heb ik een afspraak.'
'Een afspraak? Met wie?'
'Wie denk je?' zeg ik. Ik ga tussen hen in staan en sla een arm om mijn moeder heen. 'Denk je dat jij de enige bent die de cha-cha-

cha kan dansen? Iedere man kan dat. Kom op, lieve ma. En een... en twee... en nu eerst de rechtervoet...'

Ik zwaai mijn moeder in het rond en ze klapt tegen het metalen fornuis op. Ik lach luid en wip heen en weer op mijn eigen imaginaire beat.

'Heeft iemand je echt geleerd om je zo onhandig te bewegen?' vraagt Charlie plagend. 'Je danst als een vijftigjarige man die tijdens een huwelijksfeest met de hele meute een beroerde conga ten uitvoer brengt.'

Hij heeft volkomen gelijk, maar dat kan me niets schelen.

Na me jaren een rotje te hebben gewerkt op de meest prestigieuze privébank in de Verenigde Staten heb ik op dit moment geen baan, geen inkomen, geen spaargeld, geen vriendin, geen waarneembare professionele toekomst en geen enkel net dat me kan opvangen als ik van de trapeze donder. Maar terwijl ik met onze moeder door de keuken zwier en haar grijze haar door de lucht zie draaien, weet ik eindelijk waar ik heen ga en wie ik wil zijn. En als mijn broer de volgende dans opeist, weet hij dat ook.

'En een... en twee... en nu eerst de rechtervoet...'

EPILOOG

Henry Lapidus draaide de Victoriaanse bronzen, ovale deurknop om, liep zijn kantoor in, deed de deur achter zich dicht en liep regelrecht door naar zijn bureau. Hij pakte de telefoon, keek even naar de Rode Lijst in zijn bak voor de ingekomen post, maar nam de moeite niet die te pakken. Die les had hij jaren geleden al geleerd. Als een goochelaar die zijn trucs beschermt zet je niet elk nummer op de lijst, zeker niet de nummers die je uit je hoofd kent. Terwijl hij het nummer draaide en wachtte tot er iemand opnam, staarde hij naar de aanbevelingsbrief die hij voor Oliver had geschreven en die hij nog altijd in zijn linkerhand hield.

'Hallo. Ik zou de heer Ryan Isaac graag willen spreken. Ik ben een van zijn cliënten uit de privégroep.' Lapidus kon er niets aan doen dat hij zich geamuseerd voelde. Natuurlijk had het terugkrijgen van het geld voor hem aldoor prioriteit genoten. Hij was zelfs degene geweest die persoonlijk de bank op Antigua had gebeld om de teruggave van elke dollarcent zeker te stellen. Zonder enige twijfel was dat juist geweest.

Dat had echter niet betekend dat hij die bank op de hoogte had moeten stellen van de diefstal, of van de worm van Duckworth, of van het feit dat geen cent van dat geld echt was.

'U spreekt met mij,' zei Lapidus zodra Isaac zich meldde. 'Ik wil alleen even zeker weten dat alles daar probleemloos is gearriveerd.'

'Zeker,' antwoordde Isaac. 'Dat is vanmorgen gebeurd.'

Drie weken geleden had de bank op Antigua verrast gereageerd op de storting van driehonderddertien miljoen dollar. Vier dagen lang had dat bedrag op een van de grootste particuliere rekeningen ter wereld gestaan. Vier dagen lang had er op die bank meer geld gestaan dan men daar ooit had gezien. En Lapidus was van mening dat Oliver gedurende die vier dagen in elk geval één ding goed had gedaan. Het was een van de eerste lessen die Lapidus gaf: *Open nooit een bankrekening als je er geen rente op krijgt.*

Lapidus knikte in zichzelf, genietend van het moment.

Vier dagen rente. Van driehonderddertien miljoen.

'Honderdzevenendertigduizend dollar,' zei Isaac aan de andere kant van de lijn. 'Moet ik het overmaken naar je gewone rekening?'

'Dat zou perfect zijn,' zei Lapidus, die zijn stoel draaide en door het raam naar het silhouet van New York keek.
Lapidus legde de hoorn op de haak en wist dat de overheid het veel te druk zou hebben met het traceren van de worm en het uitvogelen hoe die werkte om zich met andere zaken bezig te houden zodra het aanvankelijke bedrag was teruggestort. En nu ze daar tot hun knieën in zaten... Tja, door een goed geplaatste betaling aan de directeur van de bank op Antigua waren alle gegevens over de rente allang verdwenen. Alsof ze nooit hadden bestaan.
Met zijn blik nog altijd op het silhouet van New York gericht verfrommelde Lapidus de aanbevelingsbrief voor Oliver en smeet die in de achttiende-eeuwse porseleinen vaas die hij als prullenbak gebruikte. Honderdzevenendertigduizend dollar, dacht hij, achteroverleunend in zijn leren stoel. Niet slecht.
Terwijl hij de schaduwen van de namiddag in zich opnam, werd een zonnestraal weerkaatst door de Kamakoera samoeraihelm die aan de muur achter hem hing. Dat viel Lapidus niet op. Als dat wel was gebeurd, zou hij net onder het voorhoofd van de helm een lichtje hebben zien twinkelen, op de plaats waar een zilveren voorwerp er net iets uit stak. Voor het ongetrainde oog leek het een spijker die het masker op zijn plaats hield... of de schrijfstift van een zilveren pennetje. Maar niets meer dan dat.
De kleine videocamera was perfect verborgen, behalve wanneer er toevallig zonlicht op viel. En waar Joey ook was, zij glimlachte.

WOORD VAN DANK

Graag wil ik de volgende mensen bedanken, wier voortdurende steun de enige reden is waarom dit boek bestaat. In de eerste plaats Cori. In deze wereld bestaan heel veel woorden, maar geen ervan is goed genoeg om uit te drukken wat zij voor mij betekent. Ik houd niet alleen van Cori, ze doet me ook stomverbaasd staan. Door wie ze is, door wat ze doet en door wie zij mij helpt te zijn. Ze vormt mijn band met de werkelijkheid en de beste reden voor mij om mijn wereld van illusies te verlaten is haar aan het eind van elke dag te zien. Cori, ik dank je voor het redigeren, voor het brainstormen, voor het feit dat je het met mij hebt uitgehouden en – in de allerbelangrijkste plaats – voor het geloven in al onze dromen. In de tweede plaats Jill Kneerim, vriendin, literair agente en de droom van elke schrijver, die dit boek vanaf het allereerste begin heeft omhelsd en gekoesterd. Ze heeft mij als schrijver altijd begrepen en de zenmanier waarop ze mijn manuscripten benadert is meer dan uitsluitend een genot – het is pure magie. En verder Elaine Rogers, die altijd zo goed voor ons heeft gezorgd, Ike Williams, Hope Denekamp, Andrea Dudley en al die andere ongelooflijke mensen die zich bij Hill & Barlow Agency voor ons inspannen.

Ik wil ook mijn ouders bedanken voor het feit dat ze mij in Brooklyn het leven hebben geschonken en voor alle liefde die ze me daarna hebben gegeven. Zij zijn degenen die me voor het eerst hebben geleerd hoe belangrijk het is altijd mezelf te zijn, en zij zijn er de reden van dat ik hier vandaag ben. En mijn zuster Bari, de Charlie van mijn Oliver en de Oliver van mijn Charlie. De liefde die die twee figuren voor elkaar voelen is alleen mogelijk vanwege de schitterend krankzinnige jeugd die ik met mijn zuster heb gedeeld. Ik dank ook Bobby, Dale en Adam Flam en Ami en Matt Kuttler, die me helpen met alles waarbij ik hulp nodig heb en me het gevoel geven tot de familie te behoren. Ik salueer (net als Hawkeye in de laatste *M*A*S*H*) voor Judd Winick – *partner in crime*, medebedenker van dit plan en de vriend die me het eurekamoment leverde dat tot dit gehele boek leidde. Bedankt, Max. Ik bedank ook Noah Kuttler, een van de eerste mensen tot wie ik me wend, voor zijn verbazingwekkende geduld, briljante intuïtie en oneindig vermogen om mij als schrijver uit te dagen. Ik ben nederig gestemd door wat hij de romans meegeeft en – belangrijker nog – door onze vriendschap. Ik richt ook een woord van dank tot Ethan en Sally Kline, die hebben bewezen dat zelfs een oceaan tussen ons in hen er niet van weerhoudt me te helpen met alles – van redigeren tot een draai geven aan het plot. Ik dank ook Paul Brennan, Matt Oshinsky, Paulo Pacheco, Joel Rose en Chris Weiss, die dit boek eerlijk hebben gehouden. Hun inbreng is van het allergrootste belang voor alles wat ik schrijf, en ik hoop dat ze weten hoe belangrijk zij voor mij zijn. Echte broers. Ik moet ook Chuck en Lenore Cohen bedanken, onze familie in Washington D.C., die een nieuwe betekenis hebben gegeven aan de term 'je huis openstellen' toen ze het hunne overgaven aan het creatieve proces. Zonder hen had ik dit boek niet kunnen voltooien.

Toen ik aan deze roman begon, was het de eerste keer dat ik een wereld in moest stappen waarvan ik helemaal niets wist. Om die reden ben ik ontzettend veel dank verschuldigd aan de volgende mensen, die me wegwijs hebben gemaakt. Zonder enige twijfel was Jo Ayn 'Joey' Glanzer de meest briljante docente die je je maar kunt wensen. Ze heeft me meegenomen door de details, me door steegjes gesleept, en een van mijn favoriete figuren tot leven gewekt. Belangrijker is nog dat ze een echte vriendin is. Len Zawistowski en Rob Ward zijn verbazingwekkende onderzoekers en ongelooflijk aardige kerels tot wie ik me zonder te aarzelen heb gewend. Dank voor al het plotten en plannen. Eljay Brown, John Tomlinson, Greg Regan, Marc Connolly en Jim Mackin waren mijn gidsen voor de ongelooflijke organisatie die bekendstaat als de secret service, en ik kan ze niet genoeg bedanken voor hun vertrouwen. Zij zijn de feitelijke goede jongens en ik respecteer hen (en de service) meer dan zij weten. Bill Spellings, de man die me wegwijs heeft gemaakt ten aanzien van uiterst geavanceerde foefjes, zou James Bond nog het schaamrood op de kaken brengen. Robin Manix en Bob West hebben er de tijd voor genomen zeker te stellen dat ik de beschikking had over elk detail van de bankwereld dat ik nodig had. Ashima Dayal, Tom DePont, Mike Higgins, Alex Khutorsky, David Leit, Mary Riley, Denis Russ, Jim Sloan, Don Stebbins en Ken van Wyk hebben vraag na vraag beantwoord, hoe dwaas of idioot die ook was. Bill Warren en Deborah Warner van Disney hebben me fantastisch geholpen door me mee te nemen achter de schermen van het *Magic Kingdom*. Dat oord is domweg verbazingwekkend, en hun steun wordt bijzonder gewaardeerd. Chuck Vance en Larry Sheafe (die gewoon de besten zijn), Bill Carroll, Andy Podolak en alle ongelooflijke lui van Vance International hebben me geleerd hoe je mensen kunt opsporen. Richard Bert, Sheri James en de andere ontzettend vriendelijke mensen van FinCEN hebben me heel veel geleerd over financiële delicten en wetshandhaving. Glen Dershowitz, Joe Epstein, Rob Friedsam, Steven Heineman, Roman Krawciw, Amanda Parness, J.P. Solit, Greg Stuppler en Jon Weiner hebben me meegenomen door de financiële wereld. John Byrne, Tom Lasich, Laura Mouck, Charles Nelson en Bob Powis hebben hun inzicht in het complexe witwassen van geld met me gedeeld. Chris Campos, Louis Digeronimo, Nancie Freitas, Mary Alice Hurst, Terry Lenzner, Ted O'Donnell, Rob Russell, Robert Smith en Joseph T. Wells hebben hun onderzoekstechnieken met me gedeeld. Steve Bernd, David Boyd, Greg Hammond, Peter Migala en Sean Rogers vormden de rest van mijn uiterst geavanceerde surveillanceteam. Cindy Bonnette, Jeannine Butcavage, Vincent Conlon, Mike Martinson en Bill Spiro hebben me hun grote kennis van de bankindustrie ter beschikking gesteld. Noel Hillman en Dan Gitner hebben me juridische adviezen gegeven. Cary Lubetsky, Eric Meier en Roger White hebben me opnieuw kennis laten maken met mijn geboortestad. Sue Cocking, Greg Cohen, Jon Constine, Tom Deardorff, Edna Farley, Michele en Tom Heidenberger, Karen Kutger, Ray McAllister, Ken Robson, Sharon Silva-Lamberson, Joao Morgado, Debra Roberts, Sheryl Sandberg, Tom Shaw en mijn vader hebben de overige details met mij doorgelopen. Rob Weisbach was de eerste die 'ja' zei. Al mijn mannelijke vrienden (jullie weten wie dat zijn – ik heb het over jullie, voor het geval je net bent gaan grinniken) die de broers zijn die in dit boek leven. En, zoals altijd, mijn familie en vrienden wier namen deze bladzijden bevolken.

Tot slot wil ik mijn familie bij Warner Books bedanken: Larry Kirshbaum, Maureen Egen, Tina Andreadis, Emi Battaglia, Karen Torres, Martha Otis en Chris Barba – de hardst werkende verkopers in de showbusiness – en de rest van die verbazingwekkend aardige mensen die me altijd het gevoel geven daar thuis te zijn. Ik dank – met een immense knuffel – ook Jamie Raab voor haar precies goede redigeren, haar geweldige enthousiasme en het feit dat ze altijd in ons hoekje stond te juichen. Jamie, ik kan je niet genoeg bedanken voor het feit dat je ons de familie in hebt gehaald. Tot slot wil ik mijn redacteur Rob McMahon ontzettend hartelijk bedanken voor al het zware werk dat hij heeft verricht. Eenvoudig gesteld is Rob een prins onder de mensen. Zijn inbreng is even eerlijk als zijn manier van doen, en zijn suggesties zetten me er altijd toe aan naar iets nog beters te streven. Dank je, Rob, voor je vriendschap en – het allerbelangrijkste – je geloof in mij.